D0335932

LE CONFLIT DES DRUIDES • 1

MARTIAL GRISÉ

Éditions McGray

Catalogage avant publication de Bibliothèque et Archives nationales du Québec
et Bibliothèque et Archives Canada

Grisé, Martial, 1967-

Seyrawyn

L'ouvrage complet comprendra 3 v.
Sommaire: t. 1. Le conflit des druides.
Pour les jeunes de 12 ans et plus.

ISBN 978-2-924204-00-9

I. Pepin, Maryse, 1968- . II. Titre. III. Titre: Le conflit des druides.

PS8613.R645S49 2012 jC843'.6 C2012-941959-1
PS9613.R645S49 20

Éditeur : **Les Éditions McGray**
Membre de l'Alliance québécoise des éditeurs indépendants (AQÉI)
www EditionsMcGray.com
www Seyrawyn.com
Courriel :info@seyrawyn.com

facebook
/ Les gardiens des œufs de dragon / Dragon Eggs Keeper
/ Seyrawyn – page officielle

Auteur et éditeur : **Martial Grisé**
Collaboratrice et directrice de projets : Maryse Pepin

Révision linguistique et correction d'épreuves :
Marie Brassard, Maryse Pepin, Odette Pelletier

Graphisme, typographie et mise-en-page, Conception et réalisation de la couverture,
Illustrations des dragons et des cartes : Maryse Pepin

SEYRAWYN – Le conflit des druides
Premier tome d'une trilogie

Première impression : 2012
ISBN 978-2-924204-00-9

AUTRES TITRES :
Collection Seyrawyn : Les Dragons Légendaires

PRODUITS DÉVRIVÉS :
Œufs de Dragon dans leur boursette de cuir (www.Seyrawyn.com)
Items de cuir : ceintture, brassards, couronne, couvre-livres (www.Au-Dragon-Noir.com)
Marteau de Lönnar en mousse pour grandeur nature (www.Calimacil.ca)

Dépôt légal : Bibliothèque et Archives nationales du Québec
et Bibliothèque et Archives Canada

Remerciements spéciaux à Marie Brassard, AQÉI
Disponible en librairie et via Internet : www.seyrawyn.com

Imprimé au Canada

Certains argumentaient qu'il ne s'agissait que d'une pierre, d'autres ne voulaient guère de la responsabilité que l'œuf représentait.

Il m'aura fallu quatre années pour peaufiner le concept du dragonnier avec son œuf de Dragon. Illustrations des dragons, caractéristiques qui les distinguent, serment du dragonnier, pochette de cuir pour en prendre soin, matériel éducatif, etc.

Mais aujourd'hui, dans le monde entier, il y a plusieurs milliers de mes dragonniers qui ont un, deux et même dix œufs de dragon en leur possession. Mon plus jeune dragonnier a 4 ans et le plus vieux 82 ans ! Vous voyez, il n'y a pas d'âge pour s'émerveiller devant son dragon, la magie opère toujours...

Il faut simplement y croire et vouloir dépasser ses limites !

Le concept a fait tellement d'heureux que la suite logique a été d'écrire les aventures des dragonniers et de leurs précieux alliés.

Il s'agit du paradoxe de l'œuf avant le livre ! Ceux qui ont un œuf attendaient avec impatience les récits épiques et ceux qui auront lu, voudront se procurer, eux-aussi, un œuf… de Dragon, bien sûr !

Seyrawyn est ainsi le fruit de plusieurs années consacrées à la réalisation d'un rêve et, aujourd'hui, je vous le partage avec tant de joie !

Ma douce, parents, amis, collaborateurs, partenaires et dragonniers qui ont cru à la magie que je détiens, merci de votre support et de vos encouragements qui m'ont poussé à me dépasser en écrivant le premier roman de cette trilogie.

Ce livre n'est ni le début, ni la fin de cette merveilleuse aventure !

Martial / Grim

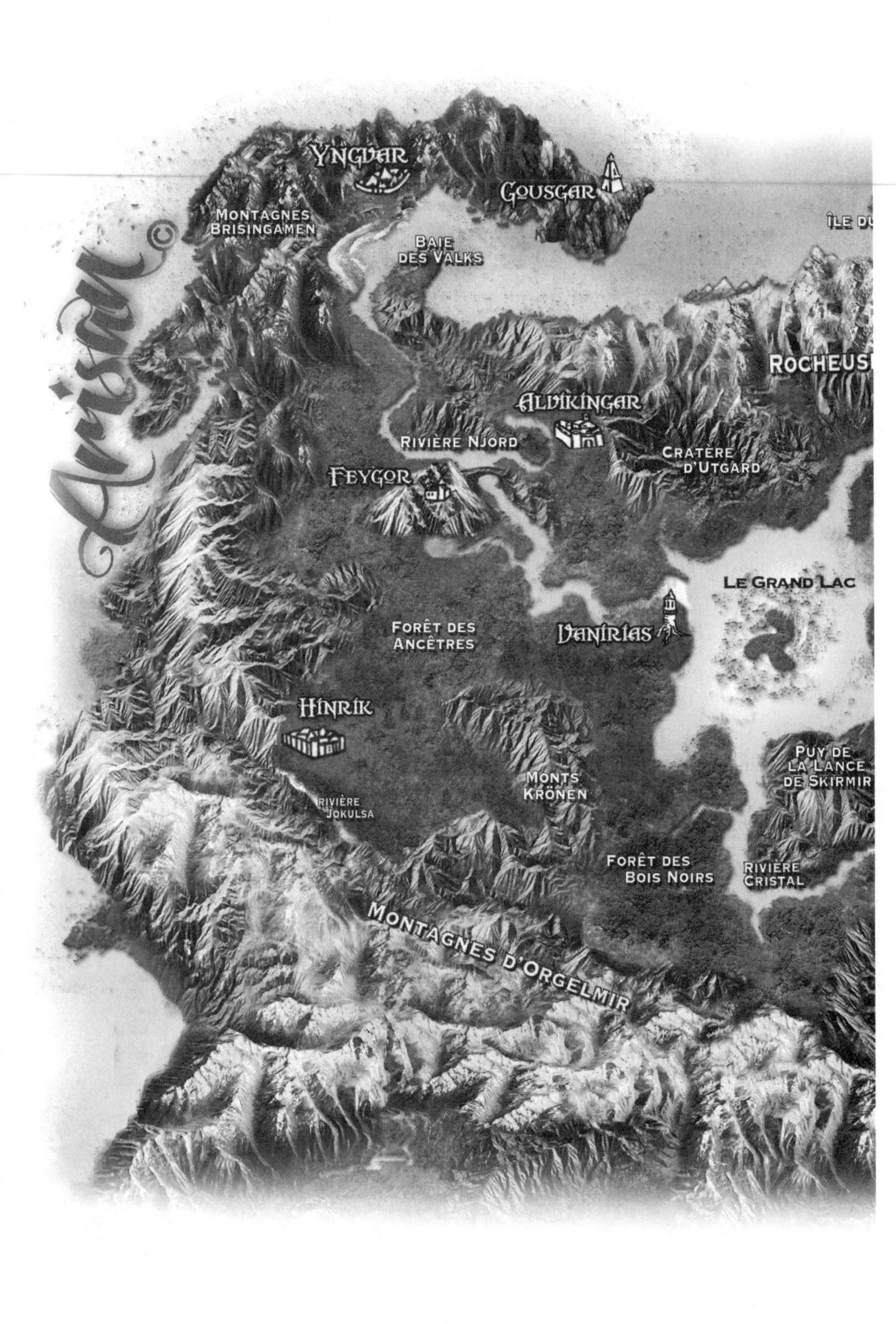
YNGVAR
GOUSGAR
MONTAGNES BRISINGAMEN
BAIE DES VALKS
ALVIKINGAR
RIVIÈRE NJORD
CRATÈRE D'UTGARD
FEYGOR
LE GRAND LAC
VANIRIAS
FORÊT DES ANCÊTRES
HINRIK
PUY DE LA LANCE DE SKIRMIR
MONTS KRÖNEN
RIVIÈRE JOKULSA
FORÊT DES BOIS NOIRS
RIVIÈRE CRISTAL
MONTAGNES D'ORGELMIR

Pesek
Les Hamarkis
Île du Scorion Blanc
Vallée des Trolls
Rocheuses d'Ortan
Pic de Muha Ranir
Vraxan
Rivière Quaroul
Pyrfaras
Terres d'Al'Baher
Monts Sithéins
Marais de Karul
Gorge de Vangorod
Grand Lac
Udrag
Krel
Mâchoires de Titan
Puy de la Lance de Skirmir
Bishnak
Chutes de Cristal
Rivière Cristal
Drikdarok

L'ère des dragonniers
est commencée.

Au premier coup de cor, l'estomac noué, Arminas sortit de sa courte méditation. Il avança d'un pas sans s'être vraiment calmé. Ni la légèreté de l'air du petit matin, ni la présence de ses amis druides ne suffisaient à ralentir le flot de pensées tumultueuses qui l'assaillaient.

Il promena son regard autour de lui. Il se trouvait à l'extrémité d'un cercle tracé dans l'herbe basse d'une clairière. Aux huit points cardinaux, directement sur la ligne, huit monolithes de granit savamment sculptés de runes démarquaient les limites du terrain. Trois cent foulées[1] de diamètres, ni plus, ni moins. Tout autour de l'amphithéâtre naturel, il chercha ses alliés dans les gradins de pierre. De nombreux membres du Conseil druidique s'entassaient en clans, tous arbitres pour l'occasion. Ce combat, il ne l'avait pas voulu mais il devait tout de même y faire face, il avait promis…

La veille, devant le Conseil des druides et alors qu'il faisait état du développement de son nouveau territoire sur l'île d'Arisan, une voix retentissante invoqua la loi *Provocare ad agrum*. Il s'agissait du droit de défi pour prendre un territoire.

---

[1] Foulée : ordre de grandeur pour mesurer la longueur, soit un pas d'homme, un pied ou trente centimètres.

« Dès ma nomination en tant que nouveau Grand Druide, se remémora-t-il, certains druides avaient protestés contre le fait que je puisse gérer ce territoire très convoité. Je devais absolument maintenir mon engagement afin de protéger *La Source* et du coup conserver mon nouveau titre. Je n'ai pas eu le choix d'accepter ce défi », se dit-il pour se convaincre.

Maintenant qu'il était dans l'arène, Arminas mesurait pleinement le danger que ce combat représentait pour les siens.

Le Cercle de combat devint de plus en plus lumineux. Le Grand Druide de l'Ordre de Lönnar leva les yeux vers l'adversaire qui lui faisait face. Il connaissait de réputation son adversaire mais ne l'avait jamais vu combattre auparavant. Il provenait d'une race hybride que personne ne pouvait identifier avec précision. Sa carrure d'athlète était amplifiée par une cape de fourrure d'ours noir apposée sur un plastron de cuir bouilli. Sur son visage massif, les marques tribales amplifiaient la dureté de son regard rubicond et un rictus méchant flottait sur ses lèvres, laissant entrevoir de petits crocs.

Celui-ci défia la foule en brandissant son type d'arme favorite, un large cimeterre à deux mains. La lame incurvée brilla au soleil.

— Je suis Dihur, Grand Druide de l'Ordre des Quatre Éléments et je serai le vainqueur incontesté de ce combat ! Une fois de plus, le territoire de mon adversaire me reviendra de droit !

Et il continua tout bas pour lui-même « …et *La Source*, cette puissante énergie sera mienne… »

Un murmure désapprobateur parcourut l'assemblée. Ce druide vénérant l'élément du feu avait l'habitude d'intimider ses adversaires et d'exhiber ses pouvoirs druidiques de façon fulgurante, provocatrice même.

Du haut de ses cinq coudées[2] et demie, moitié humain et moitié elfe, Arminas avait opté pour la mobilité d'une armure de cuir souple et il s'était muni d'un long bâton de bois orné de métal. Les druides n'étaient pas réputés pour leur adresse au combat rapproché; leur force résidait normalement dans la stratégie des sorts invoqués ou la combinaison d'effets surnaturels contre tout

---

[2] Coudée : ordre de grandeur pour mesurer la hauteur, soit un avant-bras d'homme, un pied ou trente centimètres.

adversaire. Il ne restait qu'à prouver qui serait le plus imaginatif entre les deux.

Les grands Magistrats se levèrent et le premier prit la parole.

— Chers confrères, les règles des combats druidiques sont claires :

- Un combat sert à régler de façon honorable nos différends entre druides;

- Ce combat se déroule toujours le lendemain du lancement du défi;

- Des armes et des armures de bonne qualité vous ont été fournis et ne comportent aucun enchantement temporaire. D'ailleurs, aucune autre arme, armure ou item magique n'est toléré dans le Cercle;

- Seuls les enchantements druidiques sont acceptés ainsi que les composantes nécessaires pour les sorts;

- Aucune potion, élixir ou pommade ne peuvent-être utilisés avant le combat ou à l'intérieur du Cercle;

- Il s'agit ici de mesurer les habiletés naturelles et surnaturelles des deux combattants, sans aide extérieure.

Dihur pointa hargneusement de son arme son adversaire afin de lui faire bien comprendre qu'il ne lui accorderait aucune grâce.

— Grand Druide Dihur, enchaîna le second Magistrat, vous avez lancé ce défi. Le Grand Druide Arminas doit défendre son titre et son territoire. S'il gagne, c'est qu'il aura la faveur de son dieu et qu'il est assez puissant pour mériter son territoire et y appliquer les lois de son choix. Vous vous inclinerez. Par contre, s'il perd, son statut de Grand Druide sera révoqué et tous les privilèges qui y étaient associés vous seront remis. Est-ce bien compris ?

Dihur rugit bruyamment. Arminas acquiesça d'un signe de tête. Il savait qu'il n'y a que deux façons de perdre : soit de refuser le combat et d'abjurer son titre immédiatement, soit de combattre au corps-à-corps. Le premier combattant qui sortirait du cercle aura perdu. Ce duel pouvait parfois se rendre jusqu'à la mort du perdant. Arminas n'avait pas le choix de gagner, trop d'enjeux dépendaient de lui maintenant…

— Chers druides combattants, soyez à la hauteur de vos aspirations !

Le second signal du cor d'appel fit frissonner Arminas. C'était le signal officiel du début du combat.

« Oh ! Cher dieu viking Lönnar, accorde-moi la force de ton bélier », pria intérieurement Arminas.

Le druide d'Arisan invoqua son premier pouvoir. En une fraction de seconde, des ronces d'aubépines envahirent l'espace autour de Dihur. Grande de deux hauteurs d'homme, cette végétation dense et épineuse couvrit presque instantanément la totalité de la zone de combat.

— *Aaarrgghhhh*, hurla Dihur en regardant les chairs ouvertes de son bras gauche qui laissaient subitement couler son sang gris et visqueux.

Frustré, il tenta d'avancer à coup de cimeterre mais finalement le rengaina et choisit plutôt une invocation insidieuse. Arminas en profita pour se déplacer vers le sud du Cercle, en longeant le rebord intérieur de la ligne. Il pouvait circuler facilement à l'intérieur de son enchantement car les plantes glissaient à son approche. Mieux, leur hauteur lui conférait une certaine protection.

Dihur termina son rituel et une sphère de feu incandescente, large de six foulées, apparut devant lui. Immédiatement, il ordonna à son élément ravageur d'avancer droit devant, calcinant la flore sur son passage. Grâce à cette piste, le druide avança rapidement vers la position initiale de son adversaire.

Bien tapi dans l'ombre, tout à l'opposé, Arminas invoqua la *Force du bélier*[3] et infusa cette magie dans son bâton. Ce n'était pas son précieux Salkoïnas, son bâton d'office druidique avec de plus grands pouvoirs, mais cela suffira.

Cette incantation n'était pas très puissante et servait normalement à déstabiliser un adversaire de taille humaine ou à fracasser un petit obstacle en bois. Arminas savait de plus que cette énergie devait être déchargée dans les prochaines trente minutes sans quoi elle se dissiperait. La fumée commençait à lui nuire. Il essaya en vain de ralentir son souffle devenu trop court.

« Surtout, rester concentré », se dit-il en entendant les branches se faire écraser non loin de lui.

[3] La force du bélier : projection d'une boule de force ayant la forme d'une tête de bélier.

Il sortit de son abri précaire et continua à se faufiler hors de cette zone, pour rejoindre la partie sud du cercle.

« Il est là… j'entends les battements de son cœur… j'entends les glissements des ronces de ce côté… » réfléchit Dihur.

— Je te sens ! hurla-t-il de sa voix rauque. Je t'aurai sale petit druide vaniteux !

Dihur invoqua aussitôt l'élément de la terre et condamna tout le quartier du cercle au sud-ouest en le transformant en sable mouvant. Si son ennemi avait l'intention de le surprendre en le contournant par le sud, celui-ci s'enliserait rapidement.

« Ah non !… Je ne m'attendais pas à ce qu'il utilise autant de magie dans ses attaques ! » maugréa Arminas qui venait d'enfoncer une première jambe jusqu'au genou dans la glaise molle, masquée par la végétation qu'il avait créée.

Il en était à son premier combat de ce genre. Il n'avait considéré que la force brute et avait ainsi sous-estimé les tactiques de Dihur. Il avait devant lui un druide aussi ingénieux et doué de pouvoirs équivalents aux siens.

Il invoqua le vent afin de faire tourbillonner la fumée autour de Dihur. Il gagnerait ainsi quelques minutes pour se déprendre. À peine ralenti par ces émanations, cela ne fit qu'augmenter la colère de son adversaire qui s'en débarrassa d'un souffle puissant.

Dihur laissa la sphère avancer en ligne droite, jusqu'au rebord intérieur du Cercle. Malgré les efforts du druide de l'Ordre de Lönnar pour ne pas se faire voir, le mouvement des plantes trahissait ses déplacements et l'autre devina aisément l'endroit où il pouvait se trouver.

— Je te réserve des surprises mon petit druide… ricana-t-il toujours à haute voix. Mon prochain enchantement va te faire mal, très mal… Je suis là… Je me fraye un chemin jusqu'à toi!

Arminas, en mauvaise posture mais à portée de voix de son redoutable adversaire, ne put réprimer le frisson qui lui parcourut l'échine.

Dihur estima rapidement la position de son rival. Il invoqua le feu et, dans sa main, créa instantanément un gigantesque serpent de feu incandescent. Le druide propulsa l'enchantement sur sa cible.

— *Boooom !*

La terrible explosion fit sursauter les druides qui étaient à l'extérieur de la zone de combat. Arminas aurait pu être projeté en dehors du Cercle s'il n'avait eu la moitié du corps immobilisé dans la glaise gluante. Heureusement, les racines denses autour de lui ont amorti une bonne partie du choc.

Brûlé à quelques endroits, il grimaçait de douleur. Ses jambes coincées commençaient à fourmiller. Ses os lui faisaient mal. Il supportait maintenant une chaleur de plus en plus intense et la fumée devenait suffocante.

> « Que choisir ? Magie de guérison ou sortilège pour me déprendre ? Je ne peux pas invoquer les deux à la fois... » réfléchit rapidement Arminas.

Finalement, il invoqua de nouveau le vent afin d'accélérer l'évaporation de l'eau qui restait dans le marécage où il était prisonnier. C'était un risque à prendre. Le sable mouvant fit place à de la terre asséchée, soulevant des nuées de fine poussière et de cendres. Dihur, avec un demi-sourire et voyant maintenant son ennemi, avança avec prudence dans le sillon laissé par son serpent de feu. À l'aide de son bâton, Arminas s'acharnait à se dégager tant bien que mal de sa fâcheuse position.

Voyant que sa proie allait se sauver, Dihur émit un faible sifflement continu. En quelques secondes, plusieurs petites créatures volantes et rampantes se mirent à attaquer le pauvre druide ensablé. Fourmis, insectes ailés, scarabées... les essaims de bestioles affamées bourdonnaient autour de leur proie, complètement déstabilisée.

Arminas, sortant avec peine du sable, fit virevolter son bâton pour se débarrasser des envahisseurs. Cette attaque lancée par son adversaire le figea sur place et Dihur avançait rapidement vers lui.

> « Lönnar ! Je t'en prie... »

Arminas ferma les yeux et commença à murmurer un chant dans une tonalité plus aiguë. Dihur pouvait maintenant voir que son ennemi avait invoqué une barrière invisible repoussant le fléau

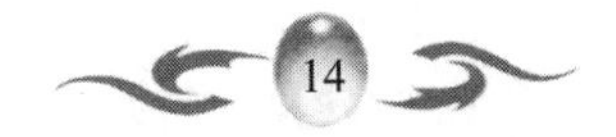

ailé et maintenait à bonne distance les centaines de petites créatures qui l'assaillaient sans ménagement.

— *Arrrrrggg…* cria Dihur, fou de rage.

Cette riposte irritait le belliqueux au plus haut point. Il leva la tête et regarda dans les gradins, incapable d'accepter la résistance de son adversaire. Le prenant comme un ultime affront à son honneur, il se mit à asticoter l'auditoire.

— Ce misérable druide ose me tenir tête, à moi, le maître des défis ! Voyez comme il souffre, ne vaudrait-il pas mieux qu'il abandonne maintenant ? Allez, dites-lui d'abjurer avant qu'il ne soit trop tard et que je ne le tue !

Normalement tenus à la neutralité, les druides étaient maintenant visiblement divisés. Les troupes de Dihur hurlaient leur plaisir devant la scène remplie de tension, tandis que les amis d'Arminas hochaient tristement la tête. Consternés, ils assistaient à un spectacle crève-cœur.

Dihur pensait obtenir une victoire facile et chaque seconde augmentait sa frustration. Il ne voulait surtout pas perdre la face devant l'assistance. Il s'immobilisa pour bien évaluer sa cible et entreprit une série de mouvements qu'Arminas reconnut aussitôt : l'incantation du *Serpent de feu*.

Pressentant la menace, il se recroquevilla et concentra toute son énergie sur un nouveau sortilège. Ne pouvant pas utiliser deux enchantements simultanément, il n'aurait donc aucune barrière de protection. Prestement, il s'abrita tant bien que mal sous sa cape de cuir. Il terminait son dernier mot lorsque la colonne de feu l'engloutit complètement.

— *Boooom !*

Dihur pensait bien avoir carbonisé ce demi-elfe qui l'avait défié depuis le début de ce combat. Le druide sadique se dirigea vers la masse recroquevillée en position de désespoir de son adversaire.

Chacun des druides arbitres croyait que le combat allait prendre fin incessamment; la tension devenait extrême. Certains cherchaient à voir au-travers la fumée qui se dissipait peu à peu, en bousculant leurs voisins.

— Maudit sois-tu ! hurla de nouveau Dihur, furieux en constatant que, non seulement Arminas était encore vivant, mais qu'il le tenait en garde avec son bâton noirci.

— J’ai juré de défendre ce territoire et ce n’est pas un autre druide qui viendra me le prendre ! Je suis affaibli mais j’ai encore assez de force dans mes muscles pour te tenir tête, espèce de demi-géant ! s’époumona Arminas, sa cape en lambeaux à ses pieds.

Une clameur monta des estrades, s’amplifiant : un murmure d’encouragement et de sympathie voulant exprimer à Arminas les espoirs de son clan. Le druide furieux, aux cheveux aussi noirs que son âme, toisa aussitôt la foule. Le silence retomba comme une pierre. Il inspirait la peur autant à ses ennemis qu’à ses propres disciples.

Son habileté au maniement des armes était aussi reconnue. Violemment, il dégaina son cimeterre et s’élança sur son adversaire.

— Quoi ? Qu’est-ce…

Il s’arrêta net. Il venait de réaliser que son arme avait subi une transformation.

L’enchantement qui avait été lancé sur lui, au même moment que s’abattait la colonne de feu sur son ennemi juré, avait transmuté son arme en bois ! Il maniait maintenant une lourde épée faite entièrement d’ébène et dépourvue de tout tranchant. Il hurla sa rage et l’écho fit trembler le sol alentour.

Voyant la réaction explosive de son adversaire, Arminas mit immédiatement son bâton en position d’attaque, prêt à lui faire face.

Il avait heureusement eu la chance, durant ses jeunes années, de combattre plus d’une créature en compagnie de son groupe d’aventuriers. Démons, ogres, géants, mort-vivants et plusieurs autres monstres et chimères s’étaient déjà mesurés à lui. Comme Dihur n’avait reçu aucune information à ce sujet; il ignorait donc cet entrainement guerrier précédant son allégeance à Lönnar. Ce secret bien gardé devenait un atout redoutable.

Dihur était déjà sur sa lancée, les pupilles dilatées. Il fonçait droit sur Arminas, son arme à hauteur de tête. Le druide évita du mieux qu’il put l’assaut.

« Il est puissant, sa force décuplée par la colère, et son épée de bois m’occasionnerait de sérieuses blessures, analysa Arminas. L’esquive et les déplacements rapides me semblent des défenses appropriées. Comme je ne peux pas vraiment porter un coup fatal, je vais plutôt chercher à l'épuiser… »

Si une ouverture se présentait, il lui infligerait de petites blessures pour le faire bisquer. Un coup de bâton aux genoux, l'autre à la main puis une fêlure au gros orteil. Tout pour extorquer quelques cris de douleurs, ponctués de frustration, de la part de son adversaire. Son but était de l'acculer dos à la ligne et surtout le plus près possible de la limite du Cercle.

Arminas estima avec satisfaction que ses connaissances du combat étaient légèrement supérieures à celle de son opposant. Il remercia mentalement son ami Marack, le guerrier viking, pour toutes les heures d'entrainement qu'il lui avait heureusement imposées.

L'usage du bâton permettait à la fois de faire dévier les assauts, d'esquiver les coups trop brutaux et de maintenir l'ennemi en respect. Mais surtout, Arminas avait réussi à toucher l'orgueil du belliqueux combattant. Les assauts devenaient moins précis, plus gauches et presque prévisibles. Cependant, la partie n'était pas encore gagnée.

Malgré ses douleurs physiques, Arminas continua d'assaillir de coups savamment désordonnés le Grand Druide de l'Ordre des Quatre Éléments qui commençait à perdre la face devant ses pairs.

— C'est assez ! Appelle ton dieu car je vais maintenant en finir avec toi ! hurla Dihur en lui lançant le cimeterre de bois.

Arminas tenait toujours son adversaire en respect avec son bâton. Il le lui présenta alors, cime pointée devant, comme s'il s'agissait d'une lance.

Sans attendre, Dihur saisit de sa main gauche la tête du bâton de bois et la maintint fermement. De l'autre main, il commanda l'un des pouvoirs accordé par son dieu. En quelques instants, une tige de feu de trois coudées se forma dans sa main droite. Elle se courba légèrement pour donner la forme d'un cimeterre dangereusement enflammé.

Le violent colosse fixa le petit druide à moitié brûlé qui lui donnait tant de fil à retordre, droit dans les yeux.

— C'est la fin pour toi ! dit-il en rabattant le cimeterre de feu.

Au moment où il allait couper les deux bras de son ennemi, Arminas libéra le bélier de force contenu dans le bâton. Simultanément, il lâcha le manche et retint sa respiration.

— *Vrouffff !*

L'image énergétique d'une tête de bélier se forma au bout du bâton et s'élança vivement vers la poitrine de Dihur. La relâche du bâton augmenta l'impact de la frappe qui atteignit avec force le demi-géant, lui coupant net le souffle. Ce ne fut pas suffisant pour le faire tomber, mais le força néanmoins à faire quelques pas supplémentaires vers l'arrière. De plus, trop occupé à esquiver les diverses petites attaques d'Arminas, le colosse n'avait pas remarqué qu'il se tenait à moins de trois foulées de la ligne lumineuse.

Ce déséquilibre le fit sortir du Cercle : Dihur venait de perdre la partie. Avait-il sous-estimé son adversaire ?

Dès l'instant où il mit les pieds en dehors de la zone de combat, les magistrats firent résonner le cor d'appel pour signaler la fin de la joute.

— Ce demi-elfe m'a ridiculisé devant toute l'Assemblée des Grands Druides ! fulmina Dihur.

Bouillant de rage, il s'élança sur Arminas, le cimeterre de feu brûlant toujours dans sa main.

— Je vais te tuer une fois pour toutes ! rugit-il en traversant la ligne qui pâlissait, transgressant ainsi les lois druidiques.

Arminas se projeta vers l'arrière pour éviter un assaut amplifié par la haine. Voyant qu'il continuait le combat malgré le verdict final, une dizaine de Grands Druides invoquèrent prestement divers enchantements pour contenir le druide renégat. En quelques secondes, il fut immobilisé puis désarmé.

Dihur pestait et gesticulait entre ses quatre geôliers. Le déshonneur de sa conduite le frappait de plein fouet.

— Ne laissez pas cet affront sans représailles ! hurla-t-il, hors de lui, à ses confrères alliés. Toi qui me restes loyal, lave mon honneur et invoque le droit *Provocare ad agrum*[4] à nouveau ! ordonna-t-il à un Grand Druide, d'un ton agressif.

---

[4] Provocare ad agrum : contestation de la matière,droit de défi pour prendre un territoire.

— Non ! C'est trop injuste, s'écria péniblement Arminas. Je revendique le *Rogare protectione non-challengerum* [5], soit le droit de demander l'ultime protection après un combat légitimement gagné.

— Personne n'osera te provoquer à nouveau, Arminas, s'éleva enfin la voix d'un druide dans l'assistance. Tu as tenu tête au plus redouté des druides de l'Ordre des Quatre Éléments et tu as remporté honnêtement la victoire.

— Effectivement, reconnut le premier Magistrat, notre Loi druidique t'accorde sa protection.

Arminas poussa un soupir de soulagement et s'effondra sur l'épaule d'un ami pendant que la foule applaudissait son succès.

Quelques heures plus tard, le Conseil était de nouveau réuni en assemblée dans l'amphithéâtre du Cercle, redevenu un sanctuaire de verdure grâce à la magie druidique. Arminas et Dihur prirent place près de leurs alliés respectifs et firent face aux grands Magistrats. L'un des Grands Druides désigné pour la cérémonie s'avança au centre et s'adressa au conseil.

— Au nom des membres et témoins de ce combat, je demande d'augmenter le délai de grâce pour la période de protection. J'invoque, à l'appui de notre requête, le fait que le Grand Druide Dihur a affiché un comportement indigne, eut égard à son statut.

L'assemblée manifesta bruyamment. Dihur vociférait son désaccord et dardait de regards mauvais son ennemi juré.

— Chers confrères, silence ! imposa le premier Magistrat. Suite au vote tenu, le Conseil annonce sa décision : douze années de paix seront octroyées à Arminas, vainqueur de ce combat.

Une clameur se produisit dans l'assistance. Le premier Magistrat imposa le silence en levant la main.

— Ce sera la période de non-défi dont le Grand Druide Arminas pourra bénéficier pour faire ses preuves en tant que gardien de son territoire. Il s'agit d'une première dans l'histoire

---

[5] Rogare protectione non-challengerum : droit druidique de non-défi durant six années consécutives afin de permettre au protégé de faire ses preuves en tant que gardien de son territoire.

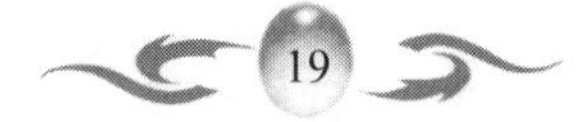

druidique, nous le savons tous, car normalement le temps alloué n'est que de six ans. Mais vu les circonstances…

— Vous connaissez la Loi, enchaîna le second Magistrat. Le *Rogare protectione non-challengerum* stipule qu'aucun Grand Druide n'aura le droit, pendant ces prochaines années, d'attaquer ou de provoquer Arminas pour prendre possession du territoire dont il a la charge.

— Telle est la Loi druidique à laquelle tous les druides doivent se soumettre, même vous, Grand Druide Dihur, conclut le premier Magistrat en portant sur lui un regard lourd de reproches. Sortez maintenant !

Humilié, Dihur fut escorté sans trop de ménagement hors de la clairière. Ses disciples qui l'attendaient firent les frais de sa mauvaise humeur.

— Je jure, devant les Quatre Éléments, que les fourbes de Lönnar vont me payer cet affront ! hurla-t-il en colère à qui voulait bien l'entendre.

Ce faisant, il saisit une épée appartenant à l'un de ses hommes et lui trancha la tête.

— Un de moins pour me trahir! déclara-t-il en regardant froidement les autres.

De son côté, Arminas, félicité par ses confrères, se rendit à ses appartements.

— Ah ! chers amis, je suis soulagé d'avoir remporté ce duel, leur confia-t-il. Je suis pourtant inquiet. J'ai peut-être gagné ce combat mais je me suis mis à dos une très large faction au sein de la communauté druidique. J'ai bien peur que la caste de l'Ordre des Quatre Éléments n'ait pas dit son dernier mot...

Arminas ne voulait qu'une chose : retourner auprès des siens sur l'île d'Arisan, sur les Terres d'Aezur. Beaucoup de choses s'étaient passées depuis son départ et il devait en aviser ses amis le plus rapidement possible. Il soupçonnait surtout une réplique perverse, sachant que Dihur n'était pas du genre à abandonner aussi facilement son intention de posséder *La Source.*

— Tout cela ne serait jamais arrivé si tu ne t'étais pas trompé la première fois ! dit Arminas.

Beren regarda son ami d'un air vexé.

— Je te ferai remarquer que l'endroit n'est pas si pire… et puis, j'ai encore une deuxième chance ! répliqua-t-il au druide.

— Certainement, renchérit leur compagnon Marack, nous avons passé de belles soirées dans cet endroit… Ça sent encore le whisky et la bonne bouffe !

— C'est bien connu, Beren, tu es fasciné par tout ce qui est occulte, ajouta Lars. Et puis, avoir la chance d'enfin lire notre fameux *parchemin d'incantation*[6] récupéré dans les coffres d'un bandit montagnard…

— …L'occasion était trop irrésistible ! enchaîna avec un sourire Grim, le dernier compagnon du groupe.

— Moquez-vous ! Moquez-vous ! N'empêche que vous faites de bons voyages en utilisant mes talents de magiciens ! se défendit Beren. le patriarche de l'Ordre de Tyr. Il est tout à fait normal que je fasse des essais… et parfois des erreurs. Je ne suis qu'un elfe après tout ! Et comme je cumule deux nobles professions, prêtre et mage, je dois prendre de l'expérience, affirma-t-il décidé.

Ses compagnons le regardèrent avec patience en soupirant.

« Je dois avouer cependant, continua-t-il pour lui-même, que la problématique se situe au niveau de la complexité des écritures cabalistiques sur le parchemin utilisé… Hum, mon niveau de compétence pour utiliser cette magie n'était peut-être pas assez élevé… »

---

[6] Parchemin d'incantation : parchemin magique dont l'écriture s'efface après la lecture de l'incantation.

Le rituel de ce genre d'incantation le sortait effectivement en dehors de sa zone de confort. Il le savait mais cela n'arrêtait pas un magicien elfique. La prérogative d'essayer quelque chose de surnaturel et de nouveau est le défi par excellence pour les gens qui occupent ce type de profession.

La procédure était fort simple : après avoir vu un endroit inconnu grâce à une boule de cristal, le but était de s'y transporter magiquement. Selon les écrits, la probabilité de se retrouver pris dans la pierre était minime. Cependant, il y avait néanmoins une marge d'erreur… De plus, le rituel était retranscrit par deux fois de suite sur le bout de papyrus. Il y avait donc deux lectures possibles, soit deux chances d'y arriver sans erreur.

Les quatre compagnons avaient tous donné leur accord à Beren. Ils devaient tenter le tout pour le tout afin de poursuivre leur mission : retrouver et ramener devant la justice de Tyr le groupe d'Oldread le Borgne. Ces malfaisants s'étaient volatilisés magiquement et ils devaient les rattraper.

Valeureux hommes du nord, le plus âgé du groupe, Arminas, était un druide demi-elfe à stature élancée. Ses cheveux châtains retroussaient sur le capuchon de sa robe de bure bordée de runes elfiques et viking. Son bâton d'office à la main, il démontrait une grande force ainsi qu'un solide leadership.

Le second, Marack, était un guerrier champion de père en fils. Son adresse au combat en imposait et il affectionnait tous les types de marteaux de guerre. Fin stratège à l'allure taciturne, il se faisait un devoir d'honneur d'assurer la sécurité de ses amis.

Lars le skald, un viking poète, était un vigoureux blond à la crinière ondulée. Ses yeux bleu acier brillaient sous son casque et reflétaient parfois les feux de sa cotte de maille métallisée. Charismatique, il était respecté par toute la communauté norse.

Enfin, Grim McGray, le traqueur, était un solide gaillard barbu aux longs cheveux brun foncé. Il préférait les armures de cuir et se battait avec un arc ou une épée bâtarde[7]. Excellent communicateur, juste, intègre et généreux, il était à la tête d'une guilde marchande.

Ainsi, les cinq compères étaient prêts à passer à l'action. La première tentative n'eût malheureusement pas l'effet

[7] Épée bâtarde : épée dite une main et demie. Elle se manie d'une seule main ou à deux mains.

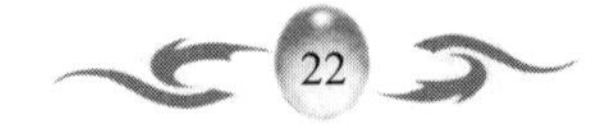

escompté…, le petit groupe s'étant transporté dans une taverne à quelques lieues[8] seulement de leur point de départ.

— Beren, dit finalement Arminas en coupant court aux réflexions du mage, nous sommes encore en territoire connu, donc la première incantation n'a pas fonctionné.

— On est dans la grivoise *Auberge du Cochon Grillé*, fit justement remarquer Marack. Peut-être ne devrais-tu pas penser aux délicieuses saucisses de sanglier lorsque tu récites ton incantation Beren ?

Chacun rit de bon cœur et Beren sourit à son tour. Ils étaient exactement à l'endroit où ses compagnons et lui se donnaient souvent rendez-vous afin de discuter des prochaines missions.

— Heureusement, il n'y avait personne lorsque nous sommes apparus au beau milieu de la pièce ! taquina Grim.

— Cela ne me décourage pas, rétorqua le magicien. L'expérience était une pratique afin de voir si tout fonctionne bien. Il y a encore le second rituel sur le parchemin et je serais ravi de pouvoir réessayer dès maintenant.

Plus sérieusement, Arminas et Beren invoquèrent leur dieu respectif, Lönnar et Tyr. Certaines prières servaient à guider leurs attaques et d'autres à se protéger surnaturellement de celles de leurs ennemis, au cas où ils réapparaîtraient immédiatement aux côtés de leurs adversaires.

La seconde tentative sembla mieux fonctionner. Ce n'était pas à une enjambée de leur point de départ que les justiciers se sont transportés, mais bien à plusieurs millions de lieues de là. Si tout avait marché comme il se devait, ils auraient dû apparaitre dans une large pièce comportant un trône gigantesque ainsi que deux rangées de colonnes de pierre, méticuleusement travaillées.

Au lieu de cela, ils piétinaient une petite clairière d'herbes sauvages surplombant une forêt à perte de vue. Au loin, ceinturant l'horizon, on voyait des chaînes de montagnes aux sommets enneigés.

— Selon mes connaissances druidiques, remarqua Arminas, la flore de ce nouvel endroit est différente de la nôtre, quoiqu'il y ait certaines similitudes. Vous voyez cet arbre absolument

[8] Une lieue : distance que peut parcourir un homme à pied en une heure soit environ trois milles ou presque cinq kilomètres.

gigantesque juste à la lisière de la forêt ? Hum… il me fait vaguement penser au châtaignier de Kerséoc'h, tout près de Kerroc'h, vallée où tous les druides se rassemblent pour l'équinoxe d'été… Il lui ressemble, hormis la teinte bleutée des feuilles…

L'arbre millénaire en question devait faire plusieurs centaines de coudées en hauteur. Sa cime dépassait toutes les autres et il était visible de loin. De plus, il devait mesurer une trentaine de foulées de diamètre puisque plusieurs hommes seraient nécessaires pour en faire le tour. Son tronc large était séparé en deux parties : l'une jeune aux branches volumineuses et feuillues, la seconde séculaire, rabougrie et tordue mais encore solide. Plusieurs cavités laissaient croire que différentes créatures pouvaient y trouver refuge.

— Pour moi, une forêt est une forêt. On doit être sans doute tout près de notre d-e-s-t-i-n-a-t-i-o-n, déclara Lars en appuyant sur le dernier mot tout en se retournant vers Beren.

— Qu'à cela ne tienne, je me serais volontiers aventuré un peu plus loin, ajouta Marack.

— Moi, je n'en peux plus ! marmonna Beren fatigué qui s'endormit rapidement sur l'herbe.

— Je me doute que cet effondrement fait suite à l'invocation du second rituel, réfléchit à haute voix Grim.

— En réalité, approuva Arminas, notre mage a outrepassé ses capacités et cela a affaibli son système de façon drastique.

— Comme nous ne pouvons pas explorer la région sans lui et puisque de toute façon nous n'avons aucune idée de la direction à prendre, je suggère de monter le campement pour la nuit ici et de discuter de la situation autour du feu, proposa Marack, alors que les autres approuvaient.

La routine était fort simple pour ce groupe d'aventuriers : Grim en compagnie de Lars sécurisèrent rapidement les alentours et ramassèrent du bois. Arminas prit sur lui de trouver des aliments comestibles pour le pot-au-feu tout en laissant dormir Beren. Marack, en bon guerrier, veillait à ce que rien n'arrive aux deux spécialistes de la magie.

Rien de tout ce qu'ils pouvaient voir autour d'eux ne leur était familier. Même s'ils apercevaient des conifères, des rochers ou un ciel étrangement étoilé, les bruits étouffés de la forêt créaient l'étrange sentiment d'être vraiment ailleurs.

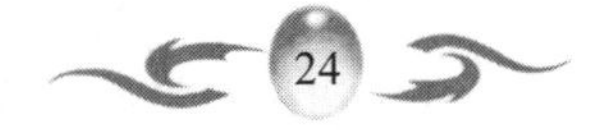

Dormant comme un loir, une seule nuit suffit à Beren pour récupérer toutes ses forces et sa vitalité. Le groupe n'en était pas à sa première aventure et, ainsi, au matin, ils étaient tous curieux et fin prêts pour explorer leur nouvel environnement.

Le druide pointa une direction et Grim prit les devants, suivi de Marack, Arminas et Beren. Lars ferma la marche. Plusieurs heures plus tard, ils avançaient plus prudemment car le traqueur avait repéré des pistes fraîches.

— Je vois un groupe là-bas, juste derrière la colline, murmura Grim. Arminas, approche. Peux-tu me dire quels sont ces êtres ?

— Impossible, ils sont trop loin.

Ils s'avancèrent… un peu trop près. La horde alertée, composée d'humanoïdes trapus mais plutôt costauds, se rua vers le groupe en brandissant spontanément leurs armes.

Bien à l'abri derrière les guerriers, Beren du haut de ses cinq coudées et protégé par son armure de plaque elfique, déposa son bouclier et tenta une prière :

— Tyr mon dieu, éclaire ces purs innocents ! Montre-leur notre vraie nature car ils ne devraient pas nous attaquer… Il termina son oraison en agitant son étoile du matin, un bâton de métal aux allures de masse : la justice de Tyr triomphe toujours !

De son côté, Arminas invoqua la Nature pour obtenir son aide. Quelques racines tressaillirent mais sans plus. « Il faudra que je vérifie cela plus tard », s'inquiéta-t-il.

— La meute se dirige toujours vers nous !

Marack prit instinctivement une position défensive devant le mage et le druide en brandissant son épée à deux mains au lieu de son marteau. Grim choisit une cible et décocha quelques flèches avant de prendre son épée à son tour.

— Stratégie habituelle ! lança Marack. Protégez ceux qui invoquent la magie et tenez la ligne de défense !

Devant la douzaine d'ennemis qui chargeaient, Lars leva son bouclier et sa hache en position d'attaque. Les yeux brillants, il entrait enfin dans l'action. Expéditivement, il cherchait la faille dans les armures des assaillants.

C'était relativement difficile de trouver une constante dans leurs protections. On aurait dit que ces êtres chauves, à la peau vert kaki, avaient rassemblé tous les équipements hétéroclites possibles pour se cuirasser. Certains étaient en cuir usé, d'autres en cotte de mailles, quelques items de métal, du bois, des os, des chaînes, des tissus… Sa description s'acheva abruptement avec le premier coup sur son bouclier.

— Ils sont petits, à peine plus grands que Beren, mais ils frappent forts ! cria-t-il à Grim tout près de lui.

— Ouais… mais ils ne sont pas vites ! répondit en écho Marack après avoir fracassé le crâne de l'un deux avec son marteau à deux mains.

— Derrière toi Grim ! hurla Arminas en continuant de distribuer des coups de bâtons bien placés aux deux créatures qui le harcelaient.

Le marchand viking se baissa juste à temps pour esquiver la longue hache qui frôla ses cheveux. Il s'en était fallu de peu ! Beren sauta dans la mêlée.

— Tiens toi, prends cela ! Au nom de Tyr, voici sa justice ! s'acharna-t-il sur un des guerriers au sol. Il lança ensuite plusieurs petits enchantements de suite à un autre qui s'enfuit en courant, le feu à ses vêtements. Y en a-t-il un autre assez téméraire pour se mesurer à moi ?

Rapidement, le nombre d'assaillants encore valides diminua.

Devant l'allure du combat, l'échauffourée ne durerait plus très longtemps. Le groupe d'aventuriers laissa l'ennemi en déroute ramasser ses blessés et s'esquiver promptement dans les boisés.

— Ces créatures n'avaient ni l'expérience de combats de notre groupe ni nos forces magiques, signala Arminas.

— Après plus de vingt-sept années d'aventures avec les mêmes partenaires, j'espère bien que notre compagnie peut se défendre en formation dûment organisée ! grogna Marack en enjambant quelques cadavres.

— Et à l'écoute de chacun, renchérit Beren. Il faut dire que j'apprécie ton épée, mon ami. Elle fauche les ennemis comme s'il s'agissait de simples fougères !

Marack sourit intérieurement mais ne le laissa pas voir. C'était un beau compliment.

— Il n’y a pas grand-chose à récupérer de ces êtres… examinait Grim du bout de son épée. Des haches rouillées, du cuir tellement usé qu’il se décompose à le regarder, des morceaux de guenilles… Il ne semble pas y avoir non plus d’objets de valeur en leur possession.

— On dirait des gobelins hybrides, dénota Arminas.

— Et ce qu’ils puent, c’est épouvantable ! lança Beren dégoûté en nettoyant sa masse. Fouillez-les si vous voulez, mais moi, je ne les touche plus.

— Bof, finalement, c’est un bien piètre combat, se plaignit Lars. Ça ne vaut même pas la peine de le décrire en odes.

Cette nouvelle fut reçue en soi comme une bénédiction par ses compagnons. Lars était bien connu pour deux choses : ses connaissances dans plusieurs domaines, sa facilité d’élocution et le fait qu’il chante relativement faux.

Le druide se recueillit quelques secondes et fit d’un geste de la main circulaire le rituel *Remitto ad Terram*[9] afin de purifier les lieux des énergies négatives. En quelques secondes, des lierres auraient dû envelopper les dépouilles des créatures. Au lieu de les faire disparaître dans le sol, seules quelques touffes herbes poussèrent autour des carcasses.

— Bizarre… Allons mes amis, quittons cet endroit et allons camper un peu plus au Nord, annonça-t-il en levant les yeux pour se guider sur le désormais châtaignier d’Oc’h visible au loin.

Après deux jours de randonnée dans la forêt de feuillus et de conifères, il était évident que la petite bande de vikings n’était pas au bon endroit. Hormis la température fraîche assez agréable et le petit gibier abondant, les aventuriers commençaient à désespérer de dénicher une quelconque civilisation. Arminas et Beren marchaient côte-à-côte. Ce dernier était songeur et portait la responsabilité de leur état précaire.

— J’ai bon espoir de trouver un magicien qui pourrait nous apporter de l’aide pour un éventuel retour, s’exprima-t-il sans conviction à Arminas.

---

[9] *Remitto ad Terram* : rite permettant à la Terre de reprendre les dépouilles.

— La seule option possible est d'explorer cette région, l'encouragea le druide. J'aimerais aussi trouver un village, ce territoire est bien sauvage !

Arminas avait pris le temps de s'harmoniser aux vibrations de la nature de cette région. Il ressentait à présent son énergie et pouvait ainsi mieux maîtriser sa propre magie. Son intuition le guidait. Mentalement, il se dessinait une carte topographique, enregistrant les détails de leur passage. Depuis la clairière du châtaignier d'Oc'h, ils avaient traversé une forêt relativement dense puis une belle vallée idéale pour un village et ce, sans rencontrer d'autres créatures dangereuses.

— Grim, quand arriverons-nous au pied de ces montagnes ? s'enquit-il.

— Dans un jour, au maximum deux, lui répondit le traqueur. Je suis habitué à tes pressentiments mon ami et je te fais confiance. Toujours vers le Nord, tel que demandé... Attendez ! Il y a quelqu'un juste là derrière le bosquet.

Tous s'arrêtèrent d'un coup et s'approchèrent discrètement.

— Un géant des montagnes qui cueille des herbes, murmura Arminas. C'est un spectacle quelque peu étonnant !

D'une allure très humaine mais haut comme deux hommes, le géant avait de longs cheveux embroussaillés. Il était vêtu d'un surcot éculé de cuir brun bistre avec une sacoche et une gourde de cuir en bandoulière. À sa ceinture, une large escarcelle ainsi qu'un grand nombre d'accessoires utiles et futiles : quelques dagues, des colliers et autres grigris, des lacets de cuir, un foulard... Ayant pour seule arme son bâton de marche, un jeune arbre en fait, il ne faisait aucun doute qu'il pouvait balayer d'une seule main au moins trois ennemis d'un coup.

Le géant ramassait effectivement certaines plantes choisies avec soin avant de les placer délicatement dans sa besace.

Les aventuriers l'observèrent durant plusieurs minutes avant de révéler leur présence. Tous étaient sur leurs gardes, mais l'attitude du colosse ne semblait pas agressive.

— Sans doute ne perçoit-il pas notre groupe comme un véritable danger, souffla Marack en fronçant les sourcils.

— Gardons quand même nos distances, lui répondit Grim.

Lars cherchait rapidement dans sa mémoire un dialecte de géant avec lequel ils pourraient communiquer. Sous le regard étonné de

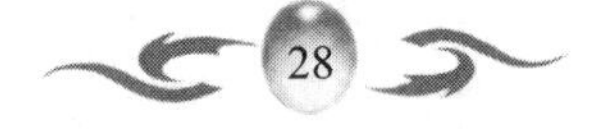

ses compères, il sortit des buissons arborant son plus beau sourire.

— Bonjour ! Nous sommes des aventuriers pacifiques…

Le colosse se retourna nonchalamment vers lui.

— Pourquoi vous cachez-vous alors ? Il y a longtemps que je vous ai repérés.

— Heu… Peut-être parce que vous êtes imposant !

Le géant sourit et tous les membres du groupe respirèrent un peu mieux. Ils sortirent lentement de leur minable cachette, un peu intimidés et se présentèrent. Leur hôte s'assit sur une pierre pour être à la hauteur de ses visiteurs.

— Lassik Patte d'ours, géant du clan des Loups des Neiges, c'est mon nom. Normalement, mes semblables ne descendent pas aussi loin de notre territoire. Il pointa en direction des montagnes enneigées au sud-ouest de leur position actuelle. Je suis à la recherche de plantes rares impossibles à trouver chez moi. Peut-être en avez-vous vu comme celles-ci ?

— Non, mais c'est très intriguant, expliquez-nous ! dit Arminas en s'approchant.

Lassik ne se laissa pas prier pour bavarder. Cela faisait tellement longtemps qu'il n'avait pas eu d'échanges avec des créatures intelligentes qu'il profita de cette compagnie au maximum. Il leur offrit même de partager un cocktail de son invention, tiré de sa gourde.

— Ce géant de 325 kilos est fort sympathique, confia Grim à Lars. C'est un érudit et il semble bien connaître la région.

« Ce Lassik est différent des géants rencontrés auparavant, songea Marack soupçonneux. Il émane de lui un tel calme, c'est trop inhabituel. Avait-il raison de se méfier ? De plus, son attirance pour tout ce qui implique des mélanges le range du côté des bizarres… »

— Cher ami, enchaîna Arminas, si je comprends bien, vous adorez expérimenter, mixer différentes concoctions, employer de nouvelles composantes végétales et même parfois minérales !

— Je vous surnomme l'alchimiste de la région, déclara solennellement Beren, au grand bonheur du géant.

En réalité, il s'agissait bien d'un géant qui avait décidé de ne pas faire comme ceux de sa race : devenir un guerrier. Certes, il était

vigoureux au combat, mais il avait choisi une vocation totalement différente voire plus créative. Sa passion était de créer des potions et des philtres de toutes sortes et de noter ensuite les effets que cela produisait.

Entre deux gorgées du liquide alcoolisé, Lassik devint curieux.

— Je me demande bien de quel coin du Sud d'Arisan vous venez… Avez-vous traversé les montagnes d'Orgelmir ou passé par l'Escalier des Hiiglanes ?

À la stupeur visible sur les visages autour de lui, Lassik s'aperçut qu'ils n'en avaient probablement aucune idée.

Arminas regarda ses compagnons et reçut leur approbation silencieuse.

— À vrai dire, nous venons peut-être de plus loin encore… risqua Arminas sous l'œil intrigué du géant. Il lui raconta ainsi en détails la mésaventure du parchemin d'incantation et l'aventure qui les avait menés jusqu'à aujourd'hui.

— Ah… bon ! dit enfin leur hôte nullement étonné comme s'il en avait vu d'autres. Bienvenue alors chez nous, sur Arisan, une île presque qu'aussi grande qu'un continent.

« La magie maladroite de Beren nous aurait-elle transporté aussi loin de notre destination ? » réfléchit Arminas.

— Comment est-ce possible ? demanda Beren à Lassik.

— Il y a bien une légende... C'est une histoire incomplète transmise de génération en génération au sein de mon clan. Je ne me souviens seulement qu'elle parle de ponts magiques entre les territoires et de portails qui seraient demeurés ouverts… Je vous avoue que je ne comprends pas vraiment l'utilisation de tels passages.

— À la bonne heure ! s'écria tout à coup Beren joyeux. Je suis convaincu que ce sont ces interférences qui ont dérouté mon parchemin et que mes incantations étaient p-a-r-f-a-i-t-e-s. Mes compagnons, grâce à Tyr qui a mis Lassik sur notre route, nous allons pouvoir rentrer chez nous. S'il y a de la magie, c'est qu'il y a des magiciens, il nous suffit seulement des trouver ! Il se tourna vers Lassik avec un large sourire satisfait : « Cher ami, parlez-nous donc de votre île ! », conclut-il devant ses amis surpris.

— Bof… marchez quelques heures vers le sud et vous arriverez à la rivière qui lèche le pied de nos montagnes d'Orgelmir.

Elles sont franchement impossibles à traverser si vous ne connaissez pas les cols. Au-delà, ce sont les Terres du Sud et je n'y suis jamais allé.

Il avoua qu'il ne connaissait pas tellement non plus les territoires plus au nord car il ne s'y serait jamais risqué seul. Elles seraient définitivement trop dangereuses même pour un géant comme lui. Il y aurait, au centre de ces vastes terres, un Grand Lac, puis des montagnes et enfin un vaste océan.

— Je peux vous assurer, dit Lassik d'une voix ferme, qu'il n'y a aucun vestige de civilisation sur tout le territoire à l'ouest du Grand Lac, surnommée les Terres d'Aezur. C'est une zone interdite, leur dévoila-t-il en baissant la voix.

— Par contre, du côté est du Grand Lac, c'est différent. Plusieurs villages y sont construits. Pyrfaras est une grande cité située immédiatement avant le Grand Désert et la Montagne de Feu. C'est la capitale du roi Arakher et de ses géants de pierre, une superpuissance qui règne sur la majorité des peuples asservis. Beaucoup de guerriers et beaucoup d'esclaves… ajouta-t-il pensivement.

Seul Arminas reconnu la pointe d'émotion rapidement réprimée. Marack devint soudainement beaucoup plus attentif aux récits du colosse. Des géants de pierre ? Toutes les histoires de plantes et de magie l'avaient fait somnoler mais maintenant, cela devenait intéressant.

— Parmi les peuples à leur service, on y retrouve différentes créatures, enchaîna aussitôt Lassik. Il semblerait que vous avez été attaqués par des Mourskhas. C'est une race assez nombreuse sur le territoire. Trapus, poilus, peau verte, yeux noirs, crocs, barbares, quand même pas trop niais…

— Et qui puent ! lança Beren.

— C'est ça, confirma Lassik. On a aussi des Trolls verts avec des membres tout en longueur. Ils sont traîtres et mesquins. Mais comme ils se tiennent beaucoup plus au nord-est des territoires, vous ne risquez pas de les croiser.

— Vous reconnaîtrez facilement les Yobs : ils dépassent d'une tête tous les hommes et d'au moins deux têtes tous les elfes, ajouta-t-il en se tournant vers Beren qui fit la grimace. Solidement musclés, ils sont bien équipés. Leur peau est jaunâtre avec de fins yeux rouges. Même s'ils sont assez lourds, parfois jusqu'à 430 kilos, ils sont forts et intelligents.

Ils se déplacent aussi en groupe. De toute façon, c'est une question de survie ici.

Cette phrase sonna assez étrangement à l'oreille d'Arminas, surtout venant d'un géant solitaire, mais il se concentra sur la suite.

— Enfin, méfiez-vous surtout des Sottecks. Ils sont probablement plus intelligents et plus rusés que les créatures que vous connaissez. Grands de six coudées, leur peau est plutôt de couleur tan. Même si leurs traits et leurs habits sont plus raffinés que ceux des Yobs, ils sont tout aussi cruels et forment les troupes d'élite du roi.

— Justement, parlez-nous de ce roi, demanda Marack le plus sérieusement du monde. Je suis curieux, sont-ils vraiment faits de pierre ?

Chacun des aventuriers avaient la même réflexion au bout des lèvres. S'ils étaient bien constitués de pierre, il fallait trouver leur faille afin de les combattre.

— Ah! Ah! Mais non, ricana Lassik qui trouvait la question très drôle. Ils sont de la même taille et de la même stature que nous, les géants des montagnes. Peut-être avec moins de bedaine… En fait, nous sommes probablement cousins mais leur peau est grise, d'où leur surnom !

Un soupir de soulagement parcourut les compagnons.

— Si ça vit ou si ça bouge, alors ça se tue ! déclara Lars d'une voix forte alors qu'il se leva et mima la décapitation d'une créature.

Le groupe d'aventuriers avait tout même combattu plusieurs créatures, durant leurs périples. Faire face à de nouvelles races aiguiserait leur capacité d'adaptation.

— Le clan des géants de pierre est assez peu nombreux à ce qu'on dit, continua Lassik amusé. Mais chaque individu est un formidable adversaire pour tous ceux qui osent s'opposer à leur volonté. Contrairement à nous, ils sont avides de puissance et cherchent constamment à agrandir leurs territoires, conclut le titan avec un sourire en coin.

Le soleil baissait rapidement à l'horizon. Le groupe s'entendit pour camper sur place et y invitèrent leur nouvel ami. Ils avaient encore tant à échanger ! Aussi bien partager autour d'un bon feu les nombreux lièvres mijotés par Grim. La conversation continua jusqu'à tard dans la nuit.

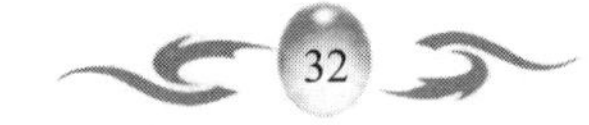

La rosée du petit matin séchait rapidement et les cendres du foyer fumaient encore. Arminas, assis sur sa cape réfléchissait, les yeux perdus dans les volutes. Il était parfaitement en harmonie avec l'énergie naturelle de l'endroit. Il percevait un faible écho et cela l'intriguait. Il s'adressa au géant étendu dans les herbes.

— Lassik, viendriez-vous au Nord avec nous ? Vos connaissances du pays nous seraient vraiment indispensables. Vous pourriez être notre guide et protecteur.

— En contrepartie, enchaîna Beren, nous partagerons avec vous de nouvelles recettes de potions occultes.

Le géant baissa les yeux vers les magiciens avec un grand sourire chaleureux.

— Je n'osais pas vous le demander ! Cette aventure en votre compagnie me tente beaucoup. Il se leva d'un bond retentissant, faisant rouler les dernières bûches calcinées. Quand partons-nous ?

L'humeur plaisante et la force de frappe d'un tel allié étaient deux atouts que Marack ne pouvait négliger. Un tel compagnon pour défendre la vie des membres de son groupe était toujours le bienvenu. Il se leva à son tour et lui démontra son appréciation par une poignée d'avant-bras, pratique usuelle chez les guerriers.

Le voyage vers le Nord inconnu s'annonçait long : à perte de vue, des forêts verdoyantes s'étendaient. Au loin, entre les chaînes de montagnes, le groupe se dirigeait vers une trouée qui les conduiraient jusqu'aux Terres de l'ouest du Grand Lac.

— Faites très attention, les avertit Lassik. Ces terres sont maudites et ceux qui s'y sont aventurés n'en sont jamais revenus.

Marack, Grim et Lars lui jetèrent un regard sombre.

— Enfin… c'est ce qu'on dit, balbutia Lassik en voyant qu'il avait semé un doute. Moi, personnellement, je n'y ai jamais cru…

Une fois de plus, Arminas marchait derrière Beren, Lars aux aguets sur ses talons. Lassik en tête du peloton avait dû ralentir ses pas afin que les autres puissent conserver le rythme.

Le druide était de plus en plus attentif à l'appel qui le guidait. Beren percevait également cette faible sollicitation, mais aucun

des deux n'en avaient parlé, se concentrant plutôt sur le sentier sinueux et chaotique.

Au bout de deux semaines, ils arrivèrent au bord d'une baaie sise au pied d'une grande montagne. La lumière faisait d'ailleurs miroiter les nombreux reflets violacés de ses pics enneigés.

— Nous contournerons par l'ouest, déclara Grim. C'est la route la plus facile.

— Non, mon ami, nous devons traverser ces monts, affirma Arminas en pointant la montagne de son bâton de marche et sur un ton sans équivoque.

— Je suis d'accord, enchaîna Beren en faisant un pas en avant. En fait, je dois y aller.

Marack le regarda surpris, le sourcil relevé. « Ce prêtre n'a pas l'habitude de demander les routes les plus difficiles », songea-t-il.

— Y a-t-il quelque chose que nous devrions savoir ? s'enquit Grim.

Voyant qu'il n'était peut-être pas le seul à percevoir les appels de plus en plus insistants, Arminas, avoua :

— Je suis attiré par quelque chose ou quelque force depuis mon arrivée. Je ressens son énergie de plus en plus fortement.

— J'ai également entendu les mêmes échos, confirma Beren. Mais pour moi, l'intensité semble beaucoup moindre. Néanmoins, je suis sûr que je suis appelé par quelque chose d'étrange qui se terre dans la montagne et que je dois y aller.

— Bon, encore un détour dangereux, maugréa Marack.

Les membres du groupe, par solidarité, se résignèrent à découvrir ce lieu que tentait de rejoindre leurs deux compagnons. Ils trouvèrent rapidement une passe étroite à flanc de montagne et entreprirent leur escalade.

— Tyr, dieu de justice, prends soin de moi… se plaignait Beren sachant fort bien que les montagnes ont toujours été une épreuve des plus périlleuses pour lui.

Heureusement, Arminas utilisait sa magie druidique pour faire fuir les créatures devant eux. À maintes reprises, des ours et des loups géants ainsi qu'une multitude de prédateurs auraient pu s'en prendre au groupe. Des buses ainsi que des aigles survolaient leur position de façon régulière, mais en aucun temps l'ombre d'une menace avait été perçu.

Arminas et Beren se dirigeaient maintenant d'un pas sûr vers une direction commune. Le trajet n'était pas toujours le plus sécuritaire ni le plus facile d'accès. Peu importait, avec l'aide précieuse de Lassik, ils escaladèrent une paroi rocheuse et s'enfoncèrent plus profondément dans la montagne. Le groupe descendit un vallon, puis remonta pour découvrir une autre vallée sillonnée par un cours d'eau. Devant une falaise abrupte, Grim déclara :

— On doit revenir sur nos pas, ça ne passe pas.

— Encore ! rouspéta Lars contrarié.

Ils rebroussèrent chemin jusqu'à la prochaine croisée praticable. L'escapade en montagne perdura cinq jours.

Épuisés, Arminas et Beren pointèrent enfin l'embouchure bien dissimulée d'une caverne. Le chuchotement s'était avéré efficace.

— Vous nous attendez ici, ordonna Arminas aux trois guerriers. Seul Beren peut m'accompagner.

— Il n'en est pas question ! s'objecta furieusement Marack. Je suis responsable de votre sécurité et cela pourrait facilement être un piège. Je vous accompagne.

— Je vous somme formellement au nom de l'Ordre de Lönnar de rester ici et de nous attendre, décréta le Grand Druide afin de s'assurer que sa directive soit suivie à la lettre. Ne réplique pas, Marack !

Le guerrier protecteur obtempéra, laissant exploser sa mauvaise humeur.

« Quel déshonneur ! maugréa-t-il. Me faire mettre au guet comme un vulgaire garde. Ma place est à ses côtés, mon arme prête à le défendre ! »

La voix conciliante, qui les avait guidés durant les trois dernières semaines, se fit plus pressante. Le druide et le prêtre, peu rassurés, s'engloutirent enfin dans la sombre caverne. Leur acuité elfique dans la pénombre ainsi que la suffisance de nitescence, leur permirent d'explorer les souterrains sans torche. Les deux confrères arrivèrent enfin devant celui qui les avait fait venir jusque-là.

Il faisait presque nuit lorsque Arminas et Beren ressortirent calmement de la grotte.

— Et puis, qu'est-ce qu'il y avait là-dedans, s'enquit Lars impatient.

— Pas de mauvaises rencontres ? bougonna Marack.

Lassik observait la scène, appuyé sur un gros rocher.

— Mes amis, vous allez pouvoir rentrer et rejoindre les vôtres, déclara Arminas.

La déclaration aurait pu être plus joyeuse n'eut été le ton grave employé par le druide. Celui-ci continua :

— En échange d'un moyen pour retourner sur notre continent, j'ai accepté de rester ici et de devenir le nouveau Gardien de cette grotte. C'est un grand honneur pour moi d'accomplir ce devoir de protection.

Comme il pressentait déjà les objections de Marack, il ajouta :

— Ma décision est irrévocable, il s'agit de ma destinée.

Beren, pour une fois, se tenait solennel et silencieux. Il n'avait aucun commentaire à ajouter aux propos de son ami.

Marack, abasourdi, s'avança vers Arminas les sourcils froncés.

— Peu m'importe l'ordre, la sommation ou le dieu que tu vas invoquer, je resterai ici à tes côtés, déclara-t-il d'un ton décidé.

— Nous pensons tous la même chose, dit finalement Grim. Personne ne te laissera ici seul pour accomplir ta tâche, surtout en ces terres étrangères. Nous sommes tous étroitement liés par nos nombreuses aventures car tu es notre ami et notre frère.

— C'est une geste noble mon ami, lui répondit le druide en mettant une main sur son épaule. J'apprécie votre droiture et la loyauté que nous avons les uns envers les autres. Les Terres d'Aezur sont vastes et les bons bras me seraient utiles. N'empêche que c'est un sacrifice que je ne veux pas que vous fassiez pour moi. Vous avez une vie de l'autre côté et vos familles vous attendent.

Arminas savait qu'il aurait sans doute eu le même élan de fidélité envers chacun de ses compagnons si les rôles avaient été inversés. Là était la base de leur amitié : que de missions accomplies au nom de Tyr le justicier et de Lönnar, le gardien de la nature !

Finalement, Beren sortit de son mutisme.

— Je propose de négocier avec le présent Gardien de la grotte pour lui offrir une alternative : cinq Gardiens au lieu d'un seul.

— Six Gardiens ! Lassik joignant sa voix aux autres. Si ses nouveaux amis étaient disposés à demeurer sur l'île pour accomplir cette tâche, alors lui aussi serait prêt à mettre sa vie au service d'une noble cause.

Le druide voyant qu'il serait impossible de les faire changer d'idée, communiqua par télépathie les derniers revirements de situation.

— Le Grand Gardien accepte de vous rencontrer afin de juger lui-même de la profondeur de votre engagement, les avisa-t-il solennellement.

Arminas amena les aventuriers dans les souterrains et leur présenta le Grand Gardien qui leur fit voir *La Source*, véritable trésor de la nature.

— Il a fait le serment de protéger cette source, expliqua Arminas. N'ayant plus grand temps à vivre dans ce monde, trouver un remplaçant était une tâche qu'il n'espérait même plus accomplir.

Les compagnons demeurèrent bouche bée devant les splendeurs que renfermait cette grotte et toutes celles qu'ils pouvaient entrevoir un peu plus loin. Le Grand Gardien sonda chacun des hommes qui se présenta devant lui et prit le temps de bien jauger les nouveaux postulants.

« Arminas, vous êtes le choix par excellence par votre cœur et votre profession, lui transmit-il mentalement. Mais vos compagnons n'ont certes pas vos convictions. Ils doutent et certains regrettent déjà leur engagement. Ils sont partagés entre leur loyauté envers vous et leurs devoirs de responsabilité envers ceux qu'ils aiment. »

— Je vous propose un pacte qui pourrait être à l'avantage de toutes les parties présentes, dit finalement Beren en brisant le silence pesant. Tacitement, je sais que personne ne veut laisser notre ami seul pour accomplir cette énorme tâche. Cependant, je sais aussi que de laisser nos vies derrière nous est un sacrifice énorme à demander à des hommes de cœur.

Chacun mesurait pleinement le renoncement à envisager et ce n'était pas une chose facile à accepter.

— Ma nouvelle proposition est fort simple : en échange de nos services à titre de Gardiens de *La Source*, cette merveille de la nature, je vous demande, Ô Grand Gardien, de nous laisser retourner vers nos familles afin de les convaincre de venir s'établir avec nous ici, sur cette île.

— En effet, cela ne prendrait que quelques mois à organiser, s'empressa de poursuivre Grim. Vous aurez ainsi une armée de Gardiens arborant la bannière de Tyr et de Lönnar, pour protéger cet endroit.

La proposition inattendue intrigua la vieille âme du Grand Gardien pendant quelques moments. Celui-ci résuma le pacte pour être certain qu'il avait bien compris la proposition de Beren:

— En échange d'un moyen de retourner dans votre monde auprès des vôtres, vous vous engagez tous à revenir ici afin d'assumer le rôle de Gardien de *La Source*, peu importe la décision de vos proches. Est-ce bien ce qui est proposé ?

Beren acquiesça pour le groupe immédiatement. C'était dans sa nature de ne pas perdre de temps. Il entrevoyait déjà le parchemin d'incantation présentant le rituel qui leur permettrait de retourner sur leur continent.

— J'accepte votre dernière offre, aventuriers, déclara finalement le Grand Gardien. Vous aurez quatre mois pour tenir parole. Au bout de ce délai, chacun de vous devra revenir en ce lieu pour accomplir le devoir que vous jurez d'entreprendre.

— Sachez que si vous dérogez à votre parole, cela entraînera des effets fâcheux sur vos vies; la malédiction ne se résorbera que le jour où vous, ou vos descendants, reviendront ici, sur l'île Arisan et sur les Terres d'Aezur, assumer leur rôle de Gardien.

— Afin de sceller magiquement notre accord, je vous demande de prononcer un serment bien précis en touchant la paroi de cette caverne.

Il émana une aura mystique autour de ce fabuleux moment imprégnant à jamais la mémoire des valeureux vikings. Chacun mesurait l'enjeu de cet engagement et acceptait fièrement la noble tâche qui lui était maintenant dévolue.

Mais bien plus encore, cette mission leur offrait aussi la possibilité d'une grande aventure : peupler un nouveau territoire. Pour des hommes du Nord, ces conquérants pacifiques, ces défenseurs de la nature, résister à cet appel était impensable.

Chapitre 3 — Un portail pour Arisan

Le compte à rebours était amorcé et le plan établi : chacun userait de ses sphères d'influence pour convaincre son peuple de partager cette épopée.

Lassik était retourné auprès de son clan pour les informer de l'implantation de la nouvelle colonie, qui deviendrait géographiquement leur voisine. Voudraient-ils y participer ?

L'invocation de retour effectuée par Beren fut parfaitement réussie. Avait-il reçu un coup de pouce du Grand Gardien ? Son niveau de compétence avait-il augmenté avec la pratique ? Après tout, ce n'était que sa troisième expérience avec ce type de rituel.

Quelques mois plus tard, les compagnons se donnèrent rendez-vous pour faire le point dans leur lieu de rencontre préféré, l'Auberge du Cochon grillé. Grim McGray, chef de la Guilde marchande fit couler un bon vin pour célébrer le retour de ses convives.

— Profitez-en mes amis, une longue période de disette nous attend, commença le marchand. J'ai investi toute ma fortune dans cette nouvelle aventure. Voici la liste des provisions, denrées et autres fournitures nécessaires pour s'établir sur une île. J'ai planifié le tout en tenant compte d'un détail… non négligeable. Il n'y a encore aucune route terrestre pour nous ravitailler.

— Impressionnant, remarqua Lars en tenant le parchemin qui n'en finissait plus de se dérouler.

— J'ai convaincu et engagé plusieurs centaines d'artisans, forgerons et d'autres maîtres de profession, continua-t-il. Mon talent de diplomate et de négociateur m'a bien servi mais je voudrais vous rappeler que, sans le travail d'équipe, nous n'y serions pas arrivés. Grâce à Beren qui a usé de ses contacts auprès de l'ordre Tyrien, j'attends sous peu une

cinquantaine de réponses à mes missives pour divers achats de matériaux.

Beren hocha la tête en guise d'assentiment.

— De plus, poursuivit Grim, ma tendre épouse Marie-Calina, qui est toujours prête à embarquer dans mes projets… ma foi, fort nombreux, a également réussi à convaincre plusieurs factions artistiques de se joindre à l'aventure.

— Trinquons à cette bonne nouvelle ! dit Marack en levant son verre avec les autres. À une ambassadrice culturelle inspirante!

— De mon côté, enchaîna Lars, j'ai usé de ma grande notoriété de skald lors de plusieurs *Thing*, nos petites assemblées locales. Ces rencontres avaient pour but d'appliquer les directives de départ décidées lors du *Althing* et de régler des mésententes.

— Tous se tournèrent vers lui pour en apprendre davantage.

— J'ai convaincu plusieurs familles de nobles Jarls à se joindre à nous, continua le skald. Je sais aussi que beaucoup de familles de Karls, les hommes libres, fermiers et artisans ont décidé de saisir cette chance unique de s'établir sur de nouvelles terres.

— Nous savons Lars que tu as une excellente réputation en tant que médiateur dans les communautés vikings, approuva Grim. Ton charisme amplifié par toutes ces odes chantées sur tes exploits en tant qu'aventurier a dû bien te servir ! le taquina-t-il. Ton surnom n'aurait-il pas été quelque peu… inspiré ?

— Levons nos verres au géant blond, le Quatrième Norne[10] au service du dieu justicier Tyr ! lança Marack, sur un ton joyeux. Aux exploits des aventuriers !

Le mage Beren, également prêtre de Tyr, se leva pour expliquer ses réalisations.

— J'ai réussi à convaincre la hiérarchie des grands prêtres Tyriens, commença-t-il en bombant le torse. Mon côté missionnaire m'aidera à construire une église à la gloire de mon dieu dans des contrées encore inexplorées. Ce sera le

---

[10] Norne : chacune des trois déesses (Urdhri, le passé, Verdhandi, le présent et Skul, l'avenir) qui décidaient des destinées des Hommes dans la mythologie germanique.

premier temple du genre à être érigé pour Tyr Il y a quelques semaines mes amis, j'ai été officiellement nommé Grand Prêtre.

— Au Grand Prêtre ! lança Marack le verre à nouveau levé. À Saint-Beren !

La nomination du mage en tant que Grand Prêtre avait été repoussée plusieurs fois depuis quelques années. Il ne demeurait jamais assez longtemps en place pour établir sa congrégation et assumer le rôle de patriarche de l'Ordre de Tyr. Maintenant que la possibilité s'était présentée, Saint-Beren pourrait enfin édifier l'hommage à son dieu, chose dont il avait toujours rêvé.

— Je ne construirai pas, continua-il de plus en plus fier, ni une chapelle, ni un monastère ou ni même une abbaye mais une cathédrale, rien de moins !

— Aux cathédrales de Saint-Beren ! Aubergiste, encore du vin ! demanda Marack.

La nouvelle avait déjà voyagé dans les villes avoisinantes. Les hommes du Nord ont interprété cette nomination comme un signe du dieu justicier. Leur raisonnement était fort simple : il s'agissait d'un elfe à qui Tyr avait accordé ses grâces et ses pouvoirs.

Plusieurs disciples de Tyr, et même un prieur, se sont joints à la cause de Saint-Beren et lui ont prêté serment de fidélité. La hiérarchie lui a octroyé un contingent de soldats cléricaux, quelques paladins et aussi des templiers pour l'appuyer dans l'établissement de cette nouvelle communauté. Des églises de Tyr ont offert de contribuer en ressources matérielles à l'édification de ce temple en terres étrangères. Ça s'annonçait bien.

Marack, quant à lui, était un maître d'armes, dont la réputation de champion rayonnait dans plus d'un clan. Il était également le plus modeste du petit groupe.

— En ma compagnie et sur le chemin pour se rendre au sanctuaire des grands druides, expliqua Arminas, Marack a fait valoir son choix dans toutes les castes rencontrées de guerriers et d'hommes du Nord. De façon très honnête, il leur a promis une terre remplie de nouveaux défis, la chance de prouver leur valeur au combat et enfin l'honneur de défendre une nouvelle communauté.

— Je te remercie Marack, fit Arminas en se tournant vers son fidèle ami. Je suis fier d'annoncer que, grâce à toi, nous aurons plusieurs centaines de vaillants combattants dans notre équipage.

— À Marack ! lança cette fois Lars en levant son verre. Au champion !

Marack but rapidement pour cacher sa timidité devant de tels honneurs. Sa réputation en tant que protecteur du druide Arminas lui avait effectivement donné de la crédibilité auprès des divers clans elfiques et druidiques. Au début de son engagement, le Conseil des grands druides acceptait mal qu'un étranger puisse assister aux assemblées au sein même du sanctuaire. Mais son art du combat ainsi que son audace auprès des gardes druidiques, en ne reculant devant rien pour accomplir son devoir, lui avait mérité petit à petit ce droit rarissime ainsi qu'un respect unanime.

— Je suis allé devant le Conseil des grands druides, continua Arminas et j'ai demandé à protéger les Terres d'Aezur. J'ai fait valoir que j'étais maintenant prêt à fonder mon Ordre de gardiens et que Lönnar m'avait donné un signe que je ne pouvais pas ignorer.

Les compagnons devenus plus calmes l'écoutaient attentivement.

— J'ai fait valoir aussi que la hiérarchie druidique ne serait pas compromise car il s'agissait d'un nouveau territoire et qu'aucune caste druidique n'y avait placé un droit. J'ai raconté notre histoire, mais avec un minimum de détails.

— Tu leur as parlé de *La Source* ? s'inquiéta Beren.

— Pas vraiment… enchaîna le druide. Je dois me méfier. *La Source,* aussi puissante soit-elle, doit conserver son côté secret par respect pour le présent Grand Gardien qui a dévoué sa vie entière à la protection de cet endroit unique. Or, les divers grands druides réunis qui m'ont écouté représentaient chacune des castes druidiques. J'ai ainsi parlé de sa découverte sans en dévoiler le contenu, du Grand Gardien actuel ainsi que du pacte qui a été prononcé.

— Et puis ? demanda encore Beren.

— Le Conseil des druides a rendu sa décision en tenant compte de ma bonne réputation. Mes amis, vous avez devant vous le nouveau Grand Druide Arminas de l'Ordre de Lönnar, conclut-il en levant son verre.

— Skål[11], cria Lars, pour l'Ordre de Lönnar et ses Gardiens du territoire !

Marack savait que la décision restait controversée au sein du Conseil. Certaines factions auraient bien aimé mettre la main sur ce territoire avec cette précieuse *Source* de magie mystérieuse. Voyant qu'Arminas ne parlerait pas de cet aspect, il se tut et but son vin.

La soirée s'acheva dans la bonne humeur puis chacun retourna terminer ses préparatifs.

Le temps s'écoulait rapidement.

Arminas était ravi de constater que plus d'une quarantaine de druides de son Ordre s'étaient portés volontaires pour l'accompagner. Plusieurs novices et certaines de ses connaissances l'aideraient à structurer la hiérarchie des Gardiens de Lönnar.

Parmi les consentants, un seigneur elfique du nom de Hindwimrin Trait d'Argent, disciple de Tyr, avait recruté près de quatre cent membres de son clan. Il y avait des guerriers, des éclaireurs et des mages pour soutenir la nouvelle communauté.

— La dévotion de Lönnar sera accompagnée par le courage de Tyr, le père et le fils ! annonça le seigneur elfique à Arminas en se présentant dans son bureau.

Il avait employé cette maxime bien connue afin d'annoncer au Grand Druide qu'il l'accompagnerait dans cette aventure.

— Voici, tel que demandé, la liste des castes de profession qui vont m'accompagner sur l'île d'Arisan, déclama-t-il d'une voix monocorde : trente bateliers, haleurs, passeurs et leurs apprentis; vingt honorables fauconniers de chasse et leurs apprentis, soit ceux des buses, des aiglons, des faucons…

Poli, Arminas écoutait Hindwimrin distraitement. Durant ces longues minutes, il se surprit à se remémorer l'histoire de son dieu Lönnar.

Il était dit que les dieux vikings se mêlaient souvent aux humains afin de faire l'expérience de la vie d'un mortel. Tyr aurait vécu plusieurs années avec les hommes du Nord et aurait rencontré

[11] Skål : mot scandinave employé pour porter un toast.

une elfe druidesse du nom de Brynja. Celle-ci vénérait Fjörgyn, mère de la Terre.

Très amoureux de celle-ci, ils ont eu un fils : Lönnar. Ce petit elfe avait beaucoup d'affinités avec la nature et certainement moins à l'égard de la discipline du combat, si chère à son père. Son paternel aimait agir de façon courageuse mais surtout se présenter en tant que héros. Le jeune y portait un certain intérêt mais préférait les enseignements de la nature prodigués par sa mère.

La justice, l'équité et l'honneur étaient cependant des points communs entre le père et le fils. Leurs discussions pouvaient durer des heures. Lorsque Brynja est morte de vieillesse, Tyr a révélé sa vraie identité à son fils Lönnar, désormais un demi-dieu.

La déesse Fjörgyn, se rappelant la dévotion de Brynja à son égard, prit alors sous son aile ce disciple qui avait hérité des affinités druidiques, tout comme sa mère elfique. Ainsi, Lönnar devint un dieu dont les sphères d'influence se concentrèrent sur la sauvegarde de la nature ainsi que sur l'application de la justice. Il était vénéré par les druides qui se chargeaient de protéger les forêts et leurs territoires.

Les dévots invoquaient Tyr pour le courage et l'héroïsme au combat ou pour que justice soit rendue. Depuis, ils invoquaient également Lönnar pour sa justice mais dans le cadre plus spécifique de leur relation avec la nature. Leur férocité et leur détermination en défendant leur territoire au nom de leur dieu étaient d'ailleurs légendaires. Ils avaient tous la justice dans le sang !

Les axiomes les plus connus et souvent employés par les disciples se résumaient ainsi :

Va avec le courage de Tyr !

Que la justice de Tyr t'accompagne !

Va avec la sagesse de Tyr.

Va avec la dévotion de Lönnar!

Lönnar Tyrson n'est pas un nom que l'on bafoue
devant l'un ou l'autre des disciples de ces dieux.

Arminas sortit de sa rêverie lorsque Marack, se tenant jusque-là silencieux et immobile derrière lui, toussota bruyamment.

— Merci seigneur elfique, je suis bien heureux que vous soyez des nôtres, lui dit-il. Je vous présente, ci-présent, Marack qui va nous accompagner. Oui, l*a dévotion de Lönnar sera accompagnée par le courage de Tyr, le père et le fils.*

À quelques semaines du grand départ, Arminas et Beren travaillaient conjointement dans la clairière du Cercle du sanctuaire.

— Il nous faut absolument déterminer quel sera le meilleur moyen de transport, indiqua Beren.

— Évidemment, lui répondit Arminas songeur, les parchemins d'incantation seront nettement insuffisants et trop instables. Il repensait ce faisant aux premières tentatives de Beren.

— Il faut prévoir de l'énergie pour tous ceux qui nous accompagneront ainsi que pour tous les bagages et matériaux, ajouta son ami.

— Oui et j'ai cru comprendre que Grim veut démarrer la construction du premier village fortifié dès les premiers jours, dit le Grand Druide.

Beren annonça enfin fièrement :

— J'ai pris la liberté d'engager une guilde de mages de confiance. Sous ma supervision, ils sont en train de créer un puissant enchantement. Il enveloppera un portail et durera suffisamment longtemps pour permettre à tous de s'y engager et se transporter vers l'île d'Arisan.

— Quelle bonne trouvaille ! se réjouit Arminas.

— Je dois te dire que cela n'a pas été facile. Cette opération va nécessiter plus de ressources que prévues… hésita le mage.

— Je suis néanmoins bien content d'apprendre que tu as déjà réglé ces détails avec Grim, conclut le disciple de Lönnar.

Peu après, Arminas se rendit superviser l'élaboration du portail, composé de branches de coursons[12] entrelacées. Il serait suffisamment grand pour permettre le passage d'une charrette et de plusieurs personnes à la fois.

La collaboration de quelques grands druides de Lönnar fut fort appréciée pour la création de cette tonnelle géante. Ceux-ci étaient très enthousiastes : une nouvelle caste de l'Ordre prenait vie !

Par mesure de sécurité et afin de permettre au portail de bien fonctionner, seul Arminas et Beren connaissaient leur destination finale. De plus, comme ils faisaient de plus en plus de jaloux, Beren demanda protection auprès de quelques amis magiciens de l'Ordre de Tyr.

En effet, certains voudraient bien découvrir l'emplacement de la fameuse île et de sa si puissante *Source* magique. Des espions tenteront sûrement de s'immiscer parmi les valeureux prêts à relever le défi de cette grande aventure. Afin de débusquer les scélérats, Arminas fit des démarches auprès de ses contacts elfiques. Certains items occultes furent retracés et achetés par le groupe afin de les opposer aux démarches malfaisantes.

En matinée, le jour du départ, sous un soleil de plomb, Arminas et Beren s'appliquaient nerveusement aux derniers préparatifs. La tension était palpable dans l'équipe, tout comme chez les voyageurs qui s'alignaient à l'infini avec leurs bagages au bord de la route. Un petit groupe de templier Tyrien assuraient la protection de l'entrée du portail de branches construit par les druides.

Les deux compères magiciens pratiquaient leur rituel respectif afin de les invoquer sans digression. Ceux-ci devaient être récités simultanément pour pouvoir prendre effet. Le premier fut développé par les mages afin de créer le corridor qui les transporterait. Le second, avait été mis au point par l'un des grands druides de Lönnar afin d'assurer la stabilité du lien avec

[12] Coursons : jeunes rameaux d'arbre fruitiers.

l'île. Au grand soulagement de tous, la cérémonie se déroula parfaitement : le portail était maintenant fonctionnel.

Le Grand Druide Arminas et Saint-Beren accueillirent les volontaires un par un, les scrutant méticuleusement à l'aide de leurs nouvelles acquisitions.

Beren possédait une gemme transparente de la grosseur d'un poing et pouvait distinguer si les hommes, femmes, enfants et même les bêtes qui devaient partir étaient bel et bien ce qui était observé à l'œil nu. Cette pierre magique dévoilait les enchantements de métamorphose ou d'invisibilité. Il exposait aussi les créatures qui pourraient user d'habileté naturelle pour se faire passer pour d'autres.

En guise de mesure supplémentaire, Arminas avait pu se procurer un diadème de métal orné de runes permettant de déceler les menteurs. Le porteur de cette coiffe entendait des variations suraiguës lorsque la personne prononçait un mensonge.

— Quel est votre nom ? répétait inlassablement Arminas à chaque voyageur.

— Pourquoi désirez-vous aller sur les Nouvelles Terres ?

— Jurez-vous de garder secret l'endroit où vous vous retrouverez après avoir franchi ce portail ?

Lorsqu'une réponse stridente était perçue par Arminas, les paladins de Tyr avaient ordre d'escorter l'espion en un endroit sécurisé et de le relâcher le jour suivant.

— Mais qu'est-ce que c'est ça… constata soudainement Beren. En quelques secondes, il fit un petit sortilège.

Des milliers de petites lumières blanches se fixèrent devant les mages en forme de silhouettes trapues et difformes. Sous un charme d'invisibilité, le gobelin qui se croyait à l'abri de toute découverte fut arrêté sur-le-champ.

Sur les deux mille neuf cent cinquante-cinq personnes interrogées et observées, une dizaine seulement furent refusées en raison de fourberies. La plupart obéissaient à un patron et avaient été soudoyées afin de découvrir le plus d'informations possible sur leur destination. Ils avouèrent qu'ils auraient dû, par la suite, utiliser divers moyens personnels afin de revenir faire leur rapport à leur employeur.

Enfin, Arminas et Beren furent les deux dernières personnes à quitter l'ancien continent Les mages ainsi que les druides obéirent aux ordres et, durant la nuit, enflammèrent le portail afin qu'il soit à jamais inutilisable. Il fut entièrement détruit et les enchantements oubliés. À l'aube, la clairière était bucolique et tranquille comme si rien ne s'y était passé.

La première année sur Arisan fut pénible pour l'ensemble de la communauté. L'allégresse des premières semaines céda la place à la rigueur devant chaque tâche à accomplir. Heureusement, les viking et les elfes volontaires étaient de nature combative. Rapidement, les villes prenaient forme et la capitale Alvikingar se révéla progressivement sous les regards admiratifs : elle était simplement magnifique.

Un *Thing* eut lieu durant lequel il fut convenu que chacun des membres du petit groupe original endosserait le rôle de chef de la ville dans laquelle il résiderait. Grim devint ainsi le jarl de la capitale, chargé de voir au commerce et fut secondé par Saint-Beren qui avait suffisamment de son église et de ses expériences à s'occuper.

La zone côtière un peu plus au nord-ouest devait être protégée et Lars y fonda Yngvar.

Arminas donna ses ordres à ses disciples afin de construire la forteresse de Feygor dans la montagne violacée et devint ainsi le sanctuaire des druides. Comme seuls le groupe des Premiers Gardiens et quelques membres hauts placés dans la hiérarchie de l'Ordre de Lönnar connaissaient son existence, l'emplacement de *La Source* demeura secret.

Le Grand Druide passa ensuite plusieurs mois près de *La Source*, au chevet du Grand Gardien. Malgré les nouveaux pouvoirs qui lui avaient été accordés avec son statut, il était impuissant devant les derniers soupçons de vie qui s'échappaient du corps de son mentor agonisant.

Lassik s'était établi non loin de la grotte dès les premiers mois suivant le départ de ses nouveaux compagnons. Il apporta aide et

soutien au Grand Gardien qui attendait patiemment son passage dans une autre dimension.

Le Grand Druide emmagasinait avec célérité toutes les informations qui lui étaient transmises. La tâche était titanesque, le vieux sage ayant vécu des millénaires. Durant les derniers jours, Lassik, Beren, Arminas et son protecteur Marack tentèrent de comprendre et de tout noter afin de prendre soin adéquatement de *La Source*.

— Ça y est, la sentinelle a fermé ses yeux pour la dernière fois, déclara Beren avec respect.

— Quelle perte ! dit Arminas en se recueillant. Il y a tellement d'informations qui n'ont pu être transmises... malheureusement.

— Bon voyage et bon repos Grand Gardien, ajouta le géant.

— Allons mes amis, accomplissons avec égards et diligence la cérémonie spéciale selon ses instructions, les réconforta le prêtre de Tyr. Nous avons dorénavant de nouvelles responsabilités dont il faudra nous acquitter avec honneur.

Pendant les jours qui suivirent, dans la petite chaumière d'Arminas, Marack attendit avec impatience la suite des événements. Il connaissait bien son ami Arminas et il posa sur lui un regard scrutateur.

— Marack, je dois rester à Feygor mais tu ne peux pas demeurer ici, amorça le Grand Druide d'une voix sereine. Tu iras vivre à Hinrik, la ville au pied des montagnes du clan de Lassik.

Ils n'en étaient pas à leur première divergence et il s'attendait à ce que le viking défende sa position.

— Non, il n'en est pas question, répondit froidement le guerrier en le regardant plus intensément.

— Assieds-toi et discutons, invita Arminas, surpris par le ton calme qui précédait la tempête.

Marack argumenta durant de longues minutes. Il se promenait de long en large de la pièce en gesticulant. Il faillit plusieurs fois faire tomber les différents effets du druide disposés ça et là. Enfin, devant le silence de son interlocuteur, il accepta un verre de whisky et s'assit.

— Tu comprends que je n'ai pas le choix de rester auprès de *La Source* en compagnie de mes disciples, expliqua le Grand Druide. Je suis en sécurité ici. Mes gens veillent sur le sanctuaire et nous avons de nombreux combattants tout autour de la montagne.

Le guerrier écoutait, la mort dans l'âme.

— Ta nomination pour prendre en charge le village fortifié d'Hinrik est stratégique : nul autre que toi n'a les compétences requises pour commander le nouveau camp d'entraînement des futurs Gardiens du territoire.

Arminas voyait l'importance de bien former des éclaireurs, guerriers et druides pour survivre en terrain hostile.

— D'autant plus que, tout au long de l'année, continua-t-il, des petits groupes de Yobs et Mourskhas ont eu l'audace de s'attaquer à nos campements de bûcherons éloignés. Plusieurs créatures parcourent nos terres, certaines n'osent pas s'attaquer à un groupe de guerriers. D'autres, mieux structurées, arrivent à terrasser nos valeureux krigers[13]. Je soupçonne d'ailleurs que plusieurs de ces attaques ont été initiées par nos voisins de l'est.

Marack prit une bonne respiration et répondit tristement :

— Je comprends l'importance du nouveau rôle que tu me confies. Je n'aime toutefois pas manquer à ma dette d'honneur envers toi. J'irai à Hinrik.

Sur Arisan, lorsque les trois lunes s'alignaient, elles avaient l'air d'une seule et grande pleine lune blanche. Puissamment lumineuses, on pouvait croire qu'il n'y avait pas de nuit durant les deux jours précédant et les deux jours suivant cet alignement. Ce solstice de la lumière signifiait à tous la fin d'un cycle et le début d'une nouvelle année.

Parmi les responsabilités d'un Grand Druide, Arminas avait le devoir de se présenter au Conseil druidique de son Ordre une fois à environ tous les ans. Comme il avait été nommé Grand Druide

[13] Krigers : qui veut dire guerriers.

lors de la dernière assemblée, le temps était venu pour lui de retourner sur l'ancien continent. Il devait prendre la parole afin de diffuser ses progrès et discuter de divers points de fonctionnement.

L'un des pouvoirs très utiles octroyé à un Grand Druide est celui de se déplacer d'un territoire à un autre par l'entremise d'une plante suffisamment grande pour permettre à un humanoïde d'y entrer.

Un *Acer nigrum*[14] très jeune a été sélectionné par Arminas. Le choix que le Grand Druide effectue pour son moyen de transport est secret et personnel. Personne d'autre n'est au courant. Cet arbre fut planté dans une partie protégée du sanctuaire dédié à l'Ordre de Lönnar dans la forteresse de Feygor. Arminas lui a prodigué les soins et les incantations nécessaires pour permettre à cet arbrisseau d'atteindre sa maturité en moins d'une année.

Il lui était donc possible de voyager d'un arbre à un autre, peu importe la distance, la seule condition étant que les deux plantes soient de la même essence. Une seule personne pouvait emprunter ce chemin. De plus, le point de départ ainsi que le point d'arrivée devaient être bien connus pour que la magie puisse opérer.

Sur place, plusieurs de ses pairs et alliés attendaient l'arrivée de leur ami avec impatience. Arminas trouva étrange de se retrouver de nouveau dans la clairière du sanctuaire sans son valeureux Marack.

— Ah mon ami ! Nous avons tous hâte d'entendre les nouvelles sur le développement de ta communauté ! lui dit un druide en lui faisant l'accolade.

— Je suis un peu nerveux, lui confia-t-il. Ce sera quand même mon premier rapport officiel.

— Tous les grands druides de chacun des Ordres sont déjà arrivés, lui annonça un jeune disciple un peu impressionné. Ceux de Lönnar évidemment mais aussi ceux de l'Ordre des Quatres Éléments : Paralda, Djin, Neksa et Gob, ceux de Sylvanus, de Nuada, de Crom, de Mieilliki, de Pan et enfin ceux de Krotos. On peut compter facilement une soixantaine de personnes présentes !

[14] Acer nigrum : arbre proche de l'érable à sucre.

Arminas prit place sur les gradins de pierre de l'amphithéâtre naturel en compagnie des membres de son Ordre.

Au centre du Cercle, chacun défila par ordre d'ancienneté en faisant état de ce qui se passait sur son territoire. Le Grand Druide d'Arisan écoutait plus attentivement encore les discordes qui pouvaient exister entre diverses factions et les droits invoqués pour résoudre ces querelles.

— Heureusement, le grand Conseil des druides est un terrain neutre où aucune caste de druides ne peut intervenir directement dans les conflits des autres, le rassura son ami de droite.

— Le but du Conseil n'est-il pas de faire appliquer la loi des druides ? intervint son voisin de gauche. Contrevenir aux lois peut entraîner de graves conséquences comme être destitué de son territoire !

« Et puis, songea Arminas en regardant les membres en face de lui, il y aura toujours une autre coterie qui attend patiemment, prête à bondir sur une telle occasion… »

— Je suis heureux de savoir qu'aucune faction de druides ne peut entamer ou inciter des actions agressives contre un autre clan druidique, leur répondit-il. Voilà, c'est à mon tour.

Arminas descendit dans le centre et éclaircit sa voix. Il ne voulait pas divulguer trop d'information concernant *La Source*. Il aborderait donc sa présentation avec les relations et les travaux effectués pendant cette première année en terrain hostile, complètement coupé de toute civilisation.

— Je sais que, normalement, continua-t-il d'une voix forte, une faction de druides qui s'établit à un endroit sur un territoire donné, évite de s'afficher ouvertement auprès des communautés avoisinantes. Je sais aussi que lorsqu'un territoire est sous la protection des druides, cela suffit pour éloigner ceux qui ont des intentions de conquête. Personne ne veut se mettre à dos un druide ! Mais sur Arisan, la situation est très différente de ce que vous avez vécu jusqu'ici : chacun de nous se connaît et travaille ensemble.

Il y eut un murmure dans l'assemblée.

— Je ne suis pas capable de faire comme plusieurs d'entre vous, poursuivit-il. Je suis contre l'alimentation de cette peur injustifiée des druides en menaçant les gens de détruire leurs

récoltes ou de condamner leurs enfants. La légende est trop bien entretenue et je ne veux pas la propager.

Arminas savait que sa façon de penser plaisait à de nouveaux adeptes. Malheureusement plus nombreux, les druides orthodoxes étaient visiblement choqués et commencèrent à huer sa présentation.

— Ainsi, vos disciples travaillent en collaboration avec trois peuples : des hommes, des elfes et des géants ! lança l'un d'eux en colère.

— Votre présence n'est même pas cachée ou occasionnelle, vous les côtoyez sur une base quotidienne! Blasphème! lança en écho un autre.

— Un druide peut être bienveillant dans une communauté en aidant les fermiers au niveau de leurs récoltes ! Il peut facilement veiller à ce que le gibier ne soit pas exterminé sur les terres ! se défendit Arminas d'une voix forte en se tournant vers les membres debout.

— Quelle idée saugrenue ! entendit-il.

— Ce n'est pas votre travail tout de même ! Où s'en irait-on si chacun devait s'ajouter ce genre de basses tâches ! entendit-il encore par-dessus la cohue et les huées.

— Allons, allons, calmez-vous ! imposa le premier Magistrat.

En fait, tous les efforts qu'Arminas décrivait afin de créer un environnement meilleur étaient conspués par plusieurs factions en opposition directe avec Lönnar, dieu de justice et d'équité. Les autres druides demeuraient interloqués et silencieux…

Soudain, la voix retentissante de Dihur, Grand Druide de l'Ordre des Quatre Éléments, invoqua la loi *Provocare ad agrum*, le droit de prendre un territoire. Le silence qui suivit devint pesant.

La loi druidique ne permettait pas d'invoquer ce droit de défi au début d'une nomination. Mais maintenant, plus d'un an s'était écoulé… Appuyé par des spéculations et rumeurs de mauvaise gestion, Dihur était en position de prendre par la force et par la loi les terres convoitées. Surtout voulait-il mettre la main sur la puissante *Source* d'énergie…

Chapitre 9
Leçons de Miriel

— Cela fait déjà une décennie que les hommes du Nord et les elfes des bois ont mis le pied sur cette île pour la coloniser, spécifia Miriel. Au dernier décompte, nous étions un peu plus de neuf mille huit cent trois âmes à peupler les Terres d'Aezur. Toutes les villes sont maintenant organisées et bien fortifiées.

Sous l'ombre d'un grand Salix babylonica[15], près de la place publique d'Alvikingar, la druidesse elfique aux longs cheveux châtains racontait, le plus fidèlement possible, l'histoire de sa communauté à ses jeunes élèves.

— Le territoire est sous notre protection et les Gardiens y veillent jour et nuit, annonça-t-elle fièrement. Pendant toutes ces années, ils ont repoussé les attaques de nos voisins. Je crois que leur bravoure au combat s'est rendue aux oreilles des armées de nos ennemis car ils nous laissaient tranquilles.

Le petit groupe de novices, tous des enfants entre six et neuf ans, écoutait avec passion les récits et explications de leur enseignante. Celle-ci était un peu nerveuse aujourd'hui car c'était un grand jour dans sa vie druidique : une Cérémonie bien spéciale aurait lieu en fin de journée. En attendant, elle profitait de l'occasion pour compléter l'apprentissage de ses protégés.

— Sans doute étiez-vous trop jeunes pour vous en souvenir, mais vers la septième année, les assauts se sont multipliés. Quelque chose avait changé… continua-t-elle, mystérieuse. Jamais les nombreux dragons qui peuplent Arisan ne nous ont attaqués mais les Sottecks, Mourskhas, Yobs et même des demi-géants hybrides eux, ont commencé à être plus téméraires et agressifs.

---

[15] Salix babylonica : Le saule pleureur est une espèce d'arbre dont les longues branches-lianes sont pendantes.

— Pourquoi ne voyons-nous jamais les dragons ? demanda une petite voix.

— Parce qu'ils sont très intelligents et que leur code d'honneur leur dicte de ne pas se mêler des affaires des autres créatures de l'île. Alors, ils nous observent mais demeurent cachés... répondit la druidesse dans des *ohhhh !* en chœur. Continuons notre histoire. Ainsi, la Tour de Vanirias a été le théâtre de beaucoup d'attaques. Elle a résisté grâce à ses racines magiques et est encore très solide. Les mages accompagnés par les archers elfiques ont repoussé chacune des tentatives d'invasion. Nos dieux et nos magiciens témoignent de notre puissance.

— Lönnar a donné plus de magie aux Gardiens et c'est pour cela que nos ennemis n'osent pas venir nous attaquer ! déclara très sérieusement un garçonnet bouclé.

La druidesse s'esclaffa devant la réplique du jeune viking qui croyait que la magie pouvait tout résoudre.

— Rester sur cette impression nous aurait certainement menés à notre perte, lui répondit-elle. Si nous voulons survivre aux attaques de nos ennemis, nous devons changer nos tactiques de guerre, innover et surtout nous adapter.

— Nos ennemis sont venus en groupe et ils étaient plus nombreux que nous. Le danger était bien réel. Comment arriver à être partout à la fois ? La solution a été d'utiliser des patrouilles plus petites mais mieux entraînées. Pour notre sécurité, les nouveaux Gardiens du territoire, qu'ils soient druides, éclaireurs ou guerriers, doivent obligatoirement réussir un entraînement complet à la ville d'Hinrik.

— Ils devront ensuite patrouiller en petits groupes, éliminer les dangers rencontrés, ne pas risquer leur vie inutilement et, si les bataillons ennemis repérés sont trop nombreux, rapporter l'information le plus rapidement possible au camp de base.

— Je sais que la mobilité et l'esquive sont nos meilleurs atouts dans la forêt ! s'exclama un jeune rouquin.

— Alors moi, je vais être la meilleure éclaireuse de mon groupe! lança une grande fillette après avoir levé la main pour s'exprimer. Je suis déjà la plus agile et je gagne presqu'à chaque fois lorsque nous nous cachons !

— Si tu désires devenir éclaireuse Nirla, alors ta place n'est pas avec ce groupe, lui répondit la druidesse avec un sourire. En tant que novices, vous êtes initiés en premier lieu aux secrets des druides et non à celui de l'arc et des flèches. Désires-tu que je m'occupe de te faire transférer, étant donné que c'est la voie que tu désires emprunter maintenant ?

— Moi je te prendrais bien dans mon équipe d'éclaireurs, intervint Arafinway qui se tenait un peu en retrait.

La jeune femme n'avait pas remarqué la présence de son ami elfe dans l'ombre. Elle vit en quelques instants son petit sourire en coin tandis que la petite Nirla venait de réaliser les conséquences de ses paroles. La demoiselle se reprit immédiatement d'un air penaud.

— Je regrette ce que j'ai dit, Maître. Je désire vraiment devenir une druidesse comme vous et faire de la magie plutôt que d'utiliser un arc ou une épée.

La druidesse sourit à l'enfant qui venait de lui conférer un titre qui ne lui était pas encore décerné.

— Tu sais ma jeune amie, la réconforta Miriel, tu peux devenir une druidesse et savoir te battre avec une arme. C'est aussi très utile, ajouta-t-elle en regardant son compagnon d'entraînement.

Le soleil de midi venait de passer la tour centrale et ce serait bientôt l'heure de la cérémonie. La druidesse cacha son tract en reprenant son récit.

— Nous savons que la partie du continent très au sud des montagnes d'Orgelmir a été colonisée bien longtemps avant que nous nous installions au nord-ouest de l'île.

— À l'époque, nous ne savions pas qu'elle était habitée par des elfes, des barbares, des druides, quelques factions de nains et aussi des humains qui ont d'autres croyances que les nôtres.

— Notre territoire d'Aezur a toujours été sous la protection d'un Grand Gardien aux immenses pouvoirs qui s'assurait que *La Source* ne se retrouve jamais dans les mains de sinistres personnes. Cette responsabilité a été cédée aux druides de Lönnar avec la bénédiction de ce défunt Gardien.

— Maître, qu'est-ce que *La Source* exactement ? demanda Nirla.

— Chuuuut… C'est un secret que seuls les Gardiens du secret détiennent, lui répondit la druidesse, mystérieusement. Même moi, je ne sais pas ce que ce lieu mythique contient de trésor et de beauté.

— Vous devrez gravir les échelons de notre Ordre pour le découvrir, enchaîna Arafinway. En premier lieu, il faut devenir un valeureux Gardien du territoire puis, lorsque vous aurez fait vos preuves, vous deviendrez un Gardien du Secret à votre tour.

— Eh bien, moi je crois que c'est un grand bassin plein de magie qui permet de faire des vœux et obtenir tout ce que l'on veut, déclara Sif, un garçonnet aux cheveux blonds comme les blés.

— Pour ma part, je pense que c'est une chambre remplie d'armes aux pouvoirs magiques créées par les dieux, déclara un autre enfant.

— Sif ! Larkin ! Est-ce que je peux continuer mes enseignements ? coupa Miriel.

— Oui Maître, désolés! répondirent les deux novices en se rassoyant, assez fiers d'avoir fabulé devant la druidesse, car *La Source* était l'un de leurs sujets de discussion favoris.

La druidesse fixa de son regard chacun des petits visages qui l'observaient avec admiration. Il n'y avait pas si longtemps, celle-ci recevait les mêmes enseignements lors de son apprentissage.

— Continuons la leçon sur quelque chose que vous connaissez déjà. Chacun des jarls qui gouvernent les villes du territoire se rencontrent une fois par cycle. Qui peut me dire combien il y a de cycles dans une année ?

Une petite fille aux longs cheveux blonds, à peine âgée de six années, se leva, prit quelques instants pour réfléchir, ramassa un petit bâton et traça dans le sable un triangle avec des sphères aux extrémités pour expliquer sa réponse. Miriel se souvint que plus jeune, elle dessinait aussi les lunes en se servant de l'amulette des cycles lunaires de son père pour les retenir.

— Il y en a trois. Ils sont composés chacun de trois mois et chaque mois est composé de trente jours. Le premier cycle commence lorsque les trois lunes sont superposées et n'en font qu'une grande et blanche et très brillante…

— C'est le Solstice de Lumière, ajouta Miriel, continue.

— Le second cycle commence lorsque les deux lunes orange ont l'air de deux yeux qui veillent sur nous à partir du Ciel. Il fait aussi très chaud…

— C'est le Solstice des Dieux, ajouta de nouveau la druidesse.

— Le troisième cycle commence lorsque les trois lunes sont en ligne et complètement séparées. Elles sont mauves et je ne sais jamais laquelle est la plus belle… Il commence aussi à faire plus froid la nuit.

— C'est le Solstice des Voies, l'heure des choix et des grandes décisions, compléta l'elfe voyant que la petite avait terminé. Au bout de ces trois cycles, les trois lunes sont parfaitement juxtaposées de nouveau et le lendemain…

— C'est le jour du Renouveau, comme la journée d'aujourd'hui ! s'exclama Bryna félicitée par son enseignante.

Lorsque la grande cloche de l'église de Tyr sonna quatorze heures, la fébrilité des novices monta d'un cran.

— Est-ce que vous allez participer à la Cérémonie de tout à l'heure ? demanda l'un d'eux.

— Oui, en effet je dois y assister, répondit Miriel. D'ailleurs, je crois que l'on vient me chercher à l'instant même.

Toutes les petites têtes se retournèrent pour voir le messager arrivant derrière eux.

Il s'agissait d'un elfe d'âge vénérable, vêtu d'une robe cérémoniale tenant un bâton d'office ayant une tête de bélier à l'une de ses extrémités. Ce bâton, un Salkoïnas, est l'arme des druides de l'Ordre de Lönnar et celui-ci comportait des runes qui l'identifiaient comme étant un Gardien du Secret.

Miriel se leva pour accueillir son supérieur et les novices imitèrent immédiatement le geste de leur aînée.

— Bien le bonjour cher Gardien du Secret Fisari. Est-ce le temps pour moi de me préparer pour la Cérémonie ? demanda la druidesse auprès du maître.

— Oui, druidesse Miriel, il sera bientôt temps pour vous de recevoir le titre de Gardienne du territoire. Je vous prierais de vous préparer. Je vous quitte car je dois retracer plusieurs personnes en ce jour.

Miriel s'excusa auprès des jeunes élèves de ne pouvoir terminer la leçon.

— Rappelez-vous de ce que je viens de vous raconter car il est important pour vous de comprendre l'histoire de notre communauté ainsi que les efforts et sacrifices qui ont été faits. Si vous désirez poursuivre votre entraînement en tant que druides, cela fait désormais partie de vos connaissances. Allez, vous êtes libres !

Les novices hochèrent la tête en signe de respect. En quelques secondes, ils se précipitèrent comme des lièvres en fuite en direction de la place centrale. Chacun cherchait un endroit de choix afin de voir le déroulement de la Cérémonie.

— Pardonnez-moi cher Maître, puis-je vous demander si vous avez aperçu mon père aujourd'hui ? s'enquit Miriel.

— Malheureusement non ma chère enfant, je n'ai pas vu le Grand Druide Arminas. Par contre, je suis certain qu'il sera parmi nous lors de votre Cérémonie, la rassura-t-il en pressant le pas.

Elle se tourna vers Arafinway qui commençait à être nerveux aussi.

— Ça ira ? demanda-t-il à sa vieille amie d'enfance.

— Oui, oui. Ce n'est pas ce qui m'inquiète le plus, lui répondit-elle songeuse. As-tu eu les dernières informations au sujet du roi Arakher ? On nous a confirmé récemment ce que les Premiers Gardiens soupçonnaient depuis quelques temps déjà : le Grand Druide Dihur de l'Ordre des Quatre Éléments se serait affilié avec le roi des géants de pierre !

— Cela expliquerait les nombreuses attaques de la part du monarque, réfléchit-il.

— J'ai su qu'il nous envoyait de nombreux bataillons de soldats composés des divers peuples qu'il a asservis sur les terres qui délimitent son empire, ajouta-t-elle.

— Si Dihur est ici, nous aurons beaucoup plus de travail que prévu, déclara-t-il.

— Une chose est certaine : ce Grand Druide a pris son temps et il a bien dissimulé son jeu jusqu'à présent, expliqua Miriel. Ses ambitions sont probablement aussi grandes qu'avant. Il essaie de prendre par la force ce qu'il n'a pu obtenir par les lois. Le grand Conseil des druides est strict, mais ses lois ne sont pas incontournables. Dans ce cas-ci, comme il utilise une personne pour le faire à sa place, il n'agit pas directement contre l'Ordre de Lönnar.

— Convaincre le roi Arakher n'a pas dû être très difficile, répliqua l'elfe. Déjà, au temps de l'ancien Grand Gardien, il avait tenté d'envahir Aezur à maintes reprises. Il avait abandonné l'idée mais la venue de cet infâme druide a dû remettre sur la table ses rêves de conquête.

— J'ai bien hâte de voir la suite… Allons-y maintenant, la Cérémonie va débuter dans la prochaine heure, conclut-elle.

Amulette des druides de Lönnar qui représente le cycle lunaire sur Arisan.

Un cylcle lunaire = 1 année = divisé en 3 solstices, eux-mêmes divisés en 3 mois
1 mois = trente jours = 3 semaines de 10 jours

Chapitre 5
Gardiens du territoire

En ce jour du Renouveau, les habitants de la ville d'Alvikingar ainsi que des villes voisines fourmillaient de joie en attendant la Cérémonie annuelle des Gardiens du territoire.

À la foule colorée se mêlaient les amis sincères, les curieux, les envieux ainsi que les fiers parents des diplômés. C'était un grand honneur ! Cette commémoration avait pour but de rappeler à la population que ces jeunes gardiens prenaient la responsabilité de protéger les vies de la communauté d'Arisan.

De plus, seul ceux qui avaient reçu la bénédiction de Marack, jarl d'Hinrik, et de ses maîtres d'armes pouvaient participer à cet événement.

Chaque petit groupe de patrouille serait composé d'un chef, obligatoirement un druide de l'Ordre de Lönnar. Celui ou celle-ci devra par la suite choisir ses compagnons parmi les autres castes qui ont gradué de la ville d'Hinrik. Miriel, en tant que druidesse, n'avait fait ce choix qu'en partie et ce, à son grand mécontentement.

— Pourquoi un air si triste mon ami ? demanda Beren à Arminas, qui contemplait une partie de la ville de l'une des fenêtres de la tour de l'église de Tyr.

— Aujourd'hui je dois accepter la destinée de ma fille qui se concrétise un peu plus, jour après jour. Ce n'est pas de la tristesse que je ressens mais bien de l'inquiétude. Je dois t'avouer que c'est bien davantage le choix de son compagnon qui m'inquiète.

— Et tu t'attendais à quoi exactement ? Vous lui avez, Marack et toi, imposé Marack-fils, comme premier choix en tant que guerrier. Certes, ce jeune homme retient de son père et il surclasse presque toute la caste de guerriers qui a gradué cette année, mais... avoue que tu le lui as quand même imposé.

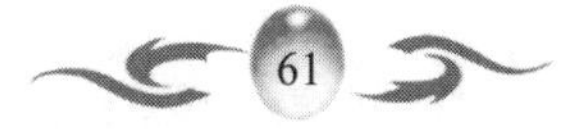

— Tu sais bien qu'il ne s'agit pas de Marack-fils, mais du choix qu'elle a fait pour le troisième membre de son petit groupe, tonna le disciple de Lönnar en regardant Beren droit dans les yeux.

— Ah ! nous y voilà donc, tu questionnes son choix de prendre Arafinway Merfeuille comme éclaireur, révéla son ami.

Arminas continua à tourner en rond dans les appartements privés du grand prêtre de Tyr et maugréait quelques phrases dans une langue que Beren n'arrivait pas à comprendre.

— Si tu désires continuer cette conversation dans cette langue gutturale, donne-moi au moins la chance de faire un petit enchantement pour être en mesure de te comprendre ainsi que de te répondre, lança l'elfe qui n'attendait que la chance de pouvoir utiliser sa magie.

Le Grand Druide, toujours songeur, finit par s'asseoir devant son ami qui n'avait pas bougé de sa table de travail, sur laquelle reposait une coupe de vin fort alléchant à un gosier asséché.

— Bon, maintenant que j'ai ton attention, vieux druide grincheux, je vais tenter d'en profiter. Tout d'abord, tu fais attendre un vin qui n'a pas mérité de s'oxyder plus longuement. Alors respire un bon coup, prend un moment et puis, très doucement, accueille ce petit délice que nous avons mis de côté ensemble tout spécialement pour ce jour.

Beren mimait chacune de ses paroles afin de bien faire comprendre à Arminas, qu'il devait se calmer.

— Vieux druide grincheux, marmonna Arminas après avoir pris le temps de savourer quelques lampées de l'élixir qui lui avait été servi. Tu ne m'avais pas appelé ainsi depuis au moins neuf bonnes années.

— Je n'avais pas eu le besoin de le faire avant aujourd'hui. Maintenant, raconte-moi un peu pourquoi tu perçois si négativement le choix de ta fille, lui demanda-t-il.

Arminas prit une bonne gorgée et défila à son ami les inquiétudes qu'il éprouvait concernant Arafinway.

Miriel va être accueillie comme Gardien du territoire. Elle a suivi avec succès les enseignements de son maître d'armes à Hinrik, tout comme Marack-fils, qui lui, a surpassé les enseignements de ses maîtres. Malheureusement, Arafinway est tout à fait le contraire ! Disons que ses prouesses sont loin d'être les plus

reconnues par ses pairs. J'ai dû user de mon autorité pour ordonner à Marack-père de le faire graduer. Selon lui, il n'est pas encore prêt et cela a donné lieu à une belle empoignade entre lui et moi.

— À ma connaissance, vous n'êtes pas à votre première argumentation ! lui lança Beren. Je le sais très bien car j'ai eu le privilège de pouvoir assister à plusieurs milliers de celles-ci pendant toutes ces années d'aventures en votre compagnie.

Arminas regardait son ami qui venait de lui répondre d'un air narquois.

— Je n'avais pas le choix d'imposer Marack-fils à Miriel. En vérité, c'est le père qui ne voulait pas démordre de sa position. Depuis que je lui ai ordonné de ne plus être mon garde du corps, il en a toujours gardé un certain ressentiment. J'avais terni son honneur, me disait-il.

— Ainsi, lorsque Miriel a fait son apparition, il a bien fignolé son plan. Il n'y avait rien à faire, aussi têtu qu'un ours ayant sa proie entre ses pattes. Impossible de me déprendre, il avait l'argument pour tout ce que je pouvais invoquer. À croire qu'il avait pratiqué toutes ces années sa dialectique dans ce but bien précis…

— Il a entraîné son fils personnellement et c'était un devoir de famille ! m'a-t-il dit en croisant les bras sur son torse et en donnant un léger coup de tête vers le bas, en signe de résolution finale à la discussion.

— Oui, cela lui ressemble assez bien, acquiesça Beren entre deux gorgées de vin.

— En fait, Marack n'a pas eu le choix lui non plus. Pour être certain que son fils accompagne Miriel, il a accepté à contrecœur de révoquer sa propre décision concernant Arafinway.

— Imagine, mon ami m'a forcé à imposer son fils à ma fille et celle-ci a usé du même stratège pour obtenir Arafinway comme éclaireur ! J'ai été dans l'obligation d'inciter Marack le père de faire graduer Arafinway s'il voulait que son fils accompagne Miriel, expliqua Arminas d'un air rembruni en terminant le reste de sa coupe d'un seul trait.

— Alors je comprends mieux ton état d'âme, mon cher ami. Mais je dois avouer que la pomme n'est pas tombée très très loin de son arbre en fin de compte, si je peux me permettre cette expression.

Arminas regardait son ami d'un air inquisiteur.

— Tu lui as imposé un compagnon et elle a fait exactement la même chose. Tu devrais apprécier ce beau balancement des évènements, surtout pour un druide comme toi qui aime cette bonne vieille neutralité druidique. Pas l'un plus que l'autre, tous les trois avez goûté à la même médecine, non ?

Beren continuait de taquiner son vieil ami, qui commençait à reprendre un visage moins morose.

— Je comprends, continua-t-il, que ce jeune elfe n'est pas le meilleur de sa caste et, qu'en tant qu'éclaireur, ses aptitudes ne sont pas développées à votre entière satisfaction. Mais il a probablement quelque chose que les autres éclaireurs n'ont pas… suffira de le découvrir !

Il termina également le contenu de sa coupe et en versa une seconde tournée en laissant ces dernières paroles faire leur chemin dans l'esprit du Grand Druide qui semblait en avoir lourd sur le cœur en ce moment.

— Ils sont tous trois de très bons amis, ils sont liés depuis leur plus tendre enfance, reprit le prêtre. Pour Marack-fils et Arafinway, ta fille est devenue leur petite sœur, depuis le premier jour où elle est arrivée sur l'île.

— Je peux t'assurer une chose, cet elfe est quelque peu juvénile, je te l'accorde, mais il va tout faire pour protéger ses compagnons et surtout Miriel.

— Alors, cesse de te tracasser et laisse ce jeune trouver son chemin. Les enseignements à Hinrik sont assez complets, mais l'expérience s'acquiert seulement sur le terrain et tu le sais très bien.

Beren regardait son meilleur ami et attendait une réaction ou un commentaire de sa part. Le Grand Druide de Lönnar leva son verre et d'un air plus détendu et prononça un toast.

— Alors à l'expérience, puisse celle-ci trouver son chemin jusqu'à Arafinway… le plus rapidement possible !

— Tu es impossible, rétorqua son ami en levant son verre pour l'accompagner.

Les habitants de la ville d'Alvikingar étaient massés autour de la place centrale, au pied de l'église de Tyr. L'atmosphère festive permettait aux marchands d'offrir leurs produits à chaque carrefour, avec leurs étals colorés et leurs joyeuses mines.

— Hé toi ! Pourquoi tant de gens réunis et cette ambiance de carnaval ? demanda un grand rouquin à son voisin.

— Si vous me posez cette question, c'est que vous n'êtes certainement pas d'ici ! lui répondit un barbu bedonnant.

— En effet, je suis un marchand et je viens d'arriver des terres du Sud en compagnie de mes amis elfes. Je viens troquer quelques denrées rares pour lesquelles j'espère bien obtenir un bon prix.

— C'est aujourd'hui que nous saluons nos nouveaux Gardiens, ceux qui défendent notre territoire contre nos ennemis. La Cérémonie se déroule toujours sur la place centrale de la ville. C'est d'ailleurs le seul endroit où il est possible d'accueillir la majeure partie de la population qui vient assister à cette célébration. Mais surtout... participer à la grande fête soulignant le jour du Renouveau. Je vous souhaite un bon marchandage, étranger et bienvenu à Alvikingar ! conclut-il en s'en allant.

— Merci l'ami et bonne célébration !

Le rouquin laissa retomber son sourire poli une fois que le viking eut disparu dans la foule.

— Vous avez compris, compagnons ? dit-il en se retournant vers ses hommes. Ils vont festoyer une bonne partie de la nuit, alors profitez-en pour prendre des notes. Voici quelques pièces d'or supplémentaires, assurez-vous de garder les cornes et les chopes de ces citoyens biens pleines, cela leur délie toujours plus facilement la langue. On se rejoint à l'auberge dès l'aube.

La place publique était maintenant complètement bondée. La cloche sonna cinq coups.

— J'ai entendu dire qu'il y avait cette année, soixante-dix-sept druides qui doivent être assermentés, annonça Lars à son compagnon.

— Oui, je crois que le compte est bon et j'estime à au moins trois fois ce nombre pour les castes d'éclaireurs et de guerriers, l'informa Grim.

— Tant mieux si le nombre de gardiens s'accroît, approuva le skald. Avec un peu de chance, quelques-unes de ces patrouilles vont pouvoir surveiller les montagnes entre Yngvar et Alvikingar.

— J'ai eu beaucoup trop de groupes qui ont rencontré des problèmes avec des hordes de créatures cherchant de nouveaux territoires de chasse. Ils ont même tenté de s'en prendre à quelques-unes des fermes non loin de ma ville.

— Malheureusement, je crois que tu vas devoir attendre. Nous en avons déjà discuté tous ensemble, lui rappela le jarl d'Alvikingar. Tous ces nouveaux gardiens sont destinés à patrouiller la Forêt des Bois Noirs, surtout dans sa partie sud.

— Ne te souviens-tu pas des rapports que nous ayons eus lors du dernier *Althing* ? Il y a un nombre accru de petits groupes d'éclaireurs ennemis qui ont tentés de traverser nos frontières. Nous avions à ce moment décidé que le prochain groupe de gardiens serait entièrement affecté à cet endroit.

Lars se rappelait bien cette discussion lors de leur dernière réunion. Il aurait bien aimé cependant avoir quelques troupes supplémentaires affectées au Nord, à Yngvar.

— Grim, dis-moi, la jeune Miriel et Marack-fils font bien partie de ce groupe de nouveaux gardiens, n'est-ce pas ? Vont-ils être eux aussi envoyés dans cette zone ? demanda Lars un peu inquiet.

— Oui, effectivement, lui répondit-il. Mais si Marack l'entraîneur a donné son d'approbation, c'est qu'ils sont fin prêts à combattre. De toute façon, j'aimerais bien te voir essayer d'empêcher la petite Miriel d'accomplir son devoir. À ma connaissance, tu n'as jamais eu de tendances suicidaires !

Les deux jarls se mirent à rire de bon cœur. Tous les compagnons d'Arminas avaient servi d'oncles et de conseillers auprès de la petite Miriel. Chacun avait plusieurs anecdotes à raconter sur cette petite elfe bouillonnante, digne fille de son père.

— En parlant de Marack, tu l'as aperçu quelque part, il doit être dans les alentours ! questionna Grim.

— J'ai parlé avec Arminas un peu plus tôt, répondit Lars. Il semble que notre ami préfère rester à Hinrik et patrouiller lui-même la forêt des Ancêtres plus à l'Est, non loin des Monts Krönen.

— Il aurait eu hier un ou deux rapports mentionnant que des petits groupes d'éclaireurs mourskhas avaient été aperçus dans cette région. Tu le connais, il a voulu aller voir de ses propres yeux.

— C'est d'ailleurs pour cette raison, étant donné que Marack ne pouvait venir nous rejoindre, que le *Althing* a été remis à un peu plus tard ce mois-ci. Mais je soupçonne qu'il y a autre chose… Même Arminas semblait être dans un drôle d'état.

— Regarde, on peut maintenant apercevoir Miriel sur la petite colline, dénota le marchand.

La jeune elfe avait attaché sa chevelure ondulée et était parée de la longue robe pastel de mise au cérémonial druidique. Celle-ci remettait son parchemin avec le nom de ses compagnons qui allaient se joindre à elle à titre de Gardien du territoire.

Tous les nouveaux gardiens avaient maintenant remis ce même document à maître Fisari. Il ne s'agissait que d'une formalité car les personnes qui se retrouvaient sur cette petite colline connaissaient déjà leur chef de patrouille. Chacun des groupes était composé de trois à cinq compagnons.

— Et voilà notre cher ami Grand Druide, respectant ainsi le protocole et la tradition de son Ordre, remarqua Grim.

— Tu crois vraiment qu'il aurait manqué l'intronisation de sa fille, chuchota Lars à son vieil ami. C'est toujours le druide présent, le plus haut gradé dans la hiérarchie, qui accorde les faveurs de Lönnar sur les nouveaux gardiens.

— Arrête de parler Lars, et apprécie ce moment important pour notre communauté ! l'intima le marchand. Si tu veux, je t'accompagnerai un peu plus tard avec une bonne bouteille de vin rouge. Elle vient du cellier de Beren et je crois que tu vas l'adorer.

Lars sourit et acquiesça d'un air entendu.

Le Grand Druide procédait avec diligence envers chacun des soixante-dix-sept petits groupes. Les druides derrière lui remettaient aux gardiens leurs armes d'office.

Lorsqu'Arminas arriva devant sa fille, il prit un moment pour contempler la scène : trois gardiens, trois compagnons. Il soupira. Sa fille était au premier rang, le solide Marack, fils de Marack, derrière elle ainsi qu'Arafinway. L'elfe était un peu désorganisé et tentait de réajuster sa ceinture devant ce qui semblait être une inspection visuelle par son supérieur.

Les trois amis lui semblaient encore bien jeunes pour endosser une si lourde responsabilité.

— Grand Druide, il faut continuer… souffla Fisari. Il y a encore une bonne trentaine de groupes qui attendent les faveurs de Lönnar et de Tyr.

— Arrête de les fixer et accorde leur les faveurs de Lönnar, chuchota discrètement Beren à son ami figé. Moi aussi, je dois leur donner ma bénédiction !

Miriel, songeuse, regardait son père attentivement tout en retenant sa respiration. Allait-il revenir sur sa parole au dernier instant ? Elle fut aussitôt soulagée de le voir remettre, à tous les trois, les faveurs de son dieu. Beren ajouta un clin d'œil et un sourire apaisant à sa bénédiction pour détendre l'atmosphère lourde.

Comme chaque druide, Miriel reçut ensuite fébrilement son Salkoïnas. Ce bâton symbolique indiquait l'allégeance (ou l'assignation) de son détenteur, soit un Gardien du territoire soit un druide plus haut gradé de l'Ordre de Lönnar.

Les éclaireurs et les guerriers avaient le choix entre différentes versions d'un marteau de guerre. Deux têtes de béliers en extrémité et deux runes bien connues sur le manche l'ornent. Elles représentent le lien étroit qui existe entre les deux dieux viking vénérés par la communauté, soit Tyr le justicier et Lönnar le protecteur. De plus, le détenteur de l'un de ces marteaux est reconnu et respecté par les habitants du territoire d'Aezur.

Marack, fils de Marack, choisit le plus grand et le plus imposant de ceux-ci tandis qu'Arafinway se contenta de celui qui se porte à la ceinture, jugeant suffisant son carquois bien garni.

Aussitôt la cérémonie terminée, tous plongèrent dans les festivités tant attendues.

— Quel honneur ! Gardien du territoire ! Nous sommes tellement fiers de toi mon cher petit ! annonça une elfe aux cheveux grisonnants soigneusement coiffés.

— Mère, je ne suis plus si petit que ça ! rétorqua Arafinway, un peu gêné de ce compliment spontané devant ses compagnons. J'ai beaucoup grandi ces dernières années, presqu'une demie-coudé en cinq ans !

— En effet, tu es un homme maintenant, tu as atteint tes cinq coudées mon fils !

— Fais bien attention à toi, reprit sa mère. Je t'ai apporté ta couverture de laine grise, elle te tiendra au chaud pendant tes tours de garde dans la forêt. Et voici des provisions, les gâteaux que tu aimes, tu pourras les partager, prends aussi cette petite dague…

Marack et Miriel s'étaient rapprochés et ils regardaient la famille de leur ami le féliciter et lui offrir une multitude de présents qui traduisaient à la fois leur fierté et leur inquiétude devant le départ imminent. Ils en étaient tous si émus. Le temps des adieux approchait. Il en aura bien besoin, de ces équipements et petites douceurs, car leur prochain tour de garde commencerait aussitôt la fête du Renouveau terminée.

— Ara, j'ai besoin de toi, lança enfin Miriel. Dis au revoir à ta famille, nous devons discuter tous les trois.

L'elfe embrassa ses parents, ses petites sœurs et salua les nombreux membres de sa famille. Il ramassa tous ses cadeaux et se dirigea vers ses amis, les bras encombrés.

— Oui chef, je suis là ! dit-il en essayant de se mettre au garde-à-vous sans tout échapper.

— Je me suis dit que tu avais besoin d'un petit sauvetage, lui répondit-elle en souriant. Te sauver de tes parents et de tout ce monde…

— Je dois admettre que je ne savais plus comment partir, approuva-t-il. Si cela n'était que de ma mère, elle m'aurait

accompagné jusqu'à la tour de Vanirias. Merci Miriel de ton intervention si délicate.

— C'est maintenant officiel, druidesse Miriel, tu es la cheffe de notre petit groupe ! la taquina le viking.

— Je suis content de te l'entendre dire cher guerrier ! répondit-elle du tac au tac. Commençons par vérifier si vos paquetages sont complets avant notre départ demain matin.

— Tu n'es pas sérieuse Miriel, c'est la fête ! grogna-t-il. Nous pouvons nous amuser encore plusieurs heures avant notre départ. C'est le moment de festoyer en bonne compagnie… je sens déjà le sanglier qui rôtit et la bière mousseuse qui m'appellent !…

— Tu contestes mes ordres, Marack, fils de Marack ?

Miriel avait pris un air très sérieux et fixait ce géant qui l'a dépassait de plus d'une coudée. Marack connaissait bien son amie et si elle avait décidé qu'ils révisaient la liste de leur équipement, alors il n'y avait aucune chance de faire autrement.

— Non, cheffe ! Je vais chercher mon sac. Allez, viens Arafinway, nous allons trier nos tuniques et plier nos bas avant de partir, bougonna-t-il en faisant un pas vers son ami elfique.

Marack-fils ne s'attendait pas à ce que son amie lui impose une pareille tâche la veille de leur départ, alors que tous leurs amis avaient déjà entamé les festivités avec leur groupe respectif. Le guerrier manifestait bruyamment son mécontentement lorsqu'il vit Miriel lui faire un large sourire espiègle.

— Mais qu'est-ce que tu fais, c'est le temps de s'amuser ! Arrête de grogner, ça c'est un ordre… Tu es sommé d'y obéir !

Miriel avait déjà pris par la main son ami Ara et ils disparurent dans la foule qui dansait dans les rues. Les musiciens accéléraient la cadence ne leur laissant aucun répit, les entraînant dans une douce euphorie.

Marack-fils comprit en un instant que Miriel ne lui rendrait pas la vie facile. Mais il avait un devoir à accomplir et sur l'honneur de sa famille, celui-ci serait accompli selon les désirs de son père. Obéir avait ses avantages…

La fête perdura jusqu'aux petites heures du matin. Les plus sages avaient dormi quelques heures avant de s'aventurer sur la route. Environ huit cent gardiens du territoire s'apprêtaient à quitter Alvikingar en direction des diverses zones à couvrir. Selon les décisions du *Althing* pour le bien de la communauté, il fallait remplacer certains groupes déjà en service et créer de nouvelles affectations encore plus éloignées.

Tous les gardiens devant partir pour la relève s'étaient réunis à l'extérieur des murs de la ville. Le point de rencontre était situé à environ une heure de marche de la capitale, sur le chemin menant à Feygor, près du pont.

Les affectations étant le fruit du hasard, le tirage fut effectué peu avant le grand départ devers les territoires. Miriel et son groupe iraient dans l'une des zones les plus éloignées du Sud-Est.

Arminas rejoignit sa fille avant que le convoi ne parte, car il voulait lui parler en privé.

— Merci de me souhaiter bonne route, mais ce n'était pas nécessaire, lui dit-elle en l'apercevant. Je suis persuadée que tout va se passer pour le mieux, fit-elle avec assurance.

Or, en voyant le visage inquiet de son père, une émotion l'envahit. Doutait-il d'elle ? Voulait-il encore lui prodiguer des conseils ? Une vague d'hésitation la bouleversa.

— J'espère sincèrement que tu ne t'es pas déplacé pour me donner des conseils ! Je crois avoir prouvé aux yeux de tous que j'ai l'étoffe d'un Gardien du territoire.

Miriel regardait son père, la tête haute, l'air résolu à partir sans montrer ses peurs.

Devant son attitude déterminée, Arminas constatait qu'il avait maintenant devant lui une jeune femme prête à relever son défi. Il changea sa tactique et opta pour une approche moins paternaliste.

— Tu as parfaitement raison, ma fougueuse gardienne de territoire. Je suis ici pour te souhaiter bonne route et aussi pour te remettre ceci.

Il sortit une petite boursette de cuir et en vida le contenu dans les mains de sa fille.

— Ces pommes de pins ont été enchantées avec une invocation permanente. Celles-ci pourront être utilisées au moment où tu le jugeras opportun.

Miriel contemplait les trois noix déposées dans le creux de ses mains.

— Quel enchantement renferment-t-elles exactement ?

Arminas voyait bien que son approche avait désamorcé l'atmosphère de confrontation. En constatant qu'elle était dorénavant plus réceptive à ses conseils, il poursuivit.

— Chacune d'elles a le pouvoir de se transformer en un chêne vénérable en l'espace de quelques instants. Pour invoquer la transformation, tu n'as qu'à dire très fort, en lançant la pomme de pin par terre, les paroles suivantes : *par la dévotion de Lönnar, grandit, je te l'ordonne !* Prends soin d'être un peu plus loin lorsque tu utiliseras cet item magique car la vitesse à laquelle l'arbre pousse est assez surprenante. Voilà, c'est tout ce que je voulais te dire en cette journée très spéciale.

Il serra sa fille entre ses bras, l'embrassa tendrement sur le front, lui sourit, puis partit rejoindre les Premiers Gardiens à Alvikingar. Personne ne vit l'émotion qui le troublait.

Marack, fils de Marack, et Arafinway surveillaient la scène d'un peu plus loin. Dès l'instant où le Grand Druide reprit le chemin de la ville, ils s'empressèrent de rejoindre leur cheffe.

Miriel ressentait encore le choc de cette petite rencontre avec son père. Il l'avait toujours couvée et surprotégée et ce, depuis qu'il l'avait ramenée sur Arisan. Cet élan d'autonomie la laissait perplexe.

« Voilà une dizaine d'années, ça fait si longtemps... songea la jeune fille, je ne savais même pas que j'avais un père ! »

Ses plus vieilles réminiscences remontaient à son arrivée sur l'île. L'assassinat de sa mère sur l'ancien continent avait forcé Arminas à se présenter à son enfant et ainsi la ramener vers ce nouveau monde.

Son parrain Beren, lui avait déjà parlé de sa mère, mais cela n'évoquait aucun souvenir. La jeune fille avait probablement bloqué sa mémoire de toutes images s'y rapportant.

« Un jour, mon paternel va sûrement me raconter ce qui est arrivé. Mais aujourd'hui, quelque chose a changé dans son comportement à mon égard et j'aime bien les possibilités qui viennent de s'ouvrir », se réjouit-elle.

— Tout va bien Miriel ? Tu sembles songeuse, lui lança l'elfe.

— Laisse-la tranquille Arafinway, elle a beaucoup de choses à penser ! Sans aucun doute, son père lui a donné une liste longue comme ça de recommandations... comme tous les pères l'ont fait d'ailleurs ! N'est-ce pas ? déclara le guerrier.

Marack fils aimait bien asticoter son amie. Même s'il était son aîné et qu'il devait accomplir son devoir, à aucun moment son père ne lui avait mentionné qu'il ne pouvait pas taquiner sa petite sœur elfique. Miriel, fronça les sourcils et lui envoya une claque amicale sur l'épaule du revers de la main.

Ils étaient tous les trois sur le chemin, prêts à partir à l'aventure.

Arafinway prenait son rôle très au sérieux. Il avait revêtu sa nouvelle armure de cuir souple composée d'écailles superposées en forme de feuilles. Silencieuse et offrant une très grande mobilité, celle-ci était adaptée pour le camouflage.

— Tu es très élégant Ara, le félicita Miriel.

— Merci ! Cette tenue est idéale pour un éclaireur comme moi qui désire espionner ses ennemis sans se faire repérer, lui expliqua-t-il.

L'elfe portait son épée courte à sa ceinture, sa dague, son petit marteau de jet de Lönnar ainsi que son arc et son carquois garni de plusieurs flèches en bandoulière.

- Toi aussi Marack, je juge que tu es très bien équipé, se hâta-t-elle d'ajouter en levant la tête vers les larges épaules de son ami.

Effectivement, le guerrier était le plus cuirassé. Son père lui avait remis, avant de partir, une armure qui n'était pas magique mais qui avait subi une transformation. Faite de plaques de cuir, elle avait la propriété d'être aussi solide que le métal, sans ses inconvénients. Il ne voulait absolument pas avoir l'air d'une boîte de conserve ! Sa nouvelle armure était à son goût : solide, légère, souple et permettant un déplacement silencieux.

Sa large ceinture brune arborait plusieurs anneaux et soutenait un fourreau pour une longue dague ainsi qu'une seconde plus courte, cachée dans son dos. Outre son armure, il était simplement habillé d'une tunique brune et d'une cape de laine à capuchon, dans les mêmes tons.

Tout comme ses aïeux avant lui, Marack, fils de Marack, était habile avec plusieurs armes à deux mains, mais favorisait le marteau de guerre et les haches. Son vieux lui avait transmis une bonne partie de ses connaissances et tout particulièrement l'art du combat avec ces deux types d'armes. Il portait le bouclier rond des viking dans son dos et tenait fièrement dans ses mains le lourd marteau des Gardiens de Lönnar.

Quant à Miriel, elle avait plus ou moins maîtrisée sa longue tignasse. Elle portait une armure de cuir souple remise par son père lorsqu'elle avait atteint le droit de s'entraîner à Hinrik. De couleur grise et d'un style très différent de ce qui était confectionné par les hommes du Nord, il s'agissait de l'armure elfique qui avait appartenue à sa mère. Celui-ci jugeait qu'elle lui revenait de droit et la défunte aurait voulu qu'elle la porte avec fierté. Il s'agissait d'un des seuls souvenirs maternels qu'elle possédait.

Elle avait dissimulé dans son dos une petite dague fixée à sa ceinture. Cependant, son arme de choix était son fameux Salkoïnas remis lors de la cérémonie. Même s'il avait l'apparence d'un simple bâton de marche, il était une arme redoutable dans les mains de celui ou de celle qui savait s'en servir. Son maniement avait été enseigné à la jeune fille à Hinrik par des druides spécialisés dans cet art du combat. Ainsi, sur un champ de bataille, et si elle le désirait, une pointe de lance pouvait jaillir au-dessus de la tête de son bélier.

Le Salkoïnas renfermait également certains pouvoirs magiques qui ne pouvaient être utilisés que par un disciple de Lönnar.

Miriel en avait reçu la connaissance et avait bien été avertie : ce bâton contient un certain nombre de charges avant d'être épuisé de ses pouvoirs énergétiques. Dans l'éventualité où il serait complètement vidé de sa magie, un rituel serait nécessaire pour le recharger et cette cérémonie nécessitait obligatoirement la participation d'un second druide de son Ordre.

> « La pèlerine brune à capuchon n'est pas une option, lui avait ordonné son père. Elle te servira pour te camoufler en forêt et pour te tenir au chaud lors de tes longues nuits de guet. »

Miriel effleura pensivement le bijou en forme de feuille d'érable qui retenait sa cape sur le devant.

— Combien de temps estimes-tu que nous allons marcher avant d'atteindre notre zone de patrouille Miriel ? lui demanda Arafinway, la tirant de sa rêverie.

— Selon l'endroit où nous devons nous rendre, j'estime que nous avons un bon mois de marche avant d'atteindre notre poste.

— Nous devons aller si loin que ça ! s'exclama l'éclaireur soudainement découragé.

Le soleil atteignait presque le zénith lorsque la petite armée se mit en route. Elle traversa le pont de Fey le lendemain pour ensuite contourner la grande montagne de Feygor par le nord. Quelques groupes bifurquèrent vers Yngvar tandis que le gros des troupes descendit vers le Sud en piquant à travers la forêt des Ancêtres. D'un pas entraîné, la longue caravane atteignit la tour de Vanirias en moins de quatorze jours où une partie des effectifs put s'installer définitivement.

Dès le lendemain, plusieurs groupes prirent la direction des Monts Krönen qui séparent le sud des Terres d'Aezur en deux parties : la forêt des Ancêtres à l'Ouest et celle des Bois Noirs à l'Est. Au cours des semaines qui suivirent, les garnisons quittèrent la caravane à tour de rôle en plongeant vers l'Ouest pour relever des patrouilles qui terminaient leur affectation.

Ils atteignirent enfin la très vaste Forêt des Bois Noirs qui doit être gardée vigoureusement car c'est la dernière frontière avant les territoires ennemis. Sa partie orientale était la plus dangereuse, se terminant à la rivière de Cristal.

Lors des préparatifs, chacun des druides gardiens du territoire avait étudié des parties de la carte des territoires pour ensuite mémoriser les balises délimitant leur zone. Les précieux parchemins demeuraient en permanence à Feygor afin que les ennemis ne puissent pas connaître les trajets empruntés ou les frontières protégées.

— N'oubliez pas, éclaireurs Gardiens du territoire, leur avaient ensuite dicté les Maîtres, n'engagez l'ennemi que si vous êtes certains de pouvoir sortir vainqueur de l'affrontement. Une escouade restreinte est une chose, mais il arrive souvent que ce petit groupe soit suivi par un détachement beaucoup plus nombreux.

— Si vous rencontrez un bataillon de créatures belliqueuses, cachez-vous, protégez-vous et contournez-les. Avant de vous engager au combat, il est préférable d'augmenter votre nombre en tentant de rejoindre d'autres patrouilles de gardiens.

Arafinway avait écouté toutes les consignes avec attention surtout qu'elles s'appliquaient de façon très implicite à son rôle au sein du groupe. Il avait réalisé à cet instant toute son importance : il était responsable de juger leurs engagements de combat.

L'elfe se souvint de sa réaction lorsqu'il avait appris qu'il serait diplômé.

« Moi qui me jugeait sévèrement, se rappela-t-il. Je croyais avoir manqué une bonne partie des exercices… et puis, lorsque le jarl Marack vint me voir personnellement pour me dire que j'avais réussi les épreuves de ma caste à Hinrik, je suis demeuré stupidement figé, incrédule. Heureusement, j'ai repris mes sens suffisamment vite pour qu'il ne s'en aperçoive pas et je l'ai remercié chaleureusement.

Ma place devait donc être avec Marack fils et Miriel. Tyr a été juste avec moi et Lönnar a récompensé ma dévotion. Je suis maintenant un Gardien et jamais je n'aurais voulu d'autres compagnons que ceux qui sont avec moi présentement. »

Arafinway flottait sur un nuage depuis son départ d'Alvikingar. Malgré tout, il voulait contribuer davantage au sein de son groupe. Les signaux enseignés à Hinrik, pour les simulations de scénario de combat, ont toujours été un peu problématiques et il

ne les maîtrisait pas très bien. Il décida de lui-même de réinventer certains codes des éclaireurs et de trouver de nouveaux bruits de la forêt pour faire passer ses messages au reste de son groupe. Il appliquerait ses efforts à être créatif pendant la durée du trajet vers leur destination.

— Combien de temps encore Miriel ? demanda de nouveau l'elfe.

— Moins d'une semaine de dix jours, je l'espère ! répondit-elle fatiguée. Nous devons nous rendre sur le flanc Est des Monts Krönen, là où il y a une intersection avec les montagnes d'Orgelmir. Cette zone est en réalité sur la ligne de front car derrière le Puy de la Lance de Skirnir, il y a une ville fortifiée ennemie qui se nomme Bishnak. Cet avant-poste est un point de ravitaillement regorgeant de créatures prêtes à envahir nos terres.

— Concernant cette zone, compléta Marack fils, sous l'œil étonné de la druidesse, aucun gardien n'y a encore établi de caches qui auraient pu nous servir pour nous abriter ou entreposer des provisions. Nous devrons donc subsister avec ce que la nature nous fournira.

— Des fruits, des plantes, des champignons, des racines, des feuilles de thé des bois, peut-être du petit gibier, enchaîna-t-elle aussitôt. Ah oui, je vais tester un ou deux enchantements druidiques de nourriture que j'ai appris lorsque je suis devenue acolyte au sein de l'Ordre. Ce sera le régime à suivre pendant la durée de cette patrouille de trois mois.

Le jeune Marack fit la grimace mais elle l'ignora.

— Pour le retour, continua-t-elle, nous ferons le chemin inverse : nous reprendrons la direction plein Nord en longeant les Monts Krönen. Nous devrons rejoindre l'armée de relève campée à quelques jours de la Tour de Vanirias.

— C'est parfait pour moi ! annonça Arafinway. « Cela me donne juste assez de temps pour travailler sur le petit projet que j'ai en tête… », pensa-t-il en silence.

Pendant le long trajet, chacun des membres de l'équipée élabora des stratégies de combat. Ils n'étaient pas quatre ou cinq aventuriers dans leur groupe de gardiens mais seulement trois. Marack fit bien comprendre à Arafinway que la sécurité de Miriel était primordiale. Il assumerait le premier rang de combat

et tout ce qui réussirait à passer serait la responsabilité de l'éclaireur.

— Tu n'es pas obligé de tous les prendre, tu peux en laisser pour les autres, s'ingéra Miriel dans la conversation qui prenait place entre les deux compagnons.

— Mon rôle en tant que guerrier est de te protéger par tous les moyens possibles, grommela le guerrier.

— Non, tu te méprends, mon cher, ton rôle est de suivre mes ordres. Si je te dis d'aller combattre le Yob qui s'en prend à Arafinway parce qu'il était tout en avant pour faire son travail d'éclaireur, c'est au pas de course que tu vas y aller… Juste le temps nécessaire pour que j'analyse la situation avant d'invoquer un sort pour nous aider, déclara-t-elle.

Le viking préféra se taire plutôt que d'entretenir une discussion inutile. Lorsque le moment sera venu de prendre ce genre de décision, ce sera la sienne, selon la situation rencontrée.

Voyant que le groupe discutait de stratégie, Arafinway profita de l'occasion pour mettre ses amis au courant des nouveaux signes qu'il avait pratiqués dans sa tête. Marcher sur un territoire connu, en compagnie de plusieurs centaines de gardiens, repoussait toutes les créatures qui auraient voulu se faire les dents sur eux. Un plus petit groupe aurait sans doute rencontré à maintes reprises diverses escarmouches, mais pour l'instant, l'elfe pouvait profiter de ces journées de répit pour fignoler son code.

— Afin de dérouter l'ennemi, j'aimerais vous proposer une nouvelle série de codes d'éclaireur que j'ai créés spécialement pour nous, annonça-t-il fièrement.

Suite à l'annonce de son ami, Marack fils, assis près du feu, se tenait déjà la tête à deux mains. Miriel comprenait maintenant ce sur quoi son éclaireur travaillait depuis le début de cette randonnée. Elle l'invita à partager ce qu'il avait élaboré jusqu'à présent.

— Tout d'abord, je serai le premier à défricher le passage pour vous deux. C'est normal, je suis l'éclaireur, cela relève de ma responsabilité. Je vais rester à au moins cent cinquante foulées en avant, pour me permettre d'intercepter les signes de danger.

— Merveilleux ! répliqua sarcastiquement Marack d'un air exaspéré. Je vais devoir courir toute cette distance à chaque fois afin de te sauver.

— Laisse-le parler, vieil ours grincheux ! Et oui, tu vas devoir courir toute cette distance à chaque fois ! répliqua Miriel à son ami guerrier en lui servant un large sourire, tandis que celui-ci continuait de maugréer son mécontentement.

Arafinway ne comprenait pas toujours très bien les diverses altercations entre ses deux amis. Mais ils se connaissaient depuis tellement longtemps et cela arrivait tellement souvent que l'elfe n'en tenait même plus compte. Il continua donc ses explications sur le nouveau code auprès de ses amis.

— Ara, nous connaissons tous les signes effectués par les mains, pour s'immobiliser, avancer, aller dans une direction, faire état du nombre d'ennemis, fit Miriel.

— Ceux-ci sont parfaits dans la mesure où vous pouvez me voir, expliqua-t-il. Mais maintenant que je suis un gardien officiel, mon art du camouflage va me permettre de disparaître aux yeux des ennemis. Malheureusement, je vais devenir invisible pour tout le monde, même pour vous deux. Alors, comment allons-nous communiquer par les signes, si vous ne pouvez plus me voir ?

Son raisonnement était implacable. Marack qui avait décidé de prendre un peu de vin pour faire passer ce moment pénible, le recracha vivement en entendant poser son scénario. Tel un cracheur de feu, l'expulsion du vin en direction du brasier a eu pour effet d'enflammer les quelques bûches de réserve qui étaient empilées à quelque pas de l'elfe. La vive flambée ne perdura que quelques instants, mais attira l'attention des autres gardiens autour. Voyant que tout était sous contrôle, chacun des petits groupes retourna à ses occupations, car chaque campement avait ses priorités.

— Marack, la prochaine fois que tu veux nous faire remarquer, essaie d'y aller avec tes prouesses de combattant et non avec tes tours pyrotechniques ! s'écria nerveusement la druidesse.

— Je disais donc, reprit l'elfe avec une voix plus forte et un peu vexé : comment vais-je faire pour aviser mes compagnons si je ne suis plus visible ? J'ai donc fait une sélection des différents oiseaux de la région et je vais associer leur chant à l'action que l'on devra accomplir selon la force ennemie rencontrée.

Il regarda ses amis très sérieusement et se leva pour mimer ses explications.

— Ainsi, le premier oiseau sera pour vous aviser que j'aperçois un danger. Il s'agit du chant de la bécasse à cou long. Voici son chant : *uu ouiouioui shushushu, uu ouiouioui shushushu...*

Marack se mordait l'intérieur des joues pour ne pas rire. La druidesse, quant à elle, encourageait Arafinway à continuer la présentation des différents chants, tout en servant à son compagnon un regard autoritaire qui le mettait bien en garde de se moquer de leur éclaireur.

— Le second sera pour vous aviser qu'il s'agit d'un petit groupe et que l'on peut les surprendre pour les éliminer. C'est le chant de la grive à flanc noir : *u tului tului, u tului tului...*

— Le troisième, pour annoncer qu'ils sont trop nombreux et de ne pas bouger, d'attendre qu'ils passent leur chemin. C'est le chant de la fauvette épieuse : *twi twi twi twi idou, twi twi twi twi idou...*

Il y avait des limites à se retenir et Marack testait celles-ci avec chaque nouvelle performance. Sous peu, lui aussi allait devoir faire le chant d'un oiseau : celui du merle ricaneur. Véritablement dépourvu de tout talent, si son compagnon persistait à faire ses bruits complètement incompréhensibles, il ne pourrait plus se retenir.

— Le quatrième sera pour annoncer que l'ennemi nous a vus et qu'il faut fuir le plus rapidement possible. C'est le chant du railleur endiablé : *tchui tchui tchui tchui tchui...*

— Le cinquième et dernier chant est pour dire que tout va bien et que l'on peut continuer. Il s'agit du chant de la fauvette à capeline : *thi chu chu chu wi wi wi.*

Le guerrier avait promis de ne pas rire des efforts de son compagnon d'arme. Même si tous les gazouillis imités avaient une certaine ressemblance avec le chant des oiseaux choisis, il n'en reconnaissait aucun et il n'y avait absolument rien de

familier pour en saisir les nuances. Pourtant, il avait grandi avec Arafinway et il connaissait assez bien les oiseaux qui peuplaient leur région.

Il était déterminé à tenir sa promesse à Miriel et, dès l'instant où l'éclaireur laissa sous-entendre que la démonstration était terminée, il se leva, les salua d'un léger coup de tête et en silence quitta le campement.

Se retenir de rire aux éclats était maintenant une torture car il ne pouvait regarder son ami dans les yeux sans s'esclaffer. La seule solution afin de ne pas se mettre Miriel à dos ou, pire encore, de blesser son ami, était de s'isoler quelques instants. Il prit le temps de digérer tout ce qu'il venait d'entendre et surtout de voir le bien-fondé de cette stratégie. Il avait trop d'images en tête pour se concentrer sur le message car la vue caricaturale de l'imitateur lui chatouillait la rate.

— Marack, où vas-tu ? Que penses-tu de mon code, tu veux que je te le refasse pour être sûr que tu vas bien les reconnaître ?

Miriel comprenait ce que le guerrier tentait de faire. Pour le couvrir, elle annonça à Arafinway qu'il était en retard pour son tour de garde du périmètre de tous les campements. Elle était fière de voir comment son jeune compagnon s'investissait dans leur groupe et s'avoua quand même un peu inquiète de la performance à laquelle elle venait d'assister. La subtilité des chants allait compliquer leur décodage, peut-être…

Un peu plus tard dans la nuit, un animal fit entendre un étrange cri guttural. Miriel reconnut immédiatement son vieil ours grincheux qui se tordait de rire.

« Il y a encore de l'espoir… se consola-t-elle. Après tout, il s'est retenu tout ce temps ! Et puis, nous serons arrivés à destination dans quelques jours. Enfin, espérons que l'ennemi aura le sens de l'humour ! »

La grande et majestueuse ville de Pyrfaras était nichée dans la majestueuse Gorge de Vangorod et au pied des Mâchoires de Titan, une longue chaîne de montagnes séparant les terres vertes à l'est des Terres d'Al Baher, désert aride situé à l'extrême orient d'Arisan. Hétéroclite et bigarrée, cette cité était peuplée par les Géants de pierre, race suprême de ces territoires, ainsi que de leurs nombreux serviteurs et esclaves issus des peuples conquis.

Dans la gigantesque salle du trône du palais royal, parée de hautes colonnes de marbre orangé, couleur des montagnes, la Cour avait été convoquée afin de faire le point sur les développements de la campagne militaire du royaume.

Tout en avant de l'auditoire, les immenses sièges sertis de joyaux du roi et de ses proches étaient juchés sur un piédestal. Derrière eux, la mosaïque d'une grande carte du monde connu, couvrait presque le mur entier. Elle était faite de pierres précieuses. D'ailleurs, plusieurs objets raffinés et d'une rare beauté décoraient la salle.

— Premier Vizir Dihur, donnez-moi les dernières nouvelles sur la progression de mes armées sur les terres de l'Ouest, intima le roi Arakher d'un ton sec.

Le Grand Druide de l'Ordre des Quatre Éléments s'avança dignement au milieu de la pièce. Il fit la longue révérence protocolaire au roi, se tourna vers l'assemblée de droite et fit une courbette, se retourna vers la gauche et salua de nouveau.

Levant les mains, il fit apparaître devant lui, dans une grande flambée ardente, un autel de pierre grise. Le druide se réconfortait souvent en démontrant ses grands talents pour impressionner encore et encore les géants. Il claqua des doigts et un serviteur Mourskha accourut aussitôt derrière lui, portant une grande pile de parchemins roulés.

Dans sa hâte, le jeune perdit pied et échappa tous les précieux documents. En quelques secondes, ceux-ci se retrouvèrent dans les airs, suspendus dans un équilibre irréel par le vent que Dihur créait d'une seule main. Sous les regards de la foule, le druide les fit descendre très doucement. Spectaculairement, chaque rouleau s'installa côte-à-côte sur la longue table de pierre et se déroulèrent délicatement, prêts à être lus.

Une fois les documents déposés, le druide regardant droit devant, envoya nonchalamment un grand coup de vent de sa main droite pour balayer le Mourskha qui se brisa contre le mur du fond.

Éclaircissant sa voix et accrochant un sourire enjôleur à ses lèvres, il s'adressa enfin à l'assemblée :

— Majesté et chers membres de la Cour, il me fait toujours plaisir de vous faire le décompte des accomplissements de vos combattants.

Dihur détestait accomplir ce devoir hebdomadaire mais la tradition exigeait que le premier vizir du roi des géants de pierre relate la progression des troupes. Depuis maintenant plusieurs années, il avait réussi à démettre le magicien Ogaho de cette fonction, pour se l'approprier.

Cependant, même en défaveur auprès de son roi, ce mage de pierre était toujours considéré comme un vizir de second rang. Opportuniste de nature, Dihur souhaitait profiter d'une situation qui lui permettait maintenant d'avoir un certain pouvoir au sein de l'armée d'Arakher.

La majorité des effectifs qui composaient l'armée d'Arakher avait été recrutée parmi les peuplades conquises sur les terres à l'est du Grand Lac. Sottecks, Mourskhas, Yobs, Morjes, demi-géants hybrides et plusieurs autres petits clans avaient préféré prêter allégeance à cette couronne plutôt que de subir l'extermination.

D'ailleurs, la plupart des commandants de troupes avaient été sélectionnés parmi ces populations déchues. Seuls ceux qui démontraient une adresse au combat et une certaine intelligence comme tacticien s'étaient vu confier des régiments sous la bannière de la race dominante.

Dihur déplorait les rapports décevants qui étaient fournis. Au tout début, il embellissait les rapports qu'il recevait des divers avant-

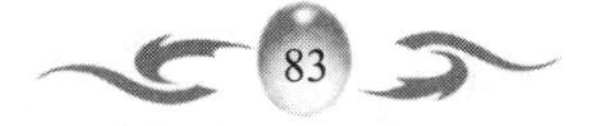

postes. Son enthousiasme initial vis-à-vis la possibilité imminente de renverser ses ennemis avait été remplacée par une routine qui perdurait depuis trop longtemps à son goût.

Même son attitude de Premier Vizir avait changé : il était las d'afficher un faciès complaisant devant ces géants impassibles. La véritable nature antisociable de Dihur refaisait surface de façon plus fréquente et s'affichait ouvertement avec une touche de désinvolture.

— C'est avec peu d'étonnement, dit-il, que je dois vous annoncer que nombre de vos troupes envoyées en mission de reconnaissance, ainsi que plusieurs compagnies, n'ont malheureusement pas survécu aux attaques sauvages de vos ennemis de l'Est.

Au fur et à mesure qu'il parlait d'une région spécifique, il faisait habilement scintiller les pierres précieuses de la grande carte sur le mur, créant ainsi une animation visuelle.

— Ces démons elfiques accompagnés de leurs guerriers, de simples esclaves venant du Nord, ont encore réussi à massacrer nos soldats sans aucun effort, déclara-t-il volontairement d'une voix plus forte.

Plusieurs membres de la Cour du roi protestèrent bruyamment, signe rarissime que les temps changent.

— Pareille nouvelle est un outrage ! entendit-il. Cela fait encore affront à la suprématie des géants de pierre !

L'histoire se répétait. Il y a de cela presque trois siècles, le roi Arakher avait tenté de prendre possession de ces terres et ses tentatives avaient toutes lamentablement avorté. Ses troupes n'étaient pas de taille à tenir tête devant la forte magie des gardiens qui protégeaient ce territoire et il avait finalement renoncé à conquérir cette zone.

« Ce n'est que tout récemment, il y a environ une décennie, se remémora le roi, que j'ai appris que des créatures, venues d'on ne sait où, en avaient pris possession. Ces démons ont réussi, on ne sait comment, là où j'ai échoué toutes ces années. Leurs pouvoirs magiques doivent être fabuleux ! »

Cette action suffisait à elle seule à le mettre en colère. De plus, depuis quelques temps, ces monstres s'étaient montrés de plus en plus agressifs et avançaient lentement vers ses terres, en menaçant de conquérir son royaume.

— Allons, allons ! gueula d'une voix tonitruante l'herculéen monarque. N'eut été des interventions judicieuses de notre Grand Druide Dihur depuis les quatre dernières années, ces horribles créatures seraient sans doute aux murs de notre forteresse aujourd'hui. Les nombreuses incantations magiques de ce mage, accompagné de ses disciples, ont permis jusqu'ici de repousser et de contenir nos ennemis de l'autre côté du Grand Lac, affirma-t-il. Le temps travaille pour nous.

« Du moins si on se fie aux rapports qui ont été transmis à la Cour. », ne put s'empêcher de penser Dihur.

Cependant, ce qui a valu l'ultime reconnaissance du roi à l'endroit de Dihur fut cette intervention qui sauva la vie d'Ajawak, l'héritier du roi.

— De plus, ajouta le roi, le Premier Vizir a toute ma reconnaissance. Souvenez-vous lorsque le prince engagé aux combats a été subjugué magiquement par ses ennemis que c'est l'intercession de Dihur qui l'a sauvé.

— Ce héros a réussi à extirper mon fils des serres de ses geôliers et cela lui a coûté le sacrifice de plusieurs de ses guerriers afin de protéger leur retraite.

Cet acte de bravoure avait été retenu par le suzerain et, pour le récompenser, il lui avait offert de devenir son Premier Vizir. Ce titre honorifique lui conférait dès lors la gestion des stratégies de guerres royales afin de palier à la menace d'invasion venue de l'Ouest.

Le Premier Vizir et mage Ogaho, géant de pierre de sang, respectait énormément son roi. Il lui avait obéi en acceptant cette rétrogradation sans dire un mot. Dihur avait sauvé la vie du prince et il avait maintes fois démontré à la Cour sa maîtrise de tous les éléments, surtout celle du feu.

Le mage de pierre, quant à lui, n'avait jamais réussi à invoquer le moindre sortilège, ne serait-ce qu'un simple jet de flamme. Il avait appris, à travers de nombreuses lectures de grimoires et diverses rencontres, à maîtriser la terre, l'eau et un peu la magie de l'air. Mais devant un maître des quatre éléments, il dût s'incliner, pour le bien de son roi et de son peuple.

Enfin, le calme revenu dans l'assemblée, Dihur put reprendre son exposé.

— Vos troupes, Majesté, reprit-il en s'inclinant en révérence, arrivent à peine à repousser les attaques incessantes de vos ennemis. Croyez-moi, je suis un tératologue[16] chevronné et la seule façon d'arriver à les anéantir est de les frapper durement et en surnombre.

Dihur était assez satisfait de sa réussite. Depuis son arrivée sur ce continent, il s'était immiscé dans les affaires du royaume d'Arakher. Alors que durant douze années la loi druidique lui interdisait d'intervenir directement auprès d'Arminas et de ses Gardiens de l'Ordre de Lönnar, rien ne l'empêchait de provoquer certaines situations pour aiguiller des actions de destruction envers son ennemi juré.

Il n'avait malheureusement pas pris en compte que le vizir mage, encore influent, prônerait autant la prudence, ni que les géants appliqueraient avec une lenteur extrême cette attitude trop conciliante à tous les aspects de leur vie. Comme ceux-ci peuvent vivre plusieurs centaines d'années, la patience est une vertu et un trait dominant chez ces géants, particulièrement chez ceux de pierre. Ce peuple protocolaire respectait de façon rigoureuse des traditions et des façons de faire qui perduraient jusqu'à l'éternité.

Le Grand Druide avait espéré arriver à ses fins et anéantir les Gardiens de Lönnar beaucoup plus rapidement.

Ainsi, pendant plus de cinq longues années, Dihur s'était appliqué à retracer l'île d'Arisan où son ennemi se terrait. Les combats de druides, les intimidations, les menaces et même le contournement des règles, bref, il s'était tout permis afin d'obtenir l'information qu'il convoitait.

Depuis sa défaite contre Arminas, son Ordre avait perdu la loyauté de plusieurs coteries. Il n'était plus invincible et ce demi-elfe de Lönnar l'avait prouvé devant tous ses pairs. Dihur, alors responsable d'un grand territoire, l'abandonna volontairement à un allié. Puis, accompagné d'une poignée de disciples, ils devinrent des druides errants.

Il n'était pas destitué aux yeux de ses dieux, les Quatre Éléments. Mais pour regagner le respect des autres membres de son Ordre et laver sa réputation, il ne restait qu'une issue possible : se venger de façon flamboyante et définitive.

[16] Tératologue : qui étudie les monstres.

Malheureusement, lorsqu'il réussit après toutes ces années à se rendre magiquement sur l'île d'Arisan, il réalisa que son ennemi prospérait à une trop grande vitesse. Ses troupes avaient grandi et sa communauté d'elfes et d'hommes du Nord était bien établie sur les territoires d'Aezur. Les disciples de Lönnar étaient soudainement beaucoup plus nombreux, comparé à la poignée des loyaux partisans qui l'accompagnaient dans cette quête.

C'est par hasard qu'il assista à une échauffourée entre les gardiens et un groupe d'éclaireurs composés de Sottecks. Humiliés et en fuite, les survivants de ce petit contingent ont tout de suite plié genou devant Dihur, venu leur apporter soutien et magie.

Comme l'allure hybride du Grand Druide était favorablement apparentée à celle d'un demi-géant de pierre, cela lui a immédiatement donné un avantage dont il a pu tirer profit. Année après année, il se forgea une réputation d'éminent combattant. Celle-ci fut très utile et le précéda avantageusement lorsqu'il s'installa à la Cour du roi.

En tant que second vizir, il poussa les fantassins d'Arakher à aller toujours un peu plus loin. Mais il n'avait aucun réel pouvoir vis-à-vis les commandants qui recevaient leurs ordres royaux par l'entremise du grand Vizir Ogaho, le Premier Conseiller du roi.

Voyant que les engagements entre les gardiens et les troupes d'Arakher n'étaient pas assez destructeurs, il décida d'orchestrer l'escarmouche impliquant le prince. Il invoqua lui-même le sort qui paralysa le guerrier princier afin de pouvoir lui porter secours par la suite. Tant d'efforts et tant d'années pour atteindre son seul et unique but. Maintenant qu'il avait réussi à s'élever jusqu'à une position d'autorité, il pouvait influencer les décisions de celui qui le mènerait à ce qu'il convoitait secrètement : *La Source* et à l'élimination totale des gardiens de Lönnar.

Debout devant le roi, Dihur soulignait de nouveau la pauvreté de l'information qui lui était acheminée par des créatures sans culture, quasi dépourvues d'intelligence.

— Il faut frapper l'ennemi rapidement et en force, répéta-t-il d'une voix convaincante. Je m'efforce de vous conseiller, roi Arakher et je prône l'engagement massif contre votre ennemi. Les décisions doivent se prendre immédiatement ! Le temps est précieux et pendant que vous perdez celui-ci à réfléchir et analyser les conséquences de vos actes, l'ennemi se renforce, améliore ses attaques et recrute des alliés contre vous.

Dihur cherchait à provoquer le suzerain pour susciter une réponse favorable qui le rapprocherait de ses ambitions personnelles, en fin manipulateur.

C'est Ogaho qui prit la défense de son roi. Les deux vizirs se disputaient ouvertement dans la salle du trône.

— Il est dans la nature de notre race de procéder avec circonspection, lui rappela-t-il sévèrement. Je vous recommande, mon roi, la prudence ainsi que la patience concernant les actions proposées par votre premier conseiller. Guerroyer n'est pas un art qui doit être bousculé ou hâté. La race des géants n'est pas devenue ce qu'elle est aujourd'hui, en engageant bêtement nos forces dans des combats futiles et vains.

Ce mage s'opposait littéralement à toutes les actions téméraires que Dihur pouvait proposer pour accélérer la déchéance des gardiens.

— Malgré toutes vos belles paroles et traditions, le résultat est toujours le même ! répliqua-t-il acerbe. Ils sont toujours les maîtres du côté Ouest du lac et rien n'a été accompli pendant presqu'une décennie. Sans mes nombreuses interventions, votre royaume serait sans doute acculé aux abords de vos précieuses montagnes. Peut-être même l'ennemi vous aurait-il fait reculer jusque dans le désert ! Votre race serait connue non pas comme les grands géants de pierre, mais bien comme les géants nomades ou de simples géants de sable.

— Silence ! gronda le roi d'une voie puissante, marquant son profond mécontentement.

Arakher en avait suffisamment entendu : ces querelles lassantes qui prenaient place de façon récurrente au sein de sa Cour commençaient à le courroucer royalement.

— Les instructions de déplacements et d'attaque qui sont transmises à mes troupes ont un but bien précis, tonna Arakher. Les officiers recrutés parmi les peuples asservis sont loin d'égaler l'intelligence et la connaissance des géants de pierre. Cependant, ceux-ci sont loyaux envers ma race et surtout envers ma couronne. Je n'ai certainement pas à questionner leurs actions.

Le souverain fixait intensément Dihur et celui-ci ressentait très distinctement le poids de ce regard.

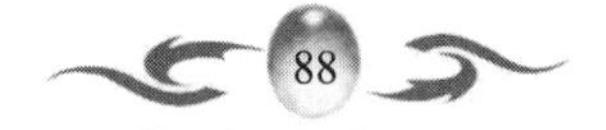

— Malgré le fait que la plupart d'entre eux soient ignares, ceux-ci m'obéissent, continua le monarque. Ils rapportent les informations qui leur sont demandées. Vous, Premier Conseiller Dihur, votre rôle est de bien les comprendre, de me les traduire de façon cohérente et me rendre un rapport concis de la situation qui perdure. Est-ce que les tâches de conseiller du roi sont devenues si ardues qu'elles dépassent vos compétences, cher vizir ?

Arakher maintenait son regard perçant sur le demi-géant. Il n'était pas un géant de sang pur, mais il avait sauvé la vie de son fils. Les talents de ce druide pouvaient encore lui servir au sein de son royaume, à condition de casser son arrogance.

— La façon de faire les choses par les géants de pierre est sans doute très lente à vos yeux, mais elle a fait ses preuves à maintes reprises, s'exprima Ogaho. Une attaque sur les tours ou contre les villes fortifiées serait impensable et simplement absurde sans l'apport et la validation des informations qui sont recueillies par nos troupes.

Ogaho profitait de l'occasion pour donner une admonestation à celui qui lui avait servi une rétrogradation au sein de son peuple et cela ne faisait visiblement pas l'affaire de son rival. Le druide de l'Ordre des Quatre Éléments faisait preuve de retenue extrême et cherchait vivement à se venger de ce mage qui l'humiliait devant la Cour.

Le dernier commentaire du mage donna à Dihur une opportunité qui ne se présente que très rarement. Il n'allait certainement pas laisser passer cette occasion.

— Vous avez raison, Vizir Ogaho, l'information peut faire toute la différence lorsque celle-ci est pertinente et surtout décodable. Prenons le village de Pesek tout à fait au nord. Ces yob-morjes ne sont rien d'autre que des animaux. Comment peut-on accorder la moindre importance aux missives incompréhensibles en provenance de ce coin perdu ?

— Ce peuple ou plutôt cet enclos de semi-amphibiens fétides n'a absolument rien à contribuer à cette guerre et, pourtant, il est le mieux placé pour recueillir une information sans doute vitale et indispensable sur la Tour de Gousgar.

L'appât venait d'être lancé; maintenant, il attendait la réaction du mage.

— Toutes informations méritent d'être lues et considérées, s'insurgea Ogaho. Ces gens sont des sujets fidèles du roi de pierre et je suis persuadé que leur apport pourrait être significatif.

— Aucun Mourskha, Sotteck, Yob et même mes disciples n'ont pu soutenir l'épouvantable odeur que ces créatures dégagent. Alors, prouvez-moi le contraire, Vizir Ogaho, démontrez-moi qu'ils ont une parcelle d'utilité et que ce peuple peut contribuer avec une certaine pertinence à votre prestige.

Le roi intervint en faisant une annonce qui surprit Dihur.

— Des arrangements ont déjà été mis de l'avant pour justement redresser ce point, déclara-t-il. Malgré les promesses qui m'ont été faites, c'est un processus qui prend du temps et les résultats, je l'avoue, tardent à venir.

Durant la dernière année, des espions humains ont été engagés pour enquêter sur les différents villages fortifiés. Ceux-ci doivent très bientôt rencontrer un Sotteck du nom de Salxornot, capitaine de navire, qui agit comme messager du roi.

— Celui-ci s'était démarqué par ses ressources particulières et m'avait été fortement recommandé par le grand prêtre de la ville de Vraxan.

— Sa tâche est de justement recueillir les informations de ces espions et de me les rapporter personnellement.

— Un vulgaire Sotteck, votre Majesté ! s'exclama le druide avec une moue méprisante. En tant que Premier Conseiller, il est de mon devoir de vous recommander de remettre cette précieuse mission à une personne de confiance.

— Étant donné que le Vizir Ogaho tient en haute estime les habitants de Pesek, mon cher collègue pourrait justement s'acquitter de la même tâche que vous avez demandée à vos espions.

Dihur illumina de nouveau la grande carte pour expliquer le plan.

— Il pourrait aller lui-même en compagnie des Morjes, continua-t-il, longer les Rocheuses d'Ortan sur la côte nord de l'île et évaluer de ses propres yeux les diverses fortifications mises en place autour de Gousgar. Si ses aptitudes magiques ne sont pas trop en décrépitude, il pourrait peut-être même se rendre aussi loin qu'à Yngvar.

Dihur poussait sa chance et le roi pourrait aussi bien lui ordonner d'accomplir cette mission.

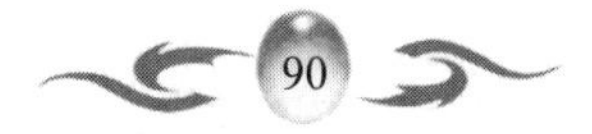

— Effectivement, une seconde expertise par une personne plus habile, plus expérimentée et de grande confiance serait un précieux atout, songea le roi à voix haute.

— La prise du village d'Yngvar pourrait s'avérer stratégique : elle couperait la retraite des démons et de leurs esclaves. De plus la possibilité d'avoir des troupes en renfort de la part d'Yngvar serait bloquée si une attaque simultanée était lancée contre Alvikingar.

— Hum… Mage Ogaho, mon cher et fidèle conseiller, je vous confie cette mission pour l'honneur de mon royaume et la renommée de notre race. Je suis persuadé que vous ne me décevrez pas car, après tout, vous être un Géant de pierre.

En prenant la part des Morjes quelques minutes plus tôt, Ogaho venait de réaliser à quel point il venait bêtement de s'expédier sur une mission improbable qui pourrait prendre presqu'une année.

— Je suis votre loyal serviteur votre Majesté, je vais accomplir cette mission royale pour votre gloire et celle de mon peuple, répondit-il avec noblesse.

« La patience, réfléchit-t-il, est l'une des vertus de mon peuple et le passage de ce Dihur ne sera bientôt qu'un vague souvenir. Je dois maintenant préparer mon expédition jusqu'à Pesek. »

Le mage se rassit parmi les autres géants de la Cour. Pendant que l'autre énonçait les dernières nouvelles des différents coins du royaume auprès de l'assemblée, il se remémorait quelques faits concernant ses rencontres avec les habitants de cette région.

Lorsque le roi a affirmé sa suprématie sur les terres du nord-est, Ogaho a vécu quelques mois chez le peuple des Morjes. Il avait entendu certaines rumeurs troublantes et il voulait les corroborer par sa satisfaction personnelle.

Personne ne voulait demeurer dans ce village. L'odeur pestilentielle et l'absence d'intelligence de la part des Morjes étaient suffisantes pour mettre en déroute tous les soldats, disciples ou géants qui auraient voulu s'y établir.

Mais Ogaho avait pris le temps de leur démontrer ses pouvoirs et de les aider. Après quelques années de visites sporadiques, les habitants du village lui faisaient confiance. Ils se sont ouverts et lui ont révélé tout ce qu'ils avaient mis de l'avant pour ne pas être dérangés.

Le mage avait vite compris que leur odeur et surtout leur attitude, un peu lunatique et bête, adoptée en stratégie commune avait justement pour but de préserver leur petit coin de pays. Étonnamment, ils protégeaient aussi leurs dirigeants qui détenaient des pouvoirs.

Ils s'étaient isolés du reste du continent pour assurer la survie de leur peuple, tout en restant fidèles au souverain conquérant. De toute façon, il y avait amplement de Yobs prêts à se battre pour le roi Arakher dans les autres villes.

> « J'ai tenu le secret de ce peuple, analysa Ogaho mentalement, en espérant qu'un jour il pourrait me servir. Je me souviens, il y a de cela plusieurs décennies, que j'y ai construit un petit refuge que les membres du village ont accepté de laisser intact. Il faut dire que je l'ai protégé magiquement et que personne n'aurait osé tenter sa chance devant ma magie.
>
> Finalement, si Dihur pensait m'avoir attribué un châtiment, il me permettra en réalité de retourner auprès du peuple que j'ai appris à connaître. Leur odeur n'est que secondaire, je pourrais concocter une potion qui pourra filtrer cette puanteur. D'ailleurs, je suis convaincu que les Morjes ont déjà trouvé cette recette. »

Ogaho se devait d'accomplir cette mission pour son roi et aussi pour regagner son prestige auprès de la Cour. Cependant, rien ne l'empêcherait de pousser un peu plus loin ses recherches et peut-être même d'utiliser certaines ressources inexploitées de ce peuple. Le second vizir n'avait jamais cru que la guerre était la meilleure des solutions : les géants de pierre pourraient fort bien dominer par la persuasion et les échanges.

> « Or, je serai toujours aux côtés de mon Roi, prêt à le servir.»

Mentalement, le second vizir traçait sa route. Le trajet de Pyrfaras vers Pesek par la gorge de Vangorod devrait prendre environ une soixantaine de jours, sans compter les imprévus qui pourraient être rencontrés en chemin. Plusieurs créatures ont établi leur territoire de chasse dans cette gorge et lorsqu'il s'agit de se nourrir, même un géant peut se retrouver sur le menu.

Le parcours serait périlleux. Il prendrait le temps de bien camoufler ses pistes et de voyager avec un petit groupe. Le tout

devrait être accompli sans trop de perte, après tout c'est le destin des Mourskhas que de se sacrifier pour leur maître.

Après sa présentation et durant les longues minutes de débats qui conclurent l'assemblée, le Premier Conseiller Dihur se rassit dans son fauteuil de marbre. Il se réjouissait intérieurement de la tournure des événements. Ogaho ne faisait qu'épier ses moindres gestes depuis sa prise de position en tant que Grand Vizir du roi.

> « Je ne compte plus le nombre d'espions à la solde de ce mage que j'ai tout simplement fait disparaître dans les pierres de cette capitale, se dit-il en souriant. Cela me donnait tout de même une petite distraction, de quoi me désennuyer. »

D'autant plus qu'il ne s'attendait pas à ce que ses nouvelles fonctions le garderaient si occupé et surtout si ancré à Pyrfaras. Toutes les tâches et responsabilités du Premier Vizir ne peuvent être redistribuées à personne d'autre car c'était la tradition.

Combien de fois fut-il tenté de tout laissé tomber pour assouvir ses plans de vengeances envers Arminas !

> « Le Grand Druide de Lönnar s'est bien préparé et il a eu du temps pour consolider ses citadelles et ses effectifs, analysa-t-il une fois de plus. Je dois absolument contrôler une armée qui pourra lui tenir tête. Celle d'Arakher se prêtera bientôt à mes moindres désirs, ce n'est qu'une question de temps et aussi, malheureusement, de patience. »

Lorsque l'assemblée plénière fut terminée pour la journée, Arakher décida de s'entretenir plus sérieusement en privé avec son premier vizir. Il le convia donc à demeurer seul dans la grande salle avec lui.

— Premier Vizir Dihur, commença-t-il, je suis parfaitement conscient des différends qui vous opposent à Ogaho au sujet de cette guerre. Si j'ai pris la décision de conserver dans mon entourage mon mage de pierre, jadis mon Premier Vizir, c'est parce qu'ici, chaque sujet doit être évalué, c'est la règle. C'est ainsi que sa fonction est de te surveiller et de te questionner.

— Après tout, tu n'es qu'un demi-géant hybride alors qu'Ogaho est un géant de pierre à mon service depuis fort longtemps. La manière de mon peuple n'est pas aussi rapide que celle que tu aimerais, je le sais très bien.

Le Grand Druide n'aimait pas du tout le ton ni la direction de cette discussion. Mais il était coincé dans une forteresse remplie de géants et il était préférable de s'abstenir de tout commentaire brusque s'il tenait à la vie.

— Retiens ceci, druide de l'Ordre des Quatre Éléments, ce comportement est notre façon de procéder même si cela doit prendre des années, voire même des dizaines d'années, ce sera ainsi que je le dis.

— J'avais abandonné l'idée de prendre ces terres de l'ouest au nom de mon royaume. C'est toi, Dihur, qui m'a suggéré de prendre action après que l'on ait découvert que les démons et leurs chiens du nord avaient pénétré mes terres et tenté de nous envahir. Chose qu'ils n'avaient jamais essayé de faire depuis leur arrivée sur cette île et je sais que c'était un signe évident qu'ils renforçaient leurs armées.

— C'est par chance que tu as pu intervenir en défendant mon fils de cette attaque si près de mon Royaume. Comme je suis reconnaissant de ton expertise et respectueux de ton Ordre, je m'attends à la même courtoisie en retour, est-ce bien compris ?

Dihur avait besoin de l'armée de son roi et il devait donc adoucir ses manières avec le colosse. Si ce n'était que de ce détail, il y a fort longtemps qu'il lui aurait tranché la tête avec son puissant cimeterre. Il emprunta une voix mielleuse et s'adressa enfin à Arakher d'une façon plus soumise, feignant de bien comprendre les mises en garde du monarque.

— Majesté, vous avez tout à fait raison, veuillez me pardonner. Je ne veux que le bien du royaume et vos traditions freinent parfois mes efforts pour vous satisfaire. Je vais m'appliquer à mieux vous servir, vous pouvez en être sûr.

Arakher lui sourit et quitta les lieux, laissant Dihur penché très bas, figé dans sa révérence. Ce druide pouvait bien lui mentir, en autant qu'il exécutait les ordres qui lui étaient données. Il avait la loyauté d'Ogaho et il comprenait qu'il n'aurait probablement jamais celle de Dihur. Sa soumission, tout au plus.

Chapitre 8 — Premier tour de garde

Le trajet entre Alvikingar et leur destination dura plus d'un mois. La randonnée du début avait fait place à une croisade de plus en plus périlleuse. Chaque jour, l'une ou l'autre des patrouilles de gardiens prenaient une route différente afin d'atteindre la zone qui leur avait été assignée. Il fallait éviter de se laisser prendre en souricière. Chaque poste se déployait comme un chapelet en périphérie de la frontière.

« Plus la caravane rétrécit en nombre et plus le morcellement des troupes ajoute au danger de voir l'ennemi nous mettre à l'épreuve », songeait le guerrier en regardant l'attitude désinvolte de certains des voyageurs.

— Tu sembles inquiet Marack, demanda Miriel en le tirant de ses réflexions.

— Mouais… Nous n'avons plus la protection d'un large bataillon pour décourager les prédateurs potentiels. Ils peuvent être cachés dans n'importe quel fourré, lui répondit-il d'une voix sombre en demeurant aux aguets.

— Chacun a des tâches à accomplir pour assurer la survie du groupe, dit-elle. Et Ara marche en avant. Il nous préviendrait s'il voyait quelque chose de suspect.

«Pour éviter le plus grand nombre de confrontations possibles, le groupe devrait faire preuve d'encore plus de prudence dans ses déplacements », grogna-t-il, peu convaincu.

Les derniers jours passèrent et la patrouille se retrouva isolée aux abords de leur zone. Une routine de vigie s'était installée entre eux. Leur survie dépendait maintenant de leurs réflexes.

Arafinway, fidèle à lui-même, devançait d'une cinquantaine de foulées ses deux amis. Très sérieusement, il portait attention au moindre petit bruit suspect. De plus, comme il avait également la tâche de repérer des cachettes potentielles qui pourraient servir

de refuge dans la région, il essayait de toutes les noter mentalement en se donnant des points de repères : dans ce vieux tronc, sous ce rocher moussu, dans ces arbres-lianes, dans la grotte près d'un ruisseau presque gelé…

— Je commence à avoir faim pour autre chose que des champignons ou les baies enchantées de Miriel, entendit-il tout juste derrière lui.

— Je reconnaîtrais les gargouillements de ton estomac d'ours à des lieues, dit-il en se retournant vers son ami. Ce n'est pas de ma faute si le gibier de cette zone est doté d'un système de détection phénoménal !

— C'est surtout ton adresse à l'arc qui nécessiterait peut-être encore plus d'entraînement, lui lança le guerrier au ventre creux en le taquinant.

— Ce n'est pas la faiblesse de mon archerie qu'il faut noter, soutint l'autre en défense. Les bêtes parviennent à éviter et à contourner tous les pièges que j'ai installés. C'est comme s'ils savaient ce que je faisais...

Marack se tut mais lui aussi trouvait que les animaux étaient drôlement habiles pour filer dès qu'un chasseur se pointait avec une approche des plus silencieuses.

En se concentrant sur son appétit, le guerrier avait fini par faire sortir de son esprit toutes les expressions de son ami mimant son code d'éclaireur personnel. Malgré tout, lorsque de temps en temps il l'entendait signaler la présence d'un groupe de créatures potentiellement dangereuses, certaines images comiques refaisaient surface et il devait se retenir pour ne pas s'esclaffer. Heureusement pour tous, les animaux rencontrés jusqu'à présent s'étaient rapidement sauvés sous les gémissements interprétés par l'elfe.

— J'aurais souhaité me mesurer à un contingent de Sottecks ou même à quelques Yobs, déclara-t-il en ajustant son pas à celui de Miriel, histoire d'entretenir ma forme et d'accomplir mon devoir en tant que gardien. Jusqu'à présent, cette partie de la forêt est quelque peu décevante.

Ses instincts de guerrier s'impatientaient devant la monotonie du défi quotidien. Lui qui rêvait de prouver sa valeur se désolait de ne voir poindre que peu d'ennemis à affronter jusqu'à maintenant.

— Qu'il s'agisse de loups, d'ours ou de la superbe petite famille de sangliers de tout à l'heure, répondit Miriel d'une voix moqueuse, j'applique toujours mon autorité druidique sur nos rencontres.

— L'ours noir de plus de six coudées aurait été un superbe trophée de chasse ! répliqua le viking avec une pointe de frustration dans la voix. Il aurait aussi fourni suffisamment de viande pour nous sustenter pendant plusieurs jours.

— Les Gardiens de Lönnar défendent la forêt et les animaux qui la peuplent, déclara-t-elle d'une voix ferme.

« Si Arafinway avait été plus habile avec son arc, songea-t-il, il aurait pu atteindre sa cible à distance et éviter que Miriel n'intervienne. Il n'est pas défendu de terrasser l'un de ses animaux pour survivre, tout de même ! »

Malgré tout, si l'un d'entre eux avait été plus agressif envers le groupe, il n'aurait pas hésité à engager le combat. Mais Miriel exerçait jusqu'à présent une empathie presque palpable envers la faune de cette partie de la Forêt des Bois Noirs.

Marack se rappelait les histoires de son père au sujet des druides et de leurs façons d'apaiser les animaux domestiques ou même sauvages. Mais normalement, cette approche ne faisait que diminuer légèrement le degré d'hostilité. Étrangement, sa druidesse exerçait presqu'un contrôle sur l'humeur et les actions des bêtes rencontrées.

— J'admets que de voir un ours géant qui se frotte le dos comme un chaton, en se dandinant sur l'herbe, se laissant gratter le ventre par les fougères, dit-il finalement à son amie, est une curiosité qu'il n'est pas donné de voir à tous les jours. Mes amis d'Hinrik ne me croiront jamais, conclut-il.

Après deux semaines de patrouilles, Miriel avait réussi un parcours sans faute. Chaque rencontre, chaque décision, chaque mouvement à accomplir le furent en fonction des actes de druidisme et, non seulement les maîtrisait-elle, mais elle les accomplissait avec une étonnante facilité. Serait-ce la chance des débutants ou avait-t-elle véritablement reçu les dons spéciaux de Lönnar ?

Chaque matin, sitôt le premier repas de la journée englouti, c'était la levée du campement et le départ pour la découverte d'une nouvelle partie de cette zone à protéger.

Miriel avait naturellement trouvé sa place au sein de l'Ordre de Lönnar. Quotidiennement, elle abordait sa tâche avec une aura de joie : patrouiller la forêt la rendait heureuse.

Marack espérait découvrir autre chose de plus palpitant mais sa mission première était de veiller sur Miriel. Pour Arafinway, c'était l'opportunité de pratiquer à nouveau son code qui le stimulait.

— Qui sait ? déclara-t-il à sa cheffe. Avec un peu de chance, je pourrai vous faire pour la première fois le chant de l'oiseau qui commande une attaque.

Elle le regarda en souriant.

— Tu sais, je ne tiens pas vraiment à me faire démolir par de grosses bêtes sans cervelle; rien ne presse… Ce jour-là viendra bien assez tôt !

— Moi, j'en meurs d'envie ! murmura la plus feutrée voix de leur ami guerrier derrière eux.

Le groupe patrouillait la zone qui touchait la rivière de Cristal. De temps en temps, Arafinway tentait de pratiquer son art du camouflage et à quelques reprises, il laissait ses compagnons le dépasser. Cela lui permettait de valider s'il avait bien réussi à se dissimuler. Plus souvent qu'autrement, Marack était en mesure de découvrir sa cachette et tentait de le prendre par surprise. Il lui bondissait dessus en grognant et faisait presque faire un arrêt cardiaque à celui qui croyait être parfaitement camouflé. Le petit jeu durait depuis plusieurs jours sans que l'éclaireur ne fasse aucun progrès.

— Je n'en peux plus de toute cette pluie, fit Miriel boudeuse en repoussant la brume devant elle grâce à un sortilège de vent léger.

— Où est Ara ? demanda soudainement Marack. Je n'arrive plus à le percevoir devant.

Les deux amis, troublés, s'arrêtèrent afin de mieux discerner les bruits suspects de la forêt amplifiés par les gouttes de pluie qui tambourinaient sur les feuilles.

— Je ne le vois pas non plus, murmura Miriel.

— Là, regarde, chuchota Marack avec un sourire furtif. Il y a des mouvements dans ces bosquets, à moins de vingt pas du chemin que nous allions emprunter. Attends-moi ici, je vais encore lui faire peur et le prendre à l'improviste.

Lorsqu'il fut à portée de surprendre Arafinway, l'étonnement fût réciproque.

— Ahhhhh ! L'éclaireur caché est un Sotteck !

Le premier réflexe de Marack fût de prendre position entre cet ennemi et Miriel, le marteau levé.

— Attention, Sottecks ! hurla-t-il pour alerter ses compagnons de l'attaque éminente.

Voyant que sa position avait été compromise, l'ennemi attaqua son adversaire à l'épée en poussant un cri de guerre perçant, alertant à son tour les membres de sa compagnie.

Trois autres Sottecks sortirent du bois pour engager le combat contre Miriel et Marack. Arafinway, loin devant, réalisa très rapidement que quelque chose n'allait pas lorsqu'il entendit Marack crier. Les bruits d'un combat féroce derrière lui ne le trompaient pas. Sans tarder, il rebroussa chemin à la course et, après seulement quelques foulées, il put apercevoir à travers la brume ses compagnons aux prises avec leurs adversaires.

L'elfe, en partie camouflé par les arbres, figea devant la scène : à un peu moins de trente-cinq foulées, un petit groupe d'éclaireurs Sottecks encerclaient et menaçaient dangereusement ses amis. Au lieu de porter assistance à ces derniers, Arafinway commença à analyser l'engagement qui se déroulait sous ses yeux.

« Ces créatures ne peuvent pas faire partie d'une infanterie, constata-t-il. Leurs armures sont beaucoup trop légères… Normalement, un bataillon comprend plus de soldats… Leur position de combat est bonne… Mon maître d'arme à Hinrik disait toujours que lorsque l'ennemi est plus nombreux, le dos à dos est la meilleure défense. »

Ses amis concentraient leurs efforts à repousser les estoques de ceux qui étaient armés de lances courtes.

Marack faisait honneur à sa caste et surtout à son père. Il avait déjà porté un bon coup de marteau qui envoya l'un des malheureux se heurter contre un arbre. Le second adversaire, voyant que la portée de l'arme le maintenait à distance, cherchait une opportunité afin de pénétrer la défense de cet humain.

Miriel avait déjà utilisé une charge de son bâton en repoussant le plus petit des deux comparses qui lui avaient sauté au cou. Elle avait esquivé mais le plus costaud, armé d'une large hache, essayait par tous les moyens de la décapiter. Miriel bloquait du mieux qu'elle le pouvait les nombreux coups donnés farouchement par son adversaire. Elle aurait bien aimé se déplacer pour éviter toutes ces attaques, mais cela aurait laissé le dos de Marack vulnérable.

> « Ces créatures se nuisent dans leur propre séquence d'attaque, se dit Arafinway toujours figé derrière les petits arbres. Ils ne sont pas de taille contre nous... »

Au moment où Arafinway fit cette réflexion, le *nous* le sortit de sa critique du combat. Voyant que l'un des adversaires de Miriel était toujours étourdi par la force du coup de bélier qui l'avait percuté, il s'empressa de décocher une série de flèches dans sa direction.

Les trois premières avaient été tirées avec un peu trop d'énervement et frôlèrent Miriel qui lui jeta un coup d'œil inquiet. Complètement ressaisi, l'elfe balança deux nouveaux projectiles qui touchèrent leur cible. Titubant encore sous l'impact magique, le féroce colosse n'eut point le temps de réaliser ce qui venait de se passer. Il se retrouva rapidement lardé de flèches avant de chuter sur le sol, l'air confus.

Au même moment, Marack inversa la position de ses mains sur la poigne de son arme. Au lieu de frapper du haut vers le bas, il mit toute sa force pour attaquer dans le sens contraire. L'ennemi comprit hélas trop tard l'attaque qui arrivait par en-dessous. Il tenta de bloquer le prodigieux assaut, mais celui-ci entraîna le côté tranchant de sa lame en direction de sa gorge. L'épée s'enfonça et s'arrêta bien ancrée dans la partie osseuse de la mâchoire du Sotteck. Le belliqueux réalisa subitement qu'ils auraient dû se tenir loin de ce groupe de démons avec leur esclave au grand marteau.

Pendant ce temps, Arafinway continuait de décocher ses flèches sur celui qui avait goûté au premier coup de marteau de son ami. Le Sotteck qui se roulait maintenant par terre pour éviter les

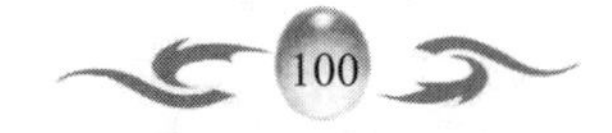

pointes, décida rapidement que la fuite était la meilleure solution pour lui s'il voulait survivre à ce carnage. Voyant que l'elfe s'occupait de l'ennemi qui tentait de prendre la fuite, Marack fit volte-face pour engager celui qui osait s'en prendre à la druidesse.

Les tactiques de combat avaient bien été apprises à Hinrik.

— *Snüa*[17] *!* cria le guerrier.

Miriel pivota au même moment que Marack. Les deux compagnons venaient d'échanger leur position respective. Cette créature aurait préféré de loin continuer ses attaques sur la petite démone, une proie beaucoup plus accessible. Malheureusement pour lui, se retrouver devant le colosse au grand marteau, sans renfort, venait de lui soutirer tout espoir de sortir vainqueur de ce duel.

N'ayant plus de contrainte au niveau du déplacement et voyant que son ami l'éclaireur avait réussi à trucider le couard qui avait tenté de se défiler, Marack s'adressa à son adversaire avec colère dans la langue des Sottecks.

— Je vais en finir avec toi en seulement trois coups de marteau, tu veux compter avec moi ? Personne ne doit toucher à Miriel.

Le premier coup, porté avec vigueur, fit dévier la hache vers le bas, ce qui déséquilibra vers l'avant son porteur qui ne voulait pas se laisser désarmer. Au second coup, Marack exécuta rapidement la manœuvre du revers en direction de la tête du Sotteck à demi courbé. Le marteau heurta bruyamment le visage de l'ennemi. Sous l'impact, il lâcha sa hache de guerre, se redressa lentement en chancelant et regarda brièvement vers le ciel. Il marmonna quelque chose à voix basse et tomba vers le sol, comme un arbre que l'on venait d'abattre.

Arafinway en avait profité pour se rapprocher de ses amis et arriva quelques instants avant que le dernier Sotteck ne se retrouve au sol.

— Est-ce que ça va ? demanda-t-il anxieusement à ses compagnons.

[17] Snüa : pivoter en islandais.

Chacun gardait un silence pesant, le souffle court en se remettant du choc de cette rapide mais violente attaque. Puis, regardant autour d'eux, ils réalisèrent qu'il s'agissait de leur premier combat contre un ennemi bien réel. Ils avaient en fin de compte bien travaillé et personne n'était blessé grièvement.

— Ara, rappelle-moi de te garder toujours dans mon champ de vision, dit enfin Marack. De cette façon, je n'aurai pas besoin de jouer à cache-cache avec un Sotteck dans les bosquets.

Miriel, qui s'attendait à une verte réplique, voire une montée d'adrénaline de son ours grincheux envers son ami elfique, fut agréablement surprise de voir comment celui-ci réagissait.

— Marack, qu'est-ce que le Sotteck a marmonné avant de faire la planche ? demanda-t-elle pour faire diversion.

— Il a tout simplement dit : tu as menti, tu avais dit trois coups et non deux…

Elle s'esclaffa et son rire devint vite contagieux. Ils étaient devenus un groupe de gardiens, liés par l'amitié et le sang, liés par leur première victoire contre le danger.

— Fouillez les corps afin de récupérer ce qui pourrait nous servir, ordonna la cheffe.

— Deux lances courtes fêlées, quelques dagues, une hache effritée bonne à rien, énuméra Marack. Quelques pépites d'argent et une d'or. Rien de bien impressionnant à raconter autour du feu à notre retour à Alvikingar.

Finalement, personne ne voulut retirer l'épée rouillée qui était encore bien encastrée dans l'abdomen de son propriétaire.

La druidesse fit ensuite, pour la première fois, tel qu'on lui avait enseigné, d'un geste de la main circulaire, le rituel *Remitto ad Terram* afin de purifier les lieux des énergies négatives. En quelques secondes, les plantes confondirent les dépouilles avec le sol. Ses amis la regardèrent en silence, impressionnés.

La seule trouvaille qui avait une véritable valeur aux yeux de Marack était les quelques lapins que ces Sottecks venaient de capturer, sans avoir eu le plaisir de les dévorer.

— Enfin un peu de viande pour le souper, nous allons pouvoir nous régaler, déclara-t-il en salivant déjà à l'idée de pouvoir tenir une brochette bien chaude entre ses mains.

Après avoir progressé de plusieurs lieues, marquant ainsi une distance respectable de cet endroit où s'était déroulé le combat, ils établirent leur campement pour la nuit.

Miriel apparaissait plutôt songeuse, assise près du feu de camp, spécialement aménagé entre deux petits escarpements de pierre pour éviter de trahir leur position dans l'obscurité. Leur ami elfe s'était déjà proposé pour effectuer le premier tour de garde.

— Marack, je crois que je n'ai pas réagi assez rapidement lorsque le combat a débuté, amorça-t-elle. Je n'ai même pas remarqué les Sottecks qui étaient embusqués, prêts à nous attaquer. Si tu n'avais pas attaqué aussi adroitement, je ne suis pas certaine que nous serions encore vivants.

Marack la regardait en silence en dévorant une troisième portion du civet rôti.

— Tu as raison Miriel, tu n'es qu'une mauviette; heureusement que j'étais là pour te défendre ! dit-il avec un petit ton faussement prétentieux, sachant fort bien qu'elle réagirait promptement.

— Marack, fils de Marack, tu es vraiment impossible ! s'étouffa-t-elle. Je voulais parler avec toi de quelque de chose de sérieux. Moi qui croyais que tu commençais à être un peu plus, un peu plus… les mots lui manquaient tellement elle était fâchée contre son ami.

Le guerrier continuait de déguster son repas tranquillement et était ravi d'avoir pu faire sortir Miriel de ses gonds. La relation qu'il entretenait avec elle était vraiment celle d'un grand frère envers sa petite sœur. Certes, il lui devait un certain respect à cause de son titre de cheffe. Il lui devait aussi sa loyauté car son père lui avait parlé de la dette d'honneur de sa famille. Par déférence pour son paternel, même si cette tâche de protection lui avait été imposée, il n'a pu faire autrement que de l'accepter de bonne grâce.

Il pouvait donc se permettre de taquiner Miriel sans trahir les ordres, du moins ce soir. Il aurait bien la chance un autre jour de discuter avec elle de ce qui la tracassait… une fois qu'elle lui aurait tout pardonné.

Au lendemain de l'embuscade, les trois compères étaient un peu plus nerveux et demeuraient aux aguets lors de leur randonnée en

forêt. Arafinway décida de suivre le conseil de Marack et de rester à portée de vue de ses compagnons.

Miriel s'attendait à tout moment de rencontrer d'autres patrouilles, surtout si le groupe de Sottecks était une avant-garde pour un plus large bataillon. La druidesse, un peu rancunière, n'avait toujours pas reparlé à son guerrier, lui reprochant l'attitude trop familière qu'il avait eue autour du feu.

Marack lui donnait encore quelques jours et ce serait elle qui reviendrait à la charge pour discuter de ce qui la tourmentait.

Arafinway voyait à l'évidence que ses amis s'étaient encore querellés. Les connaissant bien, il savait que le temps arrangerait simplement les choses.

Deux semaines s'étaient encore écoulées et toujours aucune trace de Dihur, l'ennemi des gardiens, ni des troupes du roi Arakher. L'éclaireur remarqua que les animaux semblaient les éviter maintenant. On aurait dit que ceux-ci savaient que les gardiens de Lönnar protégeaient cette parcelle de territoire.

— Le gibier nous fuit encore, se plaignit Marack à Miriel. Je suis en train d'abandonner la possibilité de manger de la viande à nouveau. Je jure d'apporter plus de viande fumée pour le prochain tour de garde !

— Quoi, tu n'aimes pas mon régime végétarien ? répliqua Miriel qui se vengeait gentiment de son ami. Il est composé de baies, de fruits, de noix et de ma délicieuse soupe de racines aux champignons…

— Feuilles de menthe et écorce de bouleau ne sont pas tout à fait en accord avec mon estomac, grogna-t-il.

Chacun marchait lentement dans la forêt afin de s'imprégner de ses vibrations. Après tout, il s'agissait d'une nouvelle zone de territoire à patrouiller et il fallait repérer les environs. Chaque cachette potentielle et chaque endroit particulier étaient soigneusement recensés afin d'être partagés avec la patrouille de relève.

Arafinway se tenait à moins de trente foulées devant; il leur fit signe d'arrêter et de se s'accroupir. Il venait d'apercevoir du mouvement et une bande se dirigeait vers lui : six Mourskhas et deux Yobs, grands comme des demi-géants. Ce n'était pas un groupe d'éclaireur mais une patrouille dangereusement bien organisée.

Le jeune elfe était une fois de plus complètement subjugué devant le groupe qui se rapprochait. L'angoisse lui serrait la poitrine. Soudainement, il se mit à douter de lui, ne se rappelant même plus ses propres codes. Qu'allait-il signaler à ses compagnons, la fuite ou de se cacher et espérer que cette bande les dépasse sans les voir ?

L'ennemi était maintenant à quelques foulées et son indécision lui avait fait perdre un temps précieux. Ils étaient trop nombreux, se cacher était la seule solution en espérant que ceux-ci passent leur chemin. Il avait décidé de choisir l'action, mais ne se rappelait plus du code qui était rattaché à celle-ci.

> « Se cacher, se cacher… Est-ce la bécasse, la fauvette ou la givre, je ne sais plus ! » murmurait Arafinway derrière son buisson.

Son cœur battant la chamade l'empêchait de réfléchir. Il tenta un chant dans l'espoir qu'il s'agisse du bon, son rôle étant d'avertir ses amis au plus vite. Il gonfla son torse et laissa échapper le chant qu'il croyait être le bon.

— Heu... *fui*, heu… *fui*, heu… *fuuuyyyyyyyez* ! furent les seuls sons qui sortirent de sa gorge.

Marack pouvait voir deux Mourskhas à quelques pas derrière les arbres dissimulant son ami. Les deux créatures devaient chercher à identifier la race ou la dangerosité de cette étrange créature qui venait de produire ce cri si effroyable !

— Je savais que j'allais devoir courir jusqu'à lui pour le sauver, murmura-t-il à Miriel avant de s'élancer en direction de son ami.

Lorsque l'elfe vit Marack courir vers lui en poussant un cri de guerre viking dédié à Tyr, il savait que son code n'avait pas été bien compris.

— Que la justice de Tyr m'accompagne !

Dès l'instant où il contourna les quelques arbres qui le séparait d'Arafinway, il réalisa soudain l'ampleur de la situation.

Marack qui comptait sur la surprise créée par un guerrier qui donnait la charge avec son marteau de guerre, venait de découvrir à quel point ils étaient dépassés en nombre. Sa dernière lueur d'espoir disparut lorsqu'il aperçut les deux Yobs gigantesques qui fermaient la marche.

— Arafinway, ils ne sont pas deux, ils sont six ! Pourquoi n'as-tu pas donné le code pour fuir ?

— Je l'ai fait, du moins je crois bien que c'est ce que j'ai fait. N'ai-je pas dit… fuyez ? répliqua-t-il un peu confus.

— Allez Ara, sauve-toi ! Miriel, court, ils sont trop nombreux ! hurla-t-il en direction de la druidesse tout en faisant quelques pas à reculons.

L'elfe s'élança comme un lièvre vers Miriel tandis que Marack s'interposa devant les deux premiers Mourskhas qui venaient à sa rencontre. Il devait se débarrasser rapidement de ces deux ennemis s'il voulait avoir une chance de pouvoir rejoindre ses amis.

La druidesse avait entendu l'ordre de courir mais elle voyait Ara se dirigeant dans sa direction. Elle attendait le troisième de ses compagnons avant d'amorcer une retraite. L'elfe était déjà à ses côtés, mais au lieu de voir Marack courir derrière lui, elle l'entrevit effectuer des manœuvres de combats lui permettant de reculer, mais trop lentement.

Il y avait maintenant quatre créatures agressives entourant le guerrier et presque autant cherchaient à contourner les arbres pour venir à leur rencontre. Ara, regardant la scène, se désolait de sa faute au lieu de réagir en guerrier.

La druidesse avait une meilleure vue d'ensemble sur la situation au niveau de ce combat. Elle entama une série de paroles accompagnées de gestuels et Arafinway reconnut la magie druidique.

Soudainement, les lierres ainsi que les lianes des arbres se mirent à s'allonger et s'accrocher fermement à tous les humanoïdes qui étaient dans la zone de l'invocation. Presque tous furent faits prisonniers par la végétation qui venait de s'animer pour participer à ce combat.

Miriel avait bien projeté son sort, car tous ceux qui étaient devant Marack n'étaient plus en mesure de combattre ni de se replier. Ils étaient solidement retenus par des branches ou des racines qui s'étaient enroulées autours de leurs bras et de leurs jambes. Marack avait déjà vu Miriel employer cette magie. Lorsqu'il sentit les premiers signes de manifestation de la nature, il se projeta vers l'arrière pour éviter le même emprisonnement que ses ennemis.

Il n'était visiblement pas le seul à connaître la magie des druides car l'un des Mourskhas eut la chance de se retirer juste à temps avant qu'un bosquet ne l'engouffre pour le maîtriser.

Les deux Yobs, grâce à leur force et à leur stature, étaient peu affectés par ce type d'enchantement. Ils pouvaient voir les racines frémir d'anticipation non loin d'eux. Comme la limite de la magie pouvait être identifiée, ils portèrent attention et contournèrent la trappe végétale, tout simplement.

— Miriel, lança un Marack courroucé, lorsque je te dis de courir, je m'attends à ce que tu appliques mon ordre à la lettre.

Marack était toujours allongé sur le sol et il tardait à se remette sur ses pieds, pensant que la situation était sous contrôle.

— Je te recommande fortement de te relever au lieu de rouspéter, cria Miriel. Il y avait deux Yobs en escorte et je ne crois pas qu'ils aient été pris au piège. Ils vont sans doute nous contourner et arriver dans notre dos dans quelques instants. Tu vas enfin pouvoir démontrer ton adresse au combat. Ah oui, une dernière chose, juste pour que l'on se comprenne bien, la cheffe, c'est moi et je te dis debout, fainéant ! Tu te reposeras plus tard.

Arafinway avait déjà commencé à décocher quelques flèches sur l'un des Yobs toujours visible, afin de le blesser ou du moins de retarder sa charge, avant qu'il n'atteigne la position de son ami encore sur le sol.

— Le second Yob n'est pas visible ? Il est passé où ? demanda anxieusement Miriel à l'archer. Une créature de cette stature est difficile à ignorer. Ouvrons l'œil…

— Le seul Mourskha qui s'en est sorti indemne, lui répondit-il en fronçant les yeux, est demeuré derrière et tente de délivrer le reste de sa bande.

Mais dès qu'un prisonnier réussissait à partiellement dégager un bras, aidé par l'un de ses camarades, une seconde liane venait enrouler sa tige solide sur une autre partie du corps de sa proie.

Le tir de flèche avait été concentré sur le Yob. L'elfe lui en avait jusqu'à maintenant expédié une bonne douzaine et son carquois se vidait rapidement. Marack avait réussi à reprendre son souffle et à se relever, juste à temps pour voir apparaître une géante pelote de flèches sur deux pattes. La brute cherchait vivement un bouc émissaire et Marack semblait être digne de son choix.

Elle s'avança tranquillement, armée d'une énorme massue de bois renforcée par des bandes de métal. Marack attendait depuis longtemps cette opportunité : se mesurer à quelque chose de plus grand que lui-même.

> « Hum, ce Yob semble astucieux mais il est peut-être un peu plus maladroit dans ses mouvements, évalua-t-il rapidement. Mais si par malheur son arme m'atteint, la blessure pourrait être des plus sérieuses. »

Les deux guerriers s'étudiaient en faisant lentement des cercles. Marack reconnaissait l'expérience de son adversaire, il ne se lancerait certainement pas tête première contre son ennemi sur la défensive. Les premiers échanges mesurèrent l'adresse et la force de chacun.

Marack regrettait de ne pas avoir pu apporter autre chose que des armes contondantes. Une bonne épée à deux mains ou une hache à deux mains serait beaucoup plus efficace que le marteau de Lönnar. Le Yob portait une brigantine comme armure : une base de cuir souple renforcée par des carrés de métal recouverts d'un cuir plus épais.

> « Mes attaques ne semblent pas lui imposer de blessures importantes, analysa-t-il, et les quelques flèches de Ara sont surtout logées dans son filet porté comme un châle qui recouvre ses épaules. Il doit bien y avoir une faiblesse quelque part. »

Miriel anticipait que le combat allait durer une éternité entre ce vétéran et son champion.

— Ara, je t'en prie, vise la tête du Yob avec tes flèches, intima Miriel. Essaie de toucher tous les endroits dépourvus d'armure.

L'elfe pris son temps pour viser et cherchait à toucher les points vulnérables de l'adversaire. Marack comprit la stratégie dès que la première flèche se logea dans la partie arrière de la jambe non protégée du colosse. Le viking tenta de maintenir son attention afin d'offrir un dos bien large comme cible à son ami qui faisait enfin un bon usage de son arc.

La cheffe continuait de surveiller les tentatives infructueuses du Mourskha. Le second Yob qui n'avait pas été pris au piège avait décidé de prendre son temps et de surprendre son ennemi par le revers. Il avançait plus lentement et avait pris soin de contourner l'escarpement rocheux qui protégeait Miriel et Arafinway. La forêt était dense et le temps pluvieux lui offrait un camouflage certain.

Marack continuait d'embêter le premier Yob pendant que l'éclaireur aiguillonnait sa cible. Si par malheur la créature se retournait pour faire face à l'éclaireur qui le piquait, le guerrier en profitait pour lui livrer quelques coups douloureux aux genoux. La stratégie n'était pas la plus efficace mais elle avait le mérite d'infliger des dommages.

N'eut été de la vigilance de Miriel, le second Yob aurait sans doute fendu en deux la tête d'Arafinway. Le belliqueux apparut à une vingtaine de foulées derrière eux et lança une pierre de la taille d'un melon.

— Attention ! fit Miriel en ayant juste le temps de pousser Arafinway hors de la trajectoire de cette attaque qui l'aurait sans doute assommé d'un seul coup.

Les deux elfes roulèrent sur le sol et Arafinway, dans sa tentative d'esquive, se heurta solidement contre un arbre.

— Le second Yob est derrière nous, je m'en occupe, cria Miriel à ses deux amis en se redressant agilement.

Elle leva son Salkoïnas et invoqua la nature à nouveau afin de ralentir son ennemi. Sous les pieds du Yob, le sol commença à se métamorphoser. La terre et la pierre étaient maintenant devenues très glaiseuses. La portée de cet enchantement n'était pas assez puissante pour ensevelir en entier le colosse mais suffisante pour le recouvrir jusqu'à la taille, ralentissant ainsi sa progression vers elle.

Le Yob se débattait ardemment car il ne voulait pas mourir enseveli. Lorsqu'il réalisa qu'il avait pied et que le fond avait été touché, il reprit sa marche lente mais inexorable en direction de la démone qui lui avait lancé sa magie.

Marack tenait bon, et à force de coups de marteau bien placés, il avait réussi à faire plier son adversaire. Ce n'était maintenant qu'une question de temps avant que celui-ci n'abandonne le combat.

Arafinway reprenait difficilement ses esprits et son front saignait, ce qui lui embrouillait la vue. Devinant dans un halo que son ami guerrier avait le contrôle de la situation, il saisit son arc et orienta son tir sur le Yob à demi absorbé par le sol mais qui tentait de progresser vers sa cheffe.

— Lönnar, donne-moi le contrôle sur la pierre et attaque l'ennemi qui en veut à ma vie ! invoqua Miriel.

Elle pointa le Yob toujours à demi-ensablé et une multitude de petites pierres de grosseurs différentes se ruèrent vers la créature qui ne comprenait pas comment autant de petits cailloux pouvaient lui faire aussi mal. Les projectiles arrivaient de tous les côtés et certains s'incrustèrent dans sa chair sous la force de l'impact.

La druidesse lui avait infligé de bonnes blessures mais avait aussi réussi à faire rager son adversaire qui redoublait d'effort pour l'éventrer au plus vite. Arafinway pouvait percevoir l'expression du Yob plus enragé que meurtri. Miriel maintenait son sort et les cailloux continuaient d'assaillir l'autre ennemi. Le Yob avait réussi à atteindre la paroi solide. Il bondit hors du trou glaiseux et avec un sourire sardonique avança vers Miriel.

Les yeux exorbités et le visage effrayant, il leva bien haut son immense hache acérée. Le jeune elfe s'élança en brandissant son arc qui intercepta l'attaque afin de protéger son amie. Malheureusement, il n'était pas de taille pour bloquer l'arme maniée avec une telle puissance.

Le coup expédia Arafinway vers Miriel, qui fut aussi projetée plus loin sous la force de l'impact. Le demi-géant s'avançait impitoyablement vers eux, de plus en plus menaçant.

Marack, entre deux assauts, voyait bien que ses amis étaient en danger. Le Yob qu'il combattait s'accrochait farouchement à sa vie. Il continuait à l'occuper et surtout il l'empêchait de se déplacer vers les deux elfes.

L'éclaireur gisait sur le sol et sa jambe cassée le faisait hurler de douleur. La druidesse, secouée par le choc, encore étourdie, découvrit avec effroi la fracture ouverte alors que l'os fracturé faisait saillie. Il y avait une mare de sang qui se formait à l'endroit où Arafinway était allongé. Si elle ne portait pas secours à son ami dans les prochaines minutes, il pourrait y laisser sa vie.

Le monstre arriva bientôt sur Miriel qui ne pouvait guère reculer à cause de l'escarpement rocheux.

Avec un regard foudroyant, la druidesse invoqua une dernière prière à son dieu tout en présentant son arme en position de défense. Le Yob se projeta sur elle en poussant un cri de guerre. Sa hache en position d'attaque, il était déterminé à fendre en deux cette démone qui contrôlait la nature.

Miriel avait déjà terminé sa prière et attendait l'ouverture chez son adversaire afin de lui livrer la grâce que son dieu lui avait accordée.

Lestement et malgré la douleur, elle esquivait les coups portés avec rage par son ennemi. Dès que l'opportunité se présenta, elle toucha légèrement avec son bâton une partie dénudée du bras du Yob. La décharge magnétique le fit reculer de quelques pas pour finalement s'écrouler sur le sol. De sa bouche sortait une écume blanche et ses yeux toujours ouverts démontraient l'anéantissement de son esprit.

Saisissant cette seconde, la druidesse se précipita vers Arafinway qui avait perdu conscience.

À l'autre bout, Marack avait enfin réussi à faire comprendre à son ennemi qu'il était le meilleur des deux combattants. Le Yob, à bout de force, hypothéqué par un genou broyé et une mâchoire complètement défoncée, s'écrasa à son tour comme un pilier d'argile qui se désagrège

Le champion s'élança ensuite vers Miriel qui tentait vainement d'invoquer sa magie de guérison pour sauver la vie de son ami elfique.

— As-tu réussi à invoquer Lönnar pour le guérir ? s'enquit-il d'un ton qui cachait mal son émotion. Nous allons le perdre…

— J'essaie… mais je crois que la blessure est trop importante pour que mes prières ne puissent le ramener. Je peux arrêter temporairement les saignements mais sa blessure nécessite un art beaucoup plus grand que le mien, répondit-elle impuissante.

Marack se releva subitement et se mit en position de défense. Il venait de réaliser qu'il restait toujours un Mourskha libre tandis que le reste de la patrouille était toujours emprisonnée par les arbres.

— Il faut partir d'ici maintenant Miriel, fit-il fermement. Le dernier Mourskha semble avoir fui devant la mort de ses supérieurs, mais lorsque ton enchantement retenant les autres sera terminé, ils vont vouloir se venger.

— Tu as raison, nous ne pouvons rester dans les environs. Peux-tu prendre Ara sur ton dos sans trop le bousculer ? Nous partons nous cacher. Je vais essayer à nouveau d'invoquer mon dieu pour aider notre ami. C'est notre dernier espoir.

— S'il y a une autre patrouille dans le coin, les survivants vont se joindre à eux et nous traquer comme des bêtes. Partons vite. Chaque seconde compte.

Marack prit son ami contre lui avec précaution et suivit Miriel vers une cachette sécuritaire. Toujours inconscient, l'éclaireur avait perdu beaucoup de sang et le coup qu'il avait reçu lui avait presque sectionné la jambe.

« Il ne pourra sans doute jamais plus remarcher, songea le viking malheureux. Si la protection de dieux lui permet de survivre à cette escarmouche… »

La bruine de l'avant-midi avait maintenant cédé sa place à une forte averse qui rendait la course à travers bois plus périlleuse. Les souches étaient glissantes et la piste s'effaçait souvent sous la boue.

— Combien de temps allons-nous courir encore ? demanda Marack qui avait de plus en plus de difficulté à transporter son ami blessé.

— J'essaie de retracer la dernière cache que nous avons construite. Tu te rappelles ? Celle qu'Ara voulait absolument couvrir de fougères, répondit Miriel

— Je dois t'avouer que j'apprécierais maintenant son expertise pour retrouver cette cachette.

Miriel ouvrait la marche et Marack, toujours chargé comme une mule, suivait du mieux qu'il le pouvait. Il sentait les frissons de fièvre parcourir le corps de son ami et entendait parfois les gémissements incompréhensifs du grand blessé à chaque soubresaut.

Il portait surtout son attention sur les alentours alors que le moindre petit bruit éveillait sa prudence. Il avait de plus en plus de difficultés à porter son ami. Même s'il s'agissait d'un elfe, celui-ci représentait une charge à la fois fragile et encombrante.

Il accepta volontiers les moments de repos ordonnés par sa cheffe. Il reprit son souffle en scrutant l'horizon pour voir si le danger les guettait. Miriel invoqua toutes les prières et connaissances qu'elle avait apprises en tant que soigneuse avant d'atteindre le titre de Gardien du territoire.

Transporter un blessé comme un vulgaire sac de grain n'était pas un moyen de transport approprié pour ce type de blessure, mais ce choix leur permettait de parcourir un peu plus de distance. Malgré les bandages, la plaie ne faisait que se rouvrir et le sang recommençait à couler. Ces incidents signalaient aux deux compagnons qu'il était temps de s'arrêter pour panser à nouveau la profonde estafilade.

Marack n'osait rien dire pendant ces brefs arrêts. Selon lui, tout était de sa faute.

« Si j'avais porté plus d'attention au code d'Ara, rien de tout cela ne serait arrivé… songea-t-il. Je ne veux surtout pas élaborer sur ce sujet avec Miriel, elle était visiblement peinée de voir que notre ami s'affaiblissait petit à petit. Allait-il mourir, s'envoler vers le Grand Hall viking du Valhalla ? Si nous ne trouvons pas rapidement une solution, il sera bientôt mené par les valkyries vers cet endroit qui accueille tous les guerriers et éclaireurs qui quittent le monde des vivants. »

— Je n'arrive toujours pas à arrêter l'hémorragie dans sa jambe, dit la druidesse tristement. Ces déplacements n'aident pas non plus sa cause. Crois-tu que nous sommes assez loin pour essayer de prendre soin d'Ara ?

— Arrêtons de courir, je crois que cela serait mieux pour notre compagnon. Je crois que nous pouvons rester ici quelques heures, le temps que tu reprennes ton souffle et que tu te reposes. C'est la première fois que je te vois invoquer autant de magie en un si court laps de temps, tu dois être épuisée physiquement et spirituellement, non ?

— Je dois t'avouer que le seul épuisement que je ressens présentement est la fatigue dans mes jambes détrempées. Mon contact avec Lönnar est toujours aussi fort et je suis en mesure d'invoquer une bonne quantité de magie avant de devoir me reposer spirituellement, pour employer tes propres mots.

— Malheureusement, la magie dont j'aurais besoin pour guérir Ara n'est pas à ma portée. Sans doute un Gardien du Secret ou un messager aurait ce qu'il faut pour le soulager. Mon père pourrait facilement refermer cette blessure et oncle Beren pourrait en faire autant.

— Je me souviens qu'il m'a raconté que les paladins de Tyr qui sont suffisamment élevés dans leur Ordre sont également en mesure d'effectuer ce type de guérison. Ce ne serait pas une mauvaise chose d'avoir une autre personne qui puisse

employer ce type de magie dans notre petit groupe. Si Arafinway ne s'était pas interposé, ce serait toi qui nécessiterais ces soins. Ni lui, ni moi n'aurions alors eu la capacité de te guérir.

Marack réalisait jusqu'à quel point ils devenaient vulnérables. Le besoin d'une seconde source de guérison au sein de leur groupe faisait jour. Un problème qui va nécessiter une solution avant leur second tour de patrouille.

Le guerrier écoutait Miriel qui parlait doucement à leur ami pour tenter de le réveiller. Il entendait d'une oreille et portait de l'autre attention aux alentours. Il ne faudrait surtout pas qu'ils subissent une seconde escarmouche durant la même journée.

— Dors quelques heures Miriel, on s'installe ici et je prends le premier tour de garde. Le soleil va se coucher bientôt et cette nuit est celle de la première lune de l'année, la plus brillante des trois. Nous n'aurons pas besoin d'allumer un feu pour y voir clair et c'est un avantage que je compte bien utiliser si nos ennemis décident de nous surprendre.

— Sans un feu, tu vas manger des fruits et des noix, Marack, fils de Marack. lui répondit-elle en hochant la tête.

Miriel répandit du mieux qu'elle put une faible chaleur magique autour des trois compagnons et soigna de son mieux la jambe son ami. Elle s'allongea ensuite tandis que la pluie s'était arrêtée.

Elle s'endormit, inquiète : même si les sorts utilisés n'ont pu enlever toute la fièvre, ils ont stabilisé la blessure et cela aurait dû donner suffisamment de force à Arafinway pour reprendre conscience. Or, ce n'était pas le cas.

La pleine lune, la première grande lune du premier cycle, éclairait la forêt et Marack s'organisa pour façonner un abri avec des branches bien fournies en feuillages. Cela dissimulait leur présence aux créatures capables d'une vision nocturne.

Sa tâche consistait à protéger Miriel et, malheureusement, il voyait bien que l'accomplir était beaucoup plus difficile qu'il ne le croyait. Son compagnon était tout aussi important, même si la priorité devait être la druidesse. Il continua de surveiller les alentours avec attention lorsqu'il aperçut, au loin, des reflets orange sur les troncs des arbres.

Le temps de rêvasser était terminé, il y avait des créatures non loin d'eux et leur sécurité pouvait être compromise. Sans faire de bruit pour ne pas réveiller Miriel, il s'esquiva doucement du petit abri précaire et se dirigea vers le campement voisin.

Il se devait d'évaluer le potentiel de danger qui se terrait non loin de ses compagnons. La lune lui offrait un bon éclairage, mais ne l'aidait en rien à se camoufler. La présence de son ami lui manqua consciemment pour la première fois. Un guerrier en armure tel que lui trouvait pénible de se plier en quatre pour se dissimuler derrière un arbuste : il s'agissait d'une acrobatie qu'il ne tenait pas à répéter trop souvent.

Il tenta de s'approcher de la source de lumière qui révélait l'endroit exact du camp. Heureusement, il y avait autour plusieurs arbres ancestraux dont le diamètre lui permettait de dissimuler ses larges épaules.

Tout était préférable à un simple petit buisson. Il pouvait apercevoir la silhouette d'une seule créature qui tournait autour d'un énorme feu ardant. Celle-ci semblait danser autour des flammes ou plutôt, *avec* les flammes.

Il s'agissait d'une jeune femme d'apparence humaine. Vêtue d'une simple robe noire, sa chevelure foncée laissait apparaître quelques mèches rougeâtres. Au milieu d'une petite clairière, un feu était suffisamment gros pour réchauffer une dizaine d'hommes.

Le brasier semblait contenir un objet en son centre et la fougue des flammes rendait difficile l'identification de ce qui pouvait bien s'y chauffer. Les lueurs qui taquinaient les arbres étaient projetées sur une grande distance. Aucune odeur de cuisine ne flottait dans l'air…

Il ne pouvait laisser cette femme compromettre leur position. N'écoutant que sa voix intérieure de combattant, il prit la décision d'aller vérifier par lui-même ce qu'elle faisait. Était-ce un rituel ? Seule ou faisant partie d'une famille ? Après tout, il était un gardien de Lönnar et un guerrier accompli.

> « Je ne peux rien apprendre de plus sur cette danseuse si je reste ici en cette position, réfléchit-il, présumant qu'elle était seule… pour l'instant. Il faut que je m'approche un peu… »

Très lentement, marteau à la main et bouclier au bras, il marcha doucement vers celle qui ne semblait guère lui prêter attention.

La présence du guerrier avait été perçue dès l'instant où celui-ci avait tenté de se rapprocher à pas feutrés. Épier avec subtilité une proie sans se faire voir n'était pas l'habileté la plus développée chez la caste des guerriers et Marack n'avait pas échappé à cette règle.

À moins de quinze foulées du feu, la femme d'une trentaine d'années s'immobilisa et se retourna vers lui subitement. Au même moment, les flammes s'estompèrent et ce qui était animé d'une grande intensité quelques instants auparavant avaient maintenant l'apparence d'un simple petit feu de bois, sur lequel reposait un immense chaudron fumant.

Marack, stupéfié d'être découvert, ne pouvait s'empêcher d'alterner son regard du chaudron à la danseuse qui l'observait avec un large sourire. Il remarqua que la cocotte de fonte sur la braise était ornée de plusieurs symboles qui lui étaient tout à fait inconnus.

Malgré les enseignements que son père lui avait dispensés au niveau des arts, des langues et des lettres, jamais il n'avait vu des graffitis semblables. Ceux-ci rutilaient d'un mauve transpercés par les lueurs du feu. Les flammes léchaient de nouveau subtilement les parois du chaudron, tel un fauve savourant sa prise.

— Tu peux avancer jusqu'à moi, Marack, fils de Marack, et toi aussi Miriel, druidesse de Lönnar, intima l'inconnue.

Marack se retourna brusquement et aperçut à quelques pas de lui sa cheffe qui, à voir sa mine sévère, ne semblait pas apprécier l'escapade initiée par son protecteur.

— Je croyais que tu dormais ? avança Marack à voix basse sur un ton un peu inquisiteur.

— Et moi, je croyais que tu montais la garde, rétorqua Miriel en piquant un peu son ami. Nous nous sommes trompés tous les deux, n'est-ce pas ?

La druidesse s'avança doucement jusqu'aux côtés de son guerrier et tous les deux suivirent la piste jusqu'au petit feu de camp. La dame vêtue de noir se tenait de l'autre côté, derrière son chaudron. Les deux compères étaient intimidés par celle qui les observait en silence.

— Mille pardons Madame, pouvez-vous nous dire à qui nous avons l'honneur de parler, et en des lieux si isolés ? demanda enfin Miriel avec une politesse bien sentie.

Elle était vraiment intriguée : sans armure, sans armes, qui pouvait-elle bien être pour s'aventurer seule dans une forêt truffée de créatures, dont certaines très hostiles ? Elle jeta un regard furtif tout autour. Seule, vraiment ?

Il y avait définitivement de la magie qui émanait du chaudron. Les symboles qu'elle pouvait entrevoir lui rappelaient quelques notions très vagues. Elle reconnaissait les images de l'écriture thebans[18], mais n'était pas en mesure de les déchiffrer.

— Mon nom est Simfirkir et je suis une Heksen.

— C'est une *Skass*[19] ! murmura Marack doucement dans le creux de l'oreille de Miriel.

— Oui jeune guerrier, ma profession est sorcière ou Skass dans votre langue.

Marack tenait plus fermement son marteau devant la possibilité d'une attaque surprise de la part de cette créature maléfique entretenant les légendes cruelles racontées aux enfants.

Miriel n'avait pas la même appréhension envers Simfirkir. Son père lui avait enseigné non seulement à être prudente mais aussi à ouvrir son esprit aux différences et aux possibilités qui pouvaient se présenter.

— Tu connais nos noms et nos professions, lui dit-elle d'une voix forte. Alors tu sais que nous sommes des Gardiens de Lönnar et que cette partie de forêt est sous notre protection. Quelles sont tes intentions ?

— Vous n'avez rien à craindre de moi, tant que vous vous comportez avec respect et courtoisie à mon égard, répondit mystérieusement la Heksen en contournant le brasier pour venir à la rencontre des arrivants.

Marack voyant qu'elle se rapprochait fit un pas en avant pour protéger la druidesse.

---

[18] Thebans : alphabet utilisé en sorcellerie.
[19] Skass : sorcière pour les vikings.

— Reste derrière moi Marack, indiqua la druidesse. J'ai le pressentiment que cet entretien doit se faire entre femmes… et je te défends bien de lui faire quoi que ce soit.

Il fixa Miriel d'un air douteux puis reprit place derrière elle, tel qu'ordonné, tout en exprimant son mécontentement à voix basse. Habituée de l'entendre marmonner régulièrement ses frustrations, elle n'y fit pas attention.

Étrangement, les deux femmes n'étaient pas si différentes. Outre le fait que Simfirkir était presque humaine et l'autre elfique, toutes deux présentaient la sveltesse d'un elfe des bois. L'aînée affichait une longue crinière noire teintée de mèches rouges tandis que Miriel possédait une tignasse aussi longue mais dans les tons bruns chatoyants.

— Je suis ici pour deux raisons, commença la Skass. La première étant pour vous rencontrer car telles sont les visions qui m'ont menées jusqu'à vous depuis ces cinq dernières années. La seconde est pour éventuellement rencontrer mes sœurs qui composeront notre coven. L'oracle dit : « Je suis le début et la fin, tout commence avec moi et se terminera avec nous. »

— Suis-je l'une de vos sœurs ? s'enquit Miriel stupéfaite par ce qu'elle venait d'entendre.

— Non, rassure-toi, tu n'es pas l'une de mes deux sœurs manquantes. Celles-ci ont des tâches à accomplir avant de venir me rejoindre. L'Ordre des choses doit être maintenu car tout découle des actions qui sont initiées.

Marack ne comprenait rien à ce charabia et Miriel venait d'échapper le sens des derniers mots de Simfirkir.

« Des énigmes ! C'est Ara qui aimerait bien les résoudre, réfléchit la druidesse. La seule chose qui me paraît claire, c'est le fait que je ne sois pas l'une des leurs. C'est en soi une bonne nouvelle, pour rien au monde je ne voudrais être une Skass ! »

Son père lui avait parlé des sorcières qui pouvaient exister. Toutes étaient différentes au niveau de leur description et apparence ainsi qu'au niveau de leurs comportements. Des histoires étaient inventées de toutes pièces pour effrayer les jeunes enfants et certaines autres pour tenir éloignés les plus superstitieux et craintifs de leur magie. Cette femme ne

l'effrayait guère, au contraire, et son aura mystérieuse attirait Miriel.

— Où est celui qui se nomme Arafinway Merfeuille ?

— Tu vois, elle ne connait pas tout, elle ne sait même pas où est notre éclaireur ! déclara Marack, fier de pouvoir pointer à Miriel les lacunes de la Skass au niveau de la clairvoyance.

Le guerrier voyait bien l'attrait presque mystique que la sorcière exerçait sur son amie et cela le poussait à demeurer méfiant.

— Notre ami est grièvement blessé à la jambe. Mes prières ainsi que mes connaissances naturopathiques ne sont pas assez puissantes pour remédier à sa situation. Mon père m'a déjà raconté que les Skass avaient une profonde connaissance des plantes de leurs propriétés médicinales et magiques. Était-ce une simple exagération ou s'agissait-il d'un fait ?

— Arminas, est un druide connu et respecté parmi mon peuple. Son séjour de quelques mois dans notre village est encore et sera toujours raconté et transmis de mère en fille. Jamais nous n'oublions ceux qui ont tendu la main aux Heksens.

Miriel n'en croyait pas ses oreilles. Son père était connu par cette race de sorcières ! Alors, les histoires qui lui ont été racontées sur ces femmes par son paternel étaient peut-être fondées…

— Les plantes renferment plusieurs secrets, reprit la Skass. Je n'irais pas jusqu'à dire que je les connais tous, car je dois à chaque jour parfaire cette éducation. Cependant, il est vrai que nos connaissances sont assez élaborées si on les compare à un néophyte. Que désires-tu savoir, fille d'Arminas ?

— Pouvez-vous guérir Arafinway Merfeuille ? Si les soins adéquats ne lui sont pas prodigués sous peu, j'ai peur que ce qui rend cet elfe si spécial à mes yeux va disparaître, me laissant remplie de tristesse.

Marack trouva étonnant que Miriel réponde naturellement avec les mêmes tournures de phrases que la Skass.

— Je comprends, amenez-moi cet elfe et avec ta participation, druidesse, le sauver pourrait devenir une possibilité. Mais un service en attire un autre et pour ce faire, je vais vous demander de m'aider en retour, toi et ton ami.

— J'accepte votre pacte et nous ferons ce que vous direz. Marack, va chercher Ara et ramène-le ici tout de suite, lui ordonna Miriel.

Le guerrier jeta un regard long et profond vers Simfirkir, puis en direction de sa cheffe. Il prit une grande respiration et partit à pas de course afin de récupérer son éclaireur.

« Pffff ! Sorcellerie… Elle me prend pour un imbécile… Va chercher ceci, va chercher cela… Je ne suis pas son protecteur, je suis son esclave !... Je n'ai pas confiance en cette Skass », maugréa-t-il suffisamment fort pour qu'elles l'entendent.

Simfirkir interrogea des yeux Miriel devant l'attitude particulièrement déplacée de son ami viking.

— Ne vous en faites pas, il grogne beaucoup mais il finit toujours par faire ce que je lui demande. C'est un ours grincheux qui ne sort ces griffes que lorsqu'il doit me protéger.

La Skass offrit un petit sourire sous-entendu à Miriel suite à cette confidence.

Marack revint lentement avec le corps toujours inconscient d'Arafinway et le déposa à l'endroit où Miriel lui indiqua.

— Gardienne de Lönnar, autres que tes incantations magiques par ton dieu, les plantes que tu as utilisées pour le guérir sont-elles : le gui, la vigne rouge, l'achillée millefeuille et l'acacia, sous forme de cataplasme ?

La druidesse répondit aussitôt positivement d'un léger signe de tête.

— Est-ce que tu as aujourd'hui la prière de ton dieu pour faire pousser rapidement un arbre afin de le rendre à maturité en quelques instants ?

Se souvenant du cadeau particulier reçu de son père à son départ, elle répondit franchement.

— Oui, j'ai cette faveur de mon dieu, mais le rituel nécessite un temps d'invocation qui est très long pour arriver au résultat que vous demandez.

— Alors, prépare-toi car je vais préparer une décoction avec certaines plantes que tu connais. Porte bien attention aux quantités ainsi qu'à l'ordre avec lequel je vais préparer le

tout. Lorsque je te le dirai, tu devras invoquer ton dieu afin de faire grandir ce petit fruit en un arbre mature d'environ trente coudées de haut.

Simfirkir se pencha au-dessus de son chaudron et entama une série de paroles mystiques sous forme de chant. La mélodie qui perdurait depuis près d'une heure faisait réagir les divers symboles thebans incrustés sur le chaudron.

Certains brillaient encore plus intensément, pendant que d'autres n'apparaissaient presque plus. Les deux étrangers observaient en silence la cérémonie qui s'accomplissait sous leurs yeux. La sorcière prenait divers ingrédients et Miriel en reconnut plusieurs.

La poignée de fleurs jaunes fraîchement cueillies étaient de l'absinthe, cinq feuilles de gui séchées, une douzaine de feuilles de menthe, huit graines d'achillée millefeuilles, le contenu d'un mortier qui renfermait une dizaine de noisettes broyées et une petite branche de camomille précisément découpée par une dague à la poignée blanche et ayant une lame à deux tranchants.

Le brouet était par la suite remué de gauche à droite et non de façon circulaire. Elle lâcha la louche utilisée pour remuer le tout et Marack écarquilla les yeux de stupéfaction : l'ustensile continuait par lui-même de remuer les composantes du chaudron, en faisant de temps en temps des petits sauts au-dessus des volutes.

Pendant ce temps, la sorcière en profita pour tresser un collier de verveine qu'elle déposa autour du cou de l'elfe toujours fiévreux qui gisait sur une couverture déposée à même le sol. Elle prit à nouveau sa dague et l'approcha de la tête du blessé.

Marack bondit dans sa direction en la menaçant de son grand marteau. Il s'arrêta net lorsqu'il vit qu'elle ne venait que de s'approprier une petite mèche de cheveux. Dans un soupir, elle retourna jusqu'au chaudron et y déposa les cheveux, dans un ordre bien précis.

— Prépare-toi pour l'invocation, druidesse !

La Skass empoigna la louche bien remplie du brouet et en fit boire la moitié à Arafinway encore inconscient. Puis elle creusa un petit trou à côté du blessé et y déposa une noix d'un alvinier. Le reste de cette décoction fut utilisée pour arroser la graine recouverte par de la terre. Dès l'instant où le fruit eut été semé, son regard se porta sur Miriel.

— Si tu veux sauver ton ami, le temps est venu pour toi de faire grandir cette noix jusqu'à maturité immédiatement.

Miriel, les mains moites par l'angoisse, entama le rituel et demanda à son dieu de faire grandir le fruit.

De son côté, Marack murmurait discrètement une prière à Tyr et souhaita à Miriel que la dévotion de Lönnar l'accompagne.

Presque aussitôt, une petite tige apparut à l'endroit où l'alvinier avait été planté. Le rituel devait durer une dizaine de minutes avant d'être complété et la druidesse y mettait tout son cœur et toute sa dévotion.

Pendant ce temps, Simfirkir était retournée auprès de son chaudron pour y déposer sa louche. Celle-ci reprit aussitôt son travail de brassage et la potion dégageait aux alentours une forte odeur de menthe.

En pleine clairière et au beau milieu de la nuit, les jeux de lumière vive créés par les flammes qui dansaient ainsi que les lueurs mauves inquiétaient hautement Marack. Il s'affaira donc à sécuriser le périmètre afin d'être prêt à réagir dans l'éventualité plus que probable d'une attaque surprise.

Émue, Miriel regarda le petit arbrisseau prendre de l'ampleur. Son tronc augmentait très rapidement. Arafinway, installé trop près de la pousse fut presque emporté dans les airs par l'une de ses branches.

On l'installa en position assise afin que son dos repose sur le tronc de l'arbre qui avait atteint la largeur de ses épaules. Des bourgeons se formaient au bout des branches et une pluie de petites noisettes se mit à tomber tout autour d'eux.

À cet instant, la druidesse termina son rituel et scruta avidement tout changement dans l'état de son ami.

Arafinway ouvrit un œil, puis l'autre et voyant que tout le monde l'observait attentivement, dont une jolie femme qu'il ne connaissait point, il se leva aussitôt pour mieux reprendre ses esprits.

— Dieu Lönnar, merci ! Ta jambe Ara, tu peux marcher ? Elle ne te fait pas mal ? s'écria Miriel étonnée.

L'éclaireur regarda sa jambe emmitouflée dans des bandages imbibés de sang coagulé. Il retira sans effort les bandes et vit le morceau d'armure de cuir, qui protégeait cette partie de son corps, complètement déchiqueté. S'attendant au pire, il n'y vit aucune blessure.

— Non, rien. Je n'ai rien du tout, pas même une cicatrice !

Arafinway était dans le néant total et Miriel l'enlaçait fraternellement dans ses bras, croyant bien avoir risqué de perdre son ami pour toujours. Le guerrier s'avança vers lui et à la manière d'un ours, le souleva sans effort et le serra fortement dans ses bras.

— Marack, raconte-lui ce qui s'est passé, lança Miriel en s'éloignant. Moi, j'ai quelques questions à poser à notre bienfaitrice.

Le disciple de Tyr, qui arborait un large sourire, transporta un peu plus loin Arafinway dans ses bras. L'elfe, riant, tentait désespérément de se déprendre de cet ours qui lui témoignait sa joie avec un peu trop d'enthousiasme.

— Votre magie est très forte, Madame. Je suis éblouie par le fait que la guérison que vous avez effectuée n'ait même pas laissé de cicatrice sur mon ami.

Simfirkir prit doucement Miriel sous le bras et l'approcha de l'alvinier qu'elle venait de faire pousser. Après avoir fait le tour du tronc, elle prit la main de la druidesse et la plaça sur l'écorce à un endroit bien spécifique.

— Est-ce que tu sens comment l'écorce est différente à cet endroit ?

Miriel laissait ses doigts parcourir la crevasse qu'elle pouvait retrouver sur l'arbre.

— La cicatrice de ton ami est ici, je l'ai transposée sur cet arbre. N'aie crainte, druidesse de Lönnar, l'arbre n'a pas souffert et ton ami n'est pas lié à cet arbre.

La gardienne regardait maintenant la sorcière avec un regard surpris qui renfermait une multitude de questions. Elle n'avait jamais entendu parler de ce type de magie par l'un des doyens de l'Ordre lors des leçons de guérison.

— Croyais-tu que la caste des druides était la seule à pouvoir communier avec la nature et les éléments qui la composent ?

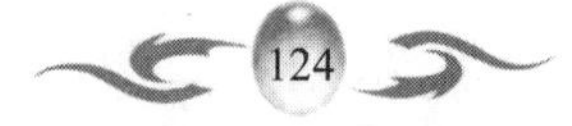

Nous, Heksens, même si nous n'avons pas accès à toutes les sphères, nous apprenons les rudiments de celles qui nous intéressent le plus et celles avec lesquelles nous avons le plus de facilité à maîtriser.

Arafinway avait enfin réussi à se déprendre de la maladroite parade de son ami et revenait à la course auprès de Miriel.

— Maintenant que j'ai votre attention à tous les trois, je vais vous demander mon paiement pour le grand service que je viens de prodiguer à votre éclaireur.

L'elfe se croisa les bras et porta un regard sévère sur ses deux amis. Il ne s'attendait pas à ce qu'il y ait une demande de paiement. Miriel avait accepté sans précision l'idée du pacte et elle tiendrait parole.

Miriel se retourna vers ses compagnons.

— Oui, un paiement et, avant que tu ne dises quoi que ce soit, Marack, fils de Marack, sache que j'ai pris cette décision pour sauver la vie de notre ami. J'en aurais fait autant pour toi et tu en aurais fait autant pour moi, lança fièrement Miriel.

Marack préféra se taire plutôt que d'argumenter sur ce point avec sa cheffe de groupe.

— Je désire que vous me rapportiez certains éléments dans un délai très court, commença la sorcière avec un regard étincelant qui jeta une douche froide sur l'enthousiasme des gardiens.

— Vous devrez me rapporter les yeux des créatures suivantes : ceux d'un Yob, ceux d'un Mourskha et enfin ceux d'un Sotteck. J'ai besoin de ces trois composantes pour terminer une cérémonie qui me rendra invisible pendant quelques mois aux regards de ces créatures. Vous avez trois jours et trois nuits pour accomplir le tout.

L'admiration que Miriel pouvait avoir pour la Skass et son art disparut en un instant.

— Il n'en n'est pas question, s'interposa Marack d'une voix grave. Combattre mon ennemi est une chose mais le mutiler par la suite en lui enlevant les yeux est tout à fait contraire à mon code de guerrier.

Miriel n'eut pas le temps de retenir l'action fougueuse que son ami venait d'entamer. Il s'avança en direction de la Skass d'un

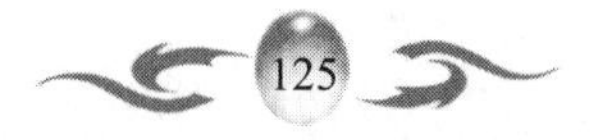

air menaçant afin de lui faire bien comprendre qu'il n'acquiescerait pas à cette demande.

Se sentant menacée, Simfirkir leva une main en direction du guerrier. Un vif éclair mauve jaillit du chaudron, frappa Marack en plein torse et le projeta violemment vers l'arrière. Arafinway cherchait son arc ou une dague mais la seule arme qui lui restait était son petit marteau de Lönnar qu'il empoigna rapidement. Miriel restait immobile, abasourdie.

— Madame, je ne vous connais pas, lui cria l'elfe. Mais sachez que si vous vous attaquez à l'un d'entre nous, c'est à nous tous que vous vous en prenez. Personne ne s'en prend à mes amis sans goûter à ma colère !

Arafinway venait de s'interposer entre son ami et la sorcière en adoptant une posture défensive. Inconscient du quiproquo de sa situation, il tenait maintenant en respect celle qui venait de lui sauver la vie.

Marack étendu au sol tentait tant bien que mal de retrouver une quelconque sensation dans ses membres. Il n'avait aucune blessure apparente, mais il était encore engourdi par la décharge magique qu'il venait de recevoir.

— De grâce, arrêtez de vous battre ! s'exprima enfin Miriel. Madame, nous allons honorer le marché qui a été fait. Je suis celle qui a pris la décision concernant Ara, alors il est de ma responsabilité d'accomplir cette tâche.

Miriel n'aurait jamais cru que le commandement d'un groupe de gardiens pourrait inclure ce genre d'action. En tant que cheffe ayant la chance de compter son ami toujours vivant dans son équipe, cette sale besogne serait accomplie telle que demandée.

— Comme ce paiement est pour m'avoir sauvé la vie, déclara l'elfe radouci, alors je dois moi aussi participer à l'accomplissement du pacte.

Marack qui avait à peine retrouvé de la sensation dans ses mains et ses jambes, préféra ne pas commenter immédiatement. Il leva simplement les bras vers le ciel en implorant Tyr.

Les femmes se regardèrent, étonnées, ne comprenant rien au langage abstrait exprimé par le guerrier. L'atonie était aussi présente dans les muscles de son visage que dans sa langue.

— Il vient de dire à Tyr : « Qu'est-ce que j'ai fait pour mériter cela et dans quel pétrin va-t-elle encore me diriger ! »

Miriel regarda Ara avec un air admirateur devant la traduction qu'il venait de faire.

— Il parle de la même façon lorsqu'il prend une cuite. J'ai appris avec les années à décortiquer le tout, c'est une question d'habitude et d'oreille, je crois, fit le jeune elfe modestement.

Les deux femmes s'esclaffèrent devant l'explication, allégeant du coup l'atmosphère. L'éclaireur les regardait avec un large sourire, les deux bras croisés sur sa poitrine. Enfin, il avait été à la hauteur de la situation.

La paix revenue et l'engagement des aventuriers unanime, Simfirkir leur offrit la protection magique de son campement pour le reste de la nuit. Les Gardiens de Lönnar profitèrent des quelques heures qui les séparaient de l'aurore pour dormir et ainsi récupérer un peu.

Ils étaient tous épuisés à l'exception d'Arafinway. Il avait décidé de rentabiliser son temps en se construisant un autre arc pour remplacer celui qui avait été fracassé lors du dernier combat. La Skass lui offrit alors une branche adéquate de l'alvinier et il put terminer son tour de garde en bricolant.

Le reste de la nuit passa très rapidement. Marack et Miriel avaient eu une dure journée la veille et les trois journées à venir promettaient d'être tout aussi particulières.

Au petit matin, Arafinway leur offrit les œufs de caille qu'il avait dénichés non loin. Simfirkir s'approcha des aventuriers. Même en plein jour, elle conservait sa prestance de sorcière et le rouge de ses cheveux chatoyaient au soleil.

— Une fois les composantes trouvées, avisa-t-elle, venez me retrouver ici, je serai au même endroit pour les trois prochains jours. Miriel, voici un petit écrin enchanté pour préserver les yeux que vous y déposerez.

La jeune druidesse fit une grimace de dégoût mais tenta de la camoufler.

En silence, les trois compagnons reprirent leur marche afin de continuer la patrouille de la zone qui leur avait été confiée. Cette

fois-ci, ils se devaient de trouver les ennemis pour récupérer les composantes demandées.

— Pour les trois prochains jours, nous ne sommes plus des forestiers, mais des chasseurs, déclara Marack, plutôt satisfait de la tournure des événements.

Miriel lui jeta un regard noir. Elle se rappelait d'un passage que son père lui avait raconté sur les Skass.

— Un pacte avec une sorcière n'est pas à prendre à la légère, lui dit-elle. Leur magie est puissante surtout si l'on accepte de plein gré de s'y soumettre. Le pacte sera scellé seulement lorsque les deux côtés auront rempli leur part du marché... et dans le cas contraire, tout peut être annulé. Nous jouons avec la vie d'Ara maintenant, si nous manquons notre coup... fit-elle en laissant sa phrase en suspens.

Cette bride d'information pourrait avoir de sérieuses répercussions sur l'attitude de son ami elfique, s'il venait à l'apprendre. La cheffe jugea qu'il était préférable de garder le secret pour l'instant. Elle avait accepté un pacte sans savoir ce qui allait être demandé en guise de paiement en retour. Il s'agit d'une leçon de vie dont elle devrait se souvenir longtemps.

Miriel entendait encore son parrain, oncle Beren, qui lui disait souvent en guise d'enseignement :

> « Ah, ma belle ! L'expérience... il n'y a rien de tel pour apprendre. Qu'elle soit bonne ou mauvaise, il faut retenir la leçon que l'on en tire et ne pas répéter nos erreurs. Ça pourrait toujours nous servir plus tard dans notre très longue vie d'elfe!
>
> Je me souviens qu'il radotait souvent cette phrase après avoir utilisé une magie avec laquelle il n'était pas familier. Je sais qu'il me mettait en garde, mais en réalité, je suis sûre que c'était surtout pour lui permettre de recommencer. Il adorait voir si le résultat serait différent la troisième ou même jusqu'à la sixième fois. »

Se remémorer ces souvenirs la faisait sourire et son fardeau lui sembla soudainement un peu moins lourd. Pourtant l'horizon du soleil couchant se remplissait de rouge, pareil à du sang qui coule.

Journal d'Ogaho,
Vizir du tout-puissant Arakher, Roi des Géants de pierre
Mission royale : infiltration en terres ennemies

Le trajet dura un peu moins de deux mois depuis Pyrfaras jusqu'à Pesek. En guise d'escorte, un contingent d'une quinzaine de Mourskhas me fut affecté. De toute évidence, aucun Yob n'était volontaire pour une pareille aventure en territoire morje.

Ils préfèrent plutôt fuir ces cousins éloignés plutôt que de s'en rapprocher. J'aurais pu facilement me passer de ce détachement de soldats, étant capable de me défendre seul. Mais mon roi a insisté et, devant sa sagesse, je me suis incliné. S'ils survivent, j'en serai le premier surpris car, après tout, ce sont des Mourskhas et il ne faut pas trop leur en demander.

Sujet premier : La situation sur nos territoires

La guerre contre les démons et leurs esclaves du Nord se déroule beaucoup plus à l'Ouest mais les dangers, en passant par la Gorge de Vangorod, sont tout aussi présents. Les montagnes sont remplies de créatures qui ont refusé de reconnaître mon roi comme leur souverain et ils ne cherchent qu'à se venger. Nombreux sont les habitants qui vivent en ermites dans ces escarpements rocheux, à l'abri de toute civilisation.

Dans certains rapports de nos patrouilles, on y mentionne aussi la présence de dangereux et formidables dragons. Ces créatures ailées aussi grandes qu'une maisonnée ont été aperçues survolant les pics montagneux des Monts Sythéins et les Rocheuses des Mâchoires de Titan.

Il y a également des factions de géants qui ne veulent pas ou ne peuvent pas s'agenouiller devant un autre roi que l'un des leurs. Les Géants des montages font partie de ce groupe au même titre que les Géants du désert, toutes deux peuplades plutôt nomades, difficiles à recenser, impossibles à civiliser.

Certains rapports font état de clans de géants qui auraient établi leur pied-à-terre au cœur de la Vallée des Trolls, ce passage qui remonte vers le nord jusqu'à Pesek, village des Morjes.

Sur cette route, il y a un unique pont de pierrailles construit il y a fort longtemps et qui nous fait épargner nombre de détours inutiles. Normalement, un modeste tribut est versé aux Trolls en échange d'une certaine loyauté envers notre bon roi Arakher. En cas de refus, il est coutume d'en égorger un très lentement devant les autres et ensuite tout rentre dans l'ordre. Ce ne sont pas toutes les factions de Trolls qui reconnaissent la suprématie des géants de pierre, mais ils ont appris à reconnaître l'autorité et redoutent surtout la force herculéenne d'un géant.

Le fait d'emprunter cette passerelle de pierre me permettait d'économiser une vingtaine de jours de marche, à moins que l'option soit de nager plusieurs heures dans des eaux très profondes entraînées par un fort courant. De plus, qui sait ce qui menace un intrus dans la profondeur de ces entrailles.

Sujet deuxième : Escarmouche chez les Trolls

C'est d'ailleurs l'appât du gain qui incita trois géants des montagnes à prendre ce pont sous leur tutelle. Ils ont également fixé le droit de passage à un prix exorbitant.

Il était hors de question que je paye un droit de passage à une bande de barbus qui se croient tout permis, prétextant être loin de toute civilisation.

Ils croyaient avoir affaire à un petit groupe de Mourskhas escortant un seul géant. Ils ont vite appris à ne plus oser défier la race suprême des Géants de pierre, surtout lorsque ce dernier est un magicien ! N'étant que trois, nombre amplement suffisant pour avoir raison contre n'importe quel groupe de voyageurs composé de Mourskhas, de Sottecks et même de Yobs. Ma présence a donné à l'altercation une toute autre tournure.

Je n'entrerai point ici dans les détails de ce combat. Notre sage dicton ne mentionne-t-il pas : *Ne te vante pas des exploits que tu as accomplis, mais laisse les autres en faire l'éloge à ta place.*

Suite à cet affrontement, mes neuf soldats restant ont ainsi raconté mes mérites autour de leur feu de camp pendant plusieurs nuits. Je pouvais les entendre relater les détails de l'altercation en mettant l'emphase sur les attaques magiques que j'ai employées pour bien faire comprendre à ces hurluberlus que l'on ne gagne pas contre un magicien, géant de surcroît.

Ils ont compris la leçon et surtout peu apprécié le bain forcé dans la rivière. À ma prochaine visite, sur la route du retour, s'ils sont toujours maîtres des lieux, tout devrait se dérouler avec un peu plus de respect protocolaire.

Sujet troisième : Le voyage

Depuis le début de cette randonnée, forcée par Dihur puis commandée par mon roi, j'ai préféré garder mes distances avec mes Mourskhas. Je ne déteste pas spécifiquement cette race, mais elle ne représente rien pour moi.

J'ai fait bon usage d'une invocation de la pierre qui me permet de me créer un abri mobile et rocheux qui se confond avec son environnement. Ma demeure peut loger facilement jusqu'à quatre géants. Étant solitaire, j'ai pu me concentrer sur mes nombreuses lectures et sur mes recherches en toute tranquillité au sein de ce sanctuaire.

La majorité des altercations survenues durant cette partie du voyage ne valent même pas la peine d'être transposée dans ce journal. À l'exception peut-être de la rencontre d'un ours noir titanesque qui a festoyé avec deux Mourskhas au menu, avant d'être terrassé par les autres membres de l'escorte.

La bête fut servie à son tour comme plat principal pour le souper de tout le campement, qui s'en régala les trois jours suivants. J'étais surpris de voir la taille de cet animal. Dommage, il aurait fait un excellent compagnon de solitude à un mage comme moi. J'aurais bien aimé le capturer pour le dresser, mais le temps me pressait et les soldats qui m'accompagnaient lui auraient probablement servi de collation tout au long du voyage.

Sujet quatrième : Arrivée à Pesek

Nous avons complété presque deux mois de cette mission et seulement quatre Mourskhas ont survécu au trajet pour se rendre jusqu'ici. Je suis heureux d'enfin arriver à ma première destination et de revoir tous ces puants Morjes. Ils ont réussi l'exploit de survivre dans leur petit coin de l'île même en étant éloigné de la protection offerte sur les terres principales du roi Arakher.

L'air salé du bord de la mer, porté par une petite brise, masquait à peine l'odeur insupportable des environs. Le campement fut établi à quelques lieues du village et, malgré cette précaution, les effluves qui se dégageaient parvenaient à nous arracher quelques larmoiements.

Mon ordre d'aller annoncer ma présence au chef du village fut accompli par l'un des Mourskhas de mon expédition, ce malchanceux de la loterie appelée « la courte paille » n'eut pas le choix de se rendre à l'intérieur du village pour aviser Jokras.

J'adore les énigmes et, pendant ce voyage, mes soirées de solitude m'ont permis de me pencher sur la recherche et la création d'une tisane magique qui pourrait m'immuniser à l'odeur dégagée par cette race.

Je crois bien avoir trouvé cette fois-ci la bonne composition d'ingrédients :

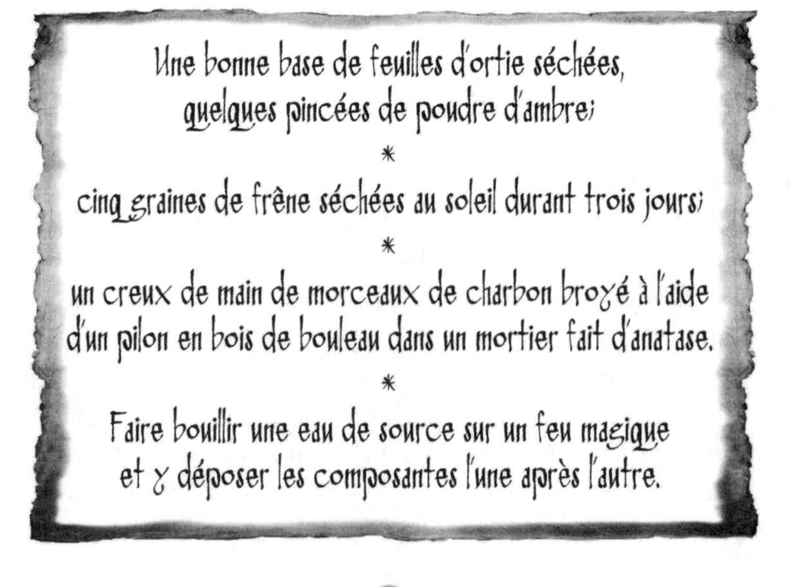
Une bonne base de feuilles d'ortie séchées,
quelques pincées de poudre d'ambre;
*
cinq graines de frêne séchées au soleil durant trois jours;
*
un creux de main de morceaux de charbon broyé à l'aide
d'un pilon en bois de bouleau dans un mortier fait d'anatase.
*
Faire bouillir une eau de source sur un feu magique
et y déposer les composantes l'une après l'autre.

J'ai bon espoir que cette tisane devrait me permettre de filtrer les odeurs nauséabondes qui entourent les Morjes. D'ailleurs, je rencontre leur chef dès demain matin et l'expérience m'en apprendra l'efficacité, à vue de nez, si je puis dire.

Toujours dans sa petite demeure de pierre invoquée magiquement, Ogaho surveillait attentivement sa concoction qui mijotait à feu doux. Il entendit approcher un de ses Mourskhas et regarda vivement à l'extérieur pour voir ce qui se passait.

— Vizir Ogaho ! Jokras le chef du village de Pesek arrive sous peu, avec une petite délégation, pour vous accueillir.

Le mage s'empressa de verser et d'ingurgiter une énorme tasse de sa tisane miraculeuse, tout en prenant soin de ne pas se brûler la gorge. Dès qu'il eut terminé, il sortit et prit une bonne et longue inspiration.

Malheureusement, les propriétés espérées n'avaient pas encore eu le temps de faire effet et il s'étouffa. Étourdi, il tituba en allant à la rencontre de son hôte et se reprit rapidement de façon altière.

Voyant qu'il avait encore son entourage auprès de lui, Jokras se composa un air un peu niais et accueillit cet invité de marque avec les courbettes habituelles.

— Grand magicien des Géants de pierre, bienvenu dans le petit village de Pesek ! Le grand mage s'est perdu et voudrait de l'aide pour retourner au grand village des Géants ?

Jokras était un peu nerveux. Que venait faire cet illustre personnage dans sa région ?

— Je suis en mission royale et je vais devoir m'entretenir avec vous, cher Jokras.

Le Morje tentait de dissimuler son inquiétude devant l'intention plus que suspecte que le vizir venait de lui annoncer. Son peuple avait fait plusieurs sacrifices pour justement demeurer à l'extérieur de tout ce que le roi Arakher aurait pu extirper de celui-ci. La mention d'une mission royale n'annonçait rien de bon.

— Venez, venez chez moi, ma cabane de l'autre côté du village est parfaite pour vous accueillir. Moi, Jokras, fidèle sujet du roi Arakher, prendre bien soin du Mage de pierre.

L'attitude du chef du village à l'endroit de la petite délégation donnait le ton à tous les Morjes qui l'avaient accompagné à l'extérieur des remparts de la cité. Tous s'appliquèrent frénétiquement à aider les Mourskhas et le Vizir à lever leur camp.

Certains tentaient de ramasser le campement des Mourskhas mais, bien entendu, à la façon des Morjes, ce qui leur avait mérité en partie leur réputation.

L'un d'entre eux décida de prendre un grand sac et d'y mettre tous les effets, sous les yeux étonnés de l'un des soldats. Lorsqu'il eut la moitié de son sac rempli, il prit une bûche qui brûlait toujours et l'y ajouta. On frôlait le désastre.

— Apporter campement, apporter campement, disait-il à voix basse.

Le Mourskha pas plus futé, voyant ses biens brûler à l'intérieur du sac, tentait d'éteindre rapidement le feu qui prenait une ampleur surprenante. Il prit pour ce faire ce qui lui tomba sous la main. Est-ce que le contenu d'une petite gourde alcoolisée, ajoutée en douce par le Morje, aurait eu pour effet d'activer les tisons qui venaient d'y être déposés ? Nul ne sut le dire car le sac et son contenu furent complètement calcinés.

Quatre autres Morjes essayaient de soulever la petite maison en pierre du Vizir. Malheureusement, à leur grand désarroi, il était impossible de soulever ni même de déplacer cette structure trop solidement ancrée dans le sol.

« Ce spectacle est des plus intéressants, observa Ogaho pour lui-même en sachant ses effets à l'abri. Les tribulations et les actions un tantinet invraisemblables, engendrées par ces Morjes, sont tout de même très imaginatives. »

Deux Morjes attendaient impatiemment que l'un des Mourskhas finisse de ramasser son matériel. Ils le soulevèrent prestement pour le transporter jusqu'au village.

— Apporter tout campement, apporter tout campement, disait-il encore. Si mule chargée, on peut transporter mule. Plus rapide et moins fatiguant que de faire avancer mule…

Ces demi-géants Morjes, hauts de huit coudées, étaient d'une race cousine des Yobs. Ils dépassaient toutefois facilement de deux, ou même de trois têtes, les soldats Mourskas qui accompagnaient le Géant de pierre, mesurant lui, au plus deux hauteurs d'homme.

Voyant que ses soldats étaient occupés à survivre à leur expérience d'entraide avec les Morjes, Ogaho marchait déjà avec Jokras en direction du village. Le vizir espérait toujours que son breuvage contrecarre l'odeur remugle de ce peuple.

Malheureusement pour lui, aucun changement n'était perçu pour l'heure. Il se souvenait des confidences de son hôte lors son dernier voyage en ces terres.

Cette odeur n'était pas naturelle du tout et était un leurre brillamment exploité. Elle permettait au peuple Morjes de se soustraire au recrutement forcé, par d'autres factions, pour participer aux guerres car ils ne pouvaient se promener sans alerter les animaux et les ennemis de leur présence.

Cette savante fragrance était le fruit du travail de plusieurs centaines de fermiers qui récupérèrent une huile sécrétée par d'uniques petites créatures vivant le long des berges de ce village côtier.

Les shamans y ajoutèrent quelques herbes et cette huile, une fois appliquée, dégageait une odeur persistante qui offensait sans exception tous les sens olfactifs de ceux qui, par malheur, la respirait. Afin de ne pas incommoder leurs propres habitants, ils mirent au point un filtre immunisant.

Ainsi, ce matin, l'huile administrée à tous les Morjes était plus forte que sa solution préparée avec tant d'espoir. Il regarda Jokras en fronçant les sourcils et lui dit discrètement.

— Je vais devoir encore une fois supporter votre odeur et tenter de résoudre cette énigme alchimique lors d'un prochain voyage.

Le chef du village offrit un large sourire, toujours avec son air un peu simplet. Il avait parfaitement compris son ami et ce petit défi était un jeu qui durait depuis plusieurs années entre eux.

Ogaho marcha avec sa petite délégation jusqu'à la grande hutte où normalement les membres responsables du village tenaient séance. Il voyait ses soldats dépérir et changer de couleur de façon marquée tout au long du trajet. Jokras suivait les consignes du vizir et s'amusait aux dépends des soldats.

Il empruntait ainsi un mauvais chemin, une mauvaise ruelle, tout pour allonger le temps et laisser s'imprégner l'odeur dans les poumons des Mourskhas qui n'auraient jamais osé interrompre la discussion entre les deux dignitaires.

Une fois arrivés au seuil des escaliers de la grande hutte montée sur pilotis, il proposa à son escorte d'aller l'attendre à l'extérieur de la ville. Les soldats étaient tous visiblement ravis de la décision de leur vizir.

— Jokras remarque que vous avoir drôle de mine, déclara le chef du village dans une langue approximative. Je propose, en tant que hôte bon, d'aller vous reconduire moi-même au ville de portes.

Voyant que cela pourrait prendre une éternité et de multiples détours pour revenir sur leur pas, ils déclinèrent poliment cette offre empoisonnée. Un bref salut et ils repartirent au pas de course, leur sacs-à-dos chargés, vers la sortie la plus accessible pour y respirer plus à l'aise.

— Était-ce vraiment nécessaire de les laisser souffrir aussi longtemps dans cette enceinte ? demanda Jokras au Vizir.

— Je voulais que l'expérience soit marquante, répondit Ogaho satisfait de s'être débarrassé temporairement de son escorte. Ils n'oseront plus remettre les pieds dans le village et vont établir leur campement, avec ce qu'il leur reste, loin de la cité.

— C'est très consciencieux de votre part cher grand Vizir. Toujours rien de votre côté, aucun effet miraculeux ? L'odeur ne vous incommode pas trop, j'espère ?

Dès le départ du reste de l'escorte, le degré de raffinement de leur conversation monta de plusieurs échelons.

— Je dois avouer que mon élixir n'a pas les effets escomptés. Le filtre fonctionne à peine, je vais retravailler ma formule. Mon endurance est plus coriace que celle d'un vulgaire Mourskha

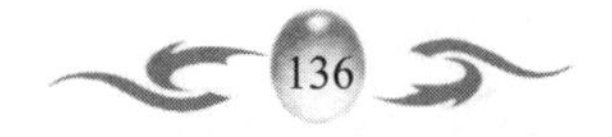

et je vais survivre encore, pour cette fois. N'ayez crainte mon cher ami, je vais finir par trouver l'antidote et alors...

Une fois installé à la table du domaine de Jokras, le chef Morjes questionna rapidement son ami.

— Que faites-vous ici, mage des Géants de pierre et quelle est donc cette mission royale qui vous mène jusqu'à nous ?

Jokras était un chef qui avait comme premier mandat de protéger son village et ses habitants. Il avait accordé sa confiance au géant, malgré les avertissements des anciens qui y voyaient une relation de mauvais augure.

Ogaho expliqua en détails les faits ainsi que les mésaventures qui s'étaient déroulées depuis ces dernières années. L'arrivée des démons, l'affaiblissement de la suprématie royale et les nombreuses escarmouches avaient diminué les effectifs militaires du roi. Il garda pour la fin le récit de son abaissement au sein de la Cour ainsi que les diverses manigances du nouveau Premier Vizir du roi.

Jokras connaissait les disciples de ce Grand Druide qui avaient tenté de s'installer au sein de son village pour asservir son peuple.

— Comme tous les autres, raconta le Morje, ils n'ont pu résister très longtemps à notre délicieuse odeur toujours fonctionnelle. En voyant qu'ils ne pouvaient rien accomplir de constructif avec la stupide race des Morjes, ils ont quitté volontairement et sans regrets Pesek, la ville peuplée de niais. On ne les a jamais revus depuis. Alors, vous les avez laissé s'installer au palais royal ! conclut-il étonné.

— J'ai besoin de ton aide mon vieil ami, répondit le Vizir, contrarié par la remarque. Je me dois d'accomplir cette mission et, par la même occasion, récupérer pour mon roi l'information la plus pertinente possible sur les défenses de nos ennemis. Faillir maintenant signifierait en somme à concéder l'avantage à Dihur et cette idée ne m'enchante guère!

Jokras n'était pas très ravi non plus des informations qu'il venait de recevoir.

— Ce druide des Quatre Éléments n'a aucune estime pour ma race. Il pourrait, sur un coup de tête, tout aussi bien ordonner de nous anéantir afin de prendre possession de notre village, stratégiquement bien placé.

— Je le sais très bien, cher Jokras, et je vous défendrais du mieux que je le pourrais, malgré ma position limitée, le rassura Ogaho, visiblement préoccupé par cette perspective cruelle.

Il connaissait le secret et la vraie valeur de la race des Morjes. Jokras le savait aussi et jugea que la destinée de son peuple résidait dans l'accomplissement de la mission de son ami. Replacer Ogaho en position d'autorité devenait une priorité car en tant que Premier Vizir, celui-ci pouvait continuer de les protéger.

— Mon cher Géant, soyez assuré de mon entière collaboration et surtout de mon inébranlable appui à votre égard. Maintenant, dites-moi, qu'avez-vous en tête concernant cette mission ?

Ogaho fit part de son plan d'action, de son itinéraire ainsi que des effectifs et ressources dont il aurait besoin pour se rendre jusqu'à Gousgar puis à Yngvar. Jokras argumentait chacun des points de la stratégie de son ami afin de valider les choix retenus par le Vizir.

La région, ainsi que les pièges qu'elle pouvait renfermer, étaient méconnues du Géant de pierre. L'expertise sur le terrain de ce chef aguerri était un précieux atout. Il lui fallait l'option offrant le plus haut taux de réussite. La conversation dura une bonne partie de la journée et s'éternisa tard en soirée.

Ogaho décida de demeurer en ville pour plusieurs jours car d'autres rencontres avec son précieux collaborateur étaient prévues. Il se rendit au campement de son escorte et leur ordonna de retourner à Pyrfaras car ils ne lui seraient plus d'aucune utilité dans cette forteresse.

La nouvelle fut accueillie avec une bonne dose d'appréhension. S'ils avaient réussi à se rendre jusqu'au village, c'était en majeure partie grâce au mage. Il avait utilisé ses pouvoirs pour combattre les nombreux obstacles qui s'étaient dressés sur leur route. Privés de ce support magique, leur retour semblait impossible.

— La meilleure façon pour vous d'atteindre Pyrfaras en vie est de camper à l'embouchure du passage, leur mentionna le Vizir. De là, espérez rencontrer une patrouille sympathisante au roi Arakher et joignez-vous à elle jusqu'à la capitale.

Voyant qu'ils ne semblaient pas enclins à suivre ses ordres, il ajouta :

— Comme vous avez trop peur, espèces de lâches, je vous offre une escorte de Morjes pour vous raccompagner pendant quelques jours, menaça-t-il d'un air sérieux.

Cela fut suffisant pour stimuler le petit groupe à partir sur-le-champ.

En réalité, Ogaho soupçonnait Dihur d'avoir pu facilement soudoyer l'un des soldats afin d'obtenir un compte-rendu de tous ses faits et gestes. Il était préférable de ne pas compromettre les Morjes et surtout de se débarrasser des espions potentiels.

Ogaho retourna au village d'un pas léger, du moins aussi léger qu'un pas de géant puisse l'être. Il retrouva aisément sa tour de pierre intacte aménagée dans l'enceinte des murs du village il y avait de cela quelques décennies. Les protections placées jadis étaient encore actives et dégageaient une aura de magie perceptible seulement par quelques initiés.

Le Vizir constata qu'il pouvait espérer obtenir ici une aide sincère. En échange de sa protection, les habitants du village avaient respecté leur engagement de l'approvisionner en diverses trouvailles.

Sa tour était l'endroit idéal pour se reposer et étudier calmement les précieux parchemins qui avaient été rapatriés par les Morjes. Les éclaireurs de ce peuple avaient vraiment fait un travail remarquable en détaillant les régions avoisinantes et même un peu plus loin à l'Ouest, le long des Rocheuses d'Ortan.

Parmi les vélins reçus, une petite cassette en bois avait été déposée sur sa table de travail par l'un des shamans du village. À l'intérieur, deux petites fioles étaient accompagnées d'une note tout récemment calligraphiée par Jokras.

Le mage sourit suite à la lecture de la missive de son ami et la détruisit magiquement afin d'effacer toute trace du secret des bonnes odeurs.

Cher Vizir,

Je suis parfaitement conscient que vous devez endurer le parfum particulier de notre peuple. Voici donc deux flacons renfermant chacun une dose qui vous permettra magiquement de filtrer votre odorat.

J'estime que vous serez notre invité encore pour quelques semaines et ceci vous permettra de mieux vous concentrer sur la tâche à laquelle nous vous prêterons volontiers main forte.

Une fois à l'extérieur de la ville avec les Morjes qui vous accompagneront, ceux-ci vont cesser de prendre leur huile et les effets bénéfiques que vous connaissez vont s'estomper après quelques jours.

Cela vous sera plus facile par la suite de vous faufiler parmi les patrouilles de gardiens et de démons qui sont toujours présentes en avant-poste sur leur territoire et aux abords de nos terres.

Après tout, nous ne voudrions pas que le roi Arakher apprenne que son Second Conseiller fut mal supporté par ses sujets de Pesek, eux qui sont entièrement dévoués à la cause.

Votre humble serviteur, Jokras

« Par contre, me remettre le filtre était une belle attention mais il aurait pu y inclure la recette également, se dit-il, déçu.»

Le Géant aimait bien le petit jeu complice entre le chef du village et lui. Tenter de découvrir la recette exacte pour le filtre allait continuer de figurer parmi ses projets de vie, au grand plaisir du chef des Morjes.

Chapitre 11 — Le Pacte de la Sorcière

— Une journée complète de marche et aucune créature à l'horizon. C'est à n'y rien comprendre !

Marack voulait en terminer le plus rapidement possible avec cette quête. Il n'avait aucun problème à trucider les ennemis de son peuple, il s'agissait plutôt de la partie charcuterie qui lui déplaisait. L'extraction des yeux de ces monstres ne concordait absolument pas avec son code de guerrier.

Pourtant, ils avaient bien pris la direction du territoire où le combat contre la patrouille avait presque coûté la vie à leur éclaireur.

— Ils devraient être tout près… Du moins, s'il en reste quelques-uns, maugréa-t-il.

Arafinway demeurait encore en avant-poste, mais à une distance beaucoup plus raisonnable cette fois-ci. Une vingtaine de foulées était suffisante et il ne voulait pas répéter la même erreur, peu flatteuse.

Toute la journée, il avait pratiqué ses sonorités avec Marack afin de s'assurer que son code était bien compris. Marack n'avait plus l'intention de se moquer de son ami, même si les gémissements émis ne ressemblaient guère au cri de l'oiseau qu'il tentait d'imiter.

Il s'appliquerait à apprendre ses divers codes, aussi farfelus soient-ils. Avoir failli le perdre était un évènement qu'il ne voulait pas répéter. Définitivement, s'il devait protéger Miriel, il ne pouvait le faire seul.

Arafinway avait démontré qu'il pouvait mettre sa vie en jeu pour sauver la druidesse. Il ne pouvait oublier les exploits que l'elfe avait accomplis lors du dernier combat.

— Tu leur as tous fait peur, il ne reste même plus un Mourskha dans le coin, lança Arafinway à son ami guerrier.

Absolument rien, aucune embuscade, aucune piste sur le sol qui laisserait un soupçon d'espoir au groupe de gardiens. Sur l'insistance de Miriel, ils ont poursuivi leur recherche à travers les bois quelques heures après le coucher du soleil. Mais Marack n'avait pas la même acuité nocturne que les elfes.

— Miriel, je ne suis pas très à l'aise avec cette excursion de nuit. Les lunes offrent encore une très petite clarté, mais je ne suis pas aussi efficace dans le noir et si nous devions nous séparer, je n'ose même pas y penser, lui chuchota Marack sur un ton légèrement soucieux.

Il se débrouillait tant bien que mal dans la pénombre, mais une attaque sournoise, dans un environnement dépourvu de lumière adéquate, pourrait être néfaste pour eux.

Le campement fut installé à l'abri d'une cache qui pourrait leur offrir une certaine protection. La seconde journée se devait d'être plus fructueuse, s'ils voulaient revenir dans les délais prescrits.

Chacun effectua un tour de garde, Miriel la première, suivie d'Arafinway et enfin Marack avec l'aide des premiers rayons du soleil. Le premier repas du matin fût frugal et rapide : des baies sauvages additionnées de protéines grâce à la magie druidique. Pas de temps à perdre pour faire cuire ou préparer un repas plus élaboré. Les heures étaient maintenant comptées et l'efficacité était de mise.

Quelques heures après avoir quitté leur campement, Arafinway brisa le silence.

— Marack, renifle un peu et dis- moi que je ne rêve pas ?

Le guerrier, tout comme Miriel, se mirent à humer l'air dans chacune des directions, sans rien détecter de spécial. Ils haussèrent les épaules en signe d'incompréhension.

— Qu'est-ce que tu veux nous faire découvrir ?

— C'est dans cette direction je crois, non plutôt par ici, se reprit le jeune éclaireur.

Arafinway les invita à le suivre, le plus silencieusement possible. Les trois avancèrent en catimini suivant leur ami du mieux qu'ils le pouvaient. Marack détestait devoir « ne faire qu'un » avec un bosquet ou une grosse pierre; généralement son approche préférée était un peu plus directe.

Disons que cette habileté était mieux maîtrisée par les deux elfes. Pendant qu'il continuait de broyer du noir silencieusement, il fut soudainement étourdi par l'odeur enivrante qui ensorcelait ses narines. Un large sourire fit son apparition sur le délicat visage de l'éclaireur : il observa son guerrier fantasmer sur le fumet dont l'odeur voyageait jusqu'à eux.

Miriel regardait ses deux amis qui semblaient maintenant en transe devant ces arômes de viande qui flottaient dans l'air. Elle comprenait très bien qu'il y avait un attroupement, non loin de leur position, qui s'apprêtait à casser la croûte.

Miriel s'approcha doucement de Marack et lui donna une légère tape à l'arrière de la tête.

— Hé, pourquoi viens-tu de faire ça Miriel ? s'exprima à voix basse le guerrier qui n'avait pas du tout apprécié ce rappel à l'ordre servi par sa cheffe.

— Concentre-toi un peu au lieu de faire le chien de chasse qui salive devant un os !

— Non mais, il n'y a pas que des os au menu cette fois, répondit-il rapidement. Je crois même qu'il s'agit d'un cerf rouge ou d'un cervidé à grands bois qui mijote. Mais pas du lapin, ça j'en suis certain.

— Tu es impossible ! soupira-t-elle.

Arafinway s'était rapproché de ses amis afin de participer à la discussion.

— Il faut aller voir doucement à qui nous avons affaire, proposa Miriel prenant les devants discrètement.

Les trois compagnons s'approchèrent du campement qui ne semblait pas se préoccuper de demeurer ni caché ni silencieux. Il y avait plusieurs tentes installées parmi les arbres.

Certaines étaient de taille humaine mais il y en avait cinq ayant presque le double de la hauteur et de la largeur. L'une d'entre elles était aussi grande que les chapiteaux qui étaient utilisés lors de la fête de la nouvelle année à Alvikingar.

— Celle-là, c'est une tente de géant, murmura Marack à Miriel, tout en portant son attention sur le camp ennemi qui semblait désert, malgré le fait qu'on soit en plein jour.

— Ah oui, tu crois vraiment ! répliqua Miriel en lui servant un petit regard volontairement stupide. Je vois bien qu'il s'agit d'une tente de géant, c'est difficile de la manquer. En plus, il n'y a pas beaucoup monde alentour même si le repas semble prêt à déguster. Étrange décor…

— Je ne crois pas qu'il serait sage de nous attaquer à ce campement, conseilla Marack. Il doit nous surpasser nettement en nombre, continua-t-il sur un ton comme s'il faisait la morale à une personne plus jeune que lui.

— Alors, on fait quoi Miriel, c'est toi la cheffe, intervint l'elfe. Nous allons suivre à la lettre tes ordres, n'est-ce pas Marack ?

Il eut un grognement comme réponse. Tant pis, Arafinway était prêt à accomplir toutes les tâches que sa cheffe lui ordonnerait. Il se devait de lui prouver sa valeur au sein du groupe.

Miriel regarda son ami éclaireur et se rappelait à nouveau les paroles prononcées par son père sur les pactes avec les sorcières. Ils avaient déjà parcouru une journée et demie de marche bredouille. La seule opportunité qu'ils avaient vue était un poste de garde trop bien établi en nombre. Décidément, le travail d'un gardien de Lönnar n'était ni facile, ni de tout repos.

— Continuons d'observer ce qui se passe et essayons d'en apprendre plus sur les habitudes des occupants.

— Tu ne songes tout de même pas à te mesurer à eux, j'espère ?

Marack doutait de la stratégie. Miriel semblait réellement considérer de prendre d'assaut une vingtaine de créatures dans leur propre campement.

Au moment où la druidesse se retourna pour observer à nouveau l'ennemi, Marack formulait déjà un plan pour remédier à la situation.

« Hum… Assommer Miriel, sans trop lui faire de mal et la transporter sur mon dos le plus discrètement possible et ce, sans se faire repérer par cette mini-armée. »

— Mais non, nigaud, je ne veux pas les prendre de plein front, lui lança-t-elle. Il y a peut-être moyen de récupérer ce dont nous avons besoin sans s'attaquer à toute la garnison.

— Tu sais Marack, l'un des devoirs d'un Gardien du Territoire est de récupérer de l'information sur les troupes ennemies et de rapporter le tout au premier Gardien du Secret dès que nous le pouvons, déclara Arafinway, fier de pouvoir citer un article du code, de mémoire, à son ami tout en appuyant sa cheffe.

— Je comprends très bien quel est notre devoir, bougonna le guerrier. Mais les tactiques suicidaires me causent toujours des problèmes !

— Regardez au lieu de vous questionner sur ce que l'on doit accomplir ou non, coupa Miriel en pointant du doigt le grand chapiteau.

Deux Mourskhas et un Sotteck venait d'y entrer. Chacun transportait un plat de nourriture différent, sans doute pour nourrir leur chef.

— Ils ne sont pas armés, voilà notre chance, lança Miriel qui formulait déjà un plan d'action, au grand désespoir de son ami.

— En contournant le campement tranquillement, il nous serait sans doute possible de nous rendre derrière ces arbres, là-bas, enchaîna Ara.

— Oui. Et par la suite, nous pourrions nous faufiler discrètement à l'intérieur du grand chapiteau en découpant soigneusement une petite porte dans la toile, continua Miriel enchantée de la participation de l'elfe.

— Bien sûr, la tente du commandant, certainement un Géant ou même un Troll, ou pourquoi pas les deux, rétorqua Marack, sarcastique, prenant une prose démesurée. Je suis tellement invincible que je voulais justement me mesurer à plus gros que moi !

— Il y a encore une semaine, tu cherchais à te prouver contre un guerrier à la hauteur de ton adresse au combat. Eh bien ! Voilà ta chance, il est où le problème ? taquina Miriel.

Au fond d'elle-même, elle voyait bien la précarité de l'action qu'elle envisageait. Mais au-delà de sa peur, elle devait accomplir le pacte convenu avec la sorcière et c'était le seul campement disponible des alentours.

— Va avec le courage de Tyr ! C'est bien ce que l'on dit à un guerrier comme toi ? ajouta-t-elle.

— C'est bien beau le courage, mais on dit aussi : *Va avec la sagesse de Tyr !*, répliqua le viking du tac au tac. Je dois t'avouer que dans la situation présente, la sagesse l'emporte sur le courage. C'est de la pure folie ! Tu as bien vu le nombre d'ennemis que renferme ce campement ?

— Eh bien moi, j'irai avec la dévotion de Lönnar. Prends les devants Ara, je te suis de près.

Marack comprit qu'il n'y avait pas moyen de les raisonner. Ses compagnons étaient deux elfes suicidaires et l'un d'entre eux était sa cheffe. Malheur ! Il se demandait bien où était la justice de son dieu dans tout cela.

— Je vais mourir par obligation familiale ! soupira-t-il à voix basse.

D'un air résolu et rampant sur le ventre, il tenta de se fondre avec son environnement; Marack suivait Miriel en priant pour que personne ne les remarque. Il récitait des quatrains à Tyr afin de l'aider à passer à travers cette épreuve.

Le campement était peu animé, chacun s'employait à faire la tâche qui lui avait été assignée. Il s'agissait surtout de Sottecks et de quelques Mourskhas effectuant toutes les besognes pour les Yobs et leur mystérieux commandant.

Au bout d'une dizaine de minutes, le groupe de gardiens avait réussi à atteindre les arbres derrière le chapiteau.

— Si toutes les petites tentes contiennent trois soldats chacune et les grandes, deux Yobs, compta Arafinway, il y aurait au moins trente-cinq ennemis qui ont établi leur campement dans la zone qui nous a été attribuée.

Marack se tenait la tête à deux mains suite à son commentaire. Miriel remercia Ara, de son décompte et portait surtout son attention sur les déplacements au sein du camp. Les serviteurs qui avaient apporté les plateaux de nourritures étaient déjà ressortis.

— On y va maintenant, suivez-moi de près et tâchez de ne pas faire de bruits, avisa la cheffe à ses troupes.

Arafinway fit un léger signe de tête en direction de Marack pour lui signaler qu'il serait le second à suivre la druidesse. Le guerrier soupira, convaincu que tout ceci était une erreur mais ses amis étaient presque rendus face au panneau arrière de la tente. Il emboîta le pas pour retrouver ses compagnons.

Personne ne les avait encore remarqués. L'éclaireur tendait déjà l'oreille pour déterminer le nombre d'ennemis à l'intérieur du pavillon. Il regarda Miriel en haussant les épaules pour signifier qu'il n'entendait rien.

Marack voyant que le tout allait durer encore longtemps prit sa dague et entailla légèrement la toile le plus silencieusement possible. Une fois l'incision terminée, il y jeta un coup d'œil pour voir contre qui il devrait se mesurer.

La petite meurtrière artisanale lui permettait de voir les panneaux de l'entrée complètement fermés. Il remercia Tyr du bon présage : les gardes ne seraient pas en mesure de les voir pénétrer dans la tente de leur commandant.

Personne ne semblait être à l'intérieur. Il pouvait voir un lit gigantesque recouvert de fourrures, une table de pierre et une chaise finement ciselée. Le coffre clouté de la dimension parfaite pour accommoder un géant attira son attention.

— Il y a un gros coffre mais il n'y a personne. Restons concentrés, nous cherchons des yeux, alors allons voir une autre tente, chuchota enfin Marack à ses deux amis.

Contre toute attente, Miriel déposa son Salkoïnas, prit à son tour sa dague et, tendant la toile de sa main gauche, elle laissa glisser sa lame pour élargir l'entaille de façon à obtenir une ouverture assez grande pour se faufiler aisément à l'intérieur.

Elle leur fit signe et tous les trois pénétrèrent dans l'antre du Géant. Plusieurs plats avaient été déposés sur une seconde table au fond de la tente.

— Aucun n'a été entamé, remarqua Arafinway le cœur battant. Le commandant va sûrement arriver très bientôt, dépêchons-nous !

L'elfe s'approcha du coffre et sondait celui-ci pour voir s'il était cadenassé. À sa grande surprise, le couvercle était mobile et il le souleva de ses deux bras. Miriel lui porta assistance car il semblait avoir trouvé quelque chose digne d'intérêt.

Marack avait aperçu autre chose qui suscitait son attention. À la tête du lit, il voyait le manche d'une arme qui dépassait. Il s'agissait d'une hache de guerre qui pouvait être maniée facilement à une seule main par un géant.

« Voyez-vous cela, se dit-il. Maniée à deux mains, cette merveilleuse hache pourrait être un excellent complément à mon arsenal de combat. »

Le guerrier qui en admirait sa qualité remarqua qu'elle était bizarrement recouverte de runes totalement inconnues. C'était décidé, celle-ci allait repartir avec lui. Il prit la hache et à l'aide d'un lacet de cuir l'enfila en bandoulière sur son dos. Ses genoux plièrent imperceptiblement.

« Un peu de poids certes, mais une excellente addition. », songea-t-il en se réjouissant déjà de ses futurs triomphes.

— Marack, au lieu de t'amuser à ramasser des trophées de guerre, tu pourrais venir nous aider, nous n'arrivons plus à soutenir le couvercle du coffre ! l'intima Miriel de l'autre bout du pavillon.

Marack prit la relève tandis que Miriel et Arafinway retirèrent du coffre énorme une petite cassette fermée à clé et qui avait la taille d'un coffre normal pour eux.

Les trois compagnons ne pouvaient rien accomplir d'autre à cet endroit.

— Partons vite, dit Marack en prenant la cassette à lui seul et tous les trois sortirent de la tente du géant avant de se faire remarquer.

Une fois à l'extérieur, Miriel prit de nouveau la tête de sa petite colonne et se dirigea vers l'un des grands pavillons. Marack n'en croyait pas ses yeux. « Nonnn… on ne s'en va pas ? » Il déposa le lourd coffret à l'abri d'un arbre. Il se doutait bien que son amie ne repartirait pas de ce campement sans en ressortir avec ce qu'elle était venue chercher.

La cheffe s'arrêta derrière l'un d'entre eux et leur chuchota son plan. Cette fois-ci Arafinway n'avait pas besoin de tendre l'oreille, le ronflement de l'occupant le trahissait aisément. Elle prit sa dague et répéta le même scénario.

Les trois gardiens se faufilèrent dans seconde tente. Il s'y trouvait trois couchettes et deux d'entre elles étaient occupées. Un Yob ainsi qu'un Sotteck dormaient à poings fermés.

Le vacarme généré ces deux monstres étaient parfait pour couvrir leur présence. Au signal, Miriel fit signe à Marack de s'occuper du Yob tandis qu'Arafinway et elle s'occuperait du Sotteck.

Chacun savait ce qu'il avait à faire et le guerrier prit sa nouvelle hache afin de trancher la tête de son ennemi. Pendant que Miriel étoufferait sa victime, Arafinway utiliserait sa dague pour mettre fin à la vie de l'ennemi.

Le tout se déroula comme prévu : lorsque la druidesse donna le signal, le guerrier s'élança et trancha la tête du malheureux demi-géant qui n'eut même pas le temps d'ouvrir les yeux. Miriel se servit de la couverture du troisième lit pour étouffer les quelques sons que fit sa victime lorsqu'Arafinway lui trancha la gorge.

La cheffe était satisfaite et jusqu'ici, tout s'était déroulé à merveille. Une attaque portée sur l'ennemi sans bavure et exécutée en parfait synchronisme.

Les trois compagnons réalisèrent en même temps qu'un détail important avait été oublié : ils n'étaient pas les seuls à avoir remarqué que la cacophonie des ronflements venait de s'arrêter subitement. Ce brusque arrêt suscita la curiosité du garde qui était à l'entrée.

D'un geste large, un Mourskha fit irruption dans la tente et resta bouche bée devant la scène : un esclave tenant la tête décapitée de son supérieur et une démone qui tentait d'extraire les yeux de son compagnon.

La surprise fut totale. Marack et Miriel restèrent à leur tour figés devant cet ennemi qui allait donner l'alarme. Il ouvrit la bouche et, au moment où celui-ci allait révéler l'incursion dans leur campement, un son sec et lourd se fit entendre. Le garde tourna de l'œil et il s'effondra sur le sol. Derrière lui, Arafinway, son petit marteau de Lönnar à la main, n'avait pas manqué sa cible et avait assommé la sentinelle. Le guerrier s'empressa de terminer le travail de son ami en utilisant une seconde fois sa hache.

— Ma fois, je commence à y prendre goût ! dit-il à voix basse.

— Arrête de t'amuser et aide Ara à ramasser les deux têtes afin que nous puissions quitter cet endroit le plus vite possible, enjoignit la cheffe. Nous avons tout ce qu'il nous faut et même plus à en juger ton sourire. Lönnar est sans doute avec nous, mais n'abusons pas de sa protection.

— Ara, qu'est-ce que tu fais avec les corps ?

— Je les replace sous leur couverture respective. Si jamais quelqu'un vient les voir, ils vont penser qu'ils dorment toujours, répondit l'elfe, sûr de lui.

Avec dédain, Miriel termina de récupérer les yeux malodorants et visqueux de sa première victime et les déposa dans l'écrin magique que Simfirkir lui avait remis. Elle s'essuya ensuite prestement les mains sur la couverture ensanglantée du Yob.

Décapiter une tête est une chose, mais ce qu'elle venait de faire avec les globes oculaires de cette créature la remplissait à la fois de dégoût et d'un grand malaise.

L'éclaireur fit un bref balayage visuel des alentours en s'approchant de la nouvelle porte arrière et s'assura que le champ était libre pour fuir les lieux. En quelques minutes, le guerrier récupéra son coffret et les néo-chasseurs retournèrent dans la végétation plus dense. Ils se terrèrent, le souffle court, avant de tenter un nouveau déplacement.

— Nous sommes à plus de cent-cinquante foulées du campement, nota Marack à voix basse, et aucune alarme n'a été donnée pour signaler notre présence… ou notre absence.

— Je ne veux pas que nous trimbalions plus loin ces deux têtes toujours dégoulinantes dans ton sac de cuir Ara, déclara la cheffe. Nous commençons tous à être trop nerveux.

Elle décida donc de terminer la tâche aussi lugubre qu'essentielle qui lui avait été ordonnée par la Skass. Une vie très précieuse à ses yeux…en dépendait !

Pendant que la druidesse récupérait les composantes oculaires des deux dernières victimes, ses compagnons restaient aux aguets, afin d'éviter toute attaque surprise pendant cette délicate intervention.

— Nous devons nous éloigner le plus rapidement possible de cet endroit et aller porter cet écrin à sa propriétaire, dit-elle enfin. Ara, je compte sur toi pour masquer toutes traces de notre passage à partir de cet endroit et surtout de camoufler la direction que nous allons prendre par la suite.

Cet ordre de la part de leur cheffe fut appliqué sur-le-champ et ils filèrent au pas de course à travers la forêt.

Marack n'avait surtout pas l'intention de rester dans les parages, imaginant la colère du propriétaire de la hache lorsqu'il allait se rendre compte qu'elle avait disparue.

> « Me battre contre un géant est un défi fort intéressant, songea-t-il, mais combattre un géant et ses subalternes n'est pas très attrayant, voire même perdu d'avance… On le sait, je ne suis pas suicidaire et il n'y a vraiment pas d'honneur à mourir aussi bêtement. »

Grâce au sens d'orientation d'Arafinway, le trajet du retour vers la petite clairière où la sorcière les attendait se passa sans

anicroches et à l'intérieur du délai accordé. Aucunes escarmouches, ni créatures ou animaux de la forêt ne les ralentirent et, à bout de souffle, ils furent accueillis par la femme aux cheveux rouge.

Simfirkir était là au même endroit avec son grand chaudron sur le feu.

— Bon retour, Gardiens de Lönnar ! leur lança-t-elle mystérieusement en faisant danser un bref instant les flammes aux reflets violacés.

Gravement et sans un mot, Miriel fit signe à ses amis de rester un peu à l'écart. Fidèle à lui-même, Marack en fit à sa tête et accompagna sa cheffe jusque devant la sorcière. Arafinway, ne voulant pas rester seul et malgré l'ordre qui lui avait été donné, tenta de rester dans l'ombre de Marack pour éviter le regard cinglant de la druidesse.

Exaspérée de voir que les deux garçons l'avait suivie, elle se fit rapidement une petite note mentale : retravailler le côté respect des ordres donnés par un supérieur de l'Ordre de Lönnar. De toute évidence, ses amis avaient tout oublié de leur entraînement à Hinrik sur ce point. Elle se retourna vers la Skass.

— Est-ce que tu m'apportes le paiement convenu ?

— Oui, voici votre écrin avec tout ce qu'il vous faut pour accomplir votre rituel.

La druidesse affichait un ton calme et posé et prit grand soin de ne pas offenser celle qui avait sauvé la vie d'Ara. Cependant, elle n'était pas vraiment en paix avec les actions qu'elle venait d'accomplir afin de récupérer ces composantes.

La sorcière saisit avec précaution la petite boîte et l'ouvrit pour en vérifier son contenu. Elle hocha la tête, referma le couvercle et la déposa dans sa large besace de cuir portée en bandoulière.

— Notre pacte est maintenant conclut, dit-elle d'une voix forte.

Au moment où elle prononça ces paroles, les lettres thebans sur le chaudron s'allumèrent de nouveau avec une intensité qui ne dura que quelques instants. Certains des symboles s'éteignirent complètement, comme si cette cocotte géante avait donné son accord suite aux paroles de son possesseur.

— Tu n'approuves pas mes méthodes, je le ressens dans ta voix, l'entends dans tes sens et le perçoit dans les mouvements de ton corps, dit doucement la sorcière en s'approchant de Miriel. Cependant, tu les respectes et pour cela je t'en remercie. Prends cette puissante potion de guérison qui pourra te servir dans ta quête. Mais prends bien garde, j'ai peut-être abusé sur la camomille pour altérer son goût, alors assure-toi de ne pas la prendre lors d'un combat, elle pourrait avoir de fâcheuses répercussions.

Elle lui baisa le front et lui remit une petite fiole marquée d'un pentacle. Le liquide avait l'apparence d'une substance huileuse d'un mauve très prononcé, presque noir.

— Est-ce qu'il y a une demande cachée qui accompagne ce don? demanda Miriel méfiante et sur un ton qui laissait maintenant sous-entendre une discussion d'égale à égale.

— Non druidesse, aucun contrat, simplement un présent donné en gage d'amitié.

— Dans ce cas, j'accepte ce cadeau dépourvu de tout attachement présent ou ultérieur, fit la jeune fille en prenant délicatement la fiole.

— Tu apprends vite Miriel Calari, un tribut à ton mentor, répondit la sorcière dans un sourire.

C'était la première fois qu'elle employait son nom complet. Pourtant très peu de personnes connaissaient le nom de fille de sa mère. Lors de son retour, une discussion avec son père ou avec son oncle Beren venait de devenir une nécessité.

— Cheffe, nous devons partir, nous avons notre devoir à accomplir, lança Marack.

Simfirkir sourit à l'elfe et au guerrier et les salua en inclinant la tête.

— Que les dieux vous accompagnent gardiens, votre bravoure vous honore. Bonne route.

La druidesse, troublée, se tourna vers ses deux compagnons et d'un geste de la main invita l'éclaireur à prendre les devants. Les gardiens du territoire avaient une patrouille à reprendre et la silhouette de la Skass se confondit avec le brasier derrière elle.

Une journée de marche depuis la rencontre avec la sorcière, avec neuf lieues de forêt parfois dense, parfois clairsemée, sans qu'aucune patrouille ennemie n'ait été rencontrée. Il faut dire que, secrètement, le petit groupe de gardiens priait Tyr ou Lönnar de leur accorder un peu de repos.

Arafinway fut même en mesure de dénicher une cache confortable qui leur permettrait de jouir d'un peu plus de quiétude cette nuit.

— Miriel, est-ce que je peux maintenant ouvrir ce petit coffre au trésor, ou est-ce que tu vas me le faire transporter jusqu'à Alvikingar ? demanda Marack n'en pouvant plus de se questionner sur le contenu de son fardeau.

Elle avait complètement oublié le coffre sur lequel son ami était maintenant assis et qu'il lui pointait du bout de sa dague.

— Il est fermé à clé, mais je crois que l'on peut y remédier assez facilement, si Madame la cheffe m'en donne la permission, bien sûr ! lui dit-il.

Marack avait employé un ton un peu facétieux pour interpeler son amie car elle le lui avait fait porter pendant tout ce trajet sans se préoccuper du poids de l'objet.

— Si Monsieur est trop fatigué pour continuer à porter ce petit coffret, il n'avait qu'à le dire avant. La tâche était sans doute trop éreintante pour un novice, lui répondit-elle du tac au tac.

Arafinway assistait encore une fois à une séance de taquineries… et Marack allait perdre de nouveau.

— Personne ne peut avoir le dernier mot avec Miriel, lança-t-il en riant au guerrier. C'est une impossibilité ou plutôt un fait, car elle est la cheffe incontestée des répliques assassines. Je t'admire quand même mon ami, même si c'est une naïve audace de ta part… prouvant seulement que tu es plus tenace que perspicace !

Voyant cela mais, surtout, parce qu'il ne voulait pas transporter ce caisson jusqu'à la capitale, Marack préféra concéder, pour la millième fois, la victoire à la druidesse.

— Il s'agit quand même de notre premier véritable trésor obtenu en tant que groupe d'aventuriers, déclara-t-elle. Il faudrait tout de même l'ouvrir avec classe.

Elle était tout à coup aussi curieuse que les autres de contempler le contenu de ce trésor de Géant.

Évidemment, il était fermé à clé. Ce fut donc par un effort de groupe qu'ils s'attaquèrent à la serrure. Les quelques coups de dague portés par le plus costaud n'avaient fait qu'endommager la serrure; elle tenait bon.

Marack voulait utiliser sa nouvelle hache afin de fendre en deux cette coque de bois cerclée de métal. La druidesse le ravisa et il dût se résoudre à taper plus doucement de son marteau pendant qu'Arafinway tenait une dague fermement appuyée sur la serrure.

Miriel maintenait en place le coffre pour éviter que celui-ci ne prenne son envol sous les impacts. L'huître de bois céda au quatrième coup et Marack arbora son plus beau sourire devant son accomplissement. Ils l'ouvrirent donc avec hâte et ils en étalèrent le contenu sur une couverture.

Miriel sortit soigneusement plusieurs parchemins présentant des cartes géographiques de la région où ils se trouvaient. Certaines détaillaient très grossièrement des points situés à l'est du Grand Lac.

— Ah, voilà qui va nous être bien utile ! s'exclama l'éclaireur.

— Et ceci aussi, renchérit Marack lorsqu'elle sortit une boursette qui, par son tintement, laissait pressentir une certaine somme d'argent en monnaies sonnantes et trébuchantes issues de diverses communes.

Elle leur montra le superbe carquois de cuir minutieusement décoré sur toute sa longueur, muni d'un capuchon pour fermer et préserver hermétiquement son contenu. La druidesse l'ouvrit avec précaution et en retira une missive rédigée sur un parchemin très épais. La calligraphie n'avait pour elle aucun sens.

— Laisse-moi regarder, jubila Marack. J'ai un certain don pour ce genre de chose !

Miriel tendit le parchemin à son guerrier avec une moue. Il regarda attentivement les écritures, retourna le papier d'un côté puis de l'autre, le plaça au-dessus du petit feu et tenta même la lecture avec un petit miroir de poche. Malgré ses nombreuses tentatives, il remit le message à sa cheffe en hochant la tête en signe d'échec.

— Je suis en mesure de comprendre quelques mots runiques, mais le contexte dans lequel ils sont employés est dépourvu de tout sens. Pour le reste des signes, je ne connais pas ce langage.

Miriel préféra ne pas ajouter à la déconfiture de son ami, si fier de son éducation d'érudit. C'était la seconde fois en quelques jours où il ne pouvait déchiffrer un message : celui sur le chaudron de la Skass et maintenant sur ce parchemin.

Miriel se rappelait les nombreuses heures que son ami consacrait à s'instruire, apprenant d'énormes livres, touchant diverses sphères de connaissances, lors de chaque séjour à Feygor. Oncle Marack lui disait souvent que la connaissance est une arme et, en tant que guerrier d'élite, il devait pouvoir utiliser toutes les armes à sa portée.

Arafinway tenta de désamorcer la situation et prit à son tour le bout de papier et commença à le déchiffrer à voix haute. Ses amis n'en croyaient pas leurs oreilles, leur compagnon pouvait décrypter la missive. Il se reprenait à quelques endroits où certaines runes semblaient lui donner plus de difficultés.

— Ara, tu peux donc lire ce qui est écrit ? demanda Miriel absolument émerveillée.

L'elfe leva les yeux vers ses amis et leur fit un grand sourire.

— Certainement, chers amis, c'est de l'alphabet d'enfant… Oups, un instant ! répondit-il en retournant le parchemin qui était à l'envers, ce qui dérida la troupe à l'unisson.

Ayant de la difficulté à garder son sérieux, l'elfe se cacha complètement le visage derrière le papier et ne pouvant se retenir plus longtemps, laissa échapper une cascade de rire aussi amusante que contagieuse. Sa bonne humeur gagna rapidement ses deux compagnons. Quelle bonne blague ! Cela leur faisait tant de bien de se retrouver légers de nouveau.

L'atmosphère de cet instant se rapprochait de celui que les trois amis partageaient régulièrement lorsqu'ils se retrouvaient en

soirée dans une auberge ou autour d'un feu de camp après leur journée d'entraînement à Hinrik.

La druidesse enroula finalement le parchemin et le déposa dans le carquois. Celui-ci sera remis à un Gardien du Secret afin d'être déchiffré par un expert. Leur tour de garde allait se terminer dans un peu moins de trois semaines. L'attente ne serait pas très longue avant de savoir ce qu'il contient et surtout quel était le lien avec ce campement dont le commandement reposait sur les épaules d'un Géant.

Miriel se proposa pour prendre le premier tour de garde et aucune objection ne se fit entendre. Elle observa en silence ses compagnons se préparant à dormir et remercia Lönnar de les avoir mis sur son chemin.

Ceux-ci ont fait partie de sa vie depuis son arrivée sur cette île. Elle avait depuis ce temps deux frères, un petit et un grand. Mêmes enfants, en tant que sœur unique et meneuse, il était tout à fait normal pour elle d'être leur cheffe ! Sa dernière réflexion la fit rire tout bas afin de ne pas réveiller ses amis.

Durant les deux journées qui suivirent, Miriel consignait mentalement son rapport. Arafinway référait de temps en temps aux nouvelles cartes et aucunes garnisons ennemies ou alliées n'avaient été rencontrées.

Ils avaient soigneusement évité la région du campement du Géant. D'un commun accord, ils avaient opté pour un retour vers les Monts Krönen, un peu plus à l'ouest de leur position.

La troisième nuit, Miriel effectuait le premier tour de garde lorsque son attention fut attirée par un drôle de bruit. Soudainement, une détonation perturba le silence suivi d'un intense effet de lumière en zigzag qui éclaira une partie de la forêt. Ses deux compagnons, réveillés en sursaut, se levèrent d'un bond.

L'éclaireur pris position en avant-poste à une dizaine de foulées de ses amis en direction des lueurs qui se dissipaient rapidement dans le ciel.

— Est-ce que c’est bien ce que je crois ? s’enquit Marack auprès de sa cheffe.

— Oui, je crois bien qu’il y ait un combat non loin de nous qui implique un ou plusieurs magiciens, lui répondit-elle. À en juger par les bruits et les lueurs qui sont générés, ils emploient de la magie assez destructive comme attaque. Ara, nous te suivons, nous avons la responsabilité d’aller voir ce qui se passe.

L’éclaireur fit un signe de tête et s’enfonça dans la forêt en direction des explosions qui survenaient à intervalles irréguliers.

— Miriel, même si je ne suis pas en pleine possession de mes moyens dans le noir, reste derrière moi, lui ordonna le guerrier.

Miriel n’avait pas envie d’argumenter sur le ton que son ami avait employé envers elle. Son esprit était occupé à autre chose. Combattre des Sottecks ou des Yobs et même un shaman était une chose, mais se mesurer à des magiciens ou des sorciers était une stratégie tout à fait différente.

Le petit groupe avançait discrètement selon le chemin qu’Arafinway empruntait pour se rapprocher de l’endroit où l’affrontement perdurait. Les explosions pouvaient être aperçues de très loin et la distance qui les séparait de ce lieu se calculait en heures. Puis, ce fut le silence…

Lorsqu’ils arrivèrent près du site de la confrontation, les déflagrations s’étaient arrêtées depuis déjà un bon moment. Les trois compagnons observèrent la scène avec curiosité.

— Il s’agit d’une caravane marchande composée d’une quinzaine de chariots accompagnés d’environ cinquante soldats humanoïdes, chuchota Arafinway à l’oreille de Miriel.

La majeure partie des effectifs s’employait à éteindre les flammes répandues un peu partout autour d’eux. Il y avait trois chariots complètement détruits, deux à l’avant et un à l’arrière. Les compagnons s’avancèrent un peu plus.

— Renverser sur le côté puis éventrer pour les délester de leur précieux contenu, commenta Marack. C’est la première tactique d’attaque de caravanes employée par les Yobs. La seconde est de s’organiser pour que les pauvres bêtes de somme encore attelées ne puissent plus tirer leurs fardeaux.

Tout pour les empêcher d'avancer plus loin ou de se sauver, continua-t-il en étudiant ce qu'il pouvait apercevoir.

Cette délégation semblait être composée majoritairement d'humains et de quelques nains.

— Probablement que ces gens ont tenté leur chance en essayant de traverser les terres du Nord pour atteindre les villes fortifiées, ajouta Arafinway. J'ai cru comprendre que ceux qui réussissaient à se rendre jusqu'à destination pouvaient vendre leur marchandise et repartir, s'ils le désiraient, avec une véritable petite fortune.

— J'ai su aussi, compléta Miriel, que parfois le trajet pour se rendre avait été tellement pénible et dangereux que l'idée de retourner à leur ville de départ n'était même plus une option.

— Ouais, moi j'ai souvent entendu dans les tavernes, dit le guerrier qui ne voulait pas être en reste, que ces gens vivaient ensuite royalement et profitaient de leur trésor nouvellement acquis.

Voyant qu'il n'y avait plus de traces de l'ennemi dans les environs, les gardiens sortirent de leur cachette pour prêter secours à ceux qui avaient survécu à cette embuscade. Le mandat d'un Gardien du territoire ou de Lönnar n'est pas seulement de surveiller la zone attitrée mais aussi de porter assistance à des alliés potentiels.

Mais la sagesse de Tyr dictait également de rester sur ses gardes. Marack, fervent disciple, acquiesça à l'idée de porter secours seulement si Miriel demeurait prudente devant cet attroupement de fantassins.

Dès leur apparition à la lueur des torches et des chariots brûlants, plusieurs soldats se précipitèrent sur eux en brandissant leurs armes. Marack se tenait le premier sur la ligne de combat, bouclier au bras et le marteau bien levé, protégeant Miriel et Arafinway un peu en retrait derrière lui. Les soldats prirent position en formation de demi-lune autour d'eux.

— Je désire parler au chef de cette caravane, s'avança Miriel en utilisant une voix énergique. Nous sommes des Gardiens de Lönnar de la ville d'Alvikingar et nous vous offrons notre aide pour vos blessés.

— Soldats de la Temporaire, écartez-vous de mon chemin! tonna un homme qui semblait être l'officier en charge de ce groupe de miliciens.

Un haut gradé portant les mêmes couleurs que la milice se rendit jusqu'à eux. Il était vêtu d'un plastron de métal qui laissait entrevoir un surcot bleu, blanc et noir avec des manches très bouffantes. Son blason porté fièrement représentait trois lunes bleues inversées sur fond blanc.

— Je suis le sergent Le Pieux, Madame. À qui ai-je l'honneur de m'adresser, je vous prie ?

Miriel s'était approché de Marack pour mieux voir ces soldats qui les tenaient en respect.

— Je suis une druidesse de Lönnar et nous venons vous offrir assistance pour vos blessés. Nous ne sommes que de passage, sergent mais les enseignements de mon Ordre et de mon dieu me permettent de vous proposer notre aide. N'ayez crainte, nous ne resterons pas longtemps, nous avons notre propre échéancier à respecter, mais la dévotion de Lönnar est grande. La décision vous appartient !

Les gardiens continuaient d'observer la curieuse escorte de cette caravane. À Hinrik, ils ont déjà rencontré les quelques braves qui avaient réussi à traverser les milles dangers qui se terrent sur le territoire d'Aezur. Cependant, cette fois-ci, le côté loufoque présenté dans cette milice était définitivement surprenant.

D'un air prétentieux et de façon très bruyante, l'officier Le Pieux s'adressa aux nouveaux venus.

— Lönnar… connait pas ! Les gardiens, connait pas non plus ! Mais la réponse est : oui Madame ! Nous acceptons votre aide et vive la reine pour vous avoir mis sur notre chemin. Caporal Le Pied, veuillez guider ces bons samaritains jusqu'à nos blessés.

— La reine ? Quelle reine ? chuchota Arafinway à Miriel qui haussa les épaules en guise de réponse.

— Monsieur, oui Monsieur ! répondit le caporal encore au garde-à-vous même si son officier venait tout juste de quitter les lieux.

Maintenant redevenu l'officier en charge du petit groupe, il se tourna vers les fantassins qui attendaient ses ordres.

— Première recrue Le Balèze, vous allez m'escorter les invités du sergent jusqu'aux blessés. Pour tous les autres, on ne vous a pas engagés à faire du surplace, vous allez me faire le plaisir de reprendre vos positions tout autour de la caravane sinon, je vous jure que vous allez passer un très mauvais quart de lune cette nuit. Je vous le jure sur la reine !

— Vive la reine ! furent les paroles criées tout en cœur de la part des soldats à la mention de leur reine, avant de partir au pas de course vers leurs diverses affectations.

Les compagnons pouvaient entendre au loin les paroles du caporal qui encourageait, de façon très particulière, les soldats sous sa responsabilité.

— Plus vite, plus vite et au pas de course les greluches ! Je n'ai pas que cela à faire de vous materner pendant toute votre misérable petite vie !

Le caporal continuait de leur vociférer des ordres malgré la distance qui le séparait de ses hommes qui prenaient position tout autour de la caravane.

La recrue fit signe aux trois gardiens de le suivre jusqu'aux rescapés, déposés dans l'herbe haute. Un seul flambeau éclairait l'espace relativement sombre. Une fois arrivé sur place, il repartit prendre son poste de garde tandis que Miriel et Arafinway déposèrent leurs armes et s'appliquèrent immédiatement à soigner de leur mieux ces pauvres malheureux. La druidesse employait ses connaissances spécifiques tandis que l'elfe l'assistait adroitement avec les pansements.

Marack préféra demeurer non loin de ses amis et continua à balayer les alentours de son regard de prédateur. Car l'éventualité où d'autres créatures oseraient revenir prélever ce qui restait de cette caravane marchande était toujours possible.

À peine s'était-il installé qu'un humain à la barbe poivre et sel bien taillée, vêtu d'une robe rouge ornementée de runes dorées, se dirigea vers lui d'un pas très déterminé. Le guerrier tenait fermement son marteau entre ses mains. Il avait reconnu les symboles qui décoraient l'accoutrement de ce personnage : il s'agissait d'un magicien.

Plusieurs semaines après le départ d'Ogaho, le roi et Dihur eurent un nouvel entretien privé dans les appartements royaux. La discussion tourna encore autour de leurs différends au sujet des développements de la guerre contre l'Ouest. Dihur avait été impétueux et le roi exacerbé lui avait servi une réprimande royale.

— Il est hors de question que, moi, Dihur le Très Grand Druide de l'Ordre des Quatre Éléments, Premier Vizir et Premier Conseiller du roi, se fasse admonester par un roitelet de pierre qui ne m'arrive même pas à la cheville. J'ai trop accompli de prodiges dans ma vie pour me laisser imposer une telle humiliation, maugréait-il.

Dihur se rendait bien compte que ses jours étaient comptés, car Arakher doutait de plus en plus de sa loyauté. Que ce roi par alliance stratégique aille au diable !

Seul dans ses luxueux appartements privés, il s'adonnait parfois à un exercice de catharsis afin de se concentrer sur sa mission principale. Attablé devant ses parchemins à lire, il passa sa main gauche au-dessus de sa bougie et laissa le long ongle recourbé de son petit doigt dans la flamme. En quelques secondes, il fondit en répandant dans la pièce l'odeur de roussi préférée du Premier Vizir.

Il dégagea un coin de son bureau et traça rapidement avec son ongle noirci un symbole particulier dans un cercle : un pentacle de protection. Le druide à la noire chevelure invoqua ensuite son petit Garzebüth, un esprit élémental de feu et démon mineur facile à contrôler.

— Ahhh ! tu en as mis du temps pour me faire revenir, lui lança le petit être enflammé d'un ton bourru.

Debout, n'ayant pas plus d'une coudée de haut, il ressemblait à un petit diablotin avec des pattes griffues, des cornes tortueuses, des ailes consumées et une queue en flamme. Son corps était translucide et ne se matérialisait pas complètement.

— J'ai besoin de toi, lui dit Dihur maudissant sa situation. Ce roi de pacotille m'énerve au plus haut point…

— Combien de fois aurais-tu pu le faire disparaître avec une formidable incantation ? lui lança Garzebüth perfidement.

Le druide adorait ce petit malfaisant aux idées tordues. Il lui faisait grand bien.

— Un lugubre poison administré dans sa nourriture… continua-t-il. Une grande et fatale flambée ! Ouiiiii… tu pourrais le faire rôtir, n'est-ce pas ce que tu souhaites ?

— Regarde ! Je déteste cette table de travail et cette montagne de missives, de rapports et autres demandes qui m'ont été acheminées…

— Tout cela à cause d'une seule personne, insinua l'élémental, d'un seul combat qui t'a ridiculisé devant tout le Conseil des druides… Il mérite de périr par le feu ! Aujourd'hui ! Dis oui, dis oui ! Délivre-moi du cercle et je l'incendierai pour toi, ô mon maître…

L'esprit démoniaque sautillait impatiemment sur place et le Vizir sourit. Décidément, c'était un merveilleux compagnon.

— Je dois retrouver les bonnes grâces du souverain de pierre avant, lui dit-il déterminé mais cette impasse lui laissait une amertume palpable sur le bout de sa langue.

Les prochaines semaines seraient appliquées à une kyrielle de courbettes linguistiques pour faire plaisir à sa majesté et le tenir informé, ainsi que sa Cour, de la progression de ses troupes.

— Si ce roi avait pris moins de temps à réagir, je n'en serais pas là aujourd'hui, déclara-t-il. *La Source* de puissance des Gardiens de Lönnar m'appartiendrait déjà ! Ces géants avec leurs traditions et leur lenteur, comment ont-ils fait pour asservir tout ce territoire ?

L'idée de devoir endurer les remarques désobligeantes ainsi que d'accomplir ces misérables besognes était en dessous du statut d'un Grand Druide. Il se lassait de déchiffrer ces écrits, pour la plupart illisibles et dépourvus d'intérêt.

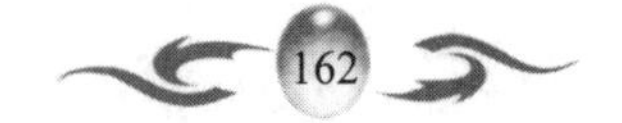

— Ah, mon cher, je suis pris entre l'arbre et l'écorce, continua-t-il comme pour lui-même. D'un côté, je n'arrive pas à faire avancer assez rapidement mes plans avec les effectifs de ce roi et, de l'autre, j'ai les mains liées par la loi et la volonté du Conseil des Grand Druides pour intervenir directement et écraser Arminas.

— Je le ferai pour toi, ô mon maître, ne vois-tu pas que je suis prêt ?

Dihur le regarda avec mépris.

— Même par toi, je ne pourrais pas enfreindre la loi. Mes dons me viennent des dieux mais j'ai besoin du Conseil des druides pour affirmer ma puissance.

Il fixa les quelques trophées qu'il avait amassés depuis son arrivée sur cette île et qui étaient mis en exhibition dans ses vitrines personnelles. Ces prises lui apportaient une certaine mesure de réconfort et lui permettaient de se calmer vis-à-vis tout ce qu'il devait endurer.

— J'ai besoin de ces robustes soldats, reprit-il devant l'élémental qui l'écoutait avidement. Je dois continuer de maîtriser mon emprise sur le pouvoir que Pyrfaras me confère.

— Des soldats, des soldats de plomb oui… Je vaux bien plus que tous tes soldats ! Et puis, tes disciples, où sont-ils ? Ne te sens-tu pas trahi de tous les côtés ?

— Mes druides sont présents dans presque chacune des villes et avant-postes de ce royaume, hurla-t-il à l'insolent. Leur autorité s'étendra encore à chaque jour où je continuerai à exercer le rôle de Premier Conseiller du roi !

— Ah mais… dès l'instant où ta position sera révoquée, tes disciples se sauveront ! Ouste, disparus ! Tous des traîtres…

— Ce moment approche peut-être mais il n'est pas encore arrivé, tonna le druide en frappant le poing sur la table. J'ai trop à gagner pour me laisser démotiver par toi !

— Mais endurer le fardeau qui t'est imposé, lui susurra l'impatient conseiller de sa petite voix aigüe, devient de plus en plus lourd à endosser… Ton grade t'enchaîne à ta table… Tu vas tout perdre et Arminas va ramasser tous tes territoires…

— Ça suffit ! le somma le druide en tapant du plat de la main sur l'élémental, l'éteignant d'un coup.

Dihur en colère savait qu'il devait agir et trouver une solution pour faire avancer ses plans s'il ne voulait pas tout perdre, justement. Il décida d'aller se recueillir, en cette nuit chaude, dans son sanctuaire afin de mieux planifier ses prochaines interventions.

Il avait heureusement prit le temps de bien s'installer dans la capitale de Pyrfaras. L'immense parc dans l'enceinte des murs de la forteresse était un endroit parfait pour y ériger un petit refuge.

Tout était gigantesque dans ce jardin : une parcelle de celui-ci lui était suffisante pour son sanctuaire druidique dédié aux Quatre Éléments. Il y pénétra et alluma les bougies du bout des doigts. Un bassin entouré de pierres mauves fut créé magiquement ainsi qu'un énorme braséro. Entouré de grands dolmens, son antre lui permettait de pratiquer en toute quiétude ses divers rituels ainsi que ses prières adressées tout particulièrement au grand Élément du feu.

Les deux mains bien appuyées sur les rebords de la large vasque, Dihur observait son reflet sur la surface de l'eau pendant qu'il continuait d'entretenir une conversation avec lui-même.

> « Il est temps d'être encore plus agressif avec les Gardiens de Lönnar. Il me faut des prisonniers et je dois en apprendre le plus possible sur *La Source*. Je vais contacter tous mes disciples sur Arisan et leur donner de nouvelles consignes à être appliquées immédiatement. »

Il sortit de l'une de ses escarcelles, fixée à sa ceinture, une petite fiole qui renfermait un fluide argenté. Il le versa dans l'eau du bassin et commença à réciter diverses paroles servant à invoquer les faveurs de l'Élément de l'eau.

Au bout de quelques minutes, la surface liquide parfaitement immobile donnait l'impression qu'il s'agissait d'un grand miroir argenté. Le Grand Druide se concentra et plusieurs visages apparurent sur la surface.

— Disciples de l'Ordre des Quatre Éléments, notre temps est compté, commença-t-il gravement. Vous devez faire appliquer les consignes suivantes aux troupes qui sont sous vos ordres : capturez des druides de Lönnar et interrogez-les

pour en apprendre le plus possible sur *La Source*. Pour les autres membres de leur groupe, vous pouvez en disposer comme bon vous semble. J'outrepasse volontairement la Loi druidique prononcée par le Conseil et je vous ordonne d'agir personnellement si l'occasion se présente.

Chaque visage qui apparaissait sur le miroir acquiesça simplement par un léger mouvement de tête puis la magie se dissipa doucement. Dihur s'agenouilla et prit quelques instants pour reprendre ses forces.

L'utilisation de cette magie le laissait toujours exténué. Il s'agissait du seul moyen rapide, pour un Grand Druide de son Ordre, de transmettre ses directives. Seuls ses disciples pouvaient recevoir ses messages et la communication verbale ne s'effectuait malheureusement que dans un seul sens.

Ses subalternes ne pouvaient lui répondre verbalement. Certes, il y avait des limites à la distance que pouvait parcourir cette incantation. Jusqu'à présent, elle rejoignait tous ses fidèles et loyaux sbires.

Le lendemain, à moins d'un mois du Solstice des Dieux, le Conseiller du roi se présenta une fois de plus dans la salle du trône afin de répondre à toutes les questions d'Arakher. Après avoir démontré de nouveau ses talents devant l'assistance avec son petit numéro de présentation, il commença :

— J'ai encore passé au travers de toutes ces missives, mon roi, déclara-t-il d'un ton blasé. Je continue à recevoir une multitude de rapports en provenance des divers fronts. Voici les mouvements de vos troupes, les escarmouches d'importance ainsi que des demandes d'effectifs de la part des commandants sur le terrain.

Tout devait lui passer entre les mains par décret royal et il croulait sous les parchemins qui lui étaient acheminés.

— Je voudrais de nouveau souligner mon excellente initiative d'avoir retenu les services d'un groupe d'aventuriers pour infiltrer les villes de mes ennemis, déclara le roi. Les précieuses informations vont arriver sous peu, c'est-à-dire d'ici quelques mois et selon les ententes qui ont été prises. Vous aurez alors, cher Vizir, d'autres lectures intéressantes à faire durant vos temps libres car je trouve vos compte-rendu bien monotones.

Dihur hocha la tête poliment en grimaçant. Peut-être ces informations pourraient-elles lui être utiles et lui servir en fin de compte.

— Majesté, je vous ferais remarquer une constante dans ces rapports : les missives sont souvent illisibles et quelques informations se contredisent. Certaines sont écrites par des shamans et d'autres par des officiers qui préfèrent, et de loin, manier leurs armes plutôt qu'une plume.

Et voyant une opportunité d'alléger son fardeau bureaucratique, le Premier Conseiller du roi fit une suggestion surprenante devant la Cour.

— Mon bon roi, fit-il d'un ton mielleux, comme vous le constatez encore une fois, l'information que nous recevons ne nous permet pas de faire le point sur la situation actuelle. Je me propose donc, avec votre majestueux accord, d'aller jusqu'à Udrag et, s'il le faut, jusqu'à Bishnak. Comme vos divers commandants profitent de ce répit pour regarnir leurs troupes dans ces villes fortifiées, je pourrais les rencontrer en personne. De cette façon, je serai pleinement en mesure de décoder les rapports et donner un sens à tout ce brouhaha.

Dihur espérait que le roi acquiesce à sa requête afin qu'il puisse sortir de la capitale et enfin s'extirper de la montagne de parchemins qui envahissaient ses quartiers.

— Premier Vizir, votre suggestion et votre attitude me plaisent enfin ! Prenez une escorte et allez au nom du roi vous enquérir sur le succès des batailles qui sont livrées pour la gloire des Géants de pierre, tonna Arakher avec un rare rictus de satisfaction.

Dihur jubilait intérieurement. Toutes ces semaines à retenir ses sautes d'humeurs et surtout à donner au roi ce qu'il désirait et il allait enfin être récompensé en sortant de sa prison dorée. Il réfléchit à toute vitesse.

« La route jusqu'à Udrag devrait prendre une vingtaine de jours et une fois sur place, je pourrai étirer le temps afin de faire le point pour mon propre agenda. »

Il fit une courte révérence et se dirigea d'un pas calme vers la porte du grand hall pour préparer sa petite expédition. Au moment de franchir le seuil, la voix tonitruante du roi le fit tressaillir et s'arrêter sec.

— Ah oui, mon cher Premier Vizir, j'oubliais. Telle que le veut notre Tradition, un de mes fidèles sujet, un Géant de pierre bien évidemment, va vous accompagner. De cette façon, il pourra certainement vous assister dans vos démarches, ajouta le monarque satisfait d'ajouter un espion supplémentaire.

Dihur se retourna lentement à l'annonce de cette nouvelle qui venait de lui glacer le sang. Mais même si cela contrecarrerait en partie ses plans, il arbora un large sourire.

— Sa Majesté est trop bonne, me faire l'honneur d'un aussi illustre représentant de son royaume pour m'accompagner ! Ce sera une joie pour moi et un compagnon idéal, je vous remercie, répondit-il d'une voix doucereuse.

Il s'inclina à nouveau et reprit la direction de ses appartements.

« Comme si j'avais besoin d'un chaperon grand de deux hauteurs d'homme et fidèle au roi, de surcroît ! Décidément, les dieux ennemis doivent s'amuser à mes dépends, car rien ne fonctionne jamais comme je l'avais prévu ! »

Chapitre 19
Seyrawyn

— Vous êtes nouveaux ? Vous ne faites pas partie de cette milice farfelue ? Vous n'êtes que trois, mais ce sera suffisant. Je crois qu'un montagnard comme vous, armé de votre grand marteau, pourra faire l'affaire. Je vous engage !

Marack regardait avec stupéfaction le curieux personnage qui s'adressait à lui. Un homme vêtu d'une robe de magicien, pas plus haut qu'un elfe, aux cheveux poivre et sel mi-longs et ondulés, portant une couronne de cuir, dont le centre était serti de ce qui semblait être un œil de dragon.

Avant que Marack décide d'expédier cet homme d'un seul coup de bélier, Miriel, arrivant à l'improviste, intervint rapidement.

— Mon nom est Miriel, druidesse de Lönnar et gardienne du territoire. Maintenant, avant d'engager qui que ce soit, à qui ai-je l'honneur, Monsieur ?

— Je suis un marchand mage, mon nom est Fortran, surnommé l'instruit, le scribe, le sage, le savant, l'expert, le connaisseur, l'érudit des érudits et... modestement, dites-vous bien que c'est un honneur pour vous, si j'ai daigné poser les yeux sur votre très petit groupe d'aventuriers.

Miriel resta interloquée devant le dernier commentaire de ce personnage. Elle pouvait également interpréter les petits signes qui lui laissaient sous-entendre que Marack allait s'impatienter sous peu et enseigner une nouvelle spécialité à ce soi-disant érudit : l'art de voler, sans magie et sans battre des ailes !

Arafinway, qui venait de terminer de panser les blessures d'un soldat, rejoignit ses compagnons lorsque l'attitude de Marack le mit sur ses gardes : ce dernier avait adopté la posture d'un lion des montagnes prêt à bondir sur sa proie.

— En effet, les temps sont durs et la main d'œuvre qualifiée semble difficile à engager, expliqua le mage d'un ton hautain.

Je dois donc travailler avec les recrues que je peux trouver. Notre escorte a perdu près de la moitié de ses effectifs depuis le début de cette expédition. Je croyais que le chef de cette caravane avait assez de bon sens pour ne pas engager la milice de La Temporaire. On m'a trompé et c'est bien la première fois. Me voilà donc pris, au beau milieu de nulle part, dépouillé de mes biens les plus précieux.

Voyant que le mage semblait être plus marchand que magicien, Marack relâcha un peu sa vigilance et sourit devant les déboires dramatiques racontés par ce Fortran. Cet homme avait un don indéniable pour tenir son clapet toujours ouvert. Les paroles ne cessaient de déferler et les trois compagnons furent rapidement subjugués par l'abondance de détails de son discours.

Réalisant que son audience ne semblait plus réagir à ses propos, il avança sa main vers Miriel et claqua des doigts à quelques pouces de son visage afin de la sortir de sa fascination. Au même moment, le marteau de Marack descendit lestement pour intercepter la main qui venait tout juste de passer sous le nez de sa cheffe.

Heureusement, Fortran l'avait déjà retirée et faisait dos au guerrier lorsque le marteau fendit l'air juste devant les yeux de la druidesse. Elle se retourna immédiatement et le fixa d'un regard que Marack connaissait bien. Une discussion s'imposait.

Ignorant le guerrier, Fortran continua de raconter ses malheurs à Arafinway qui écoutait encore, bouche bée, les affres survenues depuis le départ de la ville de Vandankel, située au sud-est des Montagnes d'Orgelmir, jusqu'à aujourd'hui.

L'éclaireur tentait d'absorber absolument toutes les informations du marchand sur les références relatives au trajet emprunté par la caravane.

— Vous comprenez maintenant pourquoi je suis obligé de vous engager !

Miriel se retourna brusquement, ayant perdu le fil de l'histoire.

— Nous ne pouvons pas vous aider ! répondit-elle, ne sachant quoi ajouter.

— Ah, je vois ! On veut négocier, répliqua l'orateur de ses petits yeux inquisiteurs. La petite Madame croit que je ne connais point cet art, moi, un marchand de grande renommée ! Très bien, je vous offre 100 pièces d'or pour récupérer mon coffre que les Yobs m'ont volé pendant l'attaque.

— 200 pièces d'or ! relança Arafinway, prenant le tout comme un jeu.

— Je vous en donne 125.

Miriel regardait avec étonnement son ami négociant leur embauche.

— Ara, tu ne peux pas nous faire engager pour 200 pièces d'or, lui dit-elle.

— Tu as raison Miriel, rétorqua Marack. Comme nous sommes trois, alors ce sera 100 pièces d'or chacun pour retrouver votre coffre et le rapporter à Hinrik. Et, ajouta-t-il malicieux, nous garderons tout ce que nous trouverons lors de cette mission.

Il se doutait bien qu'il allait avoir l'une de ses discussions avec sa cheffe, alors aussi bien tirer profit de la situation en guise de compensation. La druidesse resta muette devant le renversement de situation qui venait de s'opérer. Ses deux meilleurs amis l'avaient tout simplement ignorée et engageaient tout le groupe pour effectuer une mission… contre de l'argent !

— Marché conclu ! s'empressa de déclarer Fortran. Je dois me rendre jusqu'à la ville de Alkagar… ou quelque chose comme cela… Je ferai le nécessaire pour le récupérer et me le faire livrer à ma nouvelle échoppe.

Puis, scrutant les jeunes, il leur dit d'un ton mystérieux :

— Un dernier conseil : vous ne devez absolument pas regarder à l'intérieur. Il est magique et enchanté de façon à ce que celui qui ose regarder, sans ma permission, subira une terrible malédiction. Mon coffre est facile à reconnaître, il a un grand « F » gravé sur la boiserie. Vous avez bien compris ? Pas le droit de regarder ! Votre paiement vous sera remis une fois que vous aurez accompli votre mission.

Satisfait de sa négociation, Fortran interpella quelques miliciens et leur ordonna de l'aider à remettre son chariot sur ses roues car il désirait quitter au plus vite avec sa petite garde personnelle.

Miriel, furieuse, regarda Marack et Arafinway en les pointant du doigt. Au loin, le spectacle donnait l'impression d'une mère qui grondait ses deux chenapans.

— Miriel, calme-toi, commença Marack de sa voix la plus douce. Il est tout à fait normal de joindre l'utile à l'agréable... Nous devons investiguer plus en profondeur ce qui s'est

passé ici. Alors, comme ton devoir te l'indique, tu vas nous ordonner de suivre les traces de cette bande de Yobs et dénicher où ils se cachent.

— C'est notre mission de Gardien, renchérit l'elfe. De plus, les méchants sont à l'intérieur du territoire qui nous a été assigné. Il est fort probable que le coffre de cet hurluberlu ait été laissé complètement vide à quelques lieues d'où nous sommes présentement.

— Ensuite, rapporter ce petit coffre vide jusqu'à Hinrik et se faire payer une jolie somme dans l'accomplissement de notre devoir, c'est ce que j'appelle joindre l'utile à l'agréable, enchaîna le viking.

— Marack, il faut que tu m'enseignes ton art de la négociation, lui susurra Arafinway d'un air taquin.

Miriel observait ses amis qui venaient tous les deux d'outrepasser leurs droits concernant leur mission en tant que Gardien de Lönnar. Marack avait cependant raison dans son raisonnement et, en tant que druide de son Ordre, jamais elle n'aurait pu prendre l'initiative que son ami avait si cavalièrement négociée pour le groupe.

Elle ne pouvait lui dire qu'il avait raison dans son analyse de cette situation, il serait encore plus insupportable durant tout le temps que durerait leur mission.

— Très bien, mes chers petits négociateurs. Commençons par tenir notre parole envers les blessés de cette caravane. Par la suite, étant donné que nous avons été engagés par un mage et que l'honneur des Gardiens de Lönnar est maintenant en jeu par votre faute, Ara, tu essaieras de relever les pistes autour du campement. Avec un peu de chance, ces brutes de Yobs nous aurons laissé des indices révélateurs pour les suivre. Nous aurons certainement, durant cette petite randonnée, amplement le temps de revoir tous ensemble la hiérarchie au sein de l'Ordre des Gardiens, termina-t-elle en les toisant.

Elle laissa ses deux amis discuter entre eux des détails et se dirigea d'un air courroucé vers l'un des blessés qui avaient besoin de ses soins.

— Tu crois qu'elle est vraiment fâchée Marack ? s'enquit l'elfe. Est-ce que l'on aurait mieux fait de ne rien dire ?

— Ne t'inquiète pas, le rassura le guerrier. C'était la seule façon d'avoir une petite quête intéressante. De toute façon, qu'est-

ce que tu préfères : retracer une bande de Yobs qui risque d'être déjà très loin d'ici ou refaire une quête à la façon de Miriel en allant récupérer les yeux ou que sais-je d'autre, chez nos ennemis ?

À la mention de leur précédente quête pour Simfirkir, l'éclaireur conclut que cette seconde mission offrait beaucoup moins de danger et surtout, une possibilité d'obtenir un petit montant d'argent. Il rêvassa furtivement à son nouvel arc plus solide et plus performant. Il se sentait prêt à passer en mode pisteur dès l'aurore.

— Il y a plusieurs pistes de Yobs qui se recroisaient à un endroit bien précis, déclara-t-il à ses co-équipiers au milieu du petit déjeuner. Comme ces créatures sont réputées pour leurs prouesses physiques et non pour leur habileté stratégique, je n'ai eu aucun problème à les retracer et ainsi déterminer la direction qu'ils ont prise.

— Bravo Ara, fit Miriel, encore bougonneuse.

— Les Yobs sont trop confiants en leur force, continua-t-il en ignorant l'humeur maussade de sa cheffe. Ils se sont sûrement dit qu'ils ne seraient jamais suivis par les membres de la caravane, alors ils n'ont fait aucun effort pour dissimuler leurs traces. Il faut dire qu'une vingtaine de demi-géants laissent derrière eux une piste assez visible, même pour le plus novice des éclaireurs.

— Franchement mon ami, je suis bien content de ces nouvelles, déclara Marack sur un ton joyeux. Moi, je suis excité à l'idée de partir pour cette expédition rapidement, dit-il en dévisageant la druidesse qui gardait le nez dans sa soupe. Nous repartons à l'aventure !

Les jeunes gardiens convinrent de rattraper plus tard la lente caravane qui avancerait vers Hinrik. Leur modeste campement emballé, ils reprirent la direction Ouest vers les Monts Krönen. L'éclaireur à une quinzaine de pas devant s'assurait de ne pas tomber dans une autre embuscade. Il voulait prouver à Miriel qu'il était toujours digne de la confiance de sa cheffe.

Une demi-journée plus loin, Arafinway remarqua qu'ils n'étaient pas seuls. Tout en restant le plus discret possible, il leur annonça l'inquiétante nouvelle lors d'une petite pause.

— Mes amis, nous sommes suivis et épiés depuis quelques heures maintenant, déclara-t-il à voix basse, le torse un peu bombé.

Marack bondit tel un lion des montagnes, marteau à la main et commença à scruter les alentours et repérer la créature qui les traquait.

— Bravo ! J'essayais de vous aviser discrètement, mais maintenant que notre guerrier est en mode combat, je crois que l'option de surprendre celui qui nous observe n'est plus vraiment adéquate.

Arafinway regardait son ami d'un air désappointé, il aurait bien aimé pouvoir tenter de contourner et surprendre ce qui les suivait.

— N'aie crainte Ara, tu auras ta chance. Marack vient sans doute de lui faire peur pour un certain temps avec sa position de combat tellement terrifiante, le rassura Miriel avec un léger sarcasme. Mais si cette créature nous file vraiment, nous la reverrons. La seule différence étant que dorénavant nous serons aux aguets grâce à ton excellent sens de l'observation.

Miriel regardait son guerrier inspectant attentivement tous les mouvements qu'il pouvait percevoir.

— Est-ce que tu as vu de quoi ou de qui il s'agissait ? demanda l'elfe.

— Non pas vraiment, répondit le viking déçu. Mais je peux te dire que ce n'est pas énorme car la chose se camoufle facilement parmi les branches et les arbres.

— Marack, est-ce que tu as terminé avec tes hypothèses ? s'impatienta la cheffe. Si oui, il y a un petit contrat que nous devons accomplir... Tu sais, celui pour lequel tu nous as tous engagés !

Miriel décida de reprendre le pistage avec son éclaireur et de laisser derrière elle son ours en mode observation, sur ses gardes plus que jamais. Après quelques minutes, Marack, se rendant compte que ses deux amis étaient déjà repartis en silence, courut bruyamment pour les rejoindre.

Les Yobs avaient une bonne longueur d'avance sur eux et à en juger par les indices, ils étaient à plus d'une journée de leur présente position. La nuit allait bientôt tomber sur la forêt et plusieurs nuages gris couvraient déjà le ciel. Miriel ordonna d'établir le campement et de reprendre très tôt le lendemain la poursuite de ce contrat.

Chacun prit son tour de garde, ses armes dégainées, nerveusement, attentif plus qu'à l'habitude aux moindres mouvements qui trahiraient la présence d'un observateur non désiré. Et si cette créature nous attaquait pendant la nuit ?

Dès les premières lueurs du jour, le groupe leva le camp, pressé de trouver quelque chose d'intéressant. Au bout d'une journée de piste, les aventuriers s'offrirent une collation de champignons bien méritée.

Miriel était de meilleure humeur depuis qu'elle s'était laissée prendre au jeu de la quête.

— Vous ne trouvez pas que cette créature semble s'amuser avec les ombres et le camouflage ? remarqua Arafinway, un peu admiratif malgré la menace. Il me semble très habile.

— Il joue avec mes nerfs, oui, tonna le viking.

Miriel se leva doucement et se dirigea un peu à l'écart. Elle se servit de ses charmes druidiques afin de ne pas effrayer l'ombre qui se découpait près d'un arbre.

— C'est toi qui nous suis depuis maintenant deux longues journées, n'est-ce pas ? fit la druidesse d'une voix apaisante.

Les deux compagnons, qui n'avaient pas encore remarqué la présence de l'intrus, furent surpris d'entendre Miriel entretenir une conversation avec un arbre.

— Regardez… là, leur murmura Miriel en pointant un buisson à moins de quelques coudées. Il y a une créature rarement rencontrée sur nos territoires, même si certains rapports font état de leur présence sur les Terres d'Aezur. En fait, je n'en ai jamais vu avant, sauf sur des illustrations…

En plissant les yeux, les compagnons distinguèrent tranquillement la silhouette inusitée d'un petit dragon d'environ cinq ou six foulées de long. Lorsqu'il bougea timidement, les rayons du soleil firent briller les reflets métalliques de ses écailles dans les tons de bronze. Il était perché sur l'une des branches d'un vieil hêtre et il observait attentivement les jeunes gardiens.

— Cela se peut… répondit une petite voix masculine.

— N'aie pas peur, nous ne te ferons pas de mal, le rassura la druidesse en faisant un signe de tête rapide pour stopper son guerrier.

— Alors, je le reconnais, c'était moi ! lui répondit le dragon sur un ton enjoué et étonné par la confiance que lui inspirait la druidesse. Ma curiosité l'a emporté et je n'ai pu m'empêcher de vous suivre. Tout particulièrement toi *Mi-ri-elll*, c'est bien la bonne façon de prononcer ton nom ? J'ai entendu le grand le mentionner à plusieurs reprises lorsqu'il parle avec son ami l'elfe. D'ailleurs, il dit beaucoup de chose à ton sujet !

La druidesse resta surprise de voir ce petit dragon prononcer son nom et surtout d'entretenir une conversation. L'existence des dragons était bien connue chez les druides de Lönnar. Ils étaient reconnus pour leur discrétion, évitant de se mêler des affaires de leurs amis comme de leurs ennemis d'ailleurs. Il était écrit dans les manuscrits druidiques que chacun d'eux protégeait son propre territoire.

Marack qui n'avait jamais jusqu'à présent rencontré de dragon, mais seulement lu sur ceux-ci, ramassa tranquillement son marteau. Malgré l'ordre de leur cheffe, Arafinway tenta discrètement de prendre son arc pour tenir en joue celui qui avait si habilement infiltré leur campement.

Voyant que ses amis allaient sans doute commettre une autre erreur, Miriel leur ordonna de garder leur place et de ne pas bouger. Leur invité n'était pas dangereux, du moins c'est ce qu'elle pressentait de la part de cette créature mythique. Il s'agissait sans doute de son empathie druidique qui lui permettait de percevoir qu'il n'y avait pas de danger ou peut-être qu'elle avait affecté de façon positive la perception de ce petit dragon à leur égard.

— Tu es toi-même assez volubile petit dragon ! dit-elle finalement. Oui, il s'agit bien de mon nom et tu le prononces très bien. Maintenant, puis-je savoir qu'elle est le tien et aussi pourquoi tu t'intéresses à nous ?

— Mon nom dans ma langue est : Ka Bael Harlan Corlisthi Kaus Therus, mais vous pouvez m'appeler Seyrawyn.

Miriel lui sourit gentiment. Effectivement, elle ne pourrait jamais prononcer son vrai nom.

— J'ai décidé qu'il était temps que j'élargisse mes horizons, continua le petit dragon, en faisant agilement le tour complet de la branche.

— Il me fait penser à un écureuil hyperactif, chuchota le viking dans l'oreille de l'elfe. Cela ne me dit rien qui vaille.

— Toi, Arafinway, tu es un elfe, un éclaireur qui a été en mesure de me découvrir et cela m'intrigue, alors je m'intéresse à toi, enchaîna Seyrawyn en bougeant tout le temps. Toi par contre, le gros Marack, je n'ai aucun intérêt envers toi pour le moment, tu es l'ours de Miriel et je connais les ours, alors tu me laisses indifférent.

— Grrrrr ! grogna justement le viking en levant un peu son marteau. Je vais te montrer…

— Marack, je t'en prie ! intervint Miriel.

— Petite druidesse, ton essence est ce qui m'a attiré en tout premier lieu, reprit le dragon en avançant le cou vers elle. Alors je t'ai tout simplement suivi. Pendant ces deux journées d'étude, je dois avouer que j'ai appris tout ce que je pouvais apprendre à distance. Maintenant, je peux passer à l'étape suivante : vous accompagner pour en apprendre encore plus.

Sans le savoir, ses pouvoirs de druidesse avaient certainement attiré cette créature comme un animal de compagnie. Elle avait entendu à maintes reprises des histoires relatant ce genre de communion entre un animal de la forêt et un druide.

Son père ainsi que certains Gardiens du Secret lui avaient raconté comment certaines de leurs connaissances se baladaient avec un ours, une belette, un chat sauvage, un rat, un serpent et même un porc-épic[20] comme compagnon. Ceux-ci forment une connexion psychique entre eux lorsque les deux parties acceptent la présence mutuelle de l'un et de l'autre.

Mais dans la situation précaire actuelle, Miriel n'avait aucune intention d'avoir un dragon de poche pour la suivre un peu partout. Sa mission était dangereuse et mettre en péril cette innocente créature allait à l'encontre de tout ce qu'elle avait juré de protéger à titre de Gardien de Lönnar.

— Nous ne pouvons pas t'emmener avec nous, lui dit-elle enfin. Notre mission est trop dangereuse pour toi et je ne pourrais pas te protéger.

[20] Porc épique : sanglier

— Mais je peux faire plein de trucs utiles, regarde ! répondit le petit dragon en sautant habilement d'une branche à l'autre.

— Est-ce que tu craches du feu ? demanda Miriel. Cela pourrait être très utile.

— Est-ce que j'ai l'air d'un dragon rouge ! s'indigna Seyrawyn. Non, je ne crache pas de feu.

— Ah !... répliqua la druidesse avec une touche de déception. Alors, est-ce que tu souffles de l'air glacé ou un gaz paralysant ? Est-ce que tu peux ramener l'harmonie dans un conflit ? Est-ce que tu inspires la justice ou le goût du défi ? Est-ce que tu possèdes une grande sagesse ou de larges connaissances ? Est-ce que tu es un très grand wiccan[21] ? Est-ce que tu peux créer des illusions ?

Miriel se rappelait à toute vitesse toutes les caractéristiques des différents dragons sur lesquels elle avait lu. Malheureusement, elle n'arrivait pas à les classer selon leur race et posait ses questions pêle-mêle.

— Non, petite druidesse je ne suis rien de tout cela, répondit franchement le Seyrawyn, étonné de passer un interrogatoire.

— Alors, tu ne me seras pas d'une grande utilité. Désolée, j'ai déjà tout ce qu'il me faut et je te le répète, nous ne serons pas en mesure de te protéger en cas d'attaque, l'informa rapidement la jeune elfe.

Arafinway intervint.

— Oui, oui ! Moi, j'aimerais bien avoir un dragon champion du camouflage, traqueur-pisteur comme allié, supplia l'éclaireur. Habile comme il est pour flairer nos ennemis, imagine, cheffe, l'avantage que nous aurions en envoyant Kal Bal, Seyrawyn, comme premier éclaireur ! Il pourrait me transmettre ensuite les informations sur ce qui se cache devant nous. Dit oui, Miriel, je te promets que je vais m'en occuper; tu vas voir, ça va être merveilleux de l'avoir à mes côtés.

Le jeune gardien avait déjà commencé à imaginer des stratégies de dépistage avec les habiletés de camouflage de Seyrawyn.

— Moi, je dis non. Je ne vois pas comment un Falsadur-Dreki, un presque dragon, pourrait contribuer à long terme à notre mission, tonna Marack qui était resté silencieux jusque-là.

[21] Wiccan : adepte de noépaganisme et de magie blanche.

Le guerrier n'avait pas apprécié que ce dragon de poche se moque de lui en reprenant les appellations que Miriel lui conférait d'habitude. Il n'avait nullement l'apparence ni le gabarit d'un ours. Sa force et son agilité étaient employées de façon stratégique, rien à voir avec la force brute de ce mammifère idiot.

— Tu connais ce genre de dragon Marack ? s'étonna Miriel.

— En effet, lui répondit-il. Je crois qu'il s'agit d'une moitié de dragon. Ainsi, sa taille présente est celle d'un adulte. L'un de ses parents était un dragon et l'autre, qui sait exactement… peut-être un lézard quelconque !

Seyrawyn, vexé, descendit de la branche sur laquelle il était tout enroulé et qui jusqu'à présent le camouflait presque en totalité. Il se dressa sur ses pattes et les compagnons purent apprécier sa petite hauteur.

— Toi l'ours, je ne m'adressais pas à toi ! Pour ce qui est de devenir un chien pisteur, cela ne faisait pas partie non plus de mes plans. Druidesse, c'est toi qui m'intéresse, alors laisse-moi venir avec toi. Je peux t'aider, permets-moi de te démontrer ce que je peux faire pour toi.

Lorsque Marack entendit la phrase « C'est toi qui m'intéresse », il s'interposa entre le pseudo-dragon et Miriel. Il n'avait pas l'intention de laisser quiconque s'approcher de la druidesse et surtout, il ne voulait pas d'un troisième individu à protéger.

> « J'entends déjà ma cheffe m'ordonner d'aller défendre ce lézard, l'animal de compagnie, qui se serait encore mit dans de fâcheuses situations… Au secours, je suis tombé dans un petit trou de boue… », grommela-t-il.

Voyant que Marack avait encore une fois décidé de faire le mur et de projeter son ombre sur sa personne, elle mit sa main sur l'épaule de son guerrier pour lui faire comprendre de la laisser exécuter sa prestation. Il avait beau lui faire les gros yeux pour la faire reculer, il faut croire que ceux de Miriel étaient plus intimidants. Il obéit et céda donc le passage.

— Je te remercie de vouloir nous accompagner, s'adressa-t-elle au dreki, d'une voix douce mais ferme. Nous sommes des Gardiens de Lönnar et nous devons défendre cette partie des territoires d'Aezur. Les compagnons qui me sont assigné doivent être approuvés par le Grand Druide de mon Ordre.

C'est pourquoi, je ne peux te prendre avec nous. Maintenant je te demande de retourner dans la forêt et ne plus nous suivre. Cela accapare mon éclaireur et fait grogner mon ours inutilement.

Au son de la référence de l'ours encore une fois adressé à sa personne, Marack grogna mais décida de ne pas en rajouter. Miriel venait de remercier poliment cette créature de la forêt et elle ne pouvait rien faire de plus.

Arafinway voyait le tout d'un autre œil. Il aurait pu avoir une belle complicité avec ce petit dragon. Peut-être que Marack s'était trompé et qu'il s'agissait d'un vrai dragon qui n'avait pas fini de grandir. Il aurait pu en faire sa monture plus tard. Mais cette possibilité venait de s'envoler en fumée.

Seyrawyn porta son regard en silence sur la druidesse puis sur Marack. Il vit à son expression qu'il n'était vraiment pas le bienvenu. Tristement, sans rien dire et sans se retourner, il s'engouffra en marchant très lentement dans la forêt. Lorsque le groupe n'arriva plus à l'apercevoir, la mission de rattraper les Yobs refit surface.

Vers le milieu de l'après-midi, Arafinway chantonna un de ses signes pour aviser ses compagnons.

— *...uu ouiouioui shushushu, uu ouiouioui shushushu...*

— Il y a un danger, c'est bien le bon chant Miriel, n'est-ce pas ? chuchota Marack à sa cheffe qui s'était déjà accroupie et qui lui faisait signe d'en faire autant.

Leur éclaireur avait encore beaucoup de pratique à faire pour vraiment imiter le cri de cet oiseau, mais au moins en réagissant rapidement, ils minimisaient les chances qu'il entame de nouveau son chant et alerte leurs ennemis.

Tous les deux s'approchèrent lentement de leur ami aussi discrètement qu'il leur était possible de le faire. Celui-ci continuait d'observer au loin ce qui avait retenu son attention.

— Qu'est-ce qu'il y a, Ara ? demanda Miriel à voix basse.

Il pointa du doigt un large monticule pierreux ressemblant à une petite montagne recouverte de végétation et d'arbrisseaux. Son sommet était nettement sous la cime des arbres à l'écorce noire d'une centaine de coudées de haut. On pouvait entrevoir l'embouchure d'une grotte assez mal camouflée. D'énormes

branches presque sèches y avaient été placées pour conserver un semblant d'illusion de verdure. Le trou était assez grand pour qu'un Yob puisse y pénétrer facilement. Personne n'aurait pu se douter que cette tanière représentait une véritable boîte à surprise.

Devant l'entrée, il y a avait deux gardes Yobs qui tentaient de se cacher maladroitement. Il s'agissait sans doute des effectifs qui faisaient le guet devant leur repaire.

— Il faut les neutraliser avant de pouvoir procéder à l'exploration de cet antre, chuchota Marack.

— Je suis d'accord, fit Miriel. Tenter de se faufiler sans les confronter pourrait nous couper toute chance d'une retraite rapide, si cela s'avérait nécessaire.

— Cette grotte est complètement dissimulée par les arbres au bois noir, fait marquant de cette partie de la forêt, décrivit Arafinway. Il s'agit d'une cache parfaite pour les demi-géants qui veulent passer inaperçus sur le territoire.

— Il est hors de question de s'attaquer à tout le contingent que peut renfermer cette forteresse, prévint le guerrier. On entre, on recueille des informations et on se tire... avec quelques souvenirs, si possible.

— Il est évident que ces données sont d'une grande importance pour les gardiens de notre relève, enchaîna la cheffe. Il faudra que des guerriers s'assurent que ces pensionnaires indésirables ne reviennent plus jamais s'aventurer aussi loin sur ce territoire protégé.

N'ayant pas retrouvé le coffre du magicien sur la route qui les avaient menés jusqu'au monticule, Marack en déduisit que celui-ci devait se retrouver à l'intérieur de cette fourmilière géante. Après tout, La Temporaire leur avait mentionné qu'ils avaient été attaqués par une vingtaine de Yobs.

Il bougonna de plus belle pendant qu'il escaladait furtivement la petite montagne en compagnie de son ami l'éclaireur. Sa suggestion d'attaquer les gardes a résulté en une stratégie où Miriel resterait seule pour faire diversion. Le but était de les inciter à s'avancer de quelques pas en dehors de la caverne afin de permettre une attaque surprise par le haut.

La druidesse pouvait maintenant voir ses deux amis en position juste au-dessus des deux gardes. Comme prévu, Marack donna le signal convenu et elle invoqua son dieu pour l'enchantement qu'elle désirait utiliser comme diversion. Elle ignora d'ailleurs les signaux d'Arafinway qui continuait à la regarder en gesticulant.

Dès l'instant où l'incantation fut terminée, des petites lumières scintillantes se mirent à apparaître à quelques pas des deux Yobs. Celles-ci avançaient lentement vers les deux demi-géants qui regardaient avec amusement les jolies couleurs qui prenaient forme.

La druidesse s'efforçait de contenir les petites lumières dans les teintes de vert, mauve et rouge sous la forme d'une dizaine de petits lapins qui s'amusaient à courir et sauter dans toutes les directions, tout en se rapprochant de leur cible.

L'un d'entre eux sortit immédiatement pour voir un peu mieux le spectacle et découvrant que les petits animaux allaient à sa rencontre, fit signe à son compagnon de venir le rejoindre, ce qu'il fit aussitôt.

Voulant tenter d'écraser les petites créatures pour en faire leur souper sans doute, les deux brutes s'élancèrent avec leur grosse massue sur les lumières que Miriel avait regroupées en un seul endroit, à quelques pas de la caverne. Tout se déroulait comme prévu.

Lorsque les gourdins de bois entrèrent en contact avec les petits lapins, la lumière qui les composait enveloppa les deux colosses. Ils avaient maintenant chacun une aura de couleur scintillante et affichaient un air tout à fait confus.

« Notre stratégie se déroule à merveille », se dit la druidesse.

À ce moment précis et simultanément, la druidesse sortit de sa cachette en courant, bâton levé et les deux gardiens bondirent sur leurs cibles : Marack avec sa nouvelle hache et Arafinway avec le lourd marteau de son ami qu'il tenait à deux mains. Le tout se passa très rapidement.

L'éclaireur sauta comme un chat sur sa proie et d'un solide coup de marteau fit éclater le crâne de son ennemi. Celui-ci plia les genoux et, en affichant une expression béate, s'écrasa sur le sol.

Soudainement, après seulement quelques pas, un autre guetteur qui était non loin de sa position s'interposa brusquement devant la druidesse. Il la menaça de gourdin armé de chaînes.

La jeune elfe se retrouva confrontée à un adversaire qui ne se souciait pas du tout de ce qui venait d'arriver à ceux de sa race devant la caverne. Il avait une belle prise devant lui et il ne voulait pas la perdre. Les premiers échanges de coups furent esquivés par Miriel avec son Salkoïnas. Le Yob ne s'appliquait pas à la tâche : il voulait jouer avec sa nourriture avant de la mettre à mort ou de la torturer plus tard.

Marack, quant à lui, voulait s'assurer de donner une charge mortelle au premier coup et tenta de prendre le plus de hauteur possible pour bien trancher en deux son Yob. Au moment où il s'élança, son pied glissa sur la mousse humide et au lieu d'obtenir une meilleure altitude, il fut catapulté comme une grosse pierre vers l'avant. Boulet humain confus, le viking percuta puissamment le dos du Yob avec son bouclier. Tous les deux s'affalèrent dans un fracas étourdissant.

En reprenant pied, Arafinway vit Marack roulant au sol avec son Yob et lança aussitôt un regard inquiet à son amie. À la dernière seconde, il avait remarqué l'autre créature tapie dans les fougères et avait tenté d'avertir sa cheffe avec des signaux de danger, mais sans succès. Lorsque Marack l'aperçut à son tour, ils réalisèrent tous deux qu'il était trop tard pour annuler la charge. Leur seule chance était d'en terminer rapidement avec les deux adversaires et de venir à son secours ensuite.

Constatant que son ami avait raté sa cible et que celle-ci semblait s'en remettre plus rapidement, Arafinway décida de l'aider en premier. Il vit la frêle druidesse se défendre de son mieux et espérait qu'il ne regretterait pas son choix.

Miriel se devait de mettre un terme à cette rencontre de façon très expéditive. Voyant que son adversaire voulait continuer de s'amuser, elle décida d'accepter volontairement la blessure de l'une des attaques.

Elle se positionna de façon à recevoir le coup de gourdin sur le côté gauche non loin de son épaule. Feignant un coup plus puissant et plus dommageable qu'il ne l'était en réalité, elle se servit de l'élan pour se projeter plus loin vers l'arrière qu'elle ne l'aurait été normalement.

Le Yob, croyant dominer la situation, prit un malin plaisir à lui tourner autour en lui faisant la conversation. La jeune elfe ne comprenait rien à ce qui lui était dit, mais ce moment de répit lui permit d'invoquer une attaque magique qui pourrait peut-être la sortir de ce mauvais pas. Pendant que la menaçante créature semblait se moquer d'elle, la druidesse de Lönnar invoquait l'élément de l'eau pour venir à son aide.

Devant la grotte, Arafinway, en se portant au secours de son ami, faisait face à un Yob en colère qui avait repris suffisamment ses esprits pour tenir tête au démon qui osait se mesurer à lui. Marack, tentait toujours de récupérer les siens, car sa collision l'avait passablement assommé. Ce saut n'était certes pas près de compter parmi ses meilleurs exploits.

Le viking pouvait voir son ami tenir en respect son adversaire et de l'autre côté, s'assurer que Miriel résistait au troisième surveillant. S'il ne voulait pas que l'alarme soit donnée et surtout pour aider sa cheffe, il devait concentrer toutes ses forces et soulever sa jeune carcasse endolorie.

Lentement mais sûrement, il se leva et voyant une opportunité d'attaque, fit une première entaille profonde derrière le genou de son adversaire pour le déstabiliser. Surpris, le demi-géant se plia un peu, juste assez pour recevoir l'assaut du viking qui enterra sans effort sa hache dans le dos du colosse qui s'affaissa pour de bon.

La facilité avec laquelle celle-ci pénétra dans les chairs de cette créature surprit Marack qui s'attendait à un peu plus de résistance. Sans doute le fait d'avoir combattu avec un marteau pendant tant d'années lui avait fait oublier les avantages d'une arme bien tranchante.

Un peu plus loin, l'invocation de Miriel était terminée et il ne se passait toujours rien. Était-elle trop nerveuse ? S'était-elle trompée dans la prière ? Puis, son adversaire sembla réagir bizarrement, et pour cause : des milliers de gouttelettes d'eau en provenance des arbres, du sol et des feuilles se ruèrent vers lui. En l'espace de quelques secondes, il fut complètement submergé dans une immense sphère liquide. Il lui était maintenant impossible de se mouvoir ou de s'en sortir. En une minute à peine, cette attaque le noya.

La druidesse, qui n'avait jamais jusqu'à présent tenté d'utiliser cette attaque, réalisa jusqu'à quel point celle-ci pouvait être sans pardon.

Elle s'avança vers ses compagnons. Comme elle s'était soumise à un bon coup de gourdin sur le bras gauche, elle se demandait si la manœuvre en valait vraiment la peine. Un simple léger coup d'œil en direction de sa victime inerte complètement trempé sur le sol et elle trouva que son bras ne faisait pas si mal que cela après tout.

— Miriel est-ce ça va ? demanda Arafinway qui affichait un regard inquiet sur sa cheffe qui se tenait le bras gauche.

— Oui, je dois avouer que je vais beaucoup mieux maintenant.

Marack n'était pas du tout content de la tournure des évènements.

— Tu vois ce qui s'est passé, cette attaque aurait pu tourner tout autrement, grogna-t-il.

— Effectivement, si tu n'avais pas décidé de faire des acrobaties aériennes avant de t'abattre sur ta cible, je n'aurais pas eu à te démontrer à quel point je suis en mesure de me défendre sans ton aide ! lui répliqua-t-elle immédiatement.

Le guerrier préféra ne rien répondre à ce commentaire de la part de Miriel : il n'avait effectivement pas été à la hauteur dans ce combat.

— Maintenant, quelle est la suite des opérations, demanda l'éclaireur. Te sens-tu d'attaque pour investiguer plus loin ce repaire, cheffe ?

Arafinway voulait bien aller voir ce qu'il y avait dans cette petite montagne. La curiosité et l'adrénaline de l'aventure se faisaient pressantes mais la décision revenait à la druidesse en autorité.

— Oui nous y allons. Nous n'avons pas fait toutes ces démarches pour rien. Marack, si tu t'en sens la force, tu prends les devants. S'il y a d'autres gardes, tu es le mieux armé pour les tenir en respect, pendant qu'Ara les transforme en pelote d'aiguilles.

L'éclaireur était ravi de pouvoir reprendre son arc. Il préférait de loin la précision de ses flèches à celle d'un marteau de Lönnar qu'il devait manier à deux mains au corps à corps.

La druidesse fit un rapide *Remitto ad Terram* afin de camoufler les corps.

Marack reprit son bouclier pour un peu plus de protection et opta à nouveau pour son marteau. L'envie de reprendre sa hache le tenaillait et il devait vraiment faire un effort pour ne pas y céder. Il pouvait manier cette nouvelle arme assez facilement, mais son entraînement et sa spécialisation étaient le marteau de guerre. Avec un peu plus de pratique, il pourrait probablement l'utiliser avec autant d'aisance que les autres.

Afin de permettre à son ami de mieux voir ce qui pourrait se ruer sur lui, Miriel enchanta le grand marteau de Marack de façon à ce que celui-ci diffuse une lumière équivalente à celle d'une torche, sans risquer de se brûler ou de la voir s'éteindre. Les trois se faufilèrent entre les branches d'arbres qui dissimulaient l'embouchure de la grotte et découvrirent un escalier très large qui descendait sous la petite montagne.

Le groupe descendit les escaliers façonnés dans la pierre qui les mena quarante-cinq marches sous terre. Il se termina dans une grotte centrale qui donnait accès à plusieurs corridors et autres petites grottes connexes.

— L'exploration débute ! murmura Arafinway d'un ton enjoué à Marack.

Il n'y avait pas d'autres gardes dans cette cave principale, sans doute les occupants se sentaient-ils à l'abri de toute intrusion extérieure.

— À toi de choisir Marack, tu as le choix parmi quatre corridors. Nous sommes derrière toi, alors choisis le bon ! chuchota Miriel à son ours préféré.

Marack prit quelques instants pour observer les quatre options qui se présentaient à lui : celui à sa droite était plus petit et il n'y avait aucun éclairage. Le second directement devant lui était le plus large, presque quinze foulées, et le plus éclairé par des lanternes. Malgré l'huile qui brûlait, il pouvait percevoir une légère odeur de viande sur le feu envahissant subtilement le corridor.

Le troisième avait la largeur d'un demi-géant et était également éclairé par des lanternes.

Le dernier, complètement à sa gauche, semblait être encore en construction. Son embouchure d'une dizaine de foulées rétrécissait rapidement. Sans doute, s'agissait-il d'un complexe

déjà existant pour de plus petites créatures et ces Yobs effectueraient un réaménagement progressif des lieux.

— Le troisième corridor offre la meilleure possibilité pour se défendre, les Yobs doivent certainement circuler l'un derrière l'autre lorsqu'ils empruntent ce passage. C'est mon choix, demeurez près de moi, ordonna le viking en s'avançant prudemment dans le couloir, suivi de ses amis.

Il ordonna à l'éclaireur de se placer sur le troisième rang. De cette façon, leur cheffe était protégée des deux côtés et s'il devait attaquer, son arc serait mis à bon usage. Arafinway était entièrement d'accord et se repositionna selon cette tactique.

Après quelques minutes de marche, le corridor arriva à une fourche : gauche ou droite ?

— La règle d'or dans ce genre d'options, chuchota le guerrier, est de toujours conserver la même direction, donc nous prenons à gauche.

Après une quarantaine de foulées sinueuses, le petit groupe se retrouva devant une porte en bois massif.

Marack s'approcha de celle-ci et tendit l'oreille pour tenter de déceler s'il y avait des occupants de l'autre côté. Aucun bruit. Il se risqua à sonder la poignée et elle ne semblait pas verrouillée.

Décidément, Tyr et Lönnar veillaient sur eux. Il ouvrit la porte doucement, puis les trois compagnons franchirent le seuil de la pièce pour aboutir dans une immense chambre. Un grand lit, une table, un coffre ainsi qu'un chevalet pour une armure composée de pièces de métal dépareillées s'y trouvaient.

Quelques armes étaient déposées derrière l'armure.

— Elles sont beaucoup trop petites pour servir à un Yob, indiqua Marack. Ce doit être des trophées de chasse. Certains collectionnent les têtes, d'autres des oreilles, des bouts de doigts ou des yeux…

— Le chef de cette bande semble avoir une certaine affinité pour les petites armes, remarqua Arafinway. D'ailleurs, pour un demi-géant, toutes les armes sont sans doute perçues comme minuscules.

Une petite fouille sommaire fut vite effectuée : le coffre ne contenait rien de grande valeur.

N'ayant pas grand temps à accorder à cette chambre, ils revinrent sur leurs pas pour emprunter la fourche de droite cette fois-ci.

Quelques pas plus loin, ils aperçurent une ouverture sur la gauche. Le corridor continuait droit devant et la nouvelle galerie ne comportait aucune porte. Aux aguets, les gardiens s'approchèrent jusqu'à ce qu'ils puissent entendre des plaintes provenant de cet endroit.

Ils avancèrent et découvrirent sur la gauche, une prison contenant un peu moins d'une vingtaine de captifs. Il y avait un nain, quatre elfes et plusieurs humains, dont un dans des habits très colorés.

— À voir leur état et leurs blessures, ils ont souvent essuyé les excès de colère de leurs geôliers, murmura la druidesse avec pitié.

— Ne faites pas de bruit, nous allons vous sortir de là, déclara Arafinway à voix basse lorsque les trois compagnons eurent tous franchis le seuil de la geôle.

Certains prisonniers n'avaient pas encore remarqué les intrus qui venaient de pénétrer dans leur endroit de torture.

— C'est long, vous en avez mis du temps pour venir nous chercher ! grommela le nain. Où sont les autres sans esprit qui vous accompagnent ?

L'attitude du nain grognon réveilla les autres prisonniers qui s'empressèrent de se coller le visage aux barreaux pour voir ce qui se passait.

— Tu veux tous nous faire prendre, espèce d'enclume à deux pattes, rétorqua Marack d'une voix plus basse mais qui exprimait fort bien son état d'esprit envers celui qui pourrait alerter les résidents du monticule de pierre.

— Il faut pardonner à mon ami le nain, l'excusa un des hommes en s'avançant. Ses manières laissent à désirer mais son cœur est à la bonne place. Il se nomme Dorgen GrosSoufflet et moi je suis Bertmund LeGrand, membre en règle du régiment de La Temporaire, tombé au combat lors de l'embuscade de notre caravane.

Le nain retourna dans le fond de sa cellule, laissant à Bertmund toute la place pour les explications. Ce soldat humain portait toujours l'uniforme bleu, blanc et noir de son régiment. Il s'agissait bien de l'un des miliciens de la caravane et curieusement celui-ci était impeccable, propre ; on aurait dit qu'il était en habit d'apparat.

Pourtant tous les autres prisonniers semblaient avoir été malmenés, leurs vêtements souillés de sang et déchirés à plusieurs endroits.

— Nous étions plus de trois douzaines et maintenant nous ne sommes que dix-huit survivants. Êtes-vous venus avec les membres de mon régiment ? Il faut que je sois à mon meilleur, si le sergent trouve à redire, je vais sans doute me retrouver à polir toutes les armures de mon bataillon.

Bertmund semblait extrêmement préoccuper par son apparence vis-à-vis ses compagnons d'armes.

Pendant que Marack discutait avec ce soldat, Miriel et Arafinway sondaient les portes des autres cellules.

Il y avait une autre petite pièce juxtaposée à la prison. Dans cet espace, une partie du butin entreposé avait été réquisitionné de force lors de la dernière escarmouche. Un coffre en bois foncé, couvert de runes et de symboles, d'environ trois coudées de long par presque deux de large, figurait parmi les objets d'intérêt de ce lot.

— Sans doute le coffre de Fortran, le mage marchand, signala Arafinway à son amie en revenant sur leurs pas.

— La clé de cette grotte carcérale, indiqua Bertmund à Miriel à son retour, se trouve autour du coup du Yob qui effectue la cuisine. Cet endroit n'est pas seulement une prison : c'est aussi un garde-manger. À moins que vous ne soyez aptes à trafiquer une serrure, nous allons tous nous retrouver au menu du prochain repas. Personnellement, je déteste les pommes et juste à l'idée de me retrouver farci avec ce fruit dans la bouche, en guise de décoration, me lève le cœur !

— Miriel, on ne peut sauver ces gens sans alerter tout le monde, s'indigna Marack. Forcer les serrures avec un pieu de métal et mon marteau pourrait être dans la mesure du possible, mais sans faire de bruit, c'est impensable.

— Essaie au moins de plier les barreaux, pendant que je vais voir avec Ara s'il n'y aurait pas quelque chose d'autre qui pourrait nous servir.

Marack trouvait que c'était peine perdue : les barreaux demeuraient immuables et, malgré sa grande force, il était fort peu probable que ceux-ci cèdent. Mais bon, sa cheffe lui avait demandé, alors il allait au moins tenter le coup.

Pendant qu'il s'appliquait à faire une partie de bras de fer avec les barreaux de la cellule de Bertmund, quatre Yobs firent éruption dans la cave. Croyant que l'un des prisonniers tentait de libérer l'un de ses voisins, trois d'entre eux entourèrent le guerrier de façon à lui couper toute possibilité de se sauver.

Lorsque Marack réalisa ce qui venait d'arriver, il se retourna lentement, son lourd marteau bien en main.

— Ce n'est pas un de nos prisonniers, hurla l'un des geôliers. C'est un chien de démon en armure avec le bélier que nous haïssons tant !

Le guerrier s'élança sur le premier qui tenta de le maîtriser à mains nues. Aucun d'entre eux n'avait ses armes sur lui ou ne portait d'armure. Évidemment ! Nul ne se promène dans sa propre demeure tout équipé pour faire la guerre. Ainsi, un simple couteau de cuisine figurait parmi les armes déployées pour tenir en respect un guerrier armé d'un marteau de guerre, d'un bouclier et d'une hache gigantesque dans le dos.

Marack venait de servir son premier client en lui assénant un coup de marteau en plein thorax, coupant du coup le souffle de sa cible et fracassant les os au passage. N'ayant aucune armure pour se protéger d'un tel assaut, le Yob sentit sa force l'abandonner.

— Et plus que trois, dit le guerrier en souriant sous les encouragements discrets des prisonniers.

Miriel et Arafinway choisirent le moment propice pour courir vers l'issue de la cave et tenter de couper la retraite au quatrième adversaire qui se tenait en retrait. Malheureusement, celui-ci voyant les deux démons sortir de leur cachette et se ruer vers lui, recula rapidement dans le corridor et évita de se faire encercler.

Marack maintenait toujours en respect ses deux demi-géants qui ne voulaient pas se retrouver défoncés comme leur compagnon sur le sol. Lorsque l'un d'eux passa trop près des barreaux de sa cellule, le nain Dorgen en profita pour agripper l'une de ses jambes. Il la ramena si fort vers lui que sa victime bascula vers l'avant pour s'étendre de tout son long sur le sol, s'assommant face contre terre.

Cela offrit une belle opportunité de coup de grâce pour le viking qui descendit rapidement son marteau meurtrier sur la nuque exposée de l'attaquant. Pris de convulsions sanguinolentes, il finit par s'arrêter de bouger.

— Et plus que deux, dit le guerrier en se retournant vers le Yob muni d'un couteau de cuisine.

De l'autre côté de la cave, Arafinway s'interposa entre Miriel et le quatrième geôlier. Le colosse tenait en respect les deux elfes avec détermination. On pouvait voir dans ses yeux belliqueux qu'il allait maintenant donner l'alarme devant cette invasion qui avait déjà coûté la vie à deux de ses compagnons. Il prit sa respiration afin de laisser sortir un ultime cri d'alerte mais figea subitement.

On pouvait lire à son expression un mélange de stupéfaction et de douleur intense. Il se contorsionna avant de s'écrouler aux pieds de l'éclaireur, une large entaille ensanglantée dans le bas du dos.

Les deux gardiens levèrent les yeux sur l'inconnu qui leur avait sauvé la vie de justesse. Le jeune elfe des bois leur sourit gentiment. Il avait de longs cheveux bruns-roux, était vêtu d'une armure d'écailles de cuir souple et armé d'une épée courte.

Il posa son pied sur la carcasse du demi-géant et empoigna une seconde petite épée courte logée dans le dos du mastodonte. Arafinway, voyant que la menace dans le corridor avait été neutralisée, prit rapidement son arc et attaqua la dernière source de danger qui combattait son compagnon.

L'elfe des bois, toujours dans le corridor, fit signe à Miriel de le suivre en silence en direction de la sortie afin de se sauver au plus vite de cet antre dangereux. La druidesse ne pouvait laisser ses compagnons et invita à son tour ce nouveau personnage elfique à venir les aider dans la cave. D'un signe de tête, il lui fit plutôt savoir qu'il resterait en poste afin d'en protéger l'entrée.

L'éclaireur et le guerrier eurent vite raison du dernier Yob et Bertmund s'empressa de pointer du doigt celui qui avait la clé des cellules autour du cou. Arafinway s'empressa de la récupérer et réalisa qu'elle était inutilisable : Marack l'avait brisée en deux lorsqu'il avait donné le foudroyant coup de marteau en plein thorax à son ennemi. Il regarda son ami, les yeux froncés.

— Je ne savais pas, je n'ai pas fait exprès, je lui ai juste donné un petit coup de marteau en pleine poitrine. Comment pouvais-je savoir que cela lui aurait inséré la moitié de la clé dans sa cage thoracique avant de se fracasser en morceaux !

— Bravo, vraiment bravo le viking, la seule chance de nous sortir d'ici et il fallait que tu la casses en deux, ronchonna le nain à son soi-disant sauveur.

Miriel, sur le seuil, observait son ami qui tenait tristement les morceaux de clé dans ses mains. Elle tourna sa tête vers l'elfe des bois toujours dans le corridor, en position de combat, prêt à bondir d'un côté ou de l'autre.

Voyant que la druidesse le regardait à nouveau, il lui fit signe une seconde fois en silence de se dépêcher à sortir de cet endroit maudit.

— Je ne peux pas partir, on ne peut pas laisser ces prisonniers ici! Aide-nous encore une fois, peux-tu faire quelque chose pour les barreaux de ces prisons ?

L'elfe regarda nerveusement de chaque côté du corridor puis les cellules dans lesquelles se retrouvaient tous les captifs. Seules trois cages détenaient des prisonniers. Il finit par acquiescer et pénétra dans la cave.

— Un autre elfe ! décidément, les dieux veulent me punir, pesta de nouveau le nain. Capturé par un Yob et secouru par un elfe, mais qu'est-ce que j'ai fait pour mériter une telle humiliation ?

— Grogner est vraiment ta seconde nature, lui lança un autre prisonnier exaspéré. Pour un nain de quatre coudées de haut, ne devrais-tu pas commencer à te lasser de critiquer et de rouspéter sur tout ?

Voyant que les trois gardiens ne désiraient pas partir sans libérer les prisonniers, le nouveau venu, qui n'avait pas dit un mot jusqu'à présent, prononça une petite incantation et un déclic se fit entendre. Il répéta le processus pour les deux autres cellules et libéra tous les prisonniers.

— Merci l'ami, tu nous as rendu un fier service, lui dit Marack en lui donnant une tape amicale dans le dos qui le fit bondir d'un pas. J'apprécie ce que tu as fait dans le corridor, tu as toute ma reconnaissance.

Marack était admiratif : le combat à deux épées courtes est un art que ce viking n'avait pas encore maîtrisé. Cet elfe accepterait sans doute de lui enseigner une ou deux parades de ce style.

— Ramassez ce que vous pouvez dans la grotte à côté, ordonna la cheffe. Marack prend soin d'apporter le coffre de Fortran. Nous quittons ces lieux immédiatement.

« Marack, ramasse le coffre. Marack transporte encore le coffre. Marack fais encore la mule… serait plus exact », marmonna le viking en s'exécutant.

— Tu as voulu conclure une entente avec un mage, alors je vais te tenir au mot, répliqua-t-elle en le voyant se parler à lui-même. La prochaine fois, peut-être vas-tu tenir ta langue et penser avant de nous entraîner à accomplir une mission si hasardeuse.

Encore une fois, ce n'était pas le moment d'argumenter sa cheffe au sujet de ce coffre qui était beaucoup plus encombrant que la description faite par son propriétaire.

— Pour une part de ce trésor, je suis prêt à t'aider à le transporter, rétorqua le nain au grand viking, qui leva les yeux au ciel en guise d'impuissance.

Dorgen ramassa rapidement quelques objets qu'il balança dans un grand sac avant de partir avec le petit groupe vers la sortie.

Bertmund, quant à lui, voulut récupérer ses trois accessoires qui avait été volés et ayant beaucoup de valeur à ses yeux : son sac de voyage comportant tous ses petits grimoires, son plastron de métal ainsi que son épée longue. Heureusement, tout était présent car la division des biens n'avait pas été complétée. La chance était avec lui, pour une fois.

Dorgen n'eut pas la même veine : aucun élément de son équipement ne semblait être encore là. Les autres membres de la caravane s'empressèrent de prendre ce qu'ils pouvaient parmi ce qui restait avant de suivre leurs sauveurs vers la sortie.

Malgré la vitesse d'exécution, les bruits de combat ont tout de même alerté les résidents du complexe.

— Dépêchez-vous, dit Miriel. L'alarme a été sonnée et j'entends déjà de lourds bruits de pas en armure au loin.

L'elfe des bois, leur nouveau guide, leur fit prendre le corridor de gauche qui rejoignait le large couloir central, celui qui était éclairé et qui semblait les mener vers la sortie.

Neufs Yobs, en armure cette fois-ci, brandirent leurs armes en direction du groupe qui avait osé violer leur demeure et qui tentait de s'échapper. Cinq derrière pour bloquer leur retraite et quatre devant pour les empêcher de se diriger vers la sortie.

L'ordre de marche à ce moment était fort simple : les trois elfes ouvraient le chemin, suivi des membres de la caravane, tandis

que Marack et Dorgen fermaient la cohorte à quelques pas derrière avec le coffre. Bertmund avait presque réussi à enfiler son plastron et les talonnait de près.

Pour ce qui est des trois retardataires, il faut avouer que le coffre n'était pas la source du ralentissement. Les nains, ayant les jambes plus courtes, ne sont pas réputés pour avancer très vite. Ils ont beaucoup d'endurance, mais la vitesse n'est pas l'un de leurs points forts.

Marack ordonna à deux des humains de prendre le coffre qu'il transportait et remit, avec réticence, son marteau de Lönnar entre les mains de Dorgen. Or, un marteau dans les mains d'un nain, c'est comme un arc entre les mains d'un elfe, symbole d'efficacité.

— Nous employons une stratégie de combat particulière lorsque nous sommes confrontés à des demi-géants, expliqua-t-il à Marack. Notre petite stature nous permet d'assaillir des coups aux jambes de nos adversaires pour leur donner de quoi les occuper en attendant de porter le coup fatal. Ne t'inquiète pas mon ami, je sais comment me servir d'un marteau et j'ai quelques bonnes raisons de vouloir combattre ces créatures qui m'ont lâchement torturé ces derniers jours.

Puis, soupesant enfin le marteau entre ses mains, il dit :

— Ça vaut de l'or, ça vaut de l'or !

Il reconnaissait la beauté de l'arme et appréciait celle-ci à sa juste valeur.

La largeur du corridor ne permettait qu'à un seul Yob de pouvoir combattre à la fois. En contrepartie, il était assez large pour donner la possibilité à deux combattants de taille moyenne de tenir la ligne de front.

— Je peux voir la sortie mais nous sommes bloqués, il y a des Yobs partout devant nous ! s'écria Arafinway pour donner un aperçu de la situation à son compagnon qui fermait l'arrière de leur mini bataillon.

— Laissez-moi passer, je vais vous faire une percée, vous allez voir, c'est l'affaire d'un nain que de faire une brèche dans les rangs ennemis, lança Dorgen d'un ton autoritaire.

Il se précipita vers l'avant pour rejoindre l'elfe des bois qui avait pris position sur la première ligne afin de protéger à la fois la druidesse et permettre à son artilleur de faire bon usage de son arc.

Dès l'instant où le nain eut fini de se faufiler entre les humains et les elfes, il se mit en position d'attaque. Menaçant, il martela avec rage le premier Yob qui osa se présenter, lui fracassant la mâchoire.

Bertmund réagit immédiatement en se précipitant pour aller prêter main forte au guerrier viking qui maintenait à distance le Yob qui tentait d'attaquer tous ceux qui étaient contenus entre les deux lignes de combat.

Devant le nombre de créatures qui continuaient à s'amasser derrière eux, Miriel décida d'invoquer l'un des pouvoirs de son bâton d'office, qui répondit aussitôt positivement. Un mur de flammes remplit le large corridor où se trouvaient les créatures devant Marack et Bertmund.

Les cris stridents de ceux qui étaient la proie du feu résonnaient dans tout le complexe.

— Si l'alarme n'avait pas encore été donnée complètement, maintenant c'est fait, dit Marack.

L'effet magique eut le résultat escompté : quelques Yobs tentèrent de traverser ce mur pour réaliser, trop tard, qu'il s'agissait d'une très mauvaise idée. Leurs souffrances ne perdurèrent pas très longtemps et les gisants carbonisés sur le sol découragèrent leurs congénères.

Les gardes qui s'étaient donné le mandat de fermer la route aux intrus ont simplement décidé de ne pas servir de cible à cette magicienne qui venait de rôtir leurs camarades et s'esquivèrent à grands pas.

N'ayant plus aucun supérieur pour leur ordonner de demeurer en poste, les autres optèrent rapidement pour la fuite vers le fond de la grotte afin de sauver leur peau.

Profitant de l'effroi généré par ce mur et de la chaleur qui s'intensifiait au même rythme que le nuage de fumée, la jeune druidesse invoqua les paroles enseignées par son mentor pour désactiver son enchantement.

Aussitôt le mur éteint, le groupe se dirigea vers la sortie. La fumée qui s'accumulait dans l'espace restreint devenait suffocante et envahissait déjà l'escalier. Ils montèrent les

marches à un rythme effréné, pressés par quelques Yobs qui revenaient à la charge non loin derrière eux. L'elfe des bois et Arafinway avaient pris les devants et voulaient conduire les rescapés le plus loin possible de cette fourmilière de créatures carnivores.

La druidesse s'assura que tout le monde fut bel et bien sorti avant de commencer une seconde incantation. Marack trimbalant le coffre derrière lui avec un vacarme infernal fut le dernier à évacuer les lieux.

La gardienne du territoire prononça les paroles magiques que son père lui avait enseignées juste avant son départ et enterra devant l'entrée de la grotte la seconde cocotte enchantée qu'il lui avait remise. Elle eut juste le temps de bondir un peu plus loin, avant qu'un arbre géant de six foulées de diamètre ne prenne racines instantanément.

Elle venait de couper toute possibilité de poursuite par cet orifice, du moins pour un certain temps. Cet arbre pouvait ralentir ces créatures, mais une bonne hache et beaucoup de détermination libéreraient le passage assez rapidement. Elle souhaita qu'il n'y ait pas une autre sortie car elle voulait gagner quelques longueurs d'avance pour son groupe.

Elle rejoignit à la course les rescapés qui s'étaient arrêtés au loin pour reprendre leur souffle. Se sentant suivie, elle s'arrêta et se retourna brusquement.

— Marack ! tu m'as fait peur, avoua-t-elle soulagée en voyant son guerrier accompagné de l'elfe des bois, tous deux affichant un large et radieux sourire.

— Maintenant que tu as pu apprécier une partie de mes nombreux talents, je suis certain que tu ne pourras plus te passer de moi, lui dit l'elfe des bois. De toute façon. je te l'ai déjà dit : tu m'intrigues et tu as quelque chose qui m'attire. Alors, dorénavant, j'ai décidé de t'accompagner partout ou presque partout où tu iras !

Marack regarda fébrilement Miriel afin de voir si celle-ci avait bien compris de qui il s'agissait.

— Seyrawyn, c'est toi ? s'écria la druidesse.

Plusieurs semaines s'étaient écoulées depuis son arrivée chez les Morjes. La majorité des préparatifs pour l'expédition de reconnaissance avaient été complétées pendant qu'Ogaho se concentrait sur l'étude des cartes qui lui avaient été remises. Il lui était maintenant possible d'établir un itinéraire plus précis sous la bonne garde des deux lunes orange du Solstice des Dieux.

— Avez-vous tout ce qu'il vous faut pour votre départ dans une semaine, cher Vizir ? demanda poliment le chef du village.

— À l'exception de quelques babioles, que je compte bien créer d'ici mon départ, je crois que l'expédition pourra partir comme prévu, lui répondit le mage, tout aussi courtoisement.

— Tel que convenu, un groupe de dix Morjes, six éclaireurs et quatre sorciers sont à votre disposition. Il s'agit de mes plus vaillants. Vous savez que plus de cinquante de mes braves se sont portés volontaires pour vous accompagner. J'ai dû leur faire promettre de ne pas vous suivre, car je les connais bien, ils auraient pu vous pister pendant tout votre trajet.

— Je suis honoré d'apprendre qu'autant de vos citoyens prennent à cœur cette mission.

— Ce n'est pas seulement la mission qui les fascine, mais votre illustre personnalité qu'ils admirent, cher mage de pierre.

Ogaho sembla un peu surpris et passablement flatté par ce commentaire. Venant du porte-parole de ce groupe d'habitude plus réservé, ces remarques n'étaient pas seulement énoncées pour demeurer dans les bonnes grâces de l'envoyé du roi, mais elles paraissaient sincères et véridiques.

Ce peuple fier ne cessait de l'étonner. Comme Ogaho aimerait pouvoir les compter parmi sa garde personnelle à Pyrfaras ou tout simplement comme officiers à la tête des bataillons de combat sur les terres de l'Ouest.

Malheureusement, cela ne serait pas leur rendre service que de trahir leur confiance en les positionnant à des endroits stratégiques comportant trop de responsabilités. Le roi aurait vite fait de tous les disperser sur son territoire afin de s'assurer leur loyal servage.

— Vous rêvassez, cher Vizir, vous me semblez perdu dans vos pensées. Peut-être devrais-je attendre avant de vous proposer une dernière petite addition à vos babioles de voyage.

— En effet, je songeais à des jours meilleurs qui ne pourront jamais se réaliser, j'en ai bien peur. Vous avez donc quelque chose à me montrer ?

Jonkras invita son ami à le suivre jusqu'à un petit monticule de pierre devant lequel étaient postés quelques gardes. Une simple butte comprenant une large ouverture pour permettre à un demi-géant d'y accéder.

— C'est bien la première fois que je remarque cet endroit. A-t-il toujours été sous votre garde ?

— Certainement, il s'agit de notre trésorerie où des vigies sont toujours en fonction. Parfois ils sont apparents, la plupart du temps, ils le sont moins. Mais il y a toujours deux shamans ou deux sorciers ayant la responsabilité de mon caveau.

Le chef du village invita le mage à entrer dans ce petit espace restreint qui ne pourrait accueillir plus d'un géant à la fois.

— Vous vous moquez de moi, il n'y a pas assez de place pour qu'un géant puisse y pénétrer !

— Ayez confiance, vos yeux ne perçoivent pas l'ampleur de la magie qui est à l'œuvre devant vous.

Ogaho regarda plus attentivement le monticule et invoqua une petite formule magique pour tenter de percer le mystère des lieux en retenant la révélation de son ami.

— Je perçois une faible aura magique sur la porte, mais rien de bien particulier.

— Alors, je vous invite de nouveau à en franchir le seuil, sans tenir compte de ce que vos yeux et votre raison vous indiquent.

Le mage ouvrit la porte et au moment il fit les premier pas, tout en se contorsionnant pour y accéder, celui-ci se retrouva dans une grotte dont la voûte pouvait atteindre plus de cent cinquante coudées. Son ami apparut presque immédiatement derrière lui.

— Cet endroit est magnifique et même stupéfiant ! Votre magie est bien plus forte que ce que vous m'avez laissé croire, mon ami, lui lança le géant de pierre impressionné.

— J'aimerais bien prendre les éloges pour moi-même, mais cette magie n'est pas la nôtre. Un groupe d'éclaireurs a trouvé cette porte dans les montagnes et l'information est parvenue au village. Lorsqu'elle fut apposée sur un mur de pierre, sa puissance s'est fait connaître. En fait, nous croyons que c'est un portail qui mène à cette grotte. Il n'y a aucun autre passage dans celle-ci. La seule façon d'en sortir est de prendre à nouveau la porte que vous pouvez voir dans le mur derrière nous.

Ogaho admirait la beauté et la simplicité de la magie qui les avait transportés jusqu'à cet endroit. Il pouvait également apercevoir, au loin, différents amoncellements d'objets sur le sol.

En compagnie de Jonkras, il se dirigea vers la pile la plus éloignée. Le premier lot, il le vit en s'approchant, contenait un mélange rutilant de pièces d'or, le second comportait nombres d'armures et des armes en parfaite condition. Le troisième îlot semblait plus petit et on pouvait y déceler des pierreries dont l'éclat ne faisait aucun doute : rubis, diamants, améthystes, statuettes d'onyx ou de jade et de plusieurs autres pierres semi-précieuses.

Le quatrième amas comprenait des livres de toutes sortes, des parchemins et des fresques.

— C'est un trésor de dragon ! annonça le Morje à son ami le mage qui regardait très attentivement tout ce qui se trouvait autour de lui.

— Mais ce genre d'endroit est presque impossible à trouver, c'est un pur miracle que vous ayez découvert cette porte et son secret !

— En effet, les éclaireurs qui ont ramené cette porte sont morts depuis bientôt deux cent cinquante années maintenant. Seul le chef du village et ceux qui l'accompagnent ont le droit de pénétrer en ce lieu. Mon père en gardait le secret et cette responsabilité m'a été transmise à son décès. Si je la partage avec vous, c'est parce qu'il y a un objet qui, je crois, pourrait vous intéresser.

Ogaho se demanda bien lequel, parmi tous ces trésors, suscitait la décision de son ami à lui révéler cet endroit.

— Vous savez, cher Jonkras, vous avez ici une grotte mythique dont on parle seulement dans les légendes anciennes autour des feux pour amuser les grands et faire rêver les petits !

Le chef étira son bras pour recueillir un large tapis mesurant facilement six foulées de large par douze de long.

— Pourquoi ce tapis aurait-il un quelconque intérêt pour moi ?

Ogaho regarda d'un air suspicieux le présent qui lui était offert. Il aurait aimé par-dessus tout obtenir l'un de ces grimoires, par exemple, qui renfermait certainement une connaissance magique qu'il aurait pu employer. Mais un tapis…

— Il s'agit d'autre chose, ô grand Vizir, voici un parchemin. Regardez attentivement : il s'agit d'un langage qui nous est totalement inconnu et il est rédigé sur une peau… de dragon !

Le géant s'en voulait d'avoir été si impulsif dans sa réaction. Il aurait dû attendre que son ami lui décrive son cadeau avant de le juger. La mention d'un parchemin dans une langue inconnue, inscrite sur une partie de peau de dragon était loin d'être une simple babiole. Qui sait ce que ces écrits pouvaient raconter ou détenir comme information !

— Vous me faites un très grand honneur en me l'offrant. Pourquoi maintenant et non pas avant, lors de mon précédent séjour dans votre village ?

— Dans une semaine, vous allez partir pour une mission en l'honneur de votre roi. Celle-ci est importante pour vous et ce, pour plusieurs raisons. Si vos informations sont pertinentes et si votre périple ne vous coûte point la vie, votre quête pourrait mettre enfin un terme à cette guerre. Elle pourrait également vous remettre dans les faveurs de votre roi et ainsi regagner votre position d'autorité auprès de celui-ci.

— Oui en effet, les enjeux sont assez grands.

— Je ne sais pas ce que contient ce parchemin. Mais je l'ai vu dans l'une de mes visions et il a un rôle signifiant à jouer dans cette guerre. Je juge que la personne la plus apte à déchiffrer son contenu, c'est vous, cher mage. Il ne servira jamais à aucune cause valable s'il reste caché dans cette grotte. Je vous l'offre, puisse-t-il renfermer autre chose que le secret du philtre qui vous fera gagner notre pari.

Ogaho s'esclaffa sur les dernières paroles de son ami. Il le remercia chaleureusement de lui avoir offert une nouvelle énigme à résoudre.

Chapitre 16
Changement de cap

Après sept heures de fuite effrénée, les gardiens accompagnés de leur nouveau groupe décidèrent d'établir le campement pour la nuit. Arafinway avait reçu la lourde tâche de masquer le plus possible les indices laissés par leur passage.

La difficulté était de taille car la vingtaine de personnes impliquées avait favorisé la vitesse au détriment du souci de ne pas se faire repérer. L'éclaireur, exténué après avoir accompli sa tâche, arriva le dernier devant une casserole fumant sur un bon feu.

— J'ai effectué ce que tu m'as demandé Miriel. Brouiller les pistes d'un groupe de trois est bien plus facile que de le faire pour un bataillon ! s'exclama-t-il à sa cheffe en se laissant choir sur l'herbe.

— Bravo Ara, je savais que je pouvais compter sur toi ! le félicita-t-elle.

— J'ai même laissé de fausses traces dans des directions opposées. Si ces Yobs ont un pisteur avec eux, il devra choisir parmi des directions différentes. Avec un peu de chance, je crois bien que cela va nous permettre de nous éloigner encore un peu plus loin.

— Super. Mange un peu et tu peux te reposer, tu l'as bien mérité. Nous repartons dans quelques heures et la garde est assurée par Marack, Dorgen et Seyrawyn.

Ragaillardi par la soupe aux racines, l'elfe se trouva un petit coin de mousse et s'effondra tout emmitouflé dans sa cape de cuir. Cela lui donnait l'apparence d'une simple motte de terre.

Miriel n'avait pas encore eu la chance de discuter sérieusement avec le pseudo-dragon et elle profita de ces quelques moments de répit pour l'aborder. Ses prouesses avaient suscité sa curiosité et

elle se dirigea vers l'endroit où Seyrawyn s'appliquait à faire la sentinelle pour un groupe de parfaits inconnus.

Marack les observait furtivement. Peut-être s'était-il trompé sur cette créature ? Jusqu'à présent, le dreki avait démontré un savoir-faire et un soutien digne d'un compagnon des Gardiens de Lönnar. Le temps serait garant de ses intentions envers Miriel.

Le guerrier reprit son balayage de la zone qu'il devait surveiller mais il garda un œil sur la druidesse, juste au cas où.

— Est-ce que je peux te parler ? demanda Miriel à son nouveau compagnon.

— Oui, j'aimerais bien, assieds-toi, répondit-il amicalement. Nous n'avons pas eu vraiment la chance de le faire depuis notre départ très rapide du repère des Yobs. J'imagine que tu as une multitude de questions à me poser. Je ne peux pas te promettre que je vais répondre à toutes tes interrogations, mais essaie pour voir. Et si tu ne les poses pas toutes, eh bien, on ne le saura jamais.

Miriel s'étonnait de voir à quel point ce Falsadur-Dreki pouvait être mystérieux sous sa forme actuelle. Pourtant lors de leur première rencontre, elle n'avait ressenti aucun intérêt à connaître ce dragon de poche qui avait l'apparence et les aptitudes d'un simple chien savant.

— Très bien, je vais te questionner intelligemment. Est-ce que vous êtes plusieurs demi-dragons dans la forêt ?

— Pour ma part, je n'en connais aucun autre. Tu sais, j'ai vu beaucoup de dragons sur notre route mais aucun de ma propre race.

La druidesse fit mine de ne pas paraître trop intéressée mais porta une attention particulaire à ses révélations au sujet des dragons présents autour d'eux. Les enseignements des druides de son Ordre accordaient une certaine importance à cette race mystique. Ceux-ci existent dans ce monde au même titre que les différentes créatures magiques mentionnées par les doyens auprès des novices. Ils existent, mais ils sont rarement vus. À sa connaissance jamais ils n'eurent de fréquentations avec des humanoïdes.

— Tu le sais, les dragons n'aiment pas se mêler aux autres ou prendre parties dans les conflits des résidents de l'île. Moi, je suis différent, plus curieux et je veux apprendre un peu plus ce qui existe à l'extérieur de mon petit coin de nature.

— Tu n'es jamais sorti de la forêt ?

— Non, j'étais très content de rester chez moi à observer ce qui se passait aux alentours. J'ai étudié une multitude de créatures et d'humanoïdes qui ont traversé mon territoire. J'avais beaucoup à apprendre et mon ami m'a tout enseigné ce qu'il savait...

À la mention de cette amitié, Seyrawyn réalisa qu'il avait trop parlé et se referma aussitôt.

Miriel, qui écoutait attentivement chaque expression, vit tout de suite le changement dans son humeur et décida de ne pas poursuivre sur cette lancée, pour l'instant. Elle y reviendrait bien assez vite.

— Alors pourquoi maintenant ? Qu'est-ce qui t'a décidé à quitter ton lopin de terre pour partir à l'aventure ?

L'elfe des bois regarda longuement Miriel avant d'oser une réponse.

— Je ne sais pas... et en même temps, il le fallait. Mais il y a une chose dont je suis certain, c'est toi qui as été en quelque sorte l'élément déclencheur dans ma décision.

Et puis, prenant une grande respiration, il la questionna à son tour.

— Je me demandais, se lança-t-il, est-ce que tu es promise à quelqu'un ? As-tu le droit de choisir ton partenaire de vie ? As-tu déjà fait ton choix ou t'est-il imposé par ton père ?

Miriel resta stupéfaite devant cette surprenante demande, posée aussi cavalièrement. Voyant qu'il attendait toujours une réponse, le sourcil levé, elle décida que la période de questions était maintenant terminée. Elle se leva subitement.

— Bonne nuit, Seyrawyn ! lui lança-t-elle un peu troublée, en le quittant pour rejoindre le groupe d'hommes et d'elfes gris qui n'avaient pas encore trouvé le sommeil.

Elle laissa derrière elle un elfe qui la regardait s'éloigner en s'interrogeant sur ce qui venait de se passer. Qu'est-ce que j'ai fait d'incorrect ? Qu'est-ce que j'ai dit ?

Marack reconnaissait bien le petit air indigné qu'affichait son amie. Il l'avait fait apparaître si souvent qu'il ne pouvait pas se méprendre sur sa signification. Un petit sourire en coin, il réalisa que ce nouveau compagnon allait maintenant partager les petites humeurs nébuleuses de sa cheffe.

Visiblement satisfait, il ne serait plus le seul responsable de la foudre qui pouvait parfois toucher terre lorsque son amie était mécontente. Décidément, il avait plus d'un point commun avec ce dreki.

Après quelques heures de repos, Dorgen et Bertmund offrirent leurs services pour faire le guet afin que Seyrawyn et Marack puissent récupérer un peu avant de reprendre leur chemin.

Seyrawyn n'était vraiment pas habitué à vivre entouré de cette large communauté. Accompagner trois personnes n'était pas la même chose que de parcourir la forêt avec une caravane. Il préféra se tenir un peu à l'écart du petit groupe et opta pour un emplacement discret afin de se reposer.

Il ne voulait surtout pas reprendre sa forme de dragon devant tous ces étrangers. Cela lui avait pris une bonne dose de courage pour se montrer aux trois Gardiens de Lönnar, il n'était pas question de répéter l'expérience avec une plus grande audience.

Marack profita du changement de garde pour aller discuter avec Miriel et Arafinway.

— Est-ce que tu as une idée de la direction que nous allons prendre, ô grande cheffe ?

La druidesse n'apprécia pas le ton sur lequel son ami aborda la question qui l'empêchait de dormir depuis qu'ils avaient établi le campement pour se reposer. Mais le viking avait raison, la décision lui revenait. Puisqu'elle avait décidé de prendre en charge les malheureux prisonniers, il lui fallait maintenant en assumer la protection.

Son premier mandat à titre de Gardien du territoire et cheffe de groupe devenait de plus en plus une responsabilité pour laquelle elle ne s'était pas vraiment préparée. Elle trouvait bien lourd d'être un leader et de devoir prendre des décisions ayant des répercussions sur la vie de tous ceux qui se plaçaient, par la force des choses, sous ses ordres.

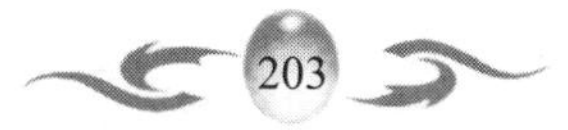

— Je crois que devons retourner à Hinrik le plus rapidement possible, répondit-elle avec une touche d'impatience dans la voix. Il faut aviser le Jarl ainsi que le Gardien du Secret du pied-à-terre que ces Yobs ont dissimulé sur notre zone à protéger.

— Si c'est ta décision, je dois te souligner que nous avons un petit problème, fit Arafinway. J'ai constaté que nous allons manquer de nourriture pour faire le trajet jusqu'à Hinrik, ou même jusqu'à Vanirias. Même une druidesse magicienne ne peut tout de même pas faire des chaudronnées de légumes pour vingt personnes à tous les repas et nous n'avons pas le temps de chasser le petit gibier.

— D'ailleurs, ton aura de druide fait fuir la plupart des animaux lorsque nous patrouillons, alors aussi bien faire une croix sur la viande fraîche pour un bon bout de temps, ronchonna le guerrier. De plus, j'ai fait l'inventaire de tout ce que nous avons réussi à rapporter, y compris ce qu'il y a *dans* le coffre du mage, ajouta-il plus sérieusement.

— J'imagine que cela te fait une trop lourde montagne ! lui répondit-elle sarcastique.

— Tu as regardé dans le coffre du marchand mage ! s'exclama Arafinway en dévisageant son ami, choqué de savoir qu'ils avaient manqué à leur parole par sa faute. Il nous a fait promettre de ne pas regarder !

— Il n'y avait rien à l'intérieur, se défendit-t-il d'une voix forte. Alors, arrête de me jeter ce regard de vieille grand-mère viking prête à me tirer l'oreille. J'ai assez de Miriel qui me joue cette comédie, je n'ai pas besoin d'une seconde marâtre.

Miriel le semonça avec le même petit air que l'éclaireur. Marack réalisa trop tard la portée de ses paroles. Décidément le vent tournait rapidement dans ces bois. Il détourna aussitôt la conversation croyant que l'heure des décisions était plus importante, au lieu de se chamailler.

— Bon, vous avez fini de me regarder de travers ? Nous avons un problème : un groupe aussi large que le nôtre et chargé de surcroît, ne parcourra pas autant de distance que tu le voudrais, cheffe. Et puis, nous avons en prime un nain qui ralentit notre progression. Nous devons trouver des solutions.

— Quoi ? Tu suggères de les laisser là et de nous sauver en cachette ? lança-t-elle vexée. Non, comme nous devons aller vers Hinrik, je suggère de traverser les Salkoïnas Krönen avec toute la troupe.

— D'après les cartes, nous sommes presque en ligne droite avec la ville fortifiée et cela devrait nous prendre seulement le tiers du temps, informa l'éclaireur.

— Vous êtes sérieux ? Nous avons été bien avisés par nos maîtres d'armes lors de notre entraînement de ne pas emprunter ce genre de trajet, s'écria Marack. Les créatures qui résident dans ces montagnes sont beaucoup plus féroces et coriaces que celles qui demeurent dans la forêt ou même dans le Grand Lac. C'est une région truffée de monstres qui ne s'aventurent pas dans la forêt et on dit que c'est la raison pour laquelle ils ne font qu'une bouchée de ceux qui osent profaner leur territoire.

Marack était plutôt sceptique quant à la décision de sa supérieure. Il avait entendu les histoires que Lassik Patte d'ours racontait au sujet des montagnes et de leurs résidents. Il y avait aussi de nombreux Géants des montagnes, pas du tout sympathiques à tout ce qui est plus petit qu'eux, peu importe la forme ou l'intelligence de la créature.

— Nous n'avons pas le choix ! déclara la cheffe. Peut-être n'y avait-il pas d'autre sortie que celle que j'ai bloquée et cela a été à notre avantage. Mais notre chance ne perdurera pas éternellement. Nous ne pouvons pas nous rendre jusqu'à la Pointe de la Rocheuse pour rejoindre notre contingent.

— Cette option nous prendrait presque un mois et demi, voire plus même, à la vitesse actuelle, admit l'elfe.

— Vanirias est encore bien plus loin et laisser ces gens seuls à leur destin dans la Forêt des Bois Noirs n'est pas envisageable, continua-t-elle enflammée et persuasive. Ils auraient vite fait de servir de repas aux Yobs ou aux autres prédateurs qui rodent dans les parages. Comme tu me l'as si bien fait remarquer Marack, nous bénéficions de mon aura de druide pour éloigner certaines créatures, mais eux, ils n'ont rien. Ce sont de simples artisans et leurs employés. Les seuls qui sachent manier correctement une arme sont Bertmund et Dorgen !

Miriel regardait ses compagnons de son regard résolu, le menton relevé. Elle n'avait pas sauvé ces gens pour les abandonner une fois sortis de leur prison.

— Nous avons une contrainte de déplacement et nous avons un nain, continua-t-elle. Il nous faut alors le chemin le plus court. Je leur ai promis de les ramener en ville et c'est ce que nous allons faire. De plus, il faut rapporter nos découvertes à une plus haute instance : le repaire et le fameux parchemin. Ces informations sont vitales... Ma décision est prise : nous passerons par la montagne et oui, Marack, même si c'est du déjà-vu, tu trimballeras le coffre du mage. Il s'agit ici de *ta* négociation, alors, tu en as la charge.

Miriel avait accumulé trop de frustration pour se laisser dicter le contraire de ce qu'elle venait enfin de décider.

Marack et Arafinway se regardèrent puis, d'un commun accord, firent signe à leur cheffe que ses ordres seraient accomplis tels que désirés.

L'éclaireur avait estimé que si tout se passait bien, le trajet pourrait prendre environ une vingtaine de jours. Il ouvrit la marche, suivi de Seyrawyn, puis Miriel avec Bertmund. La plupart des armes de réserve qui étaient disponibles avaient été remises à ceux qui pouvaient en faire usage. Dorgen, en serre-file avec Marack, était particulièrement fier du marteau qu'il pouvait de nouveau utiliser.

— Ce n'est qu'un prêt jusqu'à la ville fortifiée, avertit de sa plus grosse voix le guerrier à son compagnon de marche.

Le viking avait façonné un harnais pour transporter le coffre du mage sur son dos. Il ressemblait à un pauvre bougre qui transportait un cercueil comme un mulet. Cette façon de procéder lui permettait tout de même d'avoir les mains libres pour se battre et de ne pas ralentir personne d'autre par cette surcharge.

Il faut dire qu'il était orgueilleux et que Miriel l'avait piqué au vif avec cette histoire de négociation. Il aurait dû savoir que cela lui retomberait sur le nez tôt ou tard.

Pour survivre au trajet dans une montagne à la végétation rare, les provisions étaient l'une des priorités. Ils ramassèrent tous les petits fruits et bleuets, champignons et racines comestibles avant

d'arriver au pied de la montagne. Un jeune apprenti dénicha même de l'ail des bois sauvage, une plante rare et hautement nutritive.

Si par chance une bête se pointait le bout du museau, Arafinway avait reçu l'autorisation de tenter sa chance. De plus, les baies magiquement protéinées par Miriel, seraient distribuées en rotation parmi les membres du groupe. Ces dragées pourraient suffire, en ajoutant évidemment ce qui serait trouvé tout au long du trajet.

Cette fois, le seul qui continuait de rouspéter n'était pas Marack.

— Et il fallait que je suive une bande d'humains dans une caravane protégée par des bouffons bleu, blanc et noir. Puis me retrouver au menu d'un Yob, pour être secouru par un elfe. Maintenant, je dois fermer la marche derrière car ils ont tous décidé de me tourner le dos en marchant plus vite que moi. Décidément, les dieux ont une drôle de façon de me punir. Il n'y a que toi, Marack, qui prends soin de moi, délirait Dorgen, un semblant de larme à l'œil, en s'adressant à son voisin de randonnée.

« La route va être longue… » songea le viking.

Chapitre 17
Les Monts Krönen

Un peu moins de quatre jours ont suffit pour atteindre le pied des Monts Krönen. Pendant ces journées de marche, Miriel argumentait en silence avec elle-même sur la présence du Falsadur-Dreki qui marchait en avant aux côtés d'Arafinway.

Oui, il avait réussi à les tirer d'une très fâcheuse situation qui aurait pu leur coûter la vie. Contrairement aux autres rescapés, celui-ci pouvait très bien survivre par lui-même au cœur de la forêt. Son aide avec l'escorte du petit groupe était fort appréciée et nécessaire étant donné le nombre de non-combattant qui composait leur petite caravane.

> « Mais où avait-il bien pu apprendre à manier aussi habilement ses deux épées courtes ? La technique qu'il employait était très différente de celle de Marack. Plus sournois et plus précis, cet elfe attaquait directement des points vitaux chez ses adversaires. De plus, j'ai vu qu'il varie ses tactiques pour être le plus efficace possible. Hum... mais ensuite ? »

Ce qui la chicotait davantage était surtout la suite des événements par rapport à Seyrawyn une fois que le groupe aurait atteint Hinrik. Il n'était pas un Gardien et, une fois arrivé à la ville fortifiée, sa participation ne s'arrêterait pas là, selon ce qu'il avait en tête.

D'après ce qu'elle avait pu constater jusqu'à maintenant, même si elle lui ordonnerait de quitter la caravane, il les traquerait de nouveau pour réapparaître au moment où cela lui conviendrait. Son indépendance de pensées et d'actions la déstabilisait un peu. Il était donc préférable de ne rien faire pour l'instant et de demander conseil auprès de Marack père, le Jarl de la ville.

Faisant face aux montagnes et ses hautes falaises enneigées, ce trajet lui parut beaucoup plus pénible que prévu.

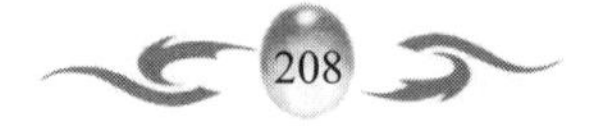

— Allons compagnons, en route ! les encouragea-t-elle, faussement confiante le matin où débuta la montée.

La petite troupe amorça le périple avec peine. Déjà fatigués et affaiblis de leur long voyage et de leur séjour au cachot, les membres du groupe avançaient lentement.

Heureusement, Dorgen fut une source intarissable de connaissances au sujet des formations rocheuses rencontrées et de la meilleure façon de les aborder. Miriel le fit passer en avant auprès d'Arafinway et renvoya Seyrawyn en queue de peloton.

Entre deux grognements quelques jurons et les multiples commentaires sur la veine de malchance rencontrée depuis son départ de son Clan, l'éclaireur arrivait à recueillir suffisamment d'informations pertinentes pour naviguer parmi les obstacles rocheux.

À la fin de la journée accablante de chaleur, les alpinistes en herbe choisirent un petit plateau herbeux à flanc de montagne pour y monter leur campement. Ils s'installaient, fourbus, lorsqu'un cri de détresse déchira le crépuscule.

— Aïe ! Aïe ! se plaignait un apprenti, les yeux pleins d'eau.

Miriel accourut pour constater les dégâts. Le jeune s'était étendu dans un lit de *Toxicodendron radicans,* une forme d'herbe à puce très virulente. L'urushiol sécrétée par celle-ci, une sève fortement allergène, avait déjà causé une douloureuse inflammation sur toutes les parties de sa peau dénudée. Miriel voyait les cloques éclater et suppurer, laissant de larges plaies à vif. Le malheureux retenait difficilement ses larmes et Miriel lui appliqua prestement une pommade analgésique. Elle invoqua ensuite Lönnar pour faire disparaître la douleur.

— Regardez bien cette plante et faites attention où vous déposez vos sacs, avertit-elle en regardant les autres voyageurs.

Dès que le soleil disparut derrière les monts, un vent glacial balaya le camp éteignant une fois pour tout le feu timide. La température descendit rapidement et le groupe dut se résoudre à manger froid et à dormir le plus serré possible pour conserver leur chaleur. Il s'agissait d'un mal pour un bien, car ce feu aurait sans aucun doute signalé leur position.

— Dorgen, tu crois qu'ils nous ont repérés ? demanda Marack qui était de garde avec Seyrawyn en lui montrant les fumées un peu plus bas au pied de la falaise.

— Non, grogna le nain. Mais on aura intérêt à accélérer le pas si on ne veut pas servir de dîner demain soir.

— Je les estime à deux jours de marche.

— Probablement moins, les Yobs ont le pied agile dans ces montagnes…

Dès l'aube, les premiers rayons réchauffèrent les gens transis et ils déjeunèrent sommairement. Ils reprirent leur ascension sous le couvert de l'épaisse brume qui se dégageait de la montagne.

Vers midi, le groupe fit sa première pause. Miriel s'enquit auprès du jeune apprenti pour voir comment allait la guérison. Il souffrait visiblement mais n'en dit mot. Elle vit au confort de chacun, souriante, pansant ça et là des pieds meurtris et les engelures laissées par la nuit glaciale.

Tout à coup, un nouveau hurlement effroyable parvint de la brèche à proximité.

— Encore un qui ne sait pas s'asseoir, grommela le nain, et qui va nous faire repérer.

La troupe accourut vivement vers les cris.

— Ne bougez plus, il y en a peut-être d'autres ! fit Marack, le premier arrivé et en les retenant, les bras ouverts.

Devant eux, une artisane était prise au piège dans une nappe translucide, gluante et vivante qui l'absorbait lentement. Elle hurlait de douleur, affolée, ses membres se liquéfiant sous l'effet des acides secrétés par l'étrange créature.

— Mais qu'est-ce que c'est que ça, s'égosilla Miriel horrifiée.

— Ah ! C'est une *Medusa Rocca*, une méduse des rocailles, expliqua le nain en arrivant tout essoufflé. Cette bestiole s'étend comme une crêpe et attend tranquillement sa proie…

— Ara ! cria la druidesse en se tournant vers son ami.

La flèche était déjà partie et mit fin au supplice de la femme.

— Merci… Tu as lu dans mes pensées, reprit-elle. Compagnons, nous repartons sur-le-champ. Prenez garde, cette montagne renferme une foule de dangers inconnus. Dorgen, est-ce qu'il y a d'autres choses importantes que nous devrions savoir ? demanda-t-elle inquiète en se tournant vers le nain.

— Bof, à part les méduses de rocailles de toutes les grosseurs, les herbes venimeuses, les crevasses, les gaz mortels, les pics

acérés, les fourmis tueuses, les Géants agressifs, quelques bestioles des montagnes… pas grand-chose en fait. Vous savez, la montagne, c'est un monde en soi…

La seconde nuit fut aussi froide que la première et le feu aussi insensible à leur malheur. Les feux de leurs ennemis se rapprochaient : une journée de marche. Leurs cris de joie nocturnes en tinrent plusieurs éveillés, terrorisés.

Le troisième jour se leva sur une caravane courageuse. La route sinueuse était de plus en plus pénible et Miriel perdit deux elfes dans une crevasse. Un peu plus tard, un marchand perdit également complètement sa main gauche. S'étant appuyé sur la falaise pour garder son équilibre dans un passage particulièrement étroit, il mit la main sur une autre méduse des rocailles pas plus grande qu'une assiette. Celle-ci eut le temps de l'absorber jusqu'au coude avant que Miriel n'invoque son dieu et ne cautérise le moignon.

Les premières nuits furent passées à flanc de montagne avec tous les inconvénients engendrés par les grands vents, sans feu et sans nourriture consistante.

— C'est à cause du regard des dieux si nous mourrons de froid la nuit et de chaleur le jour, grogna le nain. Ils nous punissent, je ne sais pas de quoi, mais cette promenade est une punition.

— Quoi ! Toi, un nain, tu gèles la nuit et sues le jour ? s'étonna Marack en le taquinant.

— Dorgen, ne blasphémez pas, je vous en prie, lui dit Miriel. Nous allons trouver mieux pour cette nuit.

— Non, non, hum… je vais bien. Je parle pour tous les autres… grommela-t-il en accélérant un peu le pas.

La cheffe leva les yeux. Effectivement, ils étaient à quelques jours du Solstice des Dieux, le temps où les deux lunes de couleur ambre seraient alignées dans le ciel. La croyance populaire voulait que ce soit les deux yeux des dieux veillant sur les êtres vivants. Cela correspondait normalement aux mois les plus chauds de l'année mais, vu leur altitude, les nuits étaient anormalement froides.

Seyrawyn, quant à lui, était plutôt méfiant, voire même craintif, depuis les derniers jours. Miriel avait remarqué qu'il n'était pas aussi confiant ou habile sur un terrain plus rocailleux, dépourvu

de grande végétation. Le moindre petit bruit le faisait sursauter et ce nouvel environnement n'avait rien en commun avec celui qu'il venait de délaisser. Tout ce qu'il expérimentait était nouveau, n'ayant aucune base de référence. Sans doute cela s'expliquait par le fait de n'avoir jamais voyagé hors de sa forêt, là où il avait vu le jour.

En cette quatrième nuit, l'instinct d'Arafinway lui permit de trouver une très grande grotte pouvant accommoder au moins six fois leur nombre.

Une série de tunnels s'entrelaçaient au sein de celle-ci mais ce détail n'était pas si important. L'idée de pouvoir allumer quelques feux de camp, de se réchauffer et de se protéger du vent, était suffisante pour ne pas tenir compte de ces embranchements.

Tout le monde était exténué et les vivres encore rationnés. Heureusement, Miriel était en mesure de créer à chaque jour suffisamment d'eau pour désaltérer tout son monde.

Cette incantation de base figurait parmi les premiers balbutiements en magie de tous les novices qui adhèrent à l'Ordre de Lönnar. Ainsi, dès leur très jeune âge, les recrues pouvaient accomplir avec succès plusieurs prodiges en lien avec la nature et les éléments. L'expérience et la pratique leur permettaient de développer la puissance de leur magie et la diversité de leurs actions.

Miriel avait toujours éprouvé certaines difficultés avec les invocations du feu. Malgré ses efforts, constants et soutenus, cet élément n'avait jamais répondu de la même façon que les quatre autres. Oh, elle pouvait créer une flamme mais sans plus. Elle réussissait à contrôler les plus rudimentaires : l'eau, l'air, la terre et les métaux mais sa force s'arrêtait là.

Par chance, le mur de feu contenu dans son Salkoïnas ne requérait pas le contrôle d'un expert, car les effets auraient pu être désastreux. Malheureusement, elle ne pourrait jamais recharger un item de ce genre, ne pouvant invoquer cette magie et elle ne serait jamais en mesure de la déposer à l'intérieur d'un bâton d'office par elle-même.

Marack, Dorgen, Seyrawyn ainsi que Bertmund se partageaient chacun un tour de garde de nuit, afin de permettre à tous les autres de se reposer. Marack n'avait pas besoin de beaucoup de sommeil, son entraînement l'avait bien préparé pour cette tâche.

Toutefois, il appréciait énormément le fait de pouvoir retirer son gigantesque sac à dos de bois, qui devenait à chaque jour de plus en plus inconfortable. Parfois, il lui prenait une envie irrésistible de le laisser derrière lui et de l'oublier tout simplement. Seule l'idée des réprimandes qu'il se mériterait de la part de Miriel l'encourageaient à endurer ce fardeau en silence.

C'était à Dorgen d'effectuer le second tour de garde et, pour se désennuyer, il inspecta plus attentivement le marteau de Lönnar. Il aimait bien les détails minutieux des deux têtes de béliers ainsi que les divers entrelacés celtiques retrouvés un peu partout sur l'arme. C'était encore bien loin du travail qu'un nain pouvait accomplir, mais pour une bande d'humains, le résultat était satisfaisant.

Pendant qu'il s'appliquait à décortiquer comment l'arme avait été forgée, une série de petits bruits en provenance de l'un des corridors dans le fond de la grotte attira son attention.

Ces bruissements lui faisaient penser à une multitude d'artisans travaillant différents métaux à l'aide de leur marteau et de leur ciselet. Mais ceux-ci s'intensifiaient et surtout se rapprochaient très rapidement.

— Debout, bande de grandes jambes ! Fini le temps de roupiller, nous sommes attaqués ! Aux armes ! Aux armes !

Les nains sont peut-être courts, mais leur cage thoracique à la même résonnance qu'un énorme baril de bière. L'alarme fut donnée et surtout entendue par tous : la caverne amplifiait en écho les paroles de ce GrosSoufflet.

Tout le monde fut réveillé rapidement et les guerriers, en position de défense, scrutaient les zones que le feu ne pouvait pas éclairer.

— Où sont-ils ? Je ne les vois pas ! s'écria Marack qui tentait d'ajuster sa vision en plissant des yeux et ainsi percevoir le moindre mouvement dans la noirceur.

— Moi non plus, je ne les perçois pas ! Pourtant, je devrais au moins voir un peu de leur chaleur, surtout s'ils sont tout près, lui lança Arafinway espérant entrevoir quelque chose grâce à sa vision elfique qui lui conférait un léger avantage.

— Ils nous encerclent, ne les voyez-vous pas ?

Dorgen avait une vision plus adaptée à la noirceur et ses yeux pouvaient distinguer plusieurs formes de quadrupèdes. De la taille d'un loup, ceux-ci étaient moins trapus, mais très agiles avec une longue queue hérissée de pics. Tout à coup, les cris stridents des créatures déchirèrent la nuit.

— Se sont des rats squelettiques géants ! hurla Dorgen en réalisant ce à quoi ils avaient affaire et qui commençaient leurs assauts.

Les prédateurs avaient stratégiquement encerclé le groupe.

— Leurs attaques sont coordonnées, cria-t-il au guerrier. C'est plutôt rare pour ce type de morts-vivants. À moins qu'il n'y ait une présence plus maléfique pour les contrôler…

Marack vit trois de ces créatures fondre sur lui. Il allait prendre son marteau lorsqu'il réalisa qu'il n'avait qu'une hache pour repousser ses assaillants. Il savait que les armes contondantes étaient plus efficaces contre ce type de créatures, mais il allait devoir se contenter de frapper juste un peu plus fort avec le côté plat de son arme tranchante.

Dorgen qui pouvait les voir arriver prit position sur un petit monticule de pierre pour avoir l'avantage de la hauteur dans ce combat.

— Allez mes petits, je vous attends, par ici, les tas d'os… Je vais vous faire goûter à mon… à son marteau. Vous allez voir, laissez-moi vous le présenter à ma manière, espèce de pauvres amas de détritus sans cervelle !

Le nain n'arrêtait pas de parler aux quatre créatures qui tournaient autour du perchoir sur lequel il se trouvait. Les squelettes n'attaquaient pas Dorgen : on aurait dit qu'ils le surveillaient ou plutôt qu'ils étaient sous l'emprise du défi lancé par le petit guerrier.

Arafinway avait réussi à décocher quelques flèches mais réalisa très rapidement qu'il n'y avait aucune chair à laquelle les pointes auraient pu s'accrocher. Il changea sa tactique et leva bien haut son petit marteau.

— Si les flèches ne vous font rien, voyons comment vous réagissez à un marteau et son enclume !

Comme si la créature l'avait entendu, celle-ci s'élança en direction de l'éclaireur qui l'attendait de pied ferme. Dès l'instant

où le rat géant fut à sa portée, l'elfe l'abattit de toutes ses forces et lui fracassa une bonne partie de l'épaule.

Le marteau avait fait son travail et la pierre sur laquelle le rat avait décidé de s'avancer a joué son rôle d'enclume à merveille. La créature piqua du nez et, malgré la blessure infligée, réussit à se remettre sur ses trois jambes restantes. L'elfe débuta une petite cadence de martèlement et ne lui laissa aucune chance.

Seyrawyn et Bertmund tentaient d'éloigner tant bien que mal cinq rongeurs squelettiques qui essayaient de s'en prendre aux autres membres de la caravane. Malheureusement, le tranchant de leurs épées n'était pas aussi efficace que le plat des marteaux, qui avait un réel impact.

Miriel se servait de son bâton d'office comme d'une masse d'arme. Elle pouvait maintenir à distance les deux rats qui tentaient de percer sa ligne de défense pour atteindre les elfes et les apprentis. N'ayant aucune notion de combat, ceux-ci s'étaient réfugiés derrière la druidesse afin de bénéficier de sa protection.

Les coups de bâton occasionnaient des dommages aux créatures, mais jamais comme ceux des marteaux. Lorsque l'un des rats se plaça entre elle et le mur de la caverne, elle changea sa tactique. D'une simple parole, elle invoqua un bélier de force qui souleva l'un de ses ennemis et le fracassa, tête première, sur la paroi rocheuse. Le second bénéficia du même traitement en quelques minutes.

Chacun s'occupait fermement de sa horde de rats qui cherchait à atteindre les proies les plus faciles, terrées derrière leur protecteur respectif. Un cri déchirant, humanoïde cette fois, fit frémir et retourner les têtes de tous ceux présents à l'intérieur de la caverne.

Une créature longiforme et translucide, pas plus grande qu'un enfant, venait d'attraper par les jambes l'un des humains qui pensait être à l'abri de toute attaque. La créature avait tout simplement surgit du sol et escaladé sa pauvre victime. L'esprit maléfique qui contrôlait assurément cette bande de rats, maîtrisa instantanément le système nerveux de l'homme qui ne réagit plus. Seul son regard effrayé trahissait sa conscience, puis ce fut le néant.

— Ces squelettes ne sont qu'une diversion pour identifier et occuper les guerriers du groupe, s'écria Miriel.

La tactique avait bien fonctionné et elle avait fait une première victime. La seconde allait tomber dans quelques instants, tellement la surprise était complète.

Avant que la druidesse ou tout autre guerrier ne puissent réagir, une troisième proie, un elfe gris s'écroula sur le sol, paralysé par l'attaque de cette main translucide qui ne donnait aucune chance à ses victimes.

— J'entends une autre série de cliquetis sur les pierres, hurla Seyrawyn.

— Tu as raison l'elfe, il s'agit de leurs renforts, nous sommes perdus ! confirma Dorgen qui voyait les renforts arriver par un autre corridor.

La sagesse dictait une retraite.

— Quittons cette grotte maudite et repliez-vous à l'extérieur ! ordonna Miriel.

Cet ordre fut exécuté rapidement et tous les combattants ajustèrent leur stratégie de combat pour couvrir la retraite des derniers membres de la caravane.

Lorsque tout le monde fut à l'extérieur, la druidesse entama une incantation pour repousser les attaquants qui oseraient les suivre. Dès l'instant où elle débuta sa prière à son dieu, Marack repartit à la course pour retourner dans le nid des morts-vivants, elle ne comprenait pas le geste de son ami. Ne pouvant pas se permettre d'arrêter au beau milieu de son action sans risquer de voir sa magie se dissiper sans aucun effet, elle continua l'incantation.

Arafinway voulut porter secours à son compagnon, mais un simple regard de la part de sa cheffe lui fit comprendre qu'il devait rester auprès des autres pour assurer leur protection.

Miriel termina son sorts et une boule de lumière fit son apparition dans sa main et se mit à grandir et prendre de l'expansion. Celle-ci s'éleva vers l'entrée et éclaira suffisamment pour voir les dix premières foulées à l'intérieur de la grotte. La druidesse s'assura que la lumière couvrit l'embouchure en entier. Un rat se risqua à l'extérieur et se désagrégea instantanément au contact de cette lumière qui avait les mêmes propriétés que le soleil.

— Vite ! Nous devons partir, mon enchantement ne durera pas éternellement. De plus, nous venons de signaler notre présence à tous les habitants de cette montagne. Ara, Dorgen, prenez la tête. Allez tous, courez !

La cheffe donna cet ordre à contrecœur. Elle aurait aimé pouvoir retourner elle aussi dans la caverne pour porter secours à son ami.

Soudainement, le guerrier viking fit une sortie spectaculaire de la bouche de la caverne avec le coffre du mage sur son dos. Derrière lui, un essaim de rats squelettiques n'osaient pas avancer et pénétrer dans la lumière. Ils étaient tellement nombreux que ceux qui étaient derrière poussaient les moins fortunés qui étaient devant. Ceux-ci se désagrégeaient et leurs os faisaient de petits monticules de poussières balayés par le vent, gracieuseté de leurs amis qui les avaient poussés.

— Marack, par ici, vite ! lui lança la cheffe, soulagée de voir son ami sain et sauf.

Maintenant que le guerrier avait quitté la grotte, elle pouvait terminer la seconde partie de son incantation. De son Salkoïnas, elle invoqua une multitude de petits élémentals d'air qui se mirent à tournoyer autour de la tête de bélier. D'un mouvement vers l'avant, elle les envoya créer un immense mur d'air suffisamment large pour couvrir l'entrée de la grotte. La sphère s'éteignit aussitôt.

Cette manifestation du plan de l'élément de l'air généra, par des tourbillons rapides, des remous aussi puissants que ceux laissés derrière un knörr[22] avançant à pleine voile.

Lorsque les rats tentèrent de traverser ce rideau spumescent, ils furent repoussés violemment vers leur nid.

— Dépêche-toi ! Dès l'instant, où je vais cesser de me concentrer, le mur va perdurer pendant seulement quelques minutes. Une fois volatilisé, il leur sera possible de nous poursuivre dans la nuit.

Le petit groupe avait déjà pris ses distances à l'exception de Marack et de Seyrawyn.

— Va rejoindre le groupe Marack, je vais rester pour assister Miriel, proposa Seyrawyn à son compagnon.

Le viking n'aimait pas beaucoup laisser les autres faire ce pourquoi il avait été entraîné pendant presque toute sa vie. Miriel était sa responsabilité, pas celle des autres.

— Je ne peux pas partir, je n'y vois absolument rien.

---

[22] Knörr : drakar, bateau viking.

Une petite lumière fit son apparition dans la petite caravane au loin. Pendant que Marack argumentait avec Seyrawyn, Bertmund avait récupéré une petite lampe à l'huile qu'il utilisait normalement pour lire sans déranger ses camarades de La Temporaire. Son radius d'éclairage n'était pas très grand mais il était suffisant pour voir où ils mettaient les pieds.

— Maintenant tu peux voir. Va, je te jure que je vais la protéger. De toute façon, nous pouvons voir en partie dans le noir, alors laisse-moi l'aider.

— Très bien, mais ne t'avise pas à en faire ta mission de vie, ce mandat est le mien pour un bon bout de temps encore, l'avertit Marack qui partit, mécontent, afin de rejoindre le groupe.

Il garda un œil sur Seyrawyn aussi longtemps qu'il le put sans risquer de se casser le cou en effectuant un faux-pas.

Fermant la file avec Seyrawyn, Miriel fit un premier pas vers la noirceur et jeta un dernier coup d'œil en direction de l'antre maudit. Elle s'assura que son enchantement empêcherait les rats de les poursuivre. Lorsqu'elle jugea que tout le monde était suffisamment loin, elle laissa tomber sa concentration sur sa magie. Encore quelques minutes et le mur se dissiperait. Seyrawyn et elle partirent au pas de course pourchassant la petite lanterne qui se promenait au loin.

— Cette alcôve rocheuse est parfaite, faisons une pause, déclara enfin la cheffe à son groupe exténué.

Après avoir effectué une petite escale de deux heures, ils reprirent à l'aube, lentement mais sûrement, la piste dans les montagnes. Malgré toute la bonne volonté de chacun de ceux qui avaient repoussé les attaques de la nuit, Miriel ne pouvait s'empêcher de déplorer que trois vies additionnelles aient été raflées par ces créatures.

— Puisse Lönnar guider leur pas vers un endroit meilleur.

Marack continua de fermer la marche même s'il aurait préféré être au second rang avec sa cheffe. Il se rassura : encore trois petites journées et le passage étroit au-travers de ces montagnes serait chose du passé.

En après-midi, sous une chaleur tropicale, ils commencèrent la descente du flanc Ouest des Monts Krönen. La piste s'annonçait aussi rude que celle de la montée. Parfois en escarpements rocheux, parfois en pente raide, les roulis de cailloux se dérobaient sous leurs pieds et plusieurs membres de l'équipée faillirent perdre l'équilibre. Heureusement, hormis une foulure, personne ne fut blessé gravement et les Gardiens veillaient au moindre aspect ou bruit suspect.

La fatigue ainsi que le manque de nourriture commençaient à avoir raison d'Arafinway, l'éclaireur attitré du groupe. Avec bonté, celui-ci avait préféré laisser sa part au groupe d'elfe qui était ravi de pouvoir manger un peu plus, eux qui n'avaient jamais été confrontés à de telles circonstances auparavant. Cependant, cette délicate attention lui fit prendre de mauvaises décisions et certains détours inutiles.

La petite colonne déboucha enfin sur un petit plateau et l'elfe les y conduisit en espérant faire une pause. Soudainement, deux gigantesques tigrons adultes aux dents de sabre, mélange de tigre et de lion, surgirent devant eux en les menaçant. Férocement, le plus grand avança d'un pas vers le groupe pétrifié. Miriel s'interposa rapidement devant eux.

— Ce sont sans doute les parents du lionceau blessé qui gît à leurs pieds, les rassura-t-elle à voix basse. Un effondrement, une mauvaise chute, qui sait ce qui est arrivé. Cependant une chose est certaine : ils n'ont pas l'intention d'abandonner l'un des leurs ici. Reculez un peu, très doucement et je vais essayer de les maintenir à distance.

Le tigron géant s'arrêta et les gens reculèrent vers l'embouchure de la falaise. L'attente était spectaculaire et chacun retenait sa respiration.

— Guerriers, allez combattre ces créatures. Nous aurons un festin qui pourrait nous sustenter pendant plusieurs jours, murmura quelques-uns dans le groupe.

— Oui, allez-y ! On a vraiment faim !

Rapidement, la majorité des estomacs encouragèrent d'une voix plus forte l'assaut contre les deux félins.

Miriel n'était pas du tout d'accord avec la proposition culinaire qui avait été initiée. De plus, visiblement, les tigrons n'avaient

pas encore pris leur décision concernant la bande d'intrus qui venait de pénétrer sur leur territoire.

Les voix généraient une cacophonie qui allait en *crescendo*. Brusquement, l'un des deux poussa un seul rugissement qui les saisit tous. Quelques instants plus tard, une dizaine de ses congénères firent entendre leurs voix au loin.

Il n'a suffi que de trois minutes, suite à l'appel du chef, pour voir arriver, bondissant d'un rocher à l'autre, une bonne douzaine de ces félidés. Il pouvait y en avoir autant de cachés à proximité, car leur fourrure couleur sable leur permettait de se confondre avec les énormes pierres retrouvées un peu partout sur le flanc de cette montagne.

— Personne ne va attaquer ces animaux, déclara Miriel d'une voix forte. Marack, Ara, vous avez ordre de défendre ces fauves contre toutes nos attaques.

La druidesse n'avait pas l'intention de laisser qui que ce soit s'en prendre à ces créatures, d'autant plus qu'ils étaient en surnombre. Son mandat ainsi que celui de ses compagnons était de protéger le territoire et tous les animaux s'y trouvant. Ces tigrons à dents de sabre ne seraient certainement point chassés par son groupe.

— Oui cheffe ! répondit Arafinway d'une petite voix affamée.

Il ne savait plus où donner de la tête : prendre visée sur les fauves qui rugissaient de façon menaçante ou sur ses amis, comme Bertmund ou Dorgen et quelques humains armés de lances et de pierres, qui salivaient déjà à l'idée de manger du gros chaton pour le repas du soir.

Marack, de son côté, s'interrogeait une fois de plus : pourquoi se retrouvait-il toujours dans de pareilles situations lorsqu'il devait protéger Miriel ?

Sur les mots de la druidesse, plusieurs décidèrent de ne pas poursuivre les encouragements et cessèrent d'haranguer les guerriers.

Voyant que les esprits semblaient se calmer et que son viking avait pris position dans son dos pour la protéger et tenir en respect les membres de la caravane, Miriel débuta une série de petits chants en invoquant Lönnar. Elle pria pour un enchantement approprié à cette situation vraiment délicate.

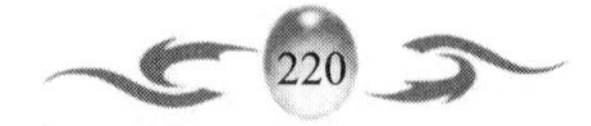

Lorsqu'elle eut terminé de fredonner, elle s'avança vers le plus gros tigron au pelage parsemé de gris, celui qui inspirait un charisme reconnu par sa communauté. Les voyageurs restèrent stupéfaits devant le spectacle : leur cheffe semblait dialoguer dans une langue inconnue avec le grand félin.

— Pardonnez-nous si nous avons traversé votre territoire mais les gens qui m'accompagnent ont été séparés de leurs familles. Je m'efforce de les ramener par le chemin le plus court vers leur Clan.

L'ancêtre, observant cette elfe lui parler dans sa propre langue, apprécia le geste de courtoisie et décida de s'entretenir avec celle-ci.

— Je m'appelle Maleor et tu m'honores en parlant ma langue. Qui es-tu pour savoir comment discuter avec ceux de ma race?

— Je suis une druidesse de Lönnar et mon dieu m'accorde la faveur de pouvoir vous parler et ainsi parvenir à une entente pour notre passage sur votre territoire.

Voyant que leur doyen dialoguait avec cette créature à deux pattes aux oreilles pointues, le reste de la communauté adopta une attitude moins hostile envers le contingent d'humanoïdes.

— Je crois avoir remarqué que l'un de vos lionceaux semble être blessé. Peut-être, si mes compétences me le permettent, pourrais-je lui administrer quelques soins afin de le remettre sur ses pattes. Tout dépendra de la blessure qui l'afflige.

— En effet, ce petit est blessé. Ses parents le cherchaient et il semblerait qu'il ait fait une mauvaise chute. Je vais te permettre de t'approcher de lui et de regarder ses blessures. Si tu peux alléger ses souffrances, tu pourras bénéficier de notre protection pendant une journée. Nous t'accompagnerons jusqu'aux limites de notre territoire. Dans le cas contraire, étant donné qu'aucun mal n'a été porté d'un côté comme de l'autre, nous vous laisserons partir dans la direction que vous désirez, à condition que tu me promettes que tes semblables n'attaqueront pas ceux de mon espèce pendant leur séjour sur nos terres.

Miriel acquiesça aux termes de l'entente proposée par Maleor. Après une série de petits rugissements en direction des parents du lionceau, la druidesse eut la permission d'aller évaluer l'état du jeune félin qui avait quand même la taille d'un très gros chien.

— N'aie pas peur, petit, et dis-moi où tu as mal afin que je puisse t'aider.

Il était déjà reconnu que les paroles de la druidesse avaient un effet calmant sur les animaux. La frayeur du jeune fauve envers cette elfe s'atténua et il la regarda avec un peu plus de curiosité, comme une nouvelle amie d'un autre clan en visite.

— C'est mon ventre et mon épaule qui me font mal.

Miriel inspecta le ventre qui était très écorché, comme s'il avait glissé sur un escarpement de roche avant de se heurter l'épaule sur un rocher lors de sa descente. Les écorchures étaient ensanglantées, mais rien de grave ne pouvait être perçu.

Les muscles de son épaules étaient ni étirés ni même déchirés. Miriel pouvait voir que la peur avait été son plus grand mal suite à sa dégringolade. Elle prit son Salkoïnas, prononça quelques incantations et posa sa main sur l'épaule du félin. Ses enchantements de guérison n'étaient pas parmi les plus puissants, mais ses effets furent ressentis presque immédiatement.

Les éraflures se cicatrisèrent et l'enflure au niveau des muscles de son épaule diminua de moitié. Voyant que le jeune lionceau était en mesure de se tenir debout sans trop souffrir, Maleor avisa sa communauté de l'entente qu'il avait passée avec la druidesse. Une escorte de six guerriers félins s'alignèrent, prêts à les accompagner jusqu'à la lisière de leur territoire.

Miriel remercia le doyen en s'inclinant et se retourna pour annoncer la bonne nouvelle à sa petite caravane.

— Mission accomplie, nous avons maintenant une protection et des gardes pour cette nuit ainsi que pour les prochains jours.

— Madame, je suis abasourdi, déclara solennellement Bertmund dans une révérence exagérée. Je savais que les druides avaient une façon de faire avec les animaux, mais je ne me serais jamais douté de l'étendue de ce pouvoir. Merci de m'avoir permis de participer à une telle démonstration.

Le barde était littéralement impressionné par cette preuve de pouvoir sur les créatures. Il sortit l'un de ses nombreux petits grimoires qu'il trimbalait toujours dans son sac de voyageur et y nota, avec nombre de détails, l'expérience à laquelle il venait d'assister.

— Merveilleux, nous allons avoir six gros chatons qui vont nous regarder pendant deux journées entières comme si nous étions des hors-d'œuvre, grommela le viking.

— Je ne suis pas sorti d'une prison de Yobs pour terminer mes jours comme une boule de poils prise dans la gorge de l'un de ces gros chats, rajouta le nain en grognant.

Dorgen repartit s'asseoir sur un rocher tout en proliférant des insultes à tout ce qu'il pouvait rencontrer. Même la pierre n'avait pas la bonne couleur selon lui.

— Nous avons l'autorisation de camper ici. Comme la nuit dernière n'a pas été très bonne, nous aurons la chance, cette fois, de récupérer un peu.

— Bien cheffe !

Arafinway était ravi que la situation tendue se soit résorbée, il n'aurait pas aimé avoir à combattre les rescapés, surtout dans l'état de faiblesse où il était.

— Je suis content que tu aies pu résoudre cette problématique sans passer par les armes, dit Seyrawyn en regardant Miriel avec un large sourire. Je savais que j'avais fait un bon choix.

Il aimait ce qu'il voyait chez les druides de Lönnar. Après avoir fait son commentaire à sa nouvelle amie, il repartit prendre sa position favorite à l'écart et sur un escarpement pierreux. De là, il pouvait voir la communauté de fauves qui résidait précisément en cet endroit. Il en compta une trentaine. Si la situation s'était réglée autrement qu'avec la diplomatie de la druidesse, le petit groupe aurait eu droit à une attaque en règle et personne n'en serait sorti vivant.

Marack resta un peu en retrait, assis sur son coffre et regarda au loin les lions patrouiller les alentours. Miriel voyait bien que quelque chose le tracassait et décida d'aller le voir pour en discuter.

— Pourquoi boudes-tu tout seul dans ton coin ? Nous avons presque réussi à traverser la montagne et, pour la suite, nous allons bénéficier de la protection des guerriers de Maleor. C'est une bonne nouvelle, alors qu'est-ce qui te rend aussi songeur ?

Le viking la regarda longuement en silence puis, en une seule phrase, il défila ce qui le rendait si amer.

— Tu avais raison, voilà, tu avais raison ! Ce maudit coffre m'empêche de pouvoir accomplir ma tâche et, malheureusement, je ne peux l'abandonner car j'ai donné ma parole, la tienne et celle d'Arafinway à ce mage. Je n'aurais jamais dû accepter cette quête qui fait en sorte que je suis toujours loin derrière et non à tes côtés pour assurer ta protection.

— Je sais, j'ai toujours raison ! La prochaine fois, ne sois pas aussi prompt à accepter des aventures contre un paiement en pièces sonnantes. Tu n'y as vu que ton intérêt et oublié que nous avions déjà des responsabilités en tant que Gardien du territoire.

— Je comprends ! acquiesça-t-il du ton de celui qui en a lourd sur les épaules.

Miriel savait qu'elle ne réconfortait pas son ami mais elle voulait lui faire comprendre qu'elle était la cheffe et que, la prochaine fois, ce serait elle qui parlerait pour tous.

Marack, malgré sa force, son expertise dans l'art du combat et sa mission personnelle envers la druidesse, n'était pas nécessairement un meneur dans l'âme. Cette vocation n'étant pas destinée à tous, chacun était important et devait s'acquitter de son rôle au sein du groupe.

La cheffe commençait à réaliser que pour s'assurer du succès de ses missions, il lui faudrait d'autres compagnons. Ce sera un point de plus à discuter avec le Gardien du Secret à Feygor avant de retourner en patrouille. Pour l'instant, elle avait fort à faire, sa mission n'étant pas encore terminée.

Le reste de la journée se passa bien, malgré les éboulements et les coupures sur les rochers acérés. En outre, le simple fait de ne pas avoir à s'inquiéter des créatures maléfiques ou de leurs poursuivants apportait un sentiment de sécurité fort apprécié par les voyageurs.

Au crépuscule, à la montée du campement pour la nuit, un cadeau inattendu fut offert par les parents du lionceau. Ils apportèrent à la petite caravane la carcasse d'un large cervidé en guise de remerciement pour les soins prodigués à leur plus jeune. L'idée de savourer un repas composé de viande braisée était tout ce qu'il fallait pour créer une bonne humeur contagieuse.

Arafinway était soulagé de pouvoir enfin manger quelque chose de consistant. Il ne voulait surtout pas avouer à Miriel ce qu'il avait fait de ses précédentes rations.

La cheffe nota avec satisfaction que Marack et même le nain affichaient un sourire devant le rôti en train de cuire sur le feu. Elle espérait sincèrement qu'il y en aurait assez pour nourrir le petit groupe pendant encore quelques jours. Une fois tous rendus à la base de la montagne, il ne resterait qu'une semaine de marche avant d'atteindre Hinrik.

Dès le lendemain et grâce à l'escorte des guerriers tigrons, la petite caravane se rendit sans autres accrocs jusqu'aux abords de la forêt. Miriel invoqua de nouveau son enchantement de dialogue et remercia l'escorte de leur aide. Elle n'oubliera jamais l'action honorable de Maleor, un futur allié peut-être.

Soudainement, un grand rugissement de douleur coupa court à leurs adieux. Le chef de l'escorte se retourna promptement et aperçut l'un des siens en train de se faire massacrer par une dizaine de Sottecks en furie.

— Allez-vous-en, maintenant ! rugit-il à Miriel en bondissant sur le haut de la falaise et en donnant la charge aux belliqueux.

La druidesse ordonna à sa colonne de s'enfuir au pas de course dans la forêt. On entendait au loin les Sottecks succomber les uns après les autres.

Ils coururent encore quelques heures et lorsque Miriel vit au-dessus de l'horizon la cime bleutée du grand châtaignier d'Oc'h, elle ordonna de monter le camp.

Les terres du côté Ouest des Mont Krönen étaient normalement patrouillées par plusieurs groupes de Gardiens, surtout des groupes de novices. Cet exercice faisait partie de leur entraînement des dernières années. Comme il était fort probable de les rencontrer à moins de quelques jours de distance d'Hinrik, Miriel souhaitait ardemment venir à leur rencontre.

Au matin du deuxième jour en forêt et afin de se changer les idées, Marack décida de revenir sur la ligne de front aux côtés de Miriel. Il avait besoin d'un répit. Par chance, il n'y avait qu'un seul nain dans leur équipage, il n'osait pas imaginer ce que serait la compagnie d'un contingent de cette race. Être fatigué et avoir

une humeur maussade est une chose, mais être le compagnon de voyage d'un nain qui n'est jamais content de ce qui lui arrive et qui lui parle sans arrêt de ses mésaventures représentait une torture que personne ne supporterait en demeurant sain d'esprit.

Il préférait ne plus y penser; encore quelques jours et le tout serait terminé. Il redeviendrait un groupe de trois et ses épaules pourraient enfin prendre un repos bien mérité.

Le viking n'était pas le seul à avoir décidé de se reprendre en mains. Seyrawyn qui avait été plutôt absent ces derniers jours, non pas physiquement mais moralement, semblait avoir retrouvé une joie de vivre qui était contagieuse.

Tout le long de la traversée des montagnes, celui-ci donnait l'impression de ne pas être à sa place. Ses réflexes étaient ralentis, il avait une attitude plus solitaire et ne posait plus aucunes questions aux Gardiens de Lönnar.

Même Bertmund, avec qui il avait tissé quelques liens, n'arrivait pas à le faire parler plus de cinq minutes. Mais depuis qu'il se retrouvait sous les arbres, il était redevenu un elfe curieux et souriant.

Arafinway, qui allait beaucoup mieux, avait repris son rôle d'éclaireur. Il signala subitement un intrus au reste du groupe.

— Uu ouiouioui shushushu, uu ouiouioui shushushu !

Malheureusement, malgré les efforts qu'il mettait à s'appliquer à la tâche, les signaux demeuraient encore un grand mystère pour la plupart de ses coéquipiers. Marack et Miriel s'efforçaient de faire la différence entre les divers chants. Malheureusement, ils avaient toujours une petite variante, ce qui rendait très difficile l'identification du type de danger rencontré.

Immédiatement et sans se consulter, lorsque l'éclaireur tenta une autre de ses imitations, tout le monde s'accroupit en silence et se trouva une cachette.

— C'est lequel selon toi ? demanda Marack à Miriel, qui venait de s'agenouiller en tentant de se fondre dans le décor malgré l'énorme coffre en bois qui dépassait sa tête de quelques coudées.

— C'est la bécasse à cou long, c'est facile… c'est toujours le premier signal qu'il fait lorsqu'il rencontre quelque chose de non identifié, chuchota-t-elle.

— *Twi twi twi twi idou, twi twi twi twi idou idou !*

— Maintenant, de quel oiseau s'agit-il ?

— C'est la fauvette, mais laquelle ? À capeline ou l'épieuse ? murmura la cheffe.

— Moi, je ne prends plus de chance, grogna le viking. Je ne bouge plus et je te conseille de faire la même chose. Attendons de voir ce qui va se passer.

Après avoir attendu une bonne dizaine de minutes, un troisième chant se fit entendre.

— *Thi chu chu chu, wi wi wi, chu chu chu, wiiiiii !*

— Je crois que cela veut dire que tout va bien, mais si c'est le cas, il a encore modifié le chant.

— Miriel, il faut que tu lui parles. J'ai promis de ne plus rire de ses gazouillis, mais j'aimerais bien savoir si je dois charger ou me cacher à chaque fois que j'entends l'un de ses signaux.

Miriel regarda son ami, d'un air compréhensif et acquiesça de lui en glisser un mot.

— Ils sont partis, nous pouvons y aller, lança subitement Seyrawyn en apparaissant à leurs côtés.

Miriel et Marack sursautèrent au même moment. Aucun des deux n'avait perçu la présence du nouveau-venu, étant trop occupés à débattre sur le type de signal qui leur avait été donné.

— Seyrawyn, mais d'où sors-tu comme ça ? Tu étais supposément derrière nous !

— Je suis allé voir ce qu'Ara avait découvert et oui, je suis d'accord avec vous, ses imitations laissent quelque peu à désirer, mais bon, c'est un elfe, il a encore plusieurs dizaines d'années pour pratiquer, non ?

Marack accrocha sur le dernier commentaire de son nouvel ami. Quelques dizaines d'années pour y arriver semblaient un peu trop long à son avis. Il se retourna vers Miriel et la fixa avec de grands yeux pour bien lui signifier qu'il n'attendrait certainement pas aussi longtemps.

— Je vais m'en occuper, rétorqua la druidesse à son guerrier.

— Es-tu en mesure de me dire de quoi il s'agit, maintenant qu'ils sont partis ?

— Bien sûr : il y avait environ vingt-quatre Mourskhas qui retournaient en direction des rocheuses. Sans doute longent-

ils les montagnes depuis leur pointe ou ont-ils tout simplement fait comme nous et passé au-travers.

La druidesse resta bouche-bée.

— Une large patrouille de Mourskhas, du côté Ouest des Monts Krönen ? Décidément, ces envahisseurs deviennent de plus en plus téméraires dans leurs incursions sur nos terres, marmonna le viking.

— Miriel ! Miriel, tu ne devineras jamais ce qu'il y avait, lorsque je vous ai avisé ! annonça l'éclaireur en arrivant en hâte.

Marack, mis une main sur son front, puis l'autre devant lui comme s'il tentait d'invoquer une magie divinatoire. Puis, jouant à fond la comédie, il s'adressa à son ami en gardant les yeux fermés.

— Tu as vu vingt… non vingt-quatre Mourskhas qui patrouillaient les abords de nos terres.

— Tu vois ! Tu sais faire de la magie comme Miriel ! s'exclama Arafinway, ébloui par la description si précise que le guerrier venait de lui donner.

— Oui, en effet, j'ai le même don que toi pour lire les runes, répondit-il en tentant de demeurer sérieux.

Puis il se leva et fit signe, non sans un soupir, au reste du groupe qu'ils pouvaient tous reprendre la marche.

Arafinway mit quelques instants avant de réaliser que son ami venait de se moquer de lui de la même façon qu'il l'avait fait lors de la lecture du parchemin. Il regarda Miriel qui lui fit un large sourire. Il s'élança comme un enfant allant faire un mauvais coup, à la poursuite de son ami afin de l'asticoter un peu.

— Est-ce une façon normale de procéder par mensonges comme à l'instant ? demanda Seyrawyn, quelque peu confus.

— À vrai dire, je crois que oui pour ces deux-là, lui répondit la druidesse. Et ma foi, je suis bien contente de constater que certaines choses reviennent à la normale.

D'autre part, Miriel était tout de même très préoccupée. Le fait d'avoir rencontré une patrouille ennemie aussi près d'Hinrik n'était pas une nouvelle qui serait bien accueillie par Marack père.

Chapitre 18
Frustrations

Le jour de son départ pour Udrag, soit au début du troisième mois suivant la première lune, un colosse d'un peu plus de quinze coudées se présenta à Dihur. Le Grand Druide avait accéléré ses préparatifs en espérant vainement que son chaperon manquerait à l'appel. Il fut rapidement déçu en apercevant le mastodonte ayant, pour seul bagage, un large sac en bandoulière.

— Je suis Tyroc, on peut y aller, je suis prêt, lui annonça-t-il de sa voix rauque.

De toute façon, ce furent les seules paroles que ce géant de pierre prononça de toute cette première journée de travail.

Le Premier Vizir, cimeterre à la ceinture et besace rondouillette à la hanche, fut également escorté par cinq Yobs, une dizaine de Sottecks et une vingtaine de Mourskhas qui transportèrent le matériel.

Tyroc avait toujours une expression faciale stoïque, voire quasi pétrifiée. Aucun sourire, aucune réaction, toujours de glace face à tout ce qui pouvait survenir. Il accomplissait tout ce qui lui était demandé à condition que cela ne contrevienne pas à son rang dans la hiérarchie des Géants de pierre.

Durant les deux semaines que dura le trajet entre Pyrfaras et Udrag, aucun incident ne fut digne de mention, outre les quelques créatures rencontrées lors de la traversée du col des Monts Sythéins. La délégation de Dihur avait d'ailleurs été soigneusement choisie comme une force de frappe à laquelle aucun prédateur n'aurait jamais osé se mesurer.

« Ce voyage est d'une monotonie… se dit Dihur à lui-même en suivant la cadence de sa caravane, et cela fait bien mon affaire. Je n'aurais certes pas apprécié d'avoir à dialoguer

avec mon mouchard de chaperon. Tant mieux s'il se contente de veiller à ce que mes ordres soient exécutés le plus rapidement possible… J'ai enfin du temps pour échafauder mes plans. »

Les Géants de pierre semblaient patients pour la plupart des choses mais Tyroc ne donnait pas l'impression qu'il accorderait une seconde chance à aucun subalterne. Les rumeurs laissaient même sous-entendre qu'il avait déjà lancé un Mourskhas à bout de bras sur une distance de plusieurs coudées, juste parce que celui-ci s'était assoupi lors de son tour de garde. Personne ne voulait servir de projectile en fonction de l'humeur de ce Géant, pas même un Yob.

— J'ai échangé une prison pour une autre ! constata Dihur en regardant les nombreuses missives qui s'accumulaient sur sa table.

Il aurait préféré comploté plus directement avec certains de ses disciples, mais Tyroc avait reçu un mandat très particulier le concernant.

Le géant, d'une intelligence surprenante, lui avait bien fait comprendre que sa seconde mission était de lui acheminer toutes les informations concernant les rapports de patrouilles, les réquisitions des troupes et toutes autres demandes et ce, dès l'instant où celles-ci arriveraient à Udrag. Il avait même pris l'initiative d'ordonner personnellement aux troupes qui partaient en patrouille de ne pas revenir sans rapport de mission écrit.

Ainsi, la quantité de missives strictement insignifiantes fut tout bonnement décuplée. Dihur n'arrivait même plus à les lire toutes.

— Vingt jours cloîtrés dans cette malheureuse ville d'Udrag et une ombre qui me talonne sans relâche, quelle misère !

Il en avait assez. Au début, l'idée de pouvoir recevoir les nouvelles directement des zones de combat lui donnait une énergie et un espoir de renouveau dans sa quête pour l'obtention du territoire et surtout dans sa recherche de *La Source*. Cette espérance s'estompa rapidement sous la bureaucratie.

Quelques rapports en provenance de ses disciples arrivèrent jusqu'à lui. Malheureusement, aucun d'entre eux ne faisaient état de la capture d'un druide de la faction ennemie. Il y avait des morts lors des engagements mais, selon ses adeptes, les corps identifiés n'étaient que des éclaireurs ou des guerriers. Quelques fois, un magicien avait été surpris par un archer.

Un rapport attira cependant son attention.

> « À l'ouest du Puy de la lance de Skirmir / Large caravane de marchands interceptés partiellement par un groupe de Yobs terrés dans un avant-poste secret dans une petite colline, parcourut-il. Repoussés par un mage qui lançait des boules de feu / Accompagné par un groupe de soldats tous vêtus des mêmes couleurs : bleu, blanc et noir / Pas de trésor / Pas de prisonniers. »

Cette missive l'avait suffisamment intrigué pour la lire à voix haute et effectuer un petit suivi auprès des commandants de garnison qui patrouillaient dans cette partie de forêt.

— Tu n'es pas obligé de me suivre partout, tu peux t'occuper autrement, serviable Tyroc !

— Non, je t'accompagne ! répondit le Géant sur un ton monocorde.

— Je t'ordonne de rester ici !

Par désespoir, Dihur tentait de se défaire de cette ombre trop envahissante. Le géant lui fit simplement la sourde oreille. Son roi lui avait demandé de suivre, de protéger et, surtout, de surveiller le Premier Vizir. Cette tâche royale était la sienne.

Dihur aurait pu à maintes reprises s'esquiver de son garde-du-corps, mais il aurait eu à donner des explications au roi pour chacune de ses escapades. Le faire disparaître carrément n'aurait fait qu'alimenter de nouveaux soupçons à son égard.

De plus, agir de la sorte lui aurait coupé toutes autres possibilités de quitter à nouveau la capitale. Il était pris au piège et il cherchait désespérément une stratégie quelconque. Ce colosse devait bien avoir une faiblesse, afin qu'il puisse l'utiliser pour exercer une certaine pression sur lui.

— Bon, très bien alors, accompagne-moi puisque tu insistes.

Tyroc fit un large sourire amusé, dès que le Premier Vizir se retourna pour diriger ses pas vers les baraquements des patrouilles.

Dans chacun d'eux, tous prêtaient une attention spéciale aux questions posées par Dihur. Le fait d'avoir une montagne derrière lui ne faisait que renforcer ses propos. Le Grand Druide avait enfin trouvé une utilité à cette grosse bête, même si son assistance n'était pas requise pour obtenir des informations; il aurait vite fait de faire passer son message avec une incantation ou deux.

Après quelques incursions dans les quartiers des soldats, Dihur trouva enfin celui qu'il recherchait. Il s'agissait d'un des chefs de patrouille, un Yob du nom de Kaltrup, réputé pour ses attaques sanguinaires. Selon les rumeurs, la force brute était tout ce que cette créature respectait.

— C'est toi qui as mené une attaque sur une caravane avec un magicien, il y a de cela plus de vingt jours maintenant ?

— Et qui veut le savoir ?

Dihur resta surpris de l'arrogance de ce Yob à son égard. Ne le percevant pas comme étant une menace à l'égard du Vizir, Tyroc était demeuré un peu plus en retrait, dans l'ombre.

— Moi, je désire le savoir et tu as intérêt à me répondre rapidement avant que je ne perde patience ! le toisa Dihur qui n'avait pas l'habitude de se faire traiter de la sorte par un subalterne.

— Toi, tu n'es rien. Moi ici, je suis puissant. Regarde tous les soldats qui sont autour de moi. Je n'ai pas de temps à perdre avec un sbire de ton espèce. Je dois repartir en patrouille et tu me gênes.

Kaltrup se retourna et tourna le dos à l'étranger qui venait lui donner des ordres sous son toit. Ses hommes étaient là et assuraient ses arrières, il était leur chef et tous lui devaient fidélité.

Dihur leva les bras, exaspéré, et invoqua une puissante magie de vengeance. En quelques instants, toutes les flèches, armes d'hast[23] ainsi que les haches et marteaux de guerre autour du chef

[23] Armes d'hast : armes composées d'une lame ou d'une pointe métallique fixée au bout d'un long manche, généralement en bois, appelé hampe.

de patrouille se transformèrent en autant d'agressifs serpents noirs. Plus d'une trentaine de créatures sifflaient en tournoyant, prêtes à bondir au moindre signal. Le chef se retourna lentement, Dihur avait maintenant toute son attention.

— Mon nom est Dihur, Premier Vizir et Premier Conseiller du grand roi Arakher, lui dicta-t-il d'une voix de tonnerre. Maintenant, raconte-moi exactement ce qui s'est passé lors de l'attaque de cette caravane. J'ai tout mon temps et n'aie crainte, mes serpents venimeux ne t'attaqueront que sur mon ordre, à moins que toi ou l'un de tes loyaux soldats ne décident de tenter sa chance.

Les soldats sous le commandement de Kaltrup se tenaient maintenant loin de leur chef et rasaient les murs. Le Géant qui regardait dans l'embrasure de la porte n'avait pas encore bougé et observait avec intérêt le déroulement de la scène.

— Je vais te dire tout ce que tu veux, ô Grand Vizir ! gémit

— Le Yob avait une peur bleue de la magie. Ne fais pas attaquer tes serpents, je vais te dire tout ce que je sais sur ces hommes aux drôles de déguisement.

Dihur écouta avec attention tous les détails de la rencontre avec la caravane, le genre de voyageurs, leurs soldats, leurs tactiques de défense.

Dihur apprit que la patrouille de Yobs avait subi de lourdes pertes.

— Seul un petit nombre a survécu sous mes ordres et plusieurs ont été brûlés très sévèrement par les boules de feu magiques qui ont été lancées sur nous.

— Et qu'avez-vous ramassé ?

Le Vizir savait qu'une bonne partie des trésors saisis au nom du roi allaient directement dans les coffres des officiers. Le pouvoir avait un prix et il fallait l'entretenir avec divers pots-de-vin. Si la force et le rang n'arrivaient pas toujours à inspirer le respect, les sommes déposées dans les bonnes bourses assuraient une certaine loyauté.

— Dans ce cas-ci, rien de valeur n'a pu être vraiment récupéré… quelques armes peut-être… La caravane avait visiblement déjà été attaquée auparavant, ajouta le chef pour sa défense.

— Qui les avait attaqués avant vous ?

— Je n'en sais rien, je vous le jure !

Un autre mage sur les terres de l'Ouest n'était jamais un bon présage, surtout un invocateur du feu. Le Vizir aurait aimé en apprendre un peu plus de la part de son interlocuteur qui déballait tout ce qu'il pouvait tirer de sa mémoire concernant cette rencontre, mais le mal était fait, le mage avait survécu.

— C'est bien, j'en ai assez entendu, tu peux t'arrêter maintenant! ordonna Dihur d'un air désinvolte en levant la main pour lui imposer le silence.

— Faites disparaître les serpents maintenant que je t'ai tout dit ! implora le Yob qui n'osait plus bouger de peur de se faire mordre.

— En effet, tu me sembles sincère et je me sens magnanime aujourd'hui, je vais annuler mon sortilège.

Dihur se retourna et au moment il allait d'un simple gestuel mettre fin à son enchantement, il s'adressa une dernière fois à Kaltrup.

— Mais… il y a ce tout petit détail que j'allais oublier… le non-respect envers l'un de tes supérieurs est un acte de mutinerie qui suppose des conséquences... J'ai changé d'idée : ton attitude mérite des représailles.

En un claquement de doigts, Dihur ordonna à tous ses serpents d'attaquer la proie qui leur était désignée. Ceux-ci obtempèrent immédiatement et sautèrent sur le chef, déchirant les chairs sous des hurlements sinistres. Malgré les ordres lancés par Kaltrup pour obtenir de l'aide, aucun soldat n'osa bouger de peur de s'exposer à la furie du Vizir.

— Maintenant que vous savez tous qui je suis, tonitrua Dihur, vous me devez entière coopération ! Je ne veux plus apprendre qu'un magicien a pu se faufiler sur les terres de l'Ouest. De plus, faites circuler que je m'attends à des réponses immédiates lorsque je pose une question. Est-ce bien compris ?

Sans hésitation, chaque soldat acquiesça à l'ordre imposé sous l'autorité du roi : celui qui se trouvait devant eux ne pardonnerait pas la désobéissance. Le corps de Kaltrup gisait en plein milieu

du bâtiment et les serpents continuaient de siffler et de souffler tout en se promenant sur la carcasse inerte du défunt chef de patrouille.

— Ramassez-moi ce sot et faites reconduire ses effets personnels ainsi que ses coffres à mes appartements. Voici ce qu'il en coûte de retenir une part des trésors qui sont destinés au roi de pierre. J'espère que je n'aurai pas à revenir en ces lieux pour faire un second renforcement de ces règles primaires !

En sortant du baraquement, Dihur claqua de nouveau des doigts et tous les serpents reprirent leurs formes d'armes originales. Ragaillardi, le Grand Druide appréciait cette petite escapade qui lui avait changé les idées.

Levant les yeux, il s'adressa à son escorte.

— As-tu quelque chose à redire sur mes méthodes ?

— Non, rien du tout. Ce n'était qu'un Yob sans importance à mes yeux.

— Merveilleux ! Enfin une réponse qui me plaît.

Dihur s'accordait encore un mois avant de rebrousser chemin vers la capitale. Il espérait qu'une très bonne nouvelle lui parvienne pour justifier son déplacement. Dans le cas contraire, il devra réviser sa stratégie et sa position auprès du roi.

Chapitre 19 — Repos à l'auberge

Dans quelques jours, la petite caravane de Miriel allait rejoindre la ville d'Hinrik, au grand soulagement de ses rescapés. Marack n'en pouvait plus d'entendre grogner son minuscule compagnon et chacun aspirait à un repos bien mérité.

Non loin d'eux, quelques groupes de futurs Gardiens patrouillaient les abords des Monts Krönen en compagnie de leurs instructeurs et Miriel en profita pour échanger des informations. Elle s'empressa de les aviser du danger imminent que représentaient les intrus qui avaient osé s'aventurer aussi loin sur leur territoire. Ils reprirent ensuite leur route et, en cette douce soirée d'été, la conversation autour du feu fut vraiment agréable.

— Dis-moi Miriel, quel est cet arbre à la teinte bleutée que je peux apercevoir au loin ? demanda Seyrawyn vivement intéressé.

— Ceci, mon cher, est notre fameux châtaignier d'Oc'h. C'est le seul de son espèce sur tout le territoire de l'Ouest. Il mesure plusieurs centaines de coudées de haut et je te laisse imaginer sa circonférence !

— Si nous pouvons le voir de cette distance, c'est qu'il est gigantesque ! commenta Bertmund qui venait de rejoindre les deux compagnons.

— Vous allez avoir la chance de l'observer de plus près car il se trouve directement sur le chemin que nous devons emprunter. Il s'agit d'ailleurs de l'un de nos points de repère pour se rendre à la ville fortifiée d'Hinrik, résuma la druidesse.

— C'est parfait, je vais pouvoir admirer cet arbre de plus près ! annonça Seyrawyn, enchanté de pouvoir grimper sur cette merveille de la nature dans quelques jours.

Le troubadour profita de l'occasion pour poser quelques questions sur la destination finale du convoi.

— Madame, pourriez-vous me parler un peu plus de cette ville où nous devons nous rendre ?

— Mais bien sûr, répondit-elle gentiment. C'est Lassik Patte d'Ours, un gentil Géant des montagnes du Clan des Loups des neiges, qui a négocié ce miracle.

— Et je suis tout à fait d'accord avec lui ! acquiesça Marack pour ajouter son grain de sel dans la conversation. Il s'agit d'un cadeau de bienvenue de la part de nos voisins une faction de Géants qui demeurent dans les montagnes d'Orgelmir. Une cinquantaine de géants de ce Clan ont construit des murailles de bois et plusieurs petites bastides pour fonder un village fortifié qui pouvait accueillir un peu plus de 2 500 âmes. Ils ont travaillé pendant plus de quatre mois à défricher le terrain pour accomplir cette tâche titanesque.

— Même avec leur force légendaire… cela nous aurait pris au moins le double du temps requis ! ajouta Arafinway à son nouvel ami qui prenait des notes à toute vitesse dans son petit grimoire.

— Les Géants ont érigé des défenses gargantuesques. Il y a une palissade d'une quarantaine de coudées de haut qui encercle la ville. Ils se sont littéralement amusés à construire cette forteresse pour nous, compléta Marack sur un ton admiratif envers le génie de ce Clan.

— Ils ont construit cette forteresse sans rien demander en échange ? s'enquit Bertmund.

— C'est l'entente qui a été négociée par Lassik. Étant lui-même l'un des premiers Gardiens du Secret et du territoire, le titre d'ambassadeur lui fut conféré par la communauté des elfes et des vikings, renchérit l'éclaireur.

— Je crois également, murmura Miriel, que ceux de sa race ont fait ce geste d'amitié afin de rendre heureux l'un des leurs, qui n'avaient pas les mêmes affinités que le reste du Clan. Depuis notre arrivée, Lassik s'est toujours mieux senti en notre compagnie qu'avec celle de ses pairs et son choix de demeurer parmi nous n'a pas été très difficile.

Les trois compagnons étaient ravis à l'idée de remettre les pieds dans un endroit familier. Pourtant, il ne s'était écoulé que quelques mois depuis leur départ pour Alvikingar et leur ascension au rang de Gardiens du territoire.

Néanmoins, après avoir surmonté toutes les épreuves lors de leur première affectation, les palissades de la ville fortifiée d'Hinrik invoquaient en eux un sentiment de sécurité qui était le bienvenu.

Le châtaignier d'Oc'h grandissait de jour en jour. Celui-ci se trouvait à quelques heures de la ville et c'est un Seyrawyn émerveillé qui resta bouche bée devant cette création de la nature.

— Il est énorme, comment est-ce possible ? Je n'ai jamais rien vu de tel !

Le dreki contemplait chaque parcelle du tronc à sa base et mesurait la largeur des racines qu'il pouvait deviner s'enfonçant dans le sol.

Miriel avait ordonné un moment de répit à tout le groupe afin de permettre aux principaux intéressés, Seyrawyn et Bertmund notamment, d'observer de plus près cet arbre particulier.

Lorsque vint le moment de repartir vers l'Est pour atteindre Hinrik, qui n'était qu'à une heure ou deux de marche du châtaignier, l'un des membres du groupe s'objecta.

— Allez-y sans moi, je vais vous attendre ici.

La druidesse ne comprenait pas pourquoi, après tant d'insistance pour les accompagner, Seyrawyn préféra rester à l'écart maintenant qu'ils étaient presque arrivés à la ville.

— Tu es certain que tu désires rester ici plutôt que de nous accompagner pour voir quelque chose d'aussi intéressant que cet arbre, soit une ville remplie de personnes toutes aussi différentes les unes que les autres ? lui demanda-t-elle, intriguée.

— Oui, cet endroit me convient parfaitement, répliqua-t-il, impatient de pouvoir se transformer et de faire l'ascension de cet arbre.

La druidesse respecta le choix de son ami, sans comprendre les raisons qui le poussaient à se retirer. Sans doute l'appel de sa nature le poussait-il à vouloir grimper dans cet arbre. Miriel s'apprêtait à partir lorsque Seyrawyn lui adressa un dernier mot.

— Je te demande une seule chose, druidesse. Lorsque le temps sera venu de reprendre la route, j'aimerais que tu viennes m'en faire part. Je n'ai toujours pas perdu mon intérêt pour toi.

— Très bien, si tu le désires, je viendrai te voir la veille de notre départ.

— S'il-te-plaît, jure-le sur ton Ordre druidique !

Ce que Miriel fit sans réserve. Pour leur part Bertmund, Dorgen, ainsi que tous les membres de la caravane étaient emballés de pouvoir enfin rejoindre la sécurité d'une ville fortifiée.

Quelques heures plus tard, car la vitesse de marche était toujours celle d'un nain, le groupe atteignit les gigantesques palissades de la ville.

Les habitants étaient tous curieux de voir ce petit groupe de nouveaux venus accompagnés par trois visages très familiers.

— Qui sont ces gens ? demanda le vieux garde après avoir salué respectueusement la druidesse et ses deux compagnons qu'il reconnaissait comme étant des Gardiens du territoire.

— Ils ont eu la mauvaise fortune de rencontrer un groupe de Yobs. Ils font partie d'une plus grande caravane qui est peut-être passé par ici ?

— Aucune caravane ne s'est pointée le nez depuis bientôt une année, gardienne. Elle a sans doute poursuivi son chemin vers Alvikingar... si elle s'y est rendue.

— Tu as sans doute raison. J'aimerais alors que quelques gardes escortent ces personnes jusqu'à un baraquement. Ils ont besoin d'un bon repas ainsi que de nouveaux vêtements.

— Bien druidesse, il en sera fait selon vos ordres, mais je dois en aviser le Jarl.

— Certainement et nous devons aussi le rencontrer immédiatement. Je ferai mention de votre dévotion auprès de celui-ci. Je vous prierais ainsi de faire votre rapport une fois que ces rescapés auront reçu un bon repas.

Le garde s'inclina respectueusement devant la druidesse et donna des ordres pour les accompagner. Le chef du village prit la relève et s'occupa des nouveaux arrivants en leur offrant le gîte et le couvert, le temps d'obtenir des nouvelles de leur caravane.

En quelques secondes, le mandat que Miriel s'était donné était accompli et elle en mesura toute la portée.

Bertmund ainsi que Dorgen firent leurs adieux aux trois compagnons et, avec un peu de réticence, le soldat de La Temporaire obéit aux directives des gardes et se rendit aux baraquements avec les autres.

— Je dois faire mon rapport auprès du Jarl. Je peux vous rejoindre plus tard à notre Auberge habituelle ? avisa Miriel à ses compagnons de toujours.

— Je crois que nous allons t'accompagner et attendre devant la maison du Jarl, proposa Arafinway à son ami viking.

— Oui, c'est une très bonne idée, mon cher ami. De toute façon, il faut que je laisse en consigne chez mon père ce cercueil de bois qui m'arrache les épaules.

— Très bien, alors... par ici la mule de Hinrik ! Ouvre la marche, je crois que tu connais le chemin ! ajouta Miriel en taquinant son guerrier préféré.

Marack n'aimait pas se faire traiter de mule, mais il avait accompli cette mission. Ainsi, mêmes les petits commentaires de son amie ne purent ternir sa bonne humeur. Il emboîta rapidement le pas, maintenant qu'il n'avait plus la contrainte du boulet vivant attaché à son pied, nommé Dorgen.

Sans perdre de temps, Miriel réclama auprès du Jarl une audience et demanda si le Gardien du Secret de la ville était disponible; il serait souhaitable qu'il se joigne à eux. Le but était d'effectuer un premier rapport sur les mouvements des ennemis qui avaient été observés et surtout de la présence d'une forteresse souterraine de Yobs, établie dans les entrailles d'un monticule de pierre.

Il y avait également ce fameux parchemin écrit avec des symboles que personne dans son petit groupe n'avait pu déchiffrer. Sans doute que Marack père, ayant plus de connaissance que le fils, serait fasciné par cette missive.

Le dernier point concernait son nouvel ami qui campait à l'extérieur de la ville. Ses supérieurs pourront sans doute la conseiller. Quel choix devait-elle faire au sujet de cet être particulier ?

Plantés devant la résidence du Jarl, Marack fils et Arafinway attendaient que leur cheffe termine son rapport avant de prendre le chemin de leur auberge favorite.

— Regarde, c'est Bertmund et Dorgen! dit Arafinway en pointant du doigt les compères qui se dirigeaient vers eux.

Les deux colorés personnages étaient difficiles à manquer. Dorgen parlait tellement fort que tous l'avaient facilement identifié.

— Vous vous êtes perdus ? demanda Marack, un peu suspicieux de revoir les deux rescapés aussi rapidement.

— Non pas du tout, je voulais juste gagner mon pari, rétorqua Dorgen avec un large sourire.

— C'est ma faute, avoua Bertmund, j'ai eu le malheur de faire un pari avec un nain et voilà le résultat, je lui suis maintenant redevable d'un repas complet dans un bon établissement.

Les deux gardiens affichaient une expression d'incompréhension devant le dernier commentaire du soldat.

— Je lui ai parié que, si nos chemins se croisaient à nouveau, la première chose que tu dirais, le viking, serait autre chose que bonjour. J'ai gagné, c'est aussi simple que ça ! précisa Dorgen en se gonflant la poitrine.

Marack fit la moue en silence, les bras croisés et les regarda de haut, le sourcil relevé.

— Nous devons nous rendre dans une auberge pour festoyer tous ensemble, annonça Arafinway, ravi de retrouver les deux rescapés. Un bon repas chaud et surtout une bonne chope de bière bien froide pour faire passer le tout, vous êtes les bienvenus. Tu pourras repayer ta dette à Dorgen par le fait même, Bertmund.

— Et ils servent quoi exactement à cet endroit ? Pas juste de la nourriture d'elfe, des fruits et de l'eau, j'espère ! maugréa le nain qui souhaitait terriblement entendre autre chose qu'un oui à sa question.

Marack décida de se venger gentiment de lui par une volée de calembours[24] de son cru.

[24] Calembours : jeux de mots

— Ils ont un civet de lapin qui est simplement divin… Un rôti de sanglier qui se laisse entièrement dévorer… Une volaille farcie, qui ne demande qu'à être servie… Un ragoût de bœuf aux champignons qui deviendra assurément votre nouveau péché mignon…

En se remémorant les plats dégustés à cette auberge, il sentait son appétit se réveiller à l'évocation de la barbaque apprêtée et fondante dans son jus… Évidemment la viande demeurait toujours son premier choix, comme tout bon homme du Nord. Bertmund le troubadour salivait à la mention des choix exquis proposés. Dorgen, pour sa part, le regardait d'un air suspicieux jusqu'au moment où il décida d'interrompre Marack pour lui poser une seconde question.

— C'est beau, j'ai compris, il y a le plat de résistance, mais pour faire descendre le tout, qu'est-ce qu'il y a ?

— Ah ! Monsieur a surtout soif si j'ai bien compris. Pour apaiser à satiété notre ami, il y a plusieurs possibilités. D'abord, une bouteille de vin blanc : la Cuvée Elfique…

Dorgen fit une grimace de dégoût à la mention d'un vin pour les elfes.

— Peut-être un peu trop doux pour le gosier d'un nain. Humm, une bouteille de vin rouge fortifié : le Clos du Dragon noir. Celui-ci éveillera vos papilles gustatives afin de vous faire percevoir une toute nouvelle gamme de sensations. Ce mélange mystérieux est un produit de la maison marchande de Grim et elle est mise en bouteille à Alvikingar, notre capitale.

L'intérêt du nain était maintenant ravivé et il s'étira le cou pour mieux entendre.

— Maintenant, pour ceux qui désirent une véritable expérience au niveau du goût qui mettra à l'épreuve le caractère de celui qui osera finir la bouteille, il y a le *Gnôle*. Cette eau-de-vie produite ici même à Hinrik est le fruit de plusieurs années d'acharnement de la part du Géant Lassik, qui est le seul à connaître la composition de ce nectar. On ne commande jamais un verre de ce tord-boyaux de qualité, c'est à la bouteille que l'on distingue les hommes des enfants.

— Mais la bière, Marack, est-ce qu'il y a de la bière ? demanda Dorgen qui avait de plus en plus de difficulté à tenir en place devant la description des options que l'auberge pouvait offrir.

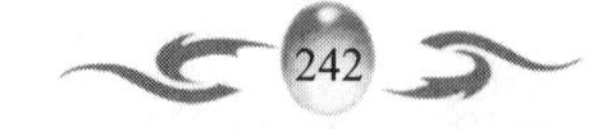

— De la bière, mon cher ami, elle se consomme aux barils et non au pichet. Qu'elle soit blonde, rousse, brune, ou noire, la caviste ira elle-même vous choisir un tonnelet sur demande. Si vous ne pouvez le finir, la table d'à côté s'en chargera !

— Il y a également de la *saltor*, pour tous ! ajouta Arafinway à la longue liste de son ami.

— Et c'est quoi de la *saltor* ? rétorqua le courtaud en lui décochant un regard méfiant.

— Mais de l'eau, pardi ! Une eau claire et légère, rafraîchissante, excellente pour ceux qui ne prennent pas de spiritueux, comme moi !

Au moment où Dorgen allait commenter la dernière remarque de l'éclaireur, Miriel sortit de la maison du Jarl, satisfaite de constater que les informations qu'elle venait de remettre à ses supérieurs allaient faire une différence pour sa communauté.

La druidesse était ravie de voir tous ses amis réunis en ce lieu.

— Vous être prêts ? Moi, je meurs de faim !

— Je vous en prie Madame, après vous !

Bertmund tendit son bras en signe d'escorte à Miriel qui accepta volontiers et tous les cinq se dirigèrent vers le quartier le plus achalandé de la ville, là où plusieurs auberges ainsi que les tavernes étaient les plus réputées.

Dorgen avait entamé une marche rapide pour suivre le groupe et suait déjà à grosses gouttes. Il était hors de question qu'il manque un festin aussi mémorable. Il était surtout sous l'envoûtement des divers spiritueux qu'il comptait bien tous essayer, outre la saltor, évidemment.

Le guerrier prit les devants et mena le groupe à son lieu de rencontre favori. Une fois arrivé sous l'enseigne, Bertmund resta quelque peu sceptique sur le choix de l'établissement en question.

— C'est ici que nous festoyons ? demanda le soldat d'une voix peu rassurée.

— Oui, c'est bien ici, l'Auberge du Troubadour Volant !

Bertmund ravala sa salive et s'accrocha un sourire du dimanche avant d'allonger le pas pour suivre les autres membres du groupe, déjà entrés.

L'endroit était bondé de clients. Lorsque Marack fit signe à l'aubergiste, un homme du Nord qui avait la corpulence d'un ours grizzly sur deux pattes, celui-ci fit préparer une table au beau milieu de la place. C'était le meilleur endroit pour voir et surtout être vu de tous car il y avait du prestige à recevoir des Gardiens du territoire. Une fois tous attablés, Bertmund entama la conversation rapidement sur un sujet qui le tracassait quelque peu.

— Marack mon ami, puis-je vous demander ce qui a mérité à cette auberge d'être surnommée ainsi ?

— Mon cher, cet illustre point de rencontre a une réputation très particulière pour les troubadours, les jongleurs et les ménestrels. Il y a ici un défi en vigueur en tout temps, peu importe le moment de la journée. Il s'applique à toute personne qui prétend pouvoir le relever en racontant une histoire, une série de poèmes ou simplement jouer d'un instrument de musique quelconque et ce, à la grande satisfaction de l'assistance.

— Ahhhh, je vois, rétorqua un Bertmund de plus en plus angoissé. Sommes-nous obligés d'y participer ?

— Non, mais celui ou celle qui relèvera le défi, se méritera une belle petite somme d'argent, ainsi que le gîte et le couvert pendant quelques jours, répondit Marack en souriant.

— Mais c'est très généreux de la part du tenancier, ce petit cachet ! nota-t-il.

— Oui, la récompense est assez généreuse. Cependant… si la prestation ne convient pas à la clientèle, Ulaf, l'aubergiste se réserve le plaisir de faire faire un vol plané à l'artiste. À ce moment, les paris sont ouverts sur la distance qui sera parcourue par le troubadour en question. Du porche jusqu'au premier contact sur le sol, les autres bonds, roulades et tonneaux ne comptent pas.

Bertmund décida qu'il demeurerait un soldat pour le reste de son séjour à Hinrik. Comme il appréciait vivement le fait d'être arrivé à destination en un seul morceau, il préférait que cela demeure ainsi. Il se leva promptement et commanda une tournée pour sa petite tablée.

Dorgen avait tout sacrifié dans cette aventure. Il ne lui restait ni sac à dos, ni arme et encore moins d'écus. Le soldat de la Temporaire, lui, n'avait perdu que son pari. Ainsi, il s'assura de

commander absolument tous les mets indiqués sur le menu, car il n'y aurait sans doute pas de second service.

Les cinq compagnons trinquèrent, festoyèrent et arrosèrent allègrement tous les plats que Dorgen voulait goûter. Chacun mangeait pour rattraper les repas qu'ils avaient manqués pendant le voyage jusqu'à la ville.

Même Arafinway se risqua, sous les encouragements du nain, à déguster quelques boissons alcoolisées. Le courtaud se mérita le surnom de tonneau sans fond, tellement il avait ingurgité de vin rouge, de bière et de Gnôle, en levant prestement le coude.

Lorsque fût venu le moment de régler la note, Bertmund, confiant, plongea sa main dans son sac-à doc pour récupérer la boursette cachée dans la doublure de son manteau. Malheureusement, il réalisa bien rapidement que, même si les Yobs n'avaient pas touché à son équipement, ils avaient néanmoins trouvé et subtilisé ses avoirs : toute sa maigre fortune avait disparu. L'idée de vérifier le contenu de cette petite cachette ne lui avait aucunement effleuré l'esprit durant toute la durée du voyage. Alors, le qui et le quand resteraient un mystère.

Malgré le fait qu'il n'avait plus rien pour régler la note, le troubadour s'entêta à vouloir faire bonne figure devant ses nouveaux amis. Son état d'ébriété quelque peu avancé amplifiait son acharnement à vouloir bien paraître. Il monta sur son tabouret et demanda, sans fausse modestie l'attention de tout le monde dans la grande salle. Une fois obtenue, il fit une déclaration surprenante.

— Aubergiste ! Aubergiste ! Moi, Bertmund LeGrand, troubadour de très très très grande renommée, je relève votre défi !

À ce moment, Ulaf s'adressa à sa clientèle et présenta officiellement Bertmund qui commençait à avoir de la difficulté à garder son équilibre, toujours perché sur son tabouret.

Le tout se passa si vite que les trois gardiens n'eurent même pas le temps de réagir que l'aubergiste présentait déjà le futur concurrent.

Bertmund avait complètement oublié où il était. Il avait l'habitude de payer ses consommations avec son talent, là où les gens civilisés appréciaient les bonnes histoires et les bons

musiciens. Il ne se souvenait que de la bourse d'argent qui allait lui être remise après sa performance.

Miriel offrit rapidement à son ami de payer le tout mais Marack, curieux de voir comment la suite de cette prestation allait se dérouler, encouragea le vieux soldat presque quadragénaire à raconter sa meilleure histoire. Dans le cas contraire, c'est un oiseau impeccablement coloré bleu, blanc et noir qui allait faire un atterrissage catastrophique au beau milieu de la ruelle.

Le troubadour prit quelques instants pour regarder autour de lui. Il mesura longuement la foule de buveurs qui l'entourait, puis réalisa subitement dans quel pétrin il venait de se mettre les pieds.

Il dégrisa de moitié lorsqu'il porta son intérêt sur un certain Ulaf. Celui-ci attendait patiemment qu'il débute le spectacle. Bertmund, trop fier pour mal paraître devant tous, prit un air négligemment déterminé. Le comédien se réveillait.

En réalité, sous son masque de frondeur, il était terrifié. L'endroit était rempli de barbares, d'hommes du Nord, de rustres et ce Ulaf avait la force nécessaire pour lui faire faire un atterrissage sur le toit de la prochaine échoppe de l'autre côté de la rue. Il pourrait se briser tous les membres en même temps, se fracasser les côtes, perdre des dents, voire en sortir paralysé pour toujours ou même mourir dans d'atroces souffrances... Un frisson le parcourut.

Il prit une grande respiration et s'adressa à son public.

— Chers convives, quel sera votre plaisir ? Un récit d'aventures ou une merveilleuse mélodie de mandoline écrite en *la* mineure avec un refrain entraînant qui désaltèrerait vos esprits?

Il se doutait bien de la réponse, mais tout bon troubadour cherche toujours l'approbation de son assistance.

La foule reprit en cœur : une histoire, une histoire, une histoire !

Bertmund fit signe à son auditoire de faire silence.

— C'est donc une histoire que je vous aurais racontée de toute façon. Car la dernière fois que j'ai vu ma mandoline, celle-ci ornait la tête d'un Yob. Je n'avais pas mon épée alors j'ai marqué sa dernière mesure… en lui tapant dessus.

Quelques rires étouffés se firent entendre mais Bertmund voyait bien qu'il avait intérêt à raconter quelque chose d'exaltant et

d'entraînant car si son auditoire s'endormait, il aurait la chance d'apprendre à voler. Ulaf s'était rapproché d'une foulée en sa direction, lui démontrant ainsi que sa marge de manœuvre diminuait.

— Je vais vous raconter, l'un des faits d'armes du lieutenant La Mèche, aussi surnommé le lieutenant Courtemèche, de la légendaire et intrépide milice La Temporaire. Vive la reine ! s'écria-t-il d'un timbre de voix mal accordé.

Personne ne réagit au salut, ni même à la mention de sa milice, comme si les exploits de celle-ci n'avaient jamais franchi les montagnes séparant les Terres d'Aezur du reste de l'île. Réajustant sa redingote pour se donner contenance, il continua.

— Il s'agit d'un combat livré il y a de cela environ vingt bonnes années. Le lieutenant avait affronté, à lui seul, trois immenses Trolls. Je vais vous décrire méticuleusement les parades ainsi que les feintes employées par ce lieutenant. Mais seulement celles qui lui ont valu sa réputation de guerrier farouche et téméraire dans tout le comté au sud de vos terres.

Cela ne faisait qu'une seule minute que Bertmund avait débuté son histoire que l'aubergiste avança de nouveau d'un grand pas en sa direction, tout en retroussant ses manches.

Bertmund réalisa que sa belle histoire décrivant des feintes techniques et des parades spectaculaires ne charmerait pas son auditoire, il décida de changer de stratégie.

Voyant arriver ce trébuchet humain, il grimpa en tremblotant sur la table avant qu'Ulaf n'effectue un autre pas et il s'écria :

— Mais ciel ! Ils n'étaient pas trois, mais bien dix Trolls des montagnes, qui mesuraient au moins neuf, non seize coudées de haut chacun.

L'action surprit la foule qui commençait à sommeiller. À la mention des gigantesques Trolls, certains clients poussèrent des cris d'approbation en signe d'intérêt pour la tournure de cette histoire. Ulaf, devant le changement d'attitude de la foule, s'arrêta là où il était, soit à environ vingt pas de Bertmund et attendit la suite, les yeux fixés sur le curieux oiseau qui avait pris perchoir sur une table.

Voyant qu'il avait maintenant l'attention de son public, il reprit le récit en exagérant tout à outrance. L'aspect technique du

combat allait être omis volontairement, en faveur de la force brute.

— Courtemèche n'était pas reconnu pour sa patience. Il prit une potion qui lui avait été donnée par nul autre que le grand magicien du mont Satyr.

Personne ne réagit. Le malheureux conteur ne connaissait aucun point de référence en dehors de son territoire. Il se reprit rapidement car l'aubergiste avait de nouveau fait un pas.

Il regarda autour de lui, puis se rappela les quelques informations échangées avec Marack autour du feu de camp lors de leurs dernières soirées.

— Je disais qu'il a pris la potion qui lui avait été offerte par le dieu Helmdall.

À la mention d'un dieu de leur panthéon, les rustres hommes du Nord et des elfes qui vénéraient également ce groupe de dieux, prirent leur bock, le tendirent vers le ciel et tous en cœur saluèrent Helmdall.

— Ah ! Il ne s'agissait pas de n'importe quelle potion. Celle-ci donnait presque la force d'un dieu à celui qui la buvait !

Voyant que l'assemblée continuait de l'écouter, il en rajouta.

— Cette concoction donnait également le courage d'un homme du Nord et l'agilité d'un d'elfe des bois.

— Quoi, pas plus qu'un de chaque race ? demanda l'un des clients qui s'interrogeait sur le très petit nombre mentionné.

— Non mon ami, pas plus qu'un de chaque. De toute façon, tout le monde sait très bien que le courage d'un seul viking et l'agilité d'un seul elfe sont suffisants pour terrasser toute une bande Trolls en furie.

La foule hurlait son approbation et levait son verre à l'annonce que les dieux infusaient dans les potions leur courage et leur agilité. Ce propos plut à tout le monde dans l'auberge au point qu'ils se mirent à taper sur les tables pour en entendre encore plus.

Bertmund profita de l'enthousiasme de l'assistance pour démontrer physiquement le combat.

— Le lieutenant déracina un arbre d'une seule main pendant qu'il tenait à la gorge l'un des dix Trolls.

Bertmund sauta de sa table et ramassa un balai qui était à côté de l'une des portes. L'envie lui vint soudainement de se sauver, mais comme le besoin de prouver sa valeur était plus grand, il revint au centre de la place.

— Courtemèche brandit l'arbre en effectuant de larges cercles tout autour de lui pour maintenir à distance la meute de monstres qui voulait s'en prendre à lui. Mais surtout, il ne relâcha guère sa prise sur la gorge du premier Troll qui avait osé proférer des insultes envers tous les dieux vikings.

Les clients tapaient de plus belle avec leurs chopes et leurs poings pour signifier comment l'affront envers leurs dieux n'était pas toléré.

— Le malheureux, et oui le malheureux Troll ne savait pas à qui il venait de se mesurer. Ce héros souleva d'une main la créature et la propulsa à plus de trente, non cinquante foulées plus loin. Il n'aimait pas que l'on se moque des dieux. Un viking en aurait fait autant, furent les paroles prononcées à sa victime qui gisait, inconsciente, sur le sol en tentant de s'accrocher à sa misérable vie.

— Il en reste neuf, qu'est-il arrivé par la suite ? Allez, raconte le troubadour !

— Maintenant qu'il avait une main libre, il put sortir son épée de son fourreau. Il ne s'agissait pas de n'importe quelle épée mais bien d'une lame exceptionnelle forgée par les elfes, selon un rituel que seulement les anciens détiennent le secret.

Bertmund prit une baguette de pain et la présenta à la foule comme si celle-ci était une arme elfique fabuleuse. Il venait d'attitrer l'intérêt des elfes maintenant.

— Je vous présente Feramil, mieux connu sous le nom de « la promesse du champion », l'épée forgée par les elfes et remise à un homme de courage et de détermination.

— *Ohhhhhh ! Haaaaaa !* apprécia la foule.

— Celle-ci aurait sans doute pu être remise à n'importe quel client de ce respectable établissement, j'en suis tout à fait persuadé !

La foule se remit à taper bruyamment sur les tables à la mention de l'éloge qui était fait à leur intention.

— À boire, aubergiste ! Remplissez le verre du troubadour !

— Arbre et épée à la main, Courtemèche étaient maintenant prêt à affronter ses ennemis. Il demanda à qui voulait l'entendre qui serait le premier clou ! Sa force divine lui a permis de marteler à répétition et surtout avec force près de la moitié de ses adversaires avec son arbre.

Bertmund leva un toast avec l'auditoire, puis but une longue gorgée. Il se déplaça subtilement de l'autre côté de la salle en continuant de décrire le combat.

— Deux se sont sauvés devant les rugissements qu'il poussait, la peur les avaient envahis, comme celle que les hommes du Nord inspirent aux Yobs qu'ils rencontrent.

Encore une fois, les grognements de satisfaction se firent entendre au plus grand plaisir de l'artiste improvisateur.

— L'élu des dieux brandit son épée et, avec l'agilité d'un elfe, il découpa les deux derniers Trolls en morceaux comme s'il s'agissait d'un simple petit sanglier que l'on apprête avec quelques carottes et une pincée de sel.

Bertmund venait de terminer sa phrase à côté d'une table qui avait justement un bol de sel dans lequel il prit une pincée qu'il projeta dans les airs pour démontrer la facilité avec laquelle cet officier de la Temporaire, avait accompli son acte.

La foule était en délire, chacun trinquait avec son voisin sur les hauts faits d'armes de ce lieutenant inconnu, héros de la plus inconnue des milices, La Temporaire. L'aubergiste éleva sa voix au-dessus de l'assemblée.

— Le compte est de neuf seulement et non de dix, il reste encore un Troll toujours vivant parbleu !

À ce moment, le troubadour réalisa la triste vérité : « Ciel, ils savent donc compter, je suis perdu ! »

Lorsque Bertmund se retourna, balai et baguette de pain à la main, pour tenter de répondre à ce spectateur, il se retrouva nez à bedon avec l'aubergiste. Il prit prestement un tabouret, tout en expliquant que le dernier Troll était le plus laid, le plus gros et le plus poilu des dix.

Tous se mirent à rire lorsqu'ils réalisèrent que Bertmund brossait le portrait d'Ulaf comme étant le dernier Troll. Il grimpa sur le tabouret pour le fixer droit dans les yeux.

— Courtemèche le regarda dans les yeux, d'un air confiant, voire même arrogant et lui dit simplement une phrase : *Breuk gache tilgor dus jawper brousk colrat*, puis il lui cracha au visage !

Bertmund se garda bien de cracher réellement au visage de l'aubergiste; il descendit d'un bond du tabouret et retourna s'asseoir avec ses amis. Il avait complètement captivé son audience par son récit et un lourd silence s'abattit sur l'auberge. Personne ne voulait manquer la suite de ce raconteur d'histoire qui prenait le temps de boire son tord-boyaux d'un air satisfait.

— Si je suis pour me faire jeter par la fenêtre aussi bien terminer mon verre maintenant, pour endormir la douleur lorsque j'embrasserai le sol, dit-il plus bas à ses voisins.

Après une bonne minute de silence, l'un des habitués de l'auberge posa la question pour laquelle tous attendaient la réponse.

— Qu'est-ce qu'il a dit Courtemèche, ça veut dire quoi ton charabia au juste ?

Bertmund ne savait plus quoi répondre, son histoire était finie ! Il regarda néanmoins son interlocuteur et lui spécifia tout simplement :

— Ah ça, mon ami… c'est une autre histoire !

Tous se mirent à rire de façon bruyante et contagieuse et retournèrent à leurs tablées respectives en commandant d'autres barillets. Ulaf, l'air sérieux, s'approcha de la table de Miriel où s'était réfugié Bertmund. Le raconteur blêmit et, figé sur son banc, il n'osait plus bouger devant l'imminente raclée provenant du colosse. Le propriétaire de l'auberge le saisit entre ses bras et, au lieu de le faire virevolter comme il s'y attendait, lui fit une accolade digne d'un grizzly des montagnes. Il en perdit le souffle !

Bertmund était maintenant bleu, blanc, noir et, de nouveau, tout rouge, grimaçant sous l'étreinte.

— Je n'avais pas entendu mes clients rire de la sorte depuis fort longtemps. Tiens, voilà pour toi, tu l'as bien mérité, déclara-t-il en lui remettant une petite bourse remplie d'écus.

Il reçut également de la part des buveurs, une multitude de tapes sur l'épaule pour les avoir autant divertis. Après un certain nombre de témoignages assez virils, maltraitant son bras à qui mieux mieux, il se demanda si l'atterrissage n'aurait pas fait moins mal. Mais il était ravi de la tournure des événements. Il se redressa, fier d'avoir évité la honte à ses nouveaux amis.

— Tu sais, je connais bien cette histoire, chuchota Dorgen dans le creux de l'oreille de Bertmund. La seule différence est que le héros de cette légende est en réalité un nain qui faisait partie de la cavalerie divine des dieux Nains.

Bertmund lui servit un large sourire et reprit un peu de fortifiant que le nain venait de verser dans son verre.

Un peu plus tard dans la soirée, Dorgen réussit à obtenir les informations qu'il désirait. Il connaissait le nom ainsi que l'endroit où résidait Lassik, fier inventeur du Gnôle, ce tord-boyaux de Géant.

Il s'entrevoyait enfin un avenir prometteur au sein du village d'Hinrik et, pour y arriver, il devait discuter avec cet alchimiste et de lui proposer ses services. Ayant certaines connaissances dans l'art de la fermentation et de la distillation, il espérait pouvoir se trouver un employeur qui avait les mêmes affinités en matière de spiritueux.

— De toute façon, grogna-t-il, un nain de mon calibre fera toute la différence dans cette ville. J'ai la ferme intention de faire découvrir aux petites natures d'hommes du Nord certains fûts mémorables… de mon cru personnel.

Le petit groupe d'amis s'était donné rendez-vous le lendemain, à la même table, pour un copieux petit dîner, si évidemment leur état physique leur permettait d'avaler quoi que ce soit. À l'exception d'Arafinway et de Dorgen, tous les autres membres du groupe affichaient une lamentable gueule de bois. Bertmund était blême et Marack essayait de se souvenir de la dernière fois où il avait autant abusé de l'alcool. Juste le fait d'y penser lui occasionnait un sérieux mal de tête et des haut-le-cœur. Même Miriel, qui n'avait pourtant pas bu beaucoup, présentait une mine franchement fatiguée.

Le nain, quant à lui, n'avait aucun symptôme des excès de la veille. Son surnom de baril sans fond était, de toute évidence, largement mérité.

Peu après, Marack père, le Jarl du village, fit son entrée dans l'auberge et se dirigea sans hésiter vers eux. Il se tira une chaise et s'installa à leur table.

— Enfin, je vous ai trouvés, groupe de Miriel. Je voulais partager avec vous les dernières nouvelles. Un bataillon de soixante guerriers et deux mages elfiques sont partis hier soir en direction du monticule de pierre que vous avez découvert. Des mesures ont aussi été prises concernant les patrouilles et celles-ci ont été doublées afin de nettoyer le territoire où vous avez aperçu les Mourskhas lors de votre retour. Mais si je suis ici maintenant, c'est concernant le parchemin que vous avez trouvé. J'aimerais que vous le rapportiez à Feygor et que vous le remettiez au Grand Druide Arminas en main propre.

— Vous avez déchiffré son contenu ? questionna Miriel.

— Non malheureusement, mes connaissances ainsi que mes ressources ne sont pas aussi poussées que celles dont dispose Feygor.

Bertmund, qui écoutait en silence jusqu'à présent, décida que le moment était arrivé de s'introduire à ce personnage de marque, visiblement en position d'autorité dans cette ville.

— Pardonnez-moi, mais si je puis vous être utile d'une quelconque façon, je serais ravi de vous offrir mes services. Je suis Bertmund LeGrand et j'aimerais bien faire partie de votre milice sur le terrain.

— Je vous remercie de votre offre, mais nos jeunes troupes sont spécialement entraînées pour devenir des Gardiens du territoire. Ils doivent réussir un entraînement qui s'étend parfois sur plusieurs années.

À ce moment, les yeux du Jarl se posèrent sévèrement sur Arafinway qui rougit avant que Bertmund n'attire son attention à nouveau.

— Je m'excuse d'insister, mon âge n'est pas un handicap, mais un atout. Mes longues années d'expérience en tant que guerrier, pisteur, tacticien, géologue, ingénieur, scribe, saltimbanque ainsi que mes larges connaissances des langues parlées et écrites pourraient vraiment vous être utiles !

Miriel regarda le père de son guerrier saisissant au vol les dernières paroles du troubadour. Il fit signe à Miriel ainsi qu'à Bertmund de le suivre immédiatement. Les autres compagnons restèrent à la table en les regardant se diriger vers une petite salle

fermée, plus discrète, annexée à la salle à manger de l'auberge. Le guerrier décida d'aller se positionner devant la porte afin que personne ne les importune.

— Il va où comme ça, LeGrand ? demanda Dorgen, entre deux bouchées de saucisses de sanglier, à l'elfe qui était maintenant le seul attablé avec lui.

— Discuter de choses sérieuses au niveau de l'Ordre de Lönnar. Et si cela me concerne, ils vont m'en parler en temps et lieu.

— Ah bon, alors en attendant, je vais m'assurer qu'il n'y ait pas de gaspillage de nourriture, ce serait dommage et fort impoli.

Dorgen mangeait mets après mets au grand étonnement de l'elfe qui le regardait engloutir dans une cadence constante tout ce qui lui tombait sous la dent. Le baril sans fond avait fait surface à nouveau.

Le Jarl déroula le parchemin et demanda à Bertmund s'il connaissait ces cryptogrammes. Le troubadour sortit un petit grimoire de son escarcelle et se mit à comparer les runes du parchemin avec les divers alphabets patiemment retranscrits sur les pages jaunies de son petit bouquin. Après avoir feuilleté près de la moitié des feuillets, il sortit un petit bout de fusain et commença à écrire sur une feuille quelques mots.

— Vous comprenez ce qui est écrit ? interrogea le Jarl étonné.

— Oui, je crois avoir trouvé la clé dans ce message. Il s'agit d'un dialecte assez rare, employé par les tribus du sud de l'île. Il m'est arrivé à quelques reprises de croiser le chemin ainsi que l'épée avec cette race. Je me souviens …

Marack père mit fin au récit que Bertmund s'apprêtait à raconter en lui rappelant que le décodage du parchemin était sans doute plus important. Il s'appliqua donc à retranscrire mot à mot le long contenu de la missive.

Lorsqu'il eut terminé de déchiffrer la totalité du message, il prit le temps de se relire en essayant de comprendre de quoi il s'agissait.

— Qu'est-ce que *La Source* ? demanda-t-il soudainement.

À cette mention, Marack père se rapprocha du parchemin contenant la traduction et se mit à la lire rapidement en silence. Lorsqu'il eut terminé, il le tendit à Miriel qui s'empressa de le parcourir à son tour.

Missive Royale pour le prince Ajawak

Cher fils,

J'ai décidé de prendre une aide extérieure concernant le fléau de l'Ouest. Malgré le fait que mon Premier Vizir, le druide Dihur, ait sauvé ta vie lors d'une embuscade de démons et de leurs esclaves, j'ai encore certaines réserves le concernant. Je ne lui ai donc pas fait part de ma démarche. J'ai engagé un groupe d'aventuriers, des espions, pour infiltrer les terres de l'Ouest. Leur chef Rattisk LeRoux a séparé ses effectifs en deux groupes.

Le premier a pour mission d'infiltrer les diverses villes fortifiées pour répertorier les points faibles et les forces qui peuvent faire obstruction à l'avancement de mon armée. Son groupe d'humanoïdes passe facilement pour ces hommes du Nord et il leur sera facile de pénétrer dans leurs forteresses.

Le second groupe a pour mandat d'infiltrer l'Ordre de Lönnar sous l'apparence de démons aux oreilles pointues. Il m'a laissé savoir, il y a quelques mois, que jusqu'à présent, leur magie employée pour prendre cette apparence a réussi à tromper les disciples de cet Ordre.

Leur année d'infiltration sera bientôt complétée. Ils ont eu comme instructions de se rendre à notre avant-poste fortifié à Vraxan un peu avant le troisième Solstice de l'année présente.

J'ai engagé le capitaine Salxornot avec son bateau pour les récupérer à cet endroit et de les escorter jusqu'à Adrag par la voie des eaux intérieures.

Il est essentiel que tu avertisses tes officiers et chefs de bataillon de prendre bien soin de ne pas attaquer ces créatures car ce sont nos alliés. Celles-ci détiennent des informations cruciales pour lancer une attaque qui nous assurera la victoire sur nos ennemis.

Cela nous permettra de mettre enfin la main sur La Source, cet endroit contenant une puissante magie, celle que Dihur convoite en secret depuis plusieurs années. Il s'est bien gardé de partager avec son roi cette information jusqu'à présent. Mes loyaux sycophantes me renseignent sur tout, même sur l'agenda caché de ce Vizir.

Continue d'avancer tranquillement sur les terres de nos ennemis et surtout, n'oublie pas d'aviser tes subalternes de leur devoir de laisser passer Rattisk LeRoux et son groupe.

Ton père, Roi Arakher des Géants de pierre

Lorsque Miriel eut fini sa lecture, elle comprit l'urgence d'acheminer tout de suite ces importantes informations jusqu'à Feygor.

— Je dois recevoir des rapports de patrouilles en fin de journée, lui indiqua le Jarl. Je te suggère de partir très tôt demain matin avec ton groupe de compagnons pour aller remettre ces documents au Conseil des druides.

Miriel acquiesça d'un simple signe de tête et s'apprêtait à quitter la petite salle lorsque le Jarl s'adressa à l'érudit qui venait de leur démontrer une partie de son savoir.

— Mon cher Bertmund, je ne peux malheureusement pas vous employer ici à Hinrik. Cependant, j'aimerais que vous accompagniez Miriel jusqu'à Feygor. Je suis certain que votre talent pour les lettres pourrait être d'une grande utilité à mon ami, le Grand Druide de Lönnar. Il est entendu que vous ne devez parler du contenu ou de cette lettre à personne. Me suis-je bien fait comprendre ?

Le soldat se leva de table et fit un salut militaire, lui démontrant qu'il avait bien compris sa mission.

Miriel ne s'attendait pas à recevoir un second soldat, troubadour et érudit de surcroît, au sein de son petit groupe. Elle leva les yeux vers Marack père qui affichait le même regard farouchement déterminé. Finalement, elle n'avait pas vraiment envie de discuter les ordres d'un Jarl et Maître d'arme, surtout si celui-ci se nommait Marack.

Au moment où la porte s'ouvrit, le jeune viking fit un pas de côté pour laisser passer le petit trio enfermé depuis bientôt une heure. Il sortit le premier et regarda son fils avec fierté. Il mit sa main sur son épaule et lui souhaita bonne chance pour sa prochaine mission.

— N'oublie pas que l'honneur de notre famille repose sur tes épaules !

Marack regarda son père et fit un signe de tête résolu à la mention encore une fois de ce si lourd honneur familial à préserver.

Bertmund sortit le second en affichant un large sourire.

— On se voit demain matin à l'aube, cher compagnon !

Puis il alla s'excuser auprès de ceux qui étaient encore à la table. Il les quitta en expliquant qu'il devait faire quelques achats de dernière minute avant de repartir à l'aventure.

Miriel sortit finalement la dernière et Marack fils la regarda de son air inquisiteur. La druidesse haussa les épaules et lui signifia qu'elle n'avait pas eu le choix, vu la tournure des évènements.

— Demain à l'aube nous partons pour Feygor. Préparez vos sac-à dos, nous avons une nouvelle mission. Il me reste une dernière chose à faire avant d'aller prendre du repos, tu devrais en faire autant, garde-du-corps numéro deux !

Marack fils resta bouche bée devant ce qui venait de se passer. Le jarl, en compagnie de Miriel, avait quitté précipitamment l'auberge et il ne restait plus qu'Arafinway tenant compagnie à Dorgen. Ce dernier tenait dans ses mains deux bocks remplis de bière. Il buvait dans l'un et invitait le guerrier à prendre celui qu'il lui tendait. Un peu abasourdi par son déclassement, il alla s'asseoir avec ses amis afin de noyer un tantinet le choc.

— Nous devrons voyager très rapidement en direction de Feygor avec un troubadour-soldat qui n'est pas un gardien. Décidément les missions deviennent de plus en plus particulières… fit-il en calant sa bière, qui lui sembla plus amère que d'habitude.

Immédiatement après avoir quitté l'Auberge du Troubadour Volant, Miriel prit le chemin qui menait aux grandes portes pour sortir de l'enceinte des murs de la ville. Il lui restait une personne à aviser de son départ. Après une heure de marche accélérée, elle arriva au châtaignier d'Oc'h, point de rendez-vous convenu avec Seyrawyn.

Sous sa forme de Falsadur-dreki, Seyrawyn observa au loin l'arrivée de la Gardienne de Lönnar.

— Seyrawyn, Seyrawyn, est-ce que tu es là ? appela Miriel d'une petite voix douce comme lorsque l'on veut apprivoiser un petit animal dans la forêt.

Les appels perdurèrent pendant près d'une quinzaine de minutes avant que le demi-dragon ne décide de se montrer. Miriel commençait à s'impatienter. Parfaitement camouflé sur l'une des branches de cet arbre centenaire, il se déplaça pour permettre à Miriel de l'apercevoir.

— Je suis ici, druidesse !

— Quoi ? Tu étais là tout ce temps et tu me laissais t'appeler sans rien dire !

Miriel n'avait pas envie de jouer à des jeux, l'heure était grave et se moquer d'elle de cette façon n'avait fait qu'empirer son état d'esprit.

Seyrawyn, au contraire, riait de sa bonne farce en faisant tressauter la branche où il était agrippé. Il trouvait surtout amusant que, cette fois-ci, ce fut elle qui le chercha : à la différence de leur première rencontre où elle lui disait de s'en aller.

— Tout ceci est une perte de temps. Pourquoi n'es-tu pas venu nous rejoindre à l'intérieur de la ville ?

Seyrawyn, tournant en rond autour des branches, cherchait les bons mots pour répondre à sa nouvelle amie.

— Tu sais Miriel, je n'ai pas beaucoup d'amis et j'ai été habitué à une vie de solitude. L'idée de me rendre dans un endroit où il y a de très grande foule me rend… disons, très mal à l'aise.

— Pourtant, tu ne semblais pas avoir ce problème avec les gens de la caravane.

— Si tu avais mieux observé la scène, tu aurais remarqué que je n'étais pas aussi naturel durant le voyage, surtout lorsque nous avons traversé les montagnes. Je me suis aperçu que le manque de végétation et de camouflage m'ont déstabilisé plus que je ne l'aurais cru. D'ailleurs, si j'ai traversé cet obstacle, c'était pour te suivre et être avec toi. Cela m'a pris beaucoup plus de courage pour emprunter ce chemin que de combattre des créatures à tes côtés.

Miriel se rappelait à quel point son ami avait l'air malheureux lors de la traversée des Monts Krönen.

— Alors tu sais, comme je n'ai jamais quitté mon coin de forêt depuis ma naissance, je te demande d'être un peu patiente avec moi concernant mon attitude… Surtout, ne dis rien aux autres, je ne désire pas qu'ils se moquent de mes peurs.

Puis, dans une pirouette, il se retrouva la tête en bas.

— Mais je suis ravi de te voir aujourd'hui, je dois dire que j'attendais ta visite avec impatience !

La druidesse regardait cette créature avec un peu plus de recul. Maintenant qu'elle comprenait en partie ses raisons, cela expliquait son comportement presque antisocial.

— Je devais m'acquitter de mes responsabilités envers mon Ordre et la communauté que je défends. Je suis venue te voir pour te dire que nous allons partir d'Hinrik demain matin dès l'aube en direction de Feygor. Je m'attends à ce que tu sois non loin de la route car je ne ferai pas de détour pour venir te chercher.

Seyrawyn descendit de son arbre et, comme un gros écureuil, adopta une position assise sur ses deux pattes arrière et la regarda d'un air tout à fait mignon.

— Tu ne me demandes pas de rester ici ? Tu es sérieuse ? Je peux t'accompagner et faire partie de tes compagnons ?

— Oui, en effet tu peux venir avec nous jusqu'à la grande montagne. Bertmund va aussi être des nôtres mais pas Dorgen. Par la suite, je ne te le cache pas, c'est le Grand Druide de mon Ordre qui va décider si tu peux m'accompagner ou non pour le reste de mon périple.

— Très bien, je comprends. Tu ne seras pas déçue de m'avoir à tes côtés, mon mentor Wilfong m'a toujours dit que je devrais un jour faire mes preuves.

Il venait de réaliser qu'il avait donné une information qu'il n'aurait pas dû. Miriel n'avait pas réagi à la mention du nom de son ami et il n'avait certes pas l'intention d'élaborer non plus.

— N'oublie pas : sur le chemin Nord dès l'aurore, répondit-elle d'une voix fatiguée.

— J'y serai, druidesse. J'y serai, n'ayez crainte !

Seyrawyn débordait d'enthousiasme et grimpait partout dans l'arbre sautant d'une branche à l'autre. Il s'époumonait, tout énervé : il partait en mission pour de vrai.

Miriel le regarda se demandant si elle survivrait au rôle de responsable de son groupe.

De retour à la ville, elle fut accueillie par Bertmund qui l'attendait non loin des grandes portes. Ce soldat, dans la trentaine avancée, toujours impeccable dans son uniforme, se démarquait par son style. Même ses collègues de La Temporaire n'avaient pas son panache.

— Bonjour Bertmund, que faites-vous ici si tard ? Nous ne partons que demain.

— Oui Madame, je sais. Cependant… j'avais espéré pouvoir m'entretenir avec vous quelques moments, seul à seul. Ce qui est difficile en d'autres temps, car vous avez beaucoup de protecteurs… et je dois avouer que je suis plutôt fier de me compter maintenant comme l'un d'entre eux.

Miriel soupira. Pourquoi tout le monde s'acharnait tant à vouloir la protéger ? Quelles si dures épreuves Lönnar avait-il en réserve pour elle ?

— Marchons un peu en direction de la maisonnée où je réside, l'invita-elle amicalement. Vous aurez la chance de pouvoir me parler de ce qui vous tracasse.

Sur la petite rue, Bertmund, malgré ses talents d'orateur, semblait un instant chercher ses mots.

— Vous savez Madame, dans la vie, il y a certaines choses qui sont difficiles à accepter. Se faire une place au sein d'un groupe pour accomplir quelque chose de grandiose n'est pas facile. Il y a des chances qui se présentent seulement quelquefois dans une vie chez un aventurier comme moi… Et si j'ai tant insisté à l'auberge pour faire partie de votre équipée, c'est qu'il y a une raison.

— Ne faites-vous pas déjà partie intégrante de La Temporaire ?

— En effet, je me suis malheureusement enrôlé dans cette milice voilà quelques années. Mais je n'y suis pas apprécié… à vrai dire, je suis leur vieux souffre-douleur. Je suis différent et mes aspirations sont beaucoup plus grandes que celles de ces soldats… Ils sont courageux et flamboyants, certes… mais ne font que suivre des ordres aveuglément.

— Alors que recherchez-vous, mon cher érudit ?

Bertmund prit une pause, regarda Miriel dans les yeux et lui parla sincèrement.

— Je désire simplement être utile! Véritablement utile, à quelque chose de plus grand que moi, utile à la mesure de mes capacités. Je vous promets que malgré mon âge avancé pour un aventurier, je ne vous retarderai guère. Je désire pouvoir contribuer à une juste et noble cause. C'était d'ailleurs le but premier de mon enrôlement dans La Temporaire. Je voulais tenter ma chance sur cette partie de l'île.

Miriel pouvait voir dans le regard de cet homme l'espérance de pouvoir enfin accomplir de grandes choses.

— Vous savez Bertmund, votre présence parmi mon groupe de compagnons a été un peu imposée par l'un de mes supérieurs. J'aime bien votre compagnie et vous avez rendu un grand service pour mon Ordre en déchiffrant les runes du parchemin. Mais je ne peux rien promettre une fois que nous serons arrivés à Feygor.

— Je comprends Madame. Je tenais cependant à vous faire connaître mes aspirations, dans l'éventualité où celles-ci pourraient être utiles à nouveau.

— Je les transmettrai personnellement en hautes instances, le rassura-t-elle avec un sourire.

— En vous remerciant à l'avance Madame et je serai ici même demain matin dès l'aube, prêt à partir.

Bertmund fit un pas en arrière, salua la druidesse à la façon d'un soldat, puis fit demi-tour et marcha plus léger.

Décidément le rôle de cheffe n'était pas de tout repos. Si elle avait longtemps cru qu'être Gardien du territoire était une tâche routinière, à patrouiller les zones de forêt avec ses deux amis d'enfance, la réalité lui offrait aujourd'hui un tout autre portait. Même si on le lui avait répété, il y avait beaucoup plus de responsabilités que jamais elle n'aurait pu l'imaginer.

À l'aube, le groupe de cinq aventuriers marchait maintenant sur la route du Nord en direction de Feygor. Chacun était au rendez-vous et, cette fois-ci, le pas était beaucoup plus accéléré que lors de leur dernière randonnée. Aucun coffre sur les épaules de Marack et surtout aucun nain ne ralentissait le rythme.

Arafinway se tenait toujours à une vingtaine de foulées en avant-garde, ouvrant la piste au-travers les feuillages touffus de la forêt. Marack, en second, gardait un œil sur son ami et surtout sur Miriel, tout juste derrière lui. Seyrawyn sous sa forme elfique était aussi à l'heure et fermait la marche avec Bertmund.

Leurs questions affluaient vers la cheffe du petit groupe. Qui était l'Ordre de Lönnar ? Quelles étaient les villes dans les alentours ? Depuis combien de temps, elle et ses compagnons, étaient-ils Gardiens du territoire ? Toutes les questions qui n'avaient pas été posées lors de la première rencontre arrivaient en rafales aux trois compagnons. La druidesse, filtrant un peu les informations, répondit au meilleur de sa connaissance, comme elle le faisait jadis avec ses jeunes élèves.

Afin d'éviter une kyrielle de questions redondantes, elle décida de leur expliquer deux points importants : soit l'histoire de son dieu et la hiérarchie au sein de sa caste de druides. Elle espérait

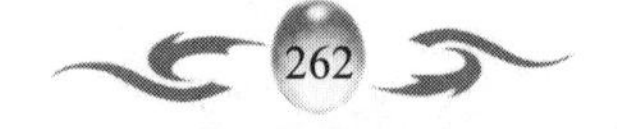

ainsi que ses deux nouveaux compagnons comprendraient mieux les décisions qu'elle devait prendre dans certaines situations.

Une fois le campement établit, elle débuta son histoire.

— Je vais vous raconter la légende de Lönnar Tyrson, un demi-dieu aux racines viking. Son nom de famille se traduit par fils de Tyr.

— Lönnar n'est pas un dieu très connu sur notre côté de l'île, avança Bertmund tout en prenant des notes dans son petit grimoire de voyageur.

— Dans les communautés où ces dieux son vénérés, il est très commun d'entendre les phrases suivantes comme : *va avec le courage de Tyr ! Que la justice de Tyr ou de Lönnar t'accompagne !* Il y a également : *va avec la dévotion de Lönnar.*

Bertmund et Seyrawyn écoutaient attentivement en dégustant le succulent bouilli aux légumes.

— Les Disciples de Tyr et de Lönnar ont plusieurs affinités, continua Miriel. Ces deux castes de dévotions sont souvent présentes dans les villes où les hommes du Nord et les elfes des bois résident. Lönnar Tyrson n'est pas un nom que l'on bafoue devant l'un ou l'autre des disciples de ces dieux. Les territoires d'Aezur sont maintenant peuplés de dévots vénérant en majorité ces divinités.

— Je connais en partie le panthéon des dieux viking, mais je constate que cette parcelle d'information est particulièrement enrichissante. Il est toujours bon de connaître quelque peu les croyances des habitants de la région que l'on traverse, commenta le troubadour en se rappelant, entre autres, le récent épisode de l'auberge.

Seyrawyn écoutait d'une oreille distraite, contrairement au soldat.

— Maintenant je vais vous expliquer la hiérarchie de mon Ordre. Il s'agit d'échelons que chacun des disciples s'appliquent à gravir. Le plus élevé, celui de Grand Druide, s'obtient lorsque le Conseil des Grands Druides mandate un druide exceptionnel pour protéger un territoire, une grande forêt ou un secret de la nature.

— Madame, laissez-moi le temps de tout écrire ! Je ne voudrais pas vous faire répéter de nouveau toute cette merveilleuse

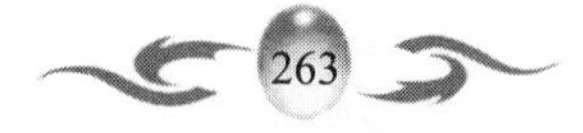

information, s'exprima Bertmund, annotant le plus rapidement et lisiblement possible.

— Ainsi, tout d'abord, il y a le novice, enfant ou adulte. C'est celui qui désire devenir druide mais qui n'est pas encore certain de sa dévotion ou de ses aptitudes à le devenir. Il doit donc travailler sur ses habiletés physiques et mentales et, par la suite, se présenter devant un Conseil de druides pour faire connaître les raisons de son désir de servir Lönnar.

— Je comprends, poursuivez, je vous prie !

Tandis qu'Arafinway cherchait du bois, Marack s'était étendu sur sa cape et ronflait déjà, entrecoupant de temps en temps les explications de la druidesse.

— L'on devient initié lorsque les prémisses de base et la vocation pour devenir un druide sont reconnues par l'Ordre. Sous la tutelle d'un druide plus expérimenté, l'initié doit s'appliquer à parfaire ses habiletés. Le combat avec les armes de sa profession, l'étude des enseignements de Lönnar ainsi qu'une approche très rudimentaires de plusieurs bases de connaissances druidiques. Tous ses devoirs doivent être assimilées et bien compris.

— C'est à ce moment que tu es devenue Gardienne de territoire, n'est-ce pas ? demanda Seyrawyn qui essayait de s'ingérer dans la conversation.

— Non, pas tout à fait, il y d'autres rangs qui doivent être atteints. L'herboriste étudiera plus en profondeur au sujet des diverses plantes. Savoir les identifier, comment les retrouver et aussi connaître les propriétés de chacune. Reconnaître les diverses zones climatiques qui peuvent affecter un système faunique et comprendre l'impact que le tout peut avoir à court, moyen et long terme font partie de nos connaissances.

— C'est la compréhension de la symbiose des plantes avec son environnement… Hum, intéressant.

— C'est bien cela, Bertmund. Après l'herboriste vient le rang d'animalier. Celui-ci cherche à connaître les différentes créatures qui résident sur le territoire sous la protection de l'Ordre. Grâce à des notions et une gestuelle appropriées, il devra être en mesure de modifier le comportement d'une bête sans utiliser la magie et ne jamais mettre sa vie ou celle de l'animal en danger inutilement.

— Un peu comme tu as fait avec les tigrons, mentionna Seyrawyn.

— Oui, c'est exactement ce que je voulais dire, répondit-elle. Il doit avoir du respect en tout temps pour les créatures et si nous avons à apprivoiser ou dresser un animal, ce sera fait dans une relation de courtoisie mutuelle. À ce moment, afin de créer ce lien spécial, le futur druide fera un rituel particulier. Il est toujours amusant de constater quel animal de compagnie aura répondu à son appel.

— Tu ne m'as pas appelé, je suis venu vers toi ! affirma Seyrawyn qui regardait Miriel en cherchant une confirmation dans ses yeux.

— Rassure-toi ! Je n'ai pas fait de rituel pour m'appeler un compagnon, tu es venu de ton plein gré.

— Hum ! Je le savais, répondit le dreki en ajoutant une bûche sur le brasier.

— Bon, où en étais-je… ah oui, le soigneur. Celui-ci doit être en mesure de prodiguer des soins multiples, tant aux camarades blessés qu'aux animaux qui habitent sur le territoire. Il doit savoir préparer quelques baumes ou potions pour favoriser la guérison, identifier quels types de prières pouvant être employés pour refermer les blessures et surtout en faire seulement usage pour une juste cause.

— Très intéressant… J'imagine que le passage de soigneur confirme la dévotion d'un disciple de Lönnar à son dieu. Les incantations de guérison sont souvent la preuve que le dieu s'investit dans le disciple. Je l'ai constaté dans la plupart des divers ordres religieux que j'ai connus, partagea Bertmund avec son entourage.

Ce que Miriel confirma en baillant de fatigue.

— Je crois que ce sera tout pour ce soir, il est tard et même si nous sommes au cœur des Terres d'Aezur, je préfère qu'il y ait des tours de gardes. Nous aurons la chance de reprendre cette discussion avant notre arrivée à Feygor.

Arafinway se leva et alla s'installer non loin du campement pour débuter le premier tour. Marack aurait le second. Chacun récupéra sa couverture pour se couvrir car les nuits devenaient de plus en plus fraîches.

Plus de la moitié du trajet s'était écoulé et Miriel en apprenait un peu plus sur ces nouveaux compagnons. Alors que le paysage défilait lentement devant eux, la majorité de leurs questions portaient sur les Terres d'Aezur et des communautés qui l'habitent. Questions sans doute normales pour une personne qui venait de l'extérieur des terres ou pour une autre pour qui presque tout était nouveau.

Ce n'est que quelques jours avant leur arrivée à Feygor que le sujet de la hiérarchie des druides refit surface.

— Toi, Miriel tu es une Gardienne du territoire, s'informa Seyrawyn.

— Effectivement, ainsi que Marack de la caste des guerriers et Arafinway de celle des éclaireurs. C'est un titre honorifique qui confère certains droits.

— Honorifique veut dire avec les grands honneurs ?

— Oui, nous sommes tous très fiers d'accomplir notre devoir de protection avec honneur, mentionna Marack en bombant le torse.

— Vois-tu, nous, les initiés/herboristes/animaliers/soigneurs, obtenons le titre de druide au moment ou notre formation sur les enseignements de Lönnar est complétée. Nous recevons notre rang de Gardien du territoire suite aux enseignements de combat à la ville d'Hinrik.

— Mais pour tous les futurs gardiens, c'est un long processus où on doit parfaire durant plusieurs années l'art au combat et le maniement des armes, apprendre la survie en forêt, acquérir beaucoup de connaissances, renforcer sa constitution physique et améliorer sa dextérité, compléta l'éclaireur en se souvenant de toute la peine qu'il avait eue à passer ses examens techniques.

— Enfin, lorsque les enseignements à Hinrik sont terminés et que les maîtres d'armes sont satisfaits des résultats atteints par leurs élèves, ils peuvent atteindre le rang de Gardien du territoire. C'est à ce moment, lors d'une cérémonie officielle présidée par le Grand Druide, que le bâton d'office, un Salkoïnas comme celui-ci, est remis au druide gardien qui deviendra le chef de son groupe, démontra Miriel en tendant la tête du bélier à ses amis.

— Pour augmenter nos chances de survie contre nos ennemis et comme nous sommes peu nombreux, il doit absolument y avoir au moins un druide pour chaque petit groupe mais on peut compter plusieurs éclaireurs ou guerriers, compléta le viking.

— Nous avons eu une belle Cérémonie et le Grand Druide en compagnie de Saint-Beren, le grand prêtre de l'église de Tyr, nous ont donné leurs bénédictions, affirma l'éclaireur avec fierté.

— Presque la majorité des druides n'iront pas plus haut dans la hiérarchie au sein de l'Ordre. Ils sont conscients du travail qui doit être effectué à titre de Gardien et ils sont satisfaits de l'affectation qui leur est octroyée. Par contre, il est possible pour certains de poursuivre leur ascension. À ce moment, deux avenues sont possibles, devenir Messager ou Érudit.

— Et vous, madame, quelles sont vos aspirations ? s'enquit le troubadour en la regardant fixement.

Miriel était troublée. En fait, elle n'y avait jamais songé auparavant, trop absorbée par ses nouvelles tâches. Voulait-elle vraiment de nouvelles responsabilités ?

— Je ne le sais pas encore… répondit-elle précipitamment. Voyez-vous, le druide messager permet de garder contact avec les diverses villes. Il a la responsabilité de transmettre des messages aux Jarls et aux Gardiens du Secret qui sont un peu partout sur le territoire. S'il n'y a pas de druide plus élevé dans la hiérarchie de l'Ordre, il est amené à prendre des décisions selon les directives.

— Ces messagers ont le respect des Jarls et de leurs pairs, ajouta Marack en connaissance de cause. Contrairement au druide Gardien du territoire qui voyage avec ses compagnons d'armes, le Gardien messager préfère la solitude et favorise la vitesse dans ses déplacements.

— Oui, de plus, comme sa mission nécessite de faire de longues heures de route, enchaîna Miriel, certains s'achèteront des objets qui ont la magie nécessaire pour leur faciliter la tâche.

— Enfin, lorsque les druides vieillissent, ils deviennent souvent des érudits avec une mission plus sédentaire, reprit le guerrier. Il est bien de parcourir le territoire et de prendre des décisions, mais certains druides ont passé l'âge de faire ce genre de guérillas et leur expérience sur le terrain en fait

d'excellents conseillers. Ils rédigent et codent les missives officielles et veillent au bon fonctionnement de certaines tâches au sein du Sanctuaire.

— Mais comment se fait-il que tu sois au courant de toute cette structure ? demanda Bertmund au guerrier.

— J'ai eu la chance d'étudier à la forteresse de Feygor, répondit-il, et mon père en tant que Jarl d'Hinrik a côtoyé les druides pendant presque toute sa vie… Ainsi, depuis que je suis tout jeune, je me promène entre mon village et la grande montagne. Cette route, je la ferais les yeux fermés, moi !

Miriel s'esclaffa et Arafinway regarda le guerrier en ne sachant pas trop comment prendre la dernière remarque. Seyrawyn ne comprenait pas non plus l'allusion et le troubadour choisit de compléter ses notes de grimoire.

— Mais poursuivez, maître Marack, je suis tout ouïe, déclara-t-il avec un sourire entendu.

— Par ailleurs, nous avons des Gardiens du Secret. Comme son titre le suggère, ils ont le mandat de préserver les secrets de l'Ordre de Lönnar. Il s'agit d'un rang de prestige et celui ou celle qui atteint ce niveau, se voit octroyer une plus grande responsabilité pour la protection de *La Source*. Je n'en sais pas plus, alors il est inutile de me poser des questions à ce sujet.

— Finalement, enchaîna la jeune druidesse, au niveau de l'Ordre, le dernier échelon est Magistrat sur le Conseil des druides dont la fonction consiste à veiller au respect des lois. Par contre, sur un territoire comme le nôtre, le Grand Druide est l'autorité absolue au niveau des directives et de l'application de celles-ci. Il peut exister plusieurs Grands Druides de Lönnar et chacun assume ses fonctions sur un territoire différent. Ce rang lui confère des pouvoirs additionnels accordés par son dieu, mais il y a certaines limites et règles à suivre.

Puis, reprenant une voix mystérieuse, elle ajouta :

— Il est dit que lorsque le temps sera venu, le Grand Druide sélectionnera son successeur selon les rituels pratiqués et les enseignements de son dieu, une question de traditions. Le Conseil des druides a une fonction de balance et a ainsi un droit de regard pour accepter ou renverser la décision sur le choix effectué.

— Merci beaucoup de nous avoir si bien instruits, mes amis, se réjouit le troubadour en levant enfin sa plume.

— Oh, nous ne vous avons raconté que les enseignements donnés à nos novices. Il s'agit d'informations bien communes au sein de notre communauté et aucun secret ne vous a été divulgué ! L'Ordre des Gardiens de Lönnar a la responsabilité des Terres d'Aezur.

— Alors la grande montagne de Feygor, c'est ton chez toi ? lui demanda Seyrawyn en ne suivant pas tout à fait le fil de la conversation.

— Il s'agit plutôt de la forteresse localisée dans la montagne au cœur de ce territoire. C'est un lieu sacré pour notre Ordre, fortement gardé et oui, c'est également l'endroit où j'ai passé une partie de mon enfance.

La druidesse se rappelait beaucoup de souvenirs associés à cet endroit : ses débuts à titre d'initiée, son apprentissage des connaissances druidiques. En fait, plusieurs bons souvenirs remontaient à sa mémoire.

C'est d'ailleurs le premier endroit dont elle s'imprégna lorsqu'elle arriva sur cette île. Son père la présenta à ses amis pour la toute première fois. Elle était une toute petite gamine de neuf ans aux longs cheveux châtains et aux traits délicats comme tous ceux de sa race. Personne n'était au courant qu'Arminas était le père de cette fillette.

Elle se souvient des commentaires qui circulaient parmi leurs connaissances. « Ses nouvelles fonctions l'ont tenu bien occupé lors de la première année sur Arisan, jamais il n'aurait eu le temps de bien s'occuper d'une enfant ! »

Seul Beren semblait être au courant de cette facette de la vie de son compagnon. Il était sans doute le plus proche parent de Miriel, c'est la raison pour laquelle il était naturel qu'il devienne son parrain.

La quinzaine de jours d'excursion pour atteindre Feygor se déroula sans aucun incident. Cette parcelle de territoire était largement patrouillée par les gardiens et les rencontres amicales se multiplièrent au fur et à mesure qu'ils se rapprochaient de la forteresse.

De plus, au grand désespoir de Marack, les résidents de la forêt semblaient de nouveau avoir décidé de ne pas importuner le petit groupe d'aventuriers.

Il n'avait pas pris de chance cette fois-ci : il avait fait le plein de viande fumée avant son départ. Il était bien trop carnivore pour se passer, pendant tout le temps d'un voyage, de cette denrée si précieuse à ses yeux.

Après avoir contourné la montagne, le groupe de compagnons arriva au premier poste de garde.

— Druidesse, Gardiens du territoire, vous êtes les bienvenus à Feygor ! salua le garde qui avait reconnu le bâton d'office.

— Nous devons nous rendre jusqu'au Sanctuaire pour discuter avec le Grand Druide, déclara Miriel.

— Je peux vous laisser passer, mais les deux inconnus ne pourront pas vous accompagner. Vous connaissez les ordres aussi bien que moi, prononça la sentinelle d'une voix claire et ferme à tout le groupe.

— De toute façon, cela ne m'intéressait pas de voir cette ville, déclara Seyrawyn qui était parfaitement content d'attendre ses amis aux pieds des rochers.

Bertmund s'étira le cou pour voir s'il pouvait entrevoir une ville à l'horizon, mais les chemins sinueux à travers la montagne ne permettaient pas d'apercevoir cette grande forteresse dont Miriel avait tant parlé.

— Je vais rester avec eux, proposa Arafinway.

— Ne me regarde pas ainsi cheffe, dit Marack en la dévisageant. Tu sais très bien que je vais t'accompagner jusque dans la salle du conseil.

Miriel leva les mains dans les airs en signe d'abandon et emprunta la piste qui la menait jusqu'au Sanctuaire des druides. Son guerrier, à quelques pas derrière elle, était ravi d'avoir enfin eu le dernier mot.

En quelques heures de marche, ils franchirent plusieurs autres postes de garde avant d'atteindre l'enceinte des murs de la forteresse de Feygor. Dès leur entrée dans les couloirs de pierres finement taillées, Miriel avisa un druide messager. Elle lui remit le parchemin avec la traduction de Bertmund ainsi que la petite

missive de la part du Jarl de Hinrik et il s'empressa de les remettre à son supérieur.

Les deux gardiens patientèrent devant les grandes portes de bois massif qui protégeait la salle du Conseil.

— Dis-moi Miriel, est-ce que tu as vraiment l'intention de laisser nos deux nouveaux se joindre à notre groupe de gardiens ?

— La décision revient au Conseil puisqu'ils ne sont pas de notre communauté. Mais si le choix me revient, je crois que j'aimerais bien les avoir comme compagnons, répondit-elle d'un air très sérieux.

À ce moment, le son feutré des portes qui s'entrouvrent les invita à se taire. Ils pouvaient y apercevoir d'immenses bibliothèques ainsi qu'une longue table. Ils firent leur entrée. Le Grand Druide, son père, en compagnie de deux Gardiens du Secret, les doyens de l'Ordre, les y attendait. Arminas se leva en faisant signe à la druidesse d'avancer.

— Merci, Marack, fils de Marack, tu peux aller te reposer, déclara-t-il d'une voix solennelle. Une chambre a été préparée pour ton séjour et l'un des gardes à la porte a reçu comme instruction de t'y conduire. Ton obligation en ces lieux n'est pas nécessaire car Miriel est sous ma protection et celle des druides. Prends note que ta dévotion est remarquée et ton honneur toujours intact. Va en paix, la conscience tranquille, sachant que ton devoir est accompli pendant toute la durée de votre séjour. Tu pourras assumer ton rôle à nouveau lorsque vous quitterez Feygor.

Le guerrier s'inclina et s'en retourna en regardant droit devant, comme lorsqu'il était contrarié et qu'il ne voulait pas que cela ne paraisse. Miriel entra dans la pièce, un peu stupéfaite, en s'interrogeant au sujet de ce qui venait de se passer entre son père et son ami Marack. Tant de décorum envers un gardien ! Il aurait simplement pu lui demander d'attendre à l'extérieur.

Décidément, le rôle de Marack au sein de son groupe va nécessiter une petite enquête de sa part. Elle aura besoin d'une bonne discussion avec son père, tout autant qu'avec son ami. Y aurait-il des petits jeux de coulisses secrets entre ces deux-là ?

Journal d'Ogaho,
Vizir du tout-puissant Arakher, Roi des Géants de pierre
Mission royale : infiltration en terres ennemies

Cela fait maintenant vingt jours que je parcours à pied les rivages nordiques de l'île en direction ouest pour atteindre la ville d'Yngvar. Comme prévu, nous avons quitté le village de Pesek sous la bonne garde des deux lunes orange du Solstice des Dieux, mes protectrices. Ma petite troupe emprunte une piste qui suit les berges des rocheuses des pics, les Hàmarkis,.

Le sentier est rocailleux mais l'air marin me fait grand bien. J'arrive à percevoir, bien au-delà de la brise, des relents de pieuvres et d'autres odeurs inconnues toutes aussi exaltantes. Par moment, la mer se déchaîne et les ressacs me renvoient régulièrement des tonnes d'eau salée. J'aimerais bien m'aventurer plus loin, comme ce fut possible il y a quelques jours mais ici, les falaises abruptes et les pointes acérées nous en empêchent, du moins pour l'instant.

Sujet cinquième : Cartographie

Le petit groupe de Morjes qui m'accompagne rechigne de temps à autre sur le trajet laborieux mais j'ai la ferme intention de remettre à mon Roi un plan détaillé de cette partie d'Arisan. Ainsi, j'utilise leurs habiletés aquatiques pour répertorier les récifs et décrire le relief qui longe les berges.

Quoique j'aie perdu un nageur, emporté par une lame de fond, à moins que ce ne soit autre chose, je demeure convaincu que ce travail doit être accompli. Si un jour mon souverain souhaitait attaquer nos ennemis par la voie des eaux, ces informations deviendraient capitales.

Tous les soirs, suite à une bonne journée de marche et de cartographie, je me réfugie dans ma charmante petite demeure de pierre. J'ai conservé cette vieille habitude de la faire apparaître où que je me trouve. Elle se camoufle parfaitement dans l'environnement que je lui choisis tel un caméléon. J'y retrouve mon intérieur douillet, y recréant mon confort solitaire et usant avec bonheur de mes effets personnels.

Mes soldats, quant à eux, se sont habitués à dormir dans ces régions, fragmentant leur sommeil par tranches de quatre heures. Ils dissimulent toujours la moitié de leurs effectifs dans des caches et gardent ainsi un effet de surprise sur de potentiels prédateurs.

Sujet sixième : Attaque des Trolls

Cette tactique s'avéra fort ingénieuse devant la première escarmouche de cette mission. L'attaque sournoise aurait pu détruire la patrouille en entier n'eut été de la réaction rapide des Morjes qui étaient tapis dans l'ombre.

Dès l'instant où l'alarme fut donnée, j'ai entrebâillé ma porte pour voir ce qui se passait : trois Trolls des montagnes avaient décidé de festoyer à même les quelques Morjes étendus près du feu. Le carnage aurait pu perdurer longtemps mais, de ma position, j'ai pu constater avec autant d'étonnement que de satisfaction, l'efficacité militaire des Morjes.

Ainsi, la surprise fut complète lorsque les soldats orchestrèrent leur attaque par le revers. Du coup, deux créatures furent éliminées avec cet assaut. Le troisième Troll décida de battre en retraite en empruntant la mauvaise direction : il se retrouva nez à nez avec moi.

Comme je suis un magicien ayant survécu à plusieurs années de combats, je l'ai bloqué de la main droite et de l'autre, j'ai retiré une composante de ma ceinture. Je pense que le Troll, pris entre deux feux, décida que les Morjes encore puants seraient plus faciles à esquiver qu'un géant magicien et il fit un pas en arrière pour tenter de s'échapper.

Cet adversaire avait raison, mais il n'était malheureusement pas assez leste pour esquiver mon sortilège magique. Devant l'urgence, je lui ai créé une cage de pierre et, dommage pour lui, comme je ne fais pas de prisonniers, elle est devenue son tombeau.

Sur mon invocation, des stalagmites jaillirent du sol et encerclèrent le prisonnier qui n'eut pas le temps de comprendre ce qu'il lui arrivait.

Il n'était pas au bout de ses malheurs car une fois la cage érigée, une plateforme de pierre s'est créée au-dessus des stalagmites pour refermer la prison. Je positionnai ensuite mes mains l'une au-dessus de l'autre et entrecroisai mes doigts. En mimétisme, la cage de pierre effectua la même action que je venais de lui ordonner. Je suis convaincu que ses compagnons et lui avaient sous-estimé cette échauffourée. Pas de seconde chance pour eux…

Les stalactites empalèrent le moribond en le maintenant en place. Je me suis donc approché du corps inerte et, à l'aide de quelques fioles, j'ai récupéré minutieusement le sang de cette créature.

Il s'agit d'une composante idéale pour concocter des potions de guérison. C'est bien connu, la capacité de régénération naturelle des Trolls est plus qu'une légende : cela fait d'eux des ennemis fort redoutables.

Dès lors, comme l'incinération demeure le seul moyen de s'en débarrasser définitivement, sur mes ordres, les Morjes se sont afférés à répandre leur huile maison sur les corps et d'y mettre le feu avec une simple torche.

J'aurais bien aimé les brûler magiquement, mais malheureusement ma maîtrise de la sphère de feu est encore pour moi une énigme. D'ailleurs, le Premier Vizir Dihur a largement

profité de cette faille au sein de mon arsenal pour me rabaisser aux yeux de mon bon roi.

Sujet septième : Quelques créatures de cette région

Par la suite et tout au long de notre périple, nous avons croisé le fer à quelques reprises. Hormis les nombreuses créatures marines qui suivent et attrapent parfois mes nageurs, le groupe de rats des montagnes, quelques mygales géantes ou même la meute de loups noirs n'offrirent point de défis intéressants pour entraîner mes troupes.

Voilà une semaine, nous avons aussi combattu un barilor, une race de singe à fourrure blanche ayant quatre bras et qui mesure quinze coudées de haut. Solitaire, l'animal ne posait aucun danger pour les Morjes. Cependant, je note que s'il avait été avec son groupe de trois à sept individus, cette rencontre aurait pu s'avérer beaucoup plus dévastatrice.

Sujet huitième : Attaque des Démons

La seconde escarmouche qui mérite de figurer dans mon journal de bord remonte à trois jours. J'ai d'ailleurs perdu quatre guerriers durant cette invasion nocturne.

Le campement était à nouveau organisé de façon à attirer dans un piège tout prédateur. Quatre soldats somnolaient près du feu tamisé pour l'occasion. Camouflés, les autres membres de l'escorte demeuraient sur le qui-vive pour couvrir les appâts positionnés le plus naturellement du monde. La nuit s'égrenait lentement.

C'est alors qu'un petit groupe de Gardiens, nos pires ennemis à ce jour, intelligents certes mais tout autant fourbes et sournois, ont décidé de s'en prendre à mes Morjes. Il y avait un jeune homme et une guerrière du Nord, en compagnie de deux démons prétextant avoir découvert des intrus sur leur territoire. Quelle idée ! Ne sommes-nous pas chez nous sur les terres du Roi Arakher ? Le druide du groupe, un humain, fit apparaître avec son bâton un mur de feu, surprenant du coup les quatre dormeurs.

Cette fois-ci, le piège tendu par nos guerriers n'a pas été un franc succès. Ces démons ont certainement un sixième sens qui leur permet d'anticiper les réactions de leurs ennemis. Avant que les Morjes ne puissent donner l'alarme, quatre victimes jonchaient le sol. Il faudra que je revoie cette tactique.

Toutefois, lorsque j'ouvris ma porte pour entrer dans la mêlée, j'aperçus l'un de nos sorciers invoquer brillamment une vague de froid intense contre l'un des démons et le gel le fit éclater en morceaux.

Ensuite, le druide reçut à son tour une multitude d'attaques et les trois Morjes ne firent aucun quartier.

Ils n'étaient plus que deux écervelés contre six Morjes et un Géant. J'ai employé une petite incantation pour ralentir ces attaquants et ainsi éviter qu'ils ne prennent la fuite. Contrôlant toujours l'élément de pierre, plusieurs petits cailloux se mirent à rouler et à s'accrocher aux jambes des deux gardiens. Après quelques instants, ils étaient presque immobiles. Leurs bottes recouvertes de petites pierres jusqu'aux genoux, ils n'avaient certainement plus la force physique nécessaire pour se déplacer. Ils étaient enfin pris au piège. Ne pouvant esquiver nos coups, leur vie fut écourtée très rapidement.

Par habitude, je pratique une petite incantation pour déceler la magie présente sur le site d'une confrontation et, normalement, je laisse les Morjes récupérer le butin qu'ils trouvent sur les corps. Cette fois-ci, par contre, deux objets attirèrent mon attention.

Sur l'homme druide, j'ai récupéré un fameux bâton d'office à l'effigie de la tête du bélier satanique ainsi qu'une petite pierre mauve et lisse dégageant une certaine aura magique.

Je les ai donc conservés et laissai le reste du butin à mes six Morjes restants.

Sujet neuvième : Conclusion

Nous n'avons que le quart de notre route de franchie et déjà mes effectifs sont amoindris. Si je veux les conserver vivants encore quelques mois, et c'est mon intention, je n'ai d'autre option que de les accueillir à l'intérieur de ma maisonnée.

Cela ne m'enchante guère, mais il y a assez de place pour loger mes six soldats. Je les ai bien avertis : à la moindre infraction à mes règles, ils retournent dehors et feront face à tout ce qui pourrait se présenter pour les attaquer.

Enfin, je remarque que mes Morjes n'ont nullement la volonté de se mettre à dos un grand Vizir et ils m'écoutent au doigt et à l'œil. De plus, voyant leur nombre diminué, l'option de survivre au sein de ma chaumière magique et sous ma protection leur semble fort acceptable.

En ce crépuscule, Ogaho, voyant que ses éclaireurs avaient la situation du campement bien en mains, profita de ce répit de solitude pour retourner à ses recherches dans lesquelles il puisait un grand réconfort.

Son attention était concentrée sur la babiole que Jokras lui avait offerte.

> « Une énigme de plus de la part de mon ami. », se dit-il à voix haute avec un sourire.

Le vieux mage ne fut pas surpris du résultat lorsqu'il employa les plus simples enchantements pour déchiffrer ce document. La magie qui avait été utilisée pour façonner ces runes était d'une puissance beaucoup plus élevée que celle qui était présentement à sa disposition.

> « J'aime bien relever de tels défis... Et puis, ce n'est qu'une question de temps avant que je ne perce ce mystère. Sur moi, un Géant de pierre, le temps n'a vraiment pas d'emprise. »

Ogaho redéposa l'énigmatique parchemin, songeur.

Le compte-rendu sur le premier tour de garde de Miriel devant le Conseil de l'Ordre de Lönnar surprit Arminas. Il ne s'attendait pas à ce que sa fille affronte autant de dangers, sans compter les péripéties du voyage, lors de sa première affectation dans la contrée la plus au sud du territoire.

Par pudeur, la jeune druidesse se garda bien de tout dévoiler car certains points méritaient d'être approfondis en tête-à-tête avec son père et ce, lorsque le moment serait propice. Avouer qu'une Skass qui connaissait son paternel n'était peut-être pas une chose à étaler ouvertement devant les membres forts orthodoxes du Conseil.

De son côté, ce qui préoccupait davantage le Grand Druide était la missive récupérée chez un guerrier Géant et qu'elle lui avait vaillamment rapportée.

— Les druides érudits ont tenté de valider la traduction des runes retrouvées sur le parchemin, commença-t-il. Malheureusement, ce langage était tout à fait nouveau pour eux. C'est une vraie chance pour nous que ta connaissance, ce Bertmund LeGrand, ait été en mesure de pouvoir le déchiffrer.

— Oui Grand Druide, ce soldat possède un nombre impressionnant de compétences qui peuvent devenir des atouts pour notre Ordre.

— En effet, c'est ce que dit le Jarl d'Hinrik dans sa missive jointe au colis. Cependant, nous ne savons pas encore si ce soldat a retranscrit la vérité. Peut-être s'agit-il seulement d'une recette de sanglier farci et qu'il a voulu se rendre intéressant en inventant un message de toute pièce. Après tout, c'est un raconteur d'histoire, lui lança-t-il en observant ses réactions. Nous allons donc attendre avant d'y donner

suite que les informations soient corroborées. Simple précaution !

Cette probabilité n'avait pas effleuré l'esprit de Miriel. Devait-elle aussi douter de son compagnon ? Elle trouvait tout de même étonnant qu'une menace aussi grande soit traitée de façon si anodine par les dirigeants de son Ordre. Selon elle, Bertmund n'avait aucune raison de mentir et, jusqu'à présent, il n'avait donné aucun signe de traîtrise envers elle ou son groupe. Elle affirma se confiance avec sincérité.

— Je ne crois pas que cet érudit ait menti. Il a toujours été honorable et utile depuis sa rencontre sous le monticule de pierre, même alors qu'il était prisonnier des Yobs.

— Justement… lui rappela son aîné en la fixant, le sourcil levé.

Arminas tentait de faire prendre conscience à la jeune elfe de l'importance d'un doute judicieux. Son devoir de remettre en cause toutes les informations recueillies et de ne jamais rien prendre pour acquis prenait ici tout son sens.

— Tu sais, il n'y a pas qu'une seule façon de bien faire les choses pour arriver au même résultat. Un espion peut vite être assimilé à un groupe de victimes… L'infiltration est une stratégie très efficace. Les sauveurs de bonne foi se laissent manipuler sans le savoir.

Miriel, la mine renfrognée, ne voulait pas y croire et montrait des signes d'impatience. Elle avait en tête les paroles du troubadour qui voulait se rendre utile et, si elle avait pu, elle aurait fait en sorte qu'il soit immédiatement intégré au sein de son Ordre ou ailleurs. Malheureusement, cette décision relevait exclusivement du Grand Druide.

La lettre du Jarl faisait aussi mention du groupe de Yobs en avant-poste souterrain sur leur territoire et le Grand Druide poursuivit.

— Avec ton aide pour identifier l'endroit où cette tanière se situe, une expédition a été envoyée pour éliminer cette menace. Le groupe du druide Ededrim et celui de Bernulf, deux gardiens expérimentés, se sont portés volontaires pour cette mission. Marack père y aurait bien participé lui-même, mais après avoir appris le contenu du parchemin, il préféra renforcer sa position en augmentant le nombre de patrouilles pour protéger un peu mieux les alentours d'Hinrik.

— Il y a également ce Falsadur-Dreki, intervint un des Gardiens du Secret, qui vous suit partout comme un chiot qui s'attache à la première main qui le nourrit. On m'a avisé qu'il campait à la base de la montagne en compagnie de ton troubadour et de l'un de tes compagnons, l'éclaireur Arafinway Merfeuille, c'est bien cela ?

— Oui, doyen Ferajar, les trois se sont installés non loin du premier poste de garde. Et puis, se défendit-elle en relevant vivement le menton, Seyrawyn n'a rien d'un chiot. C'est sous sa forme d'elfe des bois qu'il nous a suivis, je préfèrerais dire qu'il nous a accompagnés et secondés, mes compagnons et moi. S'il n'était pas intervenu dans le combat contre les Yobs, je ne serais pas ici devant vous pour vous faire mon rapport !

Miriel ne comprenait pas pourquoi son exposé prenait de plus en plus le ton d'un interrogatoire en règle contre deux personnes qui avaient supporté la cause des druides.

— Fais attention à tes paroles, jeune fille ! Rappelle-toi que tu t'adresses au Conseil de l'Ordre de Lönnar. Maintenant, explique-moi pourquoi tu les as amenés jusqu'à nous et ce, sans vérifier leurs antécédents au préalable, Gardienne du territoire.

Le ton du second doyen Thorennor était sérieux et l'emphase sur le rang que Miriel occupe au sein de l'Ordre était un avertissement. Elle se devait de modifier son attitude et elle prit un moment de réflexion, mesurant l'importance de la réponse qu'elle allait avancer.

La jeune druidesse avait un peu de difficulté à contenir sa fougue. Elle parlait certes au Grand Druide, mais également à son paternel, et ces doyens qui l'avaient vue grandir au sein des murs de cette forteresse la sentait tiraillée entre les deux points de vue. Pourquoi y avait-il tant de protocole aujourd'hui ? Elle prit une respiration et s'adressa de nouveau à eux avec un peu plus de retenue cette fois.

— Chers Maîtres, l'expérience acquise pendant ces quelques mois de patrouille m'a fait réaliser que mon équipe de gardiens était plus fragile dans certaines circonstances parce qu'elle était incomplète. Plusieurs fois, mon groupe s'est retrouvé en péril devant des situations où un membre supplémentaire aurait pu faire toute la différence.

Puis, prenant son courage à deux mains, elle continua sur un ton plus empressé.

— Je réclame l'affectation de Seyrawyn au sein de mon groupe de gardiens. Toutefois, pour Bertmund, je réitère ma profonde conviction de sa loyauté en vous signalant que ses vastes connaissances seraient un atout pour notre Ordre. Un poste d'érudit serait adéquat pour mettre à profit ses différents talents. Si vous le jugez digne de cette mission, évidemment.

Elle avait réussi à garder son calme, mais malheureusement ses paroles outrepassaient ses droits. Elle réalisa un peu trop tard que son approche aurait nécessité un peu plus de finesse. Elle s'en voulait d'avoir encore agi avec trop d'impétuosité. Elle se mordit la lèvre inférieure en attendant la suite. C'est un doyen plutôt sarcastique qui brisa le silence, devenu pesant, en se levant.

— Est-ce que vous avez d'autres revendications, Grande Druidesse Miriel ? Avez-vous décidé d'une autre affectation pour moi et Ferajar ou croyez-vous que notre position à titre de doyens est le poste qui convient le mieux en ce moment ?

Thorennor était furieux. Il regardait Miriel et vociférait auprès du Grand Druide Arminas, prenant à témoin son collègue, estimant que cette druidesse avait été trop gâtée. Elle avait certainement bénéficié d'un traitement de faveur pour passer les tests qui lui avait permis de se hisser au rang de Gardienne de territoire. Jamais il n'avait vu autant d'arrogance de la part d'une elfe, par surcroît aussi jeune qu'inexpérimentée.

Au fur et à mesure que la liste de ses manquements s'allongeait, la druidesse rougissante regardait le plancher et aurait voulu disparaître entre les dalles de pierre sous ses bottes. Le supplice devenait une véritable torture morale.

Arminas posa enfin sa main sur l'épaule de son ami et lui demanda de se calmer.

— Ferajar, revenons-en aux faits... Est-ce que vous partagez l'opinion du doyen Thorennor concernant ces deux étrangers?

— Je dois avouer qu'il est plutôt inhabituel, pour une Gardienne avec si peu d'expérience, d'ordonner au chef de son Ordre des actions qui pourraient avoir des répercussions au niveau de notre mission. Ils ne font pas partie de notre communauté

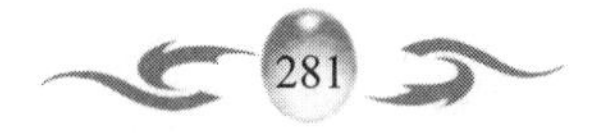

et ils ignorent tout de notre culture et de nos façons de faire sur les zones que nous protégeons. Ces lacunes pourraient possiblement nuire aux vrais Gardiens de ce groupe. Toutefois…

Miriel reconnaissait son erreur et songeait à ce qu'elle pourrait faire pour rectifier la situation. Mais, étant donné que les doyens semblaient se liguer contre elle, le silence était sans doute sa meilleure défense pour l'instant.

— Je vote contre la requête de cette gardienne ! Ce sont des étrangers et, de ce fait, ils n'ont pas la foi nécessaire pour recevoir un tel honneur, annonça Thorennor d'une voix encore colérique.

Ferajar fit un signe approbateur au Grand Druide, lui signifiant qu'il était du même avis.

— Je vous remercie de votre opinion franche, mes chers doyens. Cependant, il me revient à moi seul de prendre cette décision et j'aimerais bien rencontrer ces deux aventuriers exceptionnels. Puisqu'ils ont réussi à pousser ma fille à paraître aussi insolente devant moi et les plus respectés druides de mon Ordre, ils doivent bien posséder quelques intérêts, ne croyez-vous pas ?

Miriel fit face aux trois vétérans qui s'étaient levés. Elle demeura muette devant l'habile question de son père. Par ailleurs, elle y voyait une mince chance que ses deux nouveaux amis soient acceptés. La réprimande qui lui serait attribuée pour ses actions lui semblerait plus justifiée après une rencontre que sur la simple opinion d'observateurs sceptiques en tout.

— Miriel, reprit Arminas de sa voix solennelle, je te félicite pour ta première mission. Tes actions ainsi que ta dévotion envers Lönnar me remplissent de joie. Cependant, je devrai superviser personnellement ta révision sur le protocole de respect envers tes supérieurs… mais cela nous donnera la chance de discuter un peu plus en tête-à-tête. Avez-vous quelque chose d'autre à ajouter, mes chers conseillers ? Car votre rôle est bien de me conseiller et non de prendre les décisions à ma place, n'est-ce pas ?

Ferajar et Thorennor, malgré les dizaines d'années qu'ils avaient en avance sur l'âge d'Arminas, connaissaient bien leur position hiérarchique. Les deux doyens se regardèrent d'un air entendu.

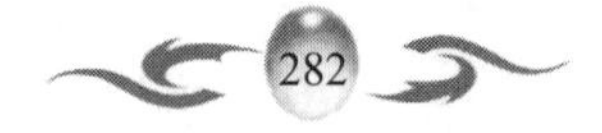

Ils venaient de se faire servir la même médecine qu'ils avaient administrée à la petite gardienne elfique de leur Ordre. Leur silence fit foi de leur acquiescement et de leur soutien envers leur chef spirituel.

— Maintenant, fit le Grand Druide en s'adressant à ses doyens, que la traduction effectuée par Bertmund soit véritable ou non, je ne peux prendre cette chance. Je vais devoir trouver rapidement un groupe de gardiens et les expédier à Vraxan pour intercepter les espions dont il est mention dans le parchemin. Car si c'était vérité, l'ignorance me reviendrait comme un couteau dans le dos… Par contre, agir pour prévenir est un risque calculé.

Miriel, surprise, sauta sur l'occasion et demanda à prendre la parole, ce qui lui fut accordé, non sans se mériter un regard fulminant du doyen Thorennor.

— Je vous prierais, chers membres du Conseil, d'accorder la permission à mon petit groupe de gardiens, accompagné de mes deux nouveaux compagnons, de s'acquitter de cette mission. Cela ne leur permettrait-il pas de démontrer leur loyauté envers notre Ordre ?

Avant que les deux doyens ne puissent intervenir, Arminas lui répondit immédiatement.

— Druidesse Miriel, tu n'es jamais allée dans cette partie du territoire ennemi, ni dans aucuns autres que ceux de ta première affectation. Cette mission est dangereuse pour un petit groupe de trois gardiens encore inexpérimentés. Pourquoi devrions-nous t'accorder la responsabilité de cette expédition délicate ?

La jeune elfe connaissait bien son père et elle excellait à ce jeu de pousser d'un cran de plus sa confiance. C'était sa façon d'obtenir une chance additionnelle de faire valoir son point de vue devant les deux doyens de l'Ordre, sans user de favoritisme. Elle réfléchit à toute vitesse aux arguments convaincants qui lui permettraient d'obtenir ce mandat.

— Je vous l'accorde, je ne suis jamais allée dans ce coin de territoire. Mais n'avons-nous pas à Feygor des cartes géographiques détaillées, comme celles que j'ai étudiées pour mon premier tour de garde ? De plus, cette ville est localisée au nord-est du Grand Lac. Il s'agit de suivre le cours d'eau

jusqu'au bout où la forteresse a été érigée. Les chances de se perdre en route sont bien minces.

Elle fit une pause en scrutant ses auditeurs afin de détecter la moindre objection, mais ils demeuraient stoïquement fermés. De nouveau, le menton levé et la passion dans la voix, elle continua.

— Nous ne serions pas trois mais bien cinq à entreprendre cette mission et je crois que notre groupe est prêt à relever ce défi. Comme atouts, Seyrawyn a une habileté pour se camoufler qui ne peut être égalée par aucun autre éclaireur et Bertmund, en tant que soldat, dispose d'une variété de connaissances et d'expériences qui sont complémentaires à ce que les autres groupes de gardiens possèdent déjà.

— Y a-t-il autre chose ? demanda Arminas.

— Oui, je suis le Gardien qui a découvert cette missive et, par l'entremise de mes nouveaux compagnons, nous avons été en mesure d'apprendre son contenu et surtout de l'apporter jusqu'ici. Je suis un Gardien du territoire de l'Ordre de Lönnar et ma mission est de protéger nos terres et *La Source*. Enfin, je trouve qu'il serait très irrespectueux de ma part de ne pas reconnaître tous les signes que Lönnar a laissé sur mon chemin afin que j'accomplisse cette mission, conclut-elle la tête haute, confiante et résolue.

Encore sous le choc de l'audace démontrée par cette druidesse, les deux doyens fixèrent leur regard sur leur chef, attendant, bouche entrouverte, sa réaction.

Arminas avait un peu de difficulté à observer la déconfiture de ses conseillers. Pour dissimuler un petit sourire, il caressa sa barbe en signe de réflexion. L'argumentaire de sa fille était un peu naïf mais avait quand même bien du sens.

Il était fier d'elle, mais il savait que cette mission était dangereuse. Ses inquiétudes mises de côté, il devait la considérer comme l'une de ses disciples, une druidesse qui avait juré d'accomplir son devoir envers l'Ordre.

Maintenant, c'était à son tour de formuler une réponse qui lui accorderait le temps de considérer tout ce qui avait été dit.

— Voici donc ma décision. Dans un premier temps, je veux rencontrer tes amis et leur poser quelques questions. Je vais me déplacer vers eux puisqu'ils ne sont ni des druides ni des

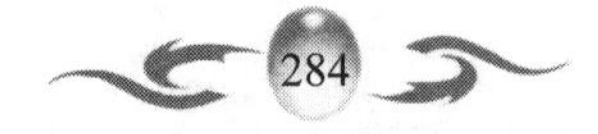

gardiens, la forteresse de Feygor leur est interdite. Dans un deuxième temps et suite à cette entrevue, je te ferai savoir ma décision à propos de tes requêtes.

— Je m'incline devant la sagesse du Grand Druide, répondit Miriel avec une révérence protocolaire puis elle se retira avec la permission du conseil.

Dès l'instant où les portes se refermèrent derrière la jeune fille, les trois druides se retrouvèrent à nouveau seuls dans la salle du conseil. Se retournant vers leur chef, les deux doyens s'inclinèrent, chacun ayant un large sourire.

— Quoi, aucun argument ? Ferajar, rien de ta part ?

— Si le Grand Druide juge que Miriel est désignée pour accomplir cette mission et que les deux nouveaux-venus sont dignes de pouvoir l'accompagner, alors j'accepte la décision.

— De plus, continua Thorennor, comment pouvons-nous nous opposer à la volonté de Lönnar qui l'a prise personnellement sous son aile ? s'esclaffa-t-il à s'en étouffer, ne pouvant réprimer plus longtemps son rire contagieux.

— Cher Arminas, je recommande l'utilisation du diadème de vérité, conseilla finalement Ferajar. Cette approche nous permettrait de s'assurer que les deux nouveaux compagnons de Miriel ont des intentions sincères.

— Merci de vos conseils mes bons amis. Je vais de ce pas le chercher et rencontrer ces deux aventuriers.

Tout en réfléchissant aux arguments de sa fille, il se rendit prestement à ses appartements afin de récupérer l'objet magique. Arminas eut un doute sur l'endroit où pouvait se trouver le diadème. Celui-là même qui avait servi à débusquer les espions qui voulaient se faufiler dans le portail les conduisant jusqu'à l'île d'Arisan. Il espérait que Beren le lui avait rapporté suite à la dernière grande confession, un rite de passage pour les futurs templiers de Tyr.

« Miriel a tourné habilement ses arguments à son avantage, songea-t-il, sans jamais tenir compte des inconvénients. Mais l'ajout de ces deux compagnons à son groupe pourrait s'avérer une très bonne chose. S'ils avaient été seulement les trois jeunes gardiens, ma réponse aurait été toute simple : non. »

Dans le long couloir, il salua quelques Gardiens du Secret et continua sa réflexion.

> « De plus, je n'aurais pas eu à prendre le temps de rencontrer ces nouveaux aventuriers. Selon moi, le petit Merfeuille est toujours le maillon faible de ce groupe mais la synergie des cinq compagnons semble leur avoir bien servi jusqu'à présent… »

En franchissant le dernier escalier, il sourit en prononçant le mot de passe pour ouvrir la porte de sa chambre magiquement scellée par son ami Beren. Toutes les occasions sont bonnes pour lui pour faire de la magie …

— *Thiemen Thee !* Et la porte s'ouvrit.

> « J'espère qu'elle aura la même bonne fortune que moi dans la sélection de ses frères d'armes. Marack, Grim, Lars et Beren feront toujours partie de ma famille. Nous avons trop partagé d'aventures pour simplement nous laisser après tant d'années. Ce fut d'ailleurs cette amitié envers moi et Beren qui les avait convaincus de me suivre sur cette île et ce fut en réalité la plus belle preuve de solidarité que je ne pourrai jamais recevoir. Puisse-t-il en être de même pour Miriel…»

Dans un coffret antique, le diadème reposait comme un bijou précieux dans son écrin de velours. Il le prit avec précaution, se remémorant toutes les étapes de cette épopée… Aujourd'hui, la sécurité de son peuple ne devenait-elle pas un enjeu des plus importants ?

Chapitre 23
Le test

Mystères et convoitise rendaient la mission de la sauvegarde de *La Source* plus ardue que jamais. Depuis que l'Ordre de Lönnar a pris la responsabilité d'en protéger le secret, plusieurs modifications structurales des systèmes de défenses magiques et mécaniques furent entreprises.

Miriel ignorait la valeur exacte de *La Source*, mais comme son Ordre avait juré de la protéger, la druidesse avait bien l'intention de faire tout ce qui lui était possible pour accomplir cette mission. Ainsi, elle connaissait l'importance de vérifier les intentions de chaque nouveau-venu et elle n'en voulait pas trop à son père pour le pénible interrogatoire.

En sortant de la salle du Conseil et encore sous l'effet de l'adrénaline, elle avait décidé que sa discussion avec Marack, fils de Marack, aurait lieu dès maintenant. Elle frappa avec détermination à la porte de la chambrette de son ami.

Aucune réponse ! Pourtant, il s'agissait bien de la cinquième porte à droite, selon les informations données par le garde qui l'avait escortée. Elle tenta vigoureusement de se faire entendre, croyant qu'il dormait peut-être, sans succès.

Alors que la jeune fille s'apprêtait à frapper pour une troisième fois et avant que son poing ne puisse toucher le bois, la porte s'ouvrit brusquement. Son ami, hache à la main et en position de défense, l'attendait à l'intérieur de la pièce.

— Je savais que tu avais un petit côté rustre, mais au point de me recevoir de la sorte au sein de la forteresse la mieux protégée du côté ouest des territoires d'Aezur, je dois avouer que, cette fois-ci, je ne sais pas quoi penser ! lui lança-t-elle en hésitant sur le pas de la porte.

— Désolé Miriel, je t'en prie, entre. Même si je suis venu souvent ici avec mon père, je reste vigilant surtout… lorsque je ne suis pas en train de te protéger.

— Pourtant, à Hinrik, tu n'as jamais agi de la sorte ! Tu n'avais pas cette obsession délirante de rester à mes côtés en tout temps.

— À vrai dire, oui je l'ai toujours eue ! lui répondit-il en déposant sa hache sur le bord de son lit au milieu de son paquetage à peine défait.

La druidesse fixa sur lui un regard interrogatif et Marack comprit que sa cheffe attendait des explications.

— Dès l'instant où tu es arrivée pour t'entraîner à Hinrik, mon père s'est organisé pour que je sois toujours dans tes alentours. J'ai été présent dans chacun de tes cours et, si tu te souviens bien, à chacune de nos excursions pratiques en forêt. Toujours à l'affût, même lorsque tu dormais… J'ai passé tellement de nuits à surveiller l'entrée de ton baraquement et aussi ta fenêtre ! Cela faisait partie de mon entraînement special.

Miriel avait retenu son souffle, un peu abasourdie.

— Mais Ara aussi était là…

— Oui, il y était souvent. Mais dans son cas, c'est le hasard qui a fait en sorte qu'il s'est retrouvé dans notre escadron.

Il lui fit signe de s'asseoir à la petite table et lui désigna une des deux chaises. Les appartements pour les visiteurs n'étaient pas très luxueux : un lit, un coffre avec une serrure pour leurs effets personnels, une petite table pour écrire, le tout dans un espace très restreint.

La druidesse qui venait le confronter en chargeant comme un bélier avait soudainement perdu ses cornes après ces aveux spontanés.

— Vas-y pose tes questions, je vais y répondre, lui dit-il en s'assoyant à son tour, d'un air fatigué.

Elle était simplement sous le choc. Décidément, on aurait dit que son ami venait de se faire prendre en défaut et qu'il attendait sa punition. Voyant qu'il semblait enfin disposé à répondre à ses trop nombreuses questions, elle se lança.

— Pourquoi, cet après-midi, mon père t'a-t-il ordonné de façon si solennelle de te retirer en disant que tu n'avais plus besoin d'assurer ma sécurité ?

Marack fils aurait bien préféré ne pas avoir à répondre à tout ce qui entourerait sa nomination à titre de garde du corps pour Miriel. Mais il savait bien que tôt ou tard cette discussion devait avoir lieu, mais il aurait préféré qu'elle se passe beaucoup plus tardivement et non si tôt après leur première mission.

Miriel attendait impatiemment qu'il finisse de ruminer sa réponse. Elle lui rappela gentiment qu'elle n'avait pas encore évoqué son enchantement qui lui permettrait de lire dans ses pensées. Du coup, Marack émergea de ses réflexions.

— Tu peux faire ça ? Je n'étais pas au courant que les druides avaient ce pouvoir à leur disposition.

— Ne sous-estime jamais un druide de Lönnar, nos pouvoirs sont d'origine divine, et notre dieu nous accorde des faveurs exceptionnelles, fit-elle mystérieuse. Alors, si j'étais toi, je commencerais par le début.

La druidesse bluffait et ce mensonge la mettait un peu mal à l'aise. Elle ne pouvait pas invoquer ce type d'enchantement mais voulait que son ami guerrier soit sous l'impression qu'il s'agissait d'une possibilité.

Marack prit la chope de bière qui était sur la table et en but la moitié, pour lui donner du courage, avant de raconter les raisons qui le force à agir de la sorte envers Miriel.

Arminas avait bien l'intention de rencontrer les deux nouveaux amis de Miriel. En bon père de famille, il allait vérifier si ces deux aventuriers étaient dignes de la confiance accordée par sa fille.

Après avoir franchi les nombreux postes de gardes protégeant l'étroite route qui mène jusqu'au sanctuaire, Arminas fit signe à une sentinelle de venir le voir.

— Argoustin[25] ! Sais-tu où est situé le campement des amis qui ont accompagné la druidesse Miriel un peu plus tôt aujourd'hui ?

[25] Argoustin : ancienne appellation pour sentinelle.

Reconnaissant l'autorité de celui qui lui posait cette question, il s'empressa de le lui indiquer.

— Vous les trouverez facilement un peu plus bas, sur le chemin qui mène vers Alvikingar. Le gardien qui les accompagne nous a avisé de leur présence; ils y sont sous observation jusqu'au retour de leurs amis.

Arminas connaissait bien le gardien auquel il faisait référence, il s'agissait d'Arafinway. Cet elfe s'était lié d'amitié dès l'arrivée de Miriel à Feygor. D'ailleurs, la famille Merfeuille, un clan généreux et travailleur, avait toujours résidé dans la forteresse.

Par la suite, ces deux enfants devinrent inséparables. Miriel, l'index levé, donnait des ordres et Arafinway les accomplissait sur demande, en soupirant, résigné. Cette façon de procéder semblait normale et, comme dans toute relation d'équilibre, chacun y trouvait son compte.

Il savait que la jeune fille le considérait comme son petit frère, et ce n'était pas étonnant qu'elle ait demandé à l'avoir avec elle dans son groupe de Gardiens du territoire.

— Très bien. Étant donné que tu connais l'endroit, j'aimerais que tu ramènes ce gardien et que tu le retiennes ici à ton avant-poste jusqu'à mon retour. Je dois accomplir un rituel important et je vais être de retour dans une heure environ.

Le garde s'empressa d'obéir aux directives et alla quérir Arafinway. Le Grand Druide lui laissa quelques minutes et emprunta ensuite un petit raccourci. Le sentier parmi les rochers lui permit d'arriver en amont[26] des aventuriers sans être vu.

Dissimulé derrière un large monticule de pierres, il arriva au moment précis où le garde escortait Arafinway hors du campement. Les deux autres compagnons discutaient calmement autour d'un petit feu de camp. À l'odeur, Arminas reconnut un ragoût de perdrix mijotant dans le caquelon.

Il plaça adéquatement le diadème de vérité sur sa tête et y apposa un bandeau de tissu pour masquer sa présence. Puis, en faisant un petit détour, il emprunta le chemin qui le mènerait jusqu'au petit groupe. Le soleil se couchait déjà sur l'horizon et le test allait maintenant commencer.

---

[26] En amont : en haut. En aval : en bas

— Je vois un homme qui vient dans notre direction, annonça Seyrawyn à son ami.

— Il est seul ?

— Oui, et il avance en se servant d'une branche d'arbre comme bâton de marche.

Bertmund, qui surveillait le repas sur le feu, leva les yeux quelques instants pour voir le visiteur arriver. Malheureusement, n'ayant pas l'acuité visuelle de son nouvel ami, il ne vit qu'une ombre.

Seyrawyn n'aimait pas les foules et encore moins les étrangers. Il commençait à peine à connaître et apprécier le troubadour qui l'accompagnait. Outre le fait que celui-ci savait se battre, ce personnage coloré, qui passait une grande partie de son temps à écrire et raconter des histoires, l'intriguait.

Comme il n'avait pas vraiment envie de discuter avec le vieillard qui se rapprochait, il décida de demeurer en retrait et de laisser Bertmund s'en charger.

Arminas avançait d'un pas assez alerte. Il s'arrêta à une dizaine de foulées des deux aventuriers avant de leur adresser la parole, se composant un personnage plus coloré. Le test n'en serait que plus concluant.

— *Salutâtions* mes *nôbles* seigneurs, je vous *sâlue* bien bas et je vais tenter de ne pas trop vous *ôffusquer* avec ma *pârlure* !

— Bertmund salua le druide en adoptant le patois ainsi que les mimiques d'un bon vieux paysan, sans trop d'éducation.

— Bien le bonjour mon cher voyageur, lui répondit-il amicalement. De grâce, ne faites pas autant de sérénades, nous ne sommes que deux aventuriers qui attendons leurs amis autour d'un bon repas. D'ailleurs, joignez-vous à nous, il y en a suffisamment pour trois.

Il se leva et lui tendit la main.

— Je suis Bertmund LeGrand et lui, derrière moi, c'est Seyrawyn.

L'elfe des bois continuait d'observer, méfiant, cet étranger vêtu d'une simple robe de coton épais. Il remarqua que sa ceinture de cuir avait vu plusieurs saisons et que son sac de voyageur porté en bandoulière était alourdi par un bouquin. Par contre, son bandeau de tissu semblait neuf et il avait des ongles propres et bien soignés.

— Merci, mes bonnes seigneuries, vous êtes trop *bônasses*. Je n'ai rien mangé depuis des heures...

— Ma foi l'ami, je dois dire que vous me surprenez, reprit le troubadour. Vous vous aventurez seul sur le chemin ? Êtes-vous habitant du coin et très familier avec cette contrée ou peut-être êtes-vous un grand magicien qui n'a peur de rien ?

— Si je pouvais choisir, je serais sans doute le grand *mâgicien* ! répliqua Arminas. De cette façon, je n'aurais plus à marcher de si longues distances. Malheureusement, je ne suis seulement qu'un *pôvre* paysan et j'arrive de la ville d'Alvikingar à un peu plus de trois jours au nord-est d'ici. Je dois porter ce tribut au *pôste* de garde un peu plus loin sur la route.

La mention d'un tribut intrigua suffisamment Bertmund pour qu'il le questionne.

— Vous devez verser des tributs aux sentinelles qui se trouvent sur ce chemin ? Je croyais que tout le territoire de l'Ouest était sous la protection des druides !

— Et oui, c'est bien là le prôblème ! Ces maudits *drouides*, malgré leurs grands pouvoirs et toute leur *fôrtune*, demandent malgré tout, des tributs à nous *ôtres*, les besogneux paysans de la région.

Puis, prenant un air peureux, le Grand Druide courba l'échine et continua à voix basse.

— Mais si vous leur dites que j'ai dit *çâ*, je nierai tout ! Je ne veux pas *moésir* dans un de leur cachot de pierre ou me faire transformer en *joual*, en *vôche* ou pire, être *dévôré* au dîner parce que j'aurai l'apparence d'un *pôrcelet* !

— Je ne vous crois pas ! s'indigna Bertmund. Les druides patrouillent ce territoire et se battent contre les créatures qui veulent les envahir. Je connais personnellement une druidesse de cet Ordre et mon instinct me dit qu'elle n'est pas du genre à asservir les personnes qu'elle défend.

Le soldat s'était avancé d'un pas, l'air contrarié. Seyrawyn demeurait silencieux, malgré ce que le paysan venait de raconter. Il s'agissait sans doute de mensonges sur son amie et sur l'Ordre qu'elle représente. Ce qu'il avait appris de Miriel, pendant la randonnée entre Hinrik et Feygor, ne concordait pas du tout avec les horreurs qu'alléguait ce vieux bouc.

— Vous *cônnoissez* une druidesse ! Ô mes dieux ! Ô mes dieux ! implora le paysan en se mettant à genoux. Je n'ai rien dit, pitié ne le répétez pas aux *drouides*, je vous en *conjurâsse*, j'ai une fille et une petite communauté dont il faut que je prenne *souin*…

Arminas joua le jeu et se projeta sur le sol pour implorer leur pardon. Bertmund le releva avec pitié par les épaules et l'amena auprès du feu pour tenter de le rassurer.

— Mon ami, je suis certain qu'il y a méprise sur tout ceci. Ce que l'on m'a raconté jusqu'à présent sur cet Ordre de Lönnar et ses disciples ne sont que des bonnes choses. Êtes-vous certain que ces tributs sont véritablement remis aux druides et qu'il ne s'agit pas d'une arnaque manigancée par une faction de gardes perfides ?

— *Aaaaah* ! mon *nôble* seigneur, vous n'êtes pas d'ici ça se *voué*. Comment pouvez-vous prétendre tout *savouère* sur *quequ'chose* qui vous est totalement inconnu ? *Moé*, je donne ce tribut depuis maintenant cinq bonnes *ânnées*. Toujours au même endroit, aux sentinelles sur le chemin à environ une quinzaine de minutes de marche dans cette direction, pleurnicha-t-il en indiquant le chemin qui mène vers Feygor.

— Combien devez-vous remettre au garde en termes de valeur ? demanda Bertmund sur un ton beaucoup plus sérieux.

— Je dois lui remettre l'équivalent de cinquante pièces *d'ôr* ! Toute une *fôrtune*, à chaque *ânnée*…

Bertmund avait bien gagné une jolie petite somme d'argent au *Troubadour Volant*, mais après avoir payé la tournée à ses camarades, il ne lui restait qu'environ une trentaine de pièces d'or. L'elfe des bois, le voyant tâter sa bourse-écus, comprit tout de suite ce que son ami voulait faire.

— Retourne chez toi sans crainte avec ton argent. Cette année ton tribut sera payé avec ce rubis, s'interposa Seyrawyn.

Le dreki sortit une petite pierre précieuse rouge qui valait certainement deux fois la valeur du montant réclamé.

— Je vais m'organiser pour que celle-ci soit remise à l'un des druides de l'Ordre de Lönnar en ton nom.

— Vous feriez ça pour *moé*, mon trop bon seigneur ? Même si vous ne me *connoissez* pas ?

Bertmund était enchanté de constater que son compagnon avait le cœur à la bonne place.

— Vous voyez l'ami, notre rencontre vous amène la bonne fortune !

Bertmund donna une légère tape dans le dos du voyageur pour lui faire comprendre qu'il n'avait pas de crainte à avoir. Il pouvait cependant encore lire de la méfiance dans les yeux du paysan.

— Si cet elfe vous dit qu'il va remettre le tout aux druides, c'est qu'il va le faire ! Je vais même vous donner ma boursette qui contient une trentaine de pièces d'or. Ce sera ma contribution. Je souhaite vraiment qu'elle vous permette de prendre soin de votre fille et des gens qui sont à votre charge.

— J'ai la ferme intention de me renseigner sur ce tribut qui est exigé, déclara fermement Seyrawyn qui n'aimait pas que la réputation des druides soit bafouée ainsi. Je vais faire ma petite enquête et s'il s'agit d'un garde corrompu, les druides seront mis au courant. Par contre, si se sont les druides qui sont derrière tout cela, j'aurai des questions plus précises à poser à mon amie.

Arminas était ravi des paroles qu'il venait d'entendre et de ce qu'il avait vu. De plus, le diadème de vérité n'avait pas une seule fois décelé un mensonge dans cette discussion. Sa fille avait bien choisi, ces hommes avaient bien des intentions honnêtes ainsi que le souci de défendre l'honneur des druides de son Ordre.

Ce fut une heure bien remplie de discussions sur des sujets variés, tout en cassant la croûte autour de la petite casserole de perdrix.

— Ce repas est *trôp marvailleux* pour un simple paysan comme *moé*. Je suis habitué aux *pâtates, cârottes, pâtates* depuis bien fort longtemps. Mon seigneur est vraiment *trôp* bon avec *moé* !

— Arrête de m'appeler mon seigneur. Je suis un troubadour, un homme du peuple alors prends cette assiette, partage notre humble repas et surtout mange à ta faim !

Arminas fit exactement ce que l'aventurier lui ordonna. Il écouta les histoires de celui-ci ainsi que ses nombreux faits d'armes qu'il racontait avec un réel plaisir. Cela lui rappelait ses soirées en compagnie de ses amis à l'Auberge du Cochon Grillé.

Le diadème oscillait faiblement quelque fois, surtout lorsque le troubadour prenait la parole, mais Arminas avait vite compris qu'il avait devant lui un barde et que l'exagération était un art qu'il devait entretenir.

Seyrawyn était plutôt silencieux et attentif aux volubiles propos des deux aînés. À quelques reprises, dans un grand sens de la rectitude, il corrigea les dires exagérément prétentieux de son acolyte. Effectivement, certaines anecdotes méritaient d'être amendées car l'elfe des bois en faisait partie et il avait une toute autre version que celle qui était racontée. En aucun temps le diadème a donné de signe à son porteur que le Falsadur-Dreki mentait.

— Je vous *remarcie* mes seigneurs de vos *âttentions* à l'égard d'un *pôvre* paysan. Je dois malheureusement *pârtir*, pour retrouver ma fille, car elle me manque beaucoup.

Arminas reprit le chemin vers Alvikingar en saluant bien bas ses bienfaiteurs. Seyrawyn interpella au loin le voyageur qui avait déjà parcouru d'un pas rapide une bonne distance.

— Hé, vieux bouc, quel est ton nom afin que je puisse donner l'heure juste aux personnes concernées ?

— J'aime bien le surnom... Appelle-moi *Le vieux bouc de Drenadith* et ma fille vous remercie à l'avance !

Il retourna sur le chemin en direction d'Alvikingar et, après s'être assuré qu'il n'était plus observé par les deux aventuriers, il reprit le chemin entre les rochers qui le ramena non loin du premier poste de garde.

Il enleva le diadème et le replaça dans son sac de voyage. Il laissa tomber sa vieille branche de bois ramassée dans la montagne et se dirigea vers la sentinelle. Près de lui était assis un éclaireur qui semblait trouver le temps très long.

Lorsqu'Arafinway vit arriver le Grand Druide, il se leva immédiatement et garda le silence pour entendre ce que le chef de l'Ordre avait à lui dire.

— Miriel et Marack vont passer la nuit au Sanctuaire. Je compte sur toi pour veiller sur les deux compagnons que ma fille m'a rapportés.

L'elfe était toute ouïe et au garde-à-vous : le Grand Druide lui donnait directement une mission et il était fier de pouvoir accomplir son devoir.

— N'ayez-crainte, je vais veiller sur eux. Je vous promets surtout de protéger votre fille et également Marack dès leur retour.

Arminas en entamant le pas pour remonter le chemin vers la forteresse se retourna pour s'adresser à nouveau à l'éclaireur.

— Assure-toi surtout de bien les diriger et d'éviter les pièges. Cela relève de ta responsabilité jeune éclaireur, m'ai-je bien fait comprendre, Gardien Arafinway Merfeuille ?

La mention de son nom complet, surprit le jeune elfe. Arminas le connaissait depuis son très jeune âge et lorsque son nom était employé en entier, il pouvait déceler l'importance et le sérieux du propos qu'on venait de lui adresser.

Sur ce, l'éclaireur courut rejoindre ses nouveaux amis car cela faisait déjà un bon moment qu'il les avait quittés. Il ne fallait pas qu'un malheur leur arrive car les foudres de Miriel seraient sans limite.

Il arriva en trombe au campement.

— Pardonnez-moi mes amis de ma si longue absence, mais il s'agissait d'une importante discussion de Gardien, annonça-t-il en bombant le torse comme Marack pour leur annoncer la nouvelle. J'ai reçu des directives très particulières de la part de la haute hiérarchie… Ah, vous avez déjà mangé ?

Bertmund le regarda en silence, vraiment contrarié. Seyrawyn lui coupa l'herbe sous le pied et questionna le premier.

— D'abord une question, ensuite tu mangeras… Est-ce que les druides de Lönnar exigent ou perçoivent un tribut de protection de la part des habitants qui sont sur leur territoire ?

Devant le ton inquisiteur du pseudo-dragon, l'éclaireur sursauta.

— Un tribut de la part des habitants ! répéta Arafinway encore sous l'effet de surprise de l'étrange question.

Bertmund fixa le Gardien avec un regard chargé de réprobation. Il attendait une réponse qui tardait à venir.

Arafinway ne comprenait plus ce qui se passait. Décontenancé, il ouvrit la bouche pour répliquer mais aucune parole ne se fit entendre. Il ne savait simplement pas comment réagir face à de si perfides accusations. Cela n'avait tellement pas de sens !

Chapitre 24 — Réflexions

Journal d'Ogaho,
Vizir du tout-puissant Arakher, Roi des Géants de pierre
Mission royale : infiltration en terres ennemies

Cela fait maintenant quarante-trois jours depuis mon départ de la ville de Pesek. Dans le ciel, le croissant mauve de la troisième lune est apparent et nous sommes à la mi-chemin entre le Solstice des Dieux et le Solstice des Trois Voies. Ceci est de très bon augure pour mon voyage.

Même si nous n'avançons pas aussi rapidement que je l'aurais souhaité, nous sommes arrivés ce matin en vue de la fameuse Île du Scorpion Blanc. Ainsi, là où je comptais deux jours de marche, il nous en fallut trois et parfois quatre, tout cela dépendant des dangers de la piste.

Sujet dixième : Doutes

Je commence à penser que la confrontation avec les gardiens n'aurait jamais dû avoir lieu. Cette fâcheuse rencontre pourrait sans doute mettre en péril ma mission, notamment si d'autres gardiens se rendent compte que certains de leurs compatriotes manquent à l'appel.

Je considère que, dorénavant, les engagements armés devaient être réduits au minimum. Et puis, l'initiative d'héberger ce qui reste de ma patrouille de Morjes au sein de ma petite chaumière de pierre s'est avéré un bon choix stratégique.

De plus, pour éviter de se faire remarquer, j'ai ordonné que nos déplacements soient effectués de nuit, sous le couvert de l'ombre, puisque nous avons tous l'avantage de posséder une vision nocturne.

Dans cette région de plus en plus achalandée, il était devenu évident que notre groupe de Morjes, accompagné d'un Géant de pierre, s'avère trop facile à repérer au loin et en plein jour.

Afin de demeurer camouflés pendant le jour, nous prenons refuge dans ma petite résidence caméléon. J'ai employé un peu plus de magie pour encore mieux la confondre dans son environnement et j'en suis satisfait. Ainsi, lorsqu'un escarpement de roche est disponible, celle-ci devient la paroi de pierre. Et si des monticules sont recouverts de neige, mon sanctuaire conjuré offre la même texture visuelle.

À ce jour, elle a mystifié chaque fois ceux qui auraient été tentés de nous localiser. Plusieurs prédateurs ont simplement passé leur chemin après avoir suivi nos traces qui, tel que souhaité, semblaient s'arrêter à un flanc rocheux. Mystère !

Mon insatiable curiosité me pousse à passer beaucoup plus de temps que prévu sur mes nouveaux objets magiques. Le premier, ce satané parchemin sur peau de dragon, a occupé mes deux premières semaines…

Ogaho, la plume suspendue entre deux gestes, tenait dans le creux de sa main sa seconde obsession : une très petite pierre mauve trouvée sur le corps du druide.

> « Hum… Celle-ci me rappelle les améthystes qui sont ramassées en grand nombre dans la montagne derrière la capitale de Pyrfaras. Il y a bien une faible magie se dégageant de ce caillou… » marmonna-t-il.

Celui-ci l'intriguait autant que le parchemin crypté dans un langage inconnu.

— Ah Dihur, je te remercie de m'avoir expédié dans cette mission !

Mais le vieux mage se ressaisit aussitôt.

« Non, il mériterait plutôt un châtiment à la hauteur de son impudence envers moi et ceux de ma race… se raisonna-t-il en reprenant son écriture. »

Sujet onzième : L'île du Scorpion Blanc

Demain, et ce durant quelques jours, nous allons entamer la dangereuse traversée du passage entre les Rocheuses D'Ortan et l'île du Scorpion Blanc. La forme de cet îlot se démarque du continent et a été comparé à celle d'un scorpion prêt à attaquer sa proie. Il est dit, dans les légendes d'Arisan, qu'un grand scorpion de feu projetant son ombre terrifiante sur les habitants de l'île, traversa le ciel pour venir s'écraser dans la mer.

Ainsi serait née cette petite parcelle de terre salée, d'où son nom, et qui abrite depuis toujours une race d'insectes bipèdes. Cette partie du territoire est soigneusement évitée par tous, car ses habitants ne tolèrent aucune présence étrangère.

Pour dissuader les téméraires, ils emploient leurs lances enduites d'un venin très puissant et une simple égratignure entraîne une mort instantanée. Quelques géants ont eu la bonne fortune de survivre à cette attaque, mais je n'ai jamais eu la chance de pouvoir discuter avec l'un de ces survivants.

Ce n'était peut-être que des légendes inventées par de vieux guerriers désirant se rendre intéressants. Cependant, histoires ou non, nous devrons traverser leur territoire de nuit car ces créatures agressives sont diurnes.

J'ai bien l'impression que notre prochaine balade à la course sera un petit test d'endurance pour nous tous : nous devrons parcourir la plus grande distance possible à chaque sortie.

Nous sommes actuellement à proximité de Vraxan et l'envie de traverser les montagnes afin d'accueillir moi-même les espions engagés par le roi me tiraille. Ceux-ci dûment mandatés, détiendraient les précieuses informations sur les communautés ennemies de l'Ouest.

> « Le fait d'écrire ce désir de déroger à mon itinéraire, assouvis un peu ma soif d'imprévus, se dit le mage dans un soupir. Je suis un fidèle sujet de mon souverain et je vais accomplir la mission qu'il m'a confiée. Il ne me reste que quelques heures de repos avant d'entreprendre la suite de mon voyage. »

Sujet douzième : Mes rêves

Ceci constituera pour aujourd'hui et les prochains jours ma dernière entrée dans ce journal. Depuis notre altercation avec le groupe des Gardiens de Lönnar, j'effectue à quelques jours d'intervalle, un rêve récurrent mais qui se présente sous une forme différente à chaque fois. Si celui-ci avait été un cauchemar, j'aurais émis la possibilité que l'un des démons m'ait envoûté avec une malédiction.

Mais je ne le pense pas, car ces rêves me font revoir des ancêtres. Des Géants de pierre qui ont fait partie de ma lignée prennent le temps de discuter et de partager leurs mémoires avec moi.

Certains se sont même présentés de façon officielle car je n'avais aucune idée de leur identité. Ces grands esprits m'ont instruit sur les péripéties de ma race, leur ascension et leur déchéance suite à de mauvais choix d'actions.

Est-ce qu'il s'agit de songes prémonitoires ? Ce type de magie n'a jamais été présent en moi auparavant… alors pourquoi maintenant se manifesterait-elle sous forme de rêve ? Je souhaite que l'un de ces esprits me l'annonce éventuellement lors de l'une de nos conversations.

J'apprécie énormément ces petits cours d'histoire et ces aventures qui me sont racontés par mes aïeuls. Le passé ne devient-il pas inutile si ces enseignements et leur sagesse nous échappent ?

Chapitre 25
Honneur familial

Marack, fils de Marack, déposa sa chope sur la table, cherchant à détourner la question pressante de Miriel. Il se leva pour aller regarder à la petite fenêtre entrouverte, une partie du flanc de la montagne était encore enneigée. La nuit était déjà tombée. Il remarqua que les deux lunes orange faisaient un petit peu de place à un minuscule croissant mauve, annonçant le prochain solstice. On était seulement au début du premier mois du Solstice des Dieux et la brise chaude aérait la chambrette.

— Tu sais Miriel, il serait sans doute mieux que ton père t'explique la situation lui-même, commença-t-il en hésitant.

— Qu'est-ce qui te fait dire que je n'ai pas déjà parlé à celui-ci et que maintenant je veux avoir ta version des faits ?

Marack se retourna en soupirant, comme si un fardeau venait de lui être retiré. Il se resservit une bière à même le tonnelet déposé dans un coin et en versa une à son amie.

— Tu es donc au courant ! Très bien, alors trinquons ! Je vais te raconter une petite histoire qui remonte à plusieurs centaines d'années. Il s'agit de mon arrière-arrière-arrière grand-père, un homme du Nord, aventurier de père en fils à la renommée fort recommandable. Tu as peut-être entendu parler de lui… il se nommait… Marack.

Miriel lui décocha un de ses petits regards du coin de l'œil. Se moquait-t-il d'elle ? Le fier guerrier voyant qu'elle ne semblait pas le croire, lui expliqua que chaque premier fils de chaque génération depuis cet ancêtre porte ce prénom.

— Comme je disais, ce premier Marack parcourait avec son groupe de compagnons les divers territoires à la recherche d'aventures, de missions honorables et de trésors, affrontant toutes sortes de créatures pour accomplir la quête qu'ils avaient acceptée.

— Jusque-là, ton histoire ressemble à toutes nos histoires ! lui lança-t-elle boudeuse.

— Un jour, un contrat particulier leur fut offert… reprit-il en changeant sa voix et mimant les gestes au milieu de la pièce devant son auditrice soudainement intéressée.

— Un sorcier maléfique d'une région éloignée devait être ramené auprès de notre Conseil judiciaire, annonça un Lord à Marack premier. Il va subir un procès pour les actes immondes qu'il a commis contre tout un peuple.

Et le Lord de lui annoncer qu'il recevrait un coffret de pierres précieuses en échange de sa bravoure.

Comme il s'agissait pour Marack et ses amis de leur première mission sur ce nouveau continent, ils effectuèrent quelques recherches auprès des habitants de la ville où ils se trouvaient, mais personne n'osait parler contre un sorcier. Les rares qui l'ont fait confirmèrent les dires des mandataires qui les avaient engagés. Convaincus de l'intégrité de leur cause, ils acceptèrent le contrat en s'engageant sur leur honneur à l'exécuter.

Le petit groupe d'aventuriers se composait de cinq vétérans: Marack le guerrier viking, un nain, un paladin[27], un archer et une prêtresse. Ils suivirent leur chef jusqu'à la tour de ce sorcier. Dès le début, l'affrontement fut difficile car le forban n'était pas seul : il avait quelques acolytes qui le défendaient. Étant tous des frères d'armes, ils combattirent vaillamment côte-à-côte une nouvelle fois.

Lorsqu'ils entrèrent enfin à l'intérieur de l'antre du sorcier, ils constatèrent que la tour était truffée de trappes magiques et mécaniques.

— Mécaniques? fit la druidesse surprise de cette bizarrerie. Pourquoi employer des mécanismes lorsqu'on a la magie ?

Le premier à succomber fut justement leur expert en mécanique, un nain habile et futé qui se réjouissait toujours lorsqu'un défi se présentait. Malheureusement, la magie était plus forte que son savoir et il s'est retrouvé au fond d'un caveau qui ne comportait aucune issue, mais qui renfermait de terribles et carnassiers prédateurs.

---

[27] Paladin : chevalier sacré, militaire et humaniste pour le compte d'un ordre religieux.

— Quel malheur ! fit-elle avec empathie en pensant à la perte potentielle de ses propres gardiens dans une escarmouche.

La druidesse écoutait maintenant avec plus d'attention son ami qui vouait une profonde admiration pour le groupe dont son ancêtre était le chef. Elle cherchait tout de même en quoi cette histoire était reliée à eux deux lorsqu'il reprit son récit.

— Le nain me manque... Personne d'autre ne décelait mieux les pièges placés qui protègent cette tour, s'écria l'archer à son groupe en déclenchant involontairement une des portes de pierre qui commençait à se refermer lentement.

— Attention, prêtresse ! hurla soudainement le paladin en voyant que la porte allait scinder le groupe en deux.

Ne pouvant la laisser derrière eux, le chevalier sacré se projeta vivement sous le lourd portail de pierre et y apposa son épaule.

— Mon dieu, invoqua-t-il, donne-moi, en plus de ma grande force physique, la faveur d'une énergie surhumaine afin qu'elle puisse se faufiler...

Ce qu'elle fit *in extremis*. Malheureusement, malgré tous ses efforts, la masse s'écrasa sur lui et un second compagnon se sacrifia pour sauver la vie des autres. La prêtresse tenta alors d'invoquer un enchantement pour le ramener à la vie mais ce qui restait du corps du guerrier sacrifié n'était certes pas suffisant.

— À trois, je crains que nous ne soyons plus de taille pour affronter cet ennemi, chuchota le chef en arrivant devant une salle circulaire tout en haut de la tour. Voici ce vil sorcier et ses deux colossaux gardes du corps.

— Il est trop tard pour reculer, lui répondit la prêtresse, allons-y!

Le combat fut épique. Les trois compagnons donnèrent l'assaut en hurlant leur colère de la perte de leurs amis. Les gardes se battirent farouchement pour protéger leur maître qui demeura en retrait.

La prêtresse armée d'une épée courte et Marack premier d'un grand marteau, attirèrent un garde et l'assaillirent avec force. L'archer, quant à lui, même s'il était un as dans le combat éloigné, n'a pas été en mesure de se défendre adéquatement devant l'autre combattant plus expérimenté au corps-à-corps. Il reçut un fabuleux coup d'épée dans le ventre et la lame, sûrement envoûtée, le déchira jusqu'au cou.

Les murs de la tour gorgés de magie cléricale et arcane n'aidaient pas la cause du groupe d'aventuriers. La prêtresse avait épuisé la totalité de ses prières et était également blessée. Elle gisait maintenant adossée au mur, saignant abondamment.

L'homme du Nord pouvait encore se battre et venait d'achever le deuxième garde dans un carnage épouvantable. Seul de son groupe à se tenir encore debout, il leva de nouveau son marteau et menaça le sorcier. Celui-ci, d'un geste magistral, décrocha les chaînes de la fenêtre et elles enlacèrent rapidement les deux pieds du guerrier, jusqu'à ce qu'il fut à genoux. À ce moment, Marack premier reconnut que ce maléfique sorcier était beaucoup trop puissant et attendit la mort durant plusieurs minutes avec fierté et désolation.

De façon surprenante, le coup de grâce ne vint pas et il releva la tête. Entre deux coulées de sang provenant de son front, il comprit que le sorcier avait prodigué des soins à sa prêtresse lorsque celle-ci laissa échapper un geignement lui indiquant qu'elle respirait encore.

Le chef dévisagea son adversaire, n'y comprenant plus rien.

— J'ai reconnu le symbole religieux de votre prêtresse comme étant une divinité bienveillante en ce monde, lui expliqua-t-il d'une voix rauque. Je suis un bon magicien et je vis ici en ermite avec ma femme et mes sept enfants. Je suppose que ce sont les Lords qui vous envoient…

Le viking acquiesça d'un signe de tête.

— Vous n'êtes pas les premiers à vous introduire ici pour me tuer sur leurs ordres. Il y a longtemps qu'ils veulent se débarrasser de moi car j'ai, à maintes reprises, fait échouer leurs plans d'asservissement sur ce territoire.

Les deux derniers aventuriers apprirent malheureusement trop tard que leurs informateurs étaient de connivence avec les Lords. En réalité, c'étaient eux les fourbes de la région et avaient été découverts par le magicien. Ainsi, leurs chers amis étaient morts pour une mauvaise raison…

— Quelle supercherie ! lança Miriel révoltée. Mais en quoi toute cette histoire nous concerne-t-elle ?

— J'y arrive.

Voyant le malentendu, le bon magicien offrit au viking et à la prêtresse de se rendre et, sur son honneur, ils auraient la vie sauve. Marack premier avait tellement honte d'avoir prêté allégeance à un groupe de malfaisants qu'il acquiesça aux termes offerts par le magicien.

Cependant, toute la puissance du magicien jointe à celle de la prêtresse ne put ramener le nain ni le paladin à la vie. Les trappes auxquelles ils avaient succombé étaient trop efficacement mortelles.

L'archer, par contre, a pu être régénéré grâce à une concoction à base de sang de Troll. Lorsqu'il ouvrit les yeux, Marack premier remercia son dieu de sa grande bonté. Ils étaient maintenant trois survivants.

— Pour me racheter, magicien, je m'engage dans un serment des plus particuliers. Je vous offre tout le reste de ma vie pour être votre garde du corps personnel.

— J'accepte ta vie, mon ami, lui répondit le magicien.

Par contre, il n'avait pas compris l'ampleur de ce serment qui avait été accepté dans la pièce même où tant de magie avait été absorbée par les murs de la tour.

— À partir de ce jour, expliqua officiellement Marack fils à une Miriel subjuguée, tant et aussi longtemps que la lignée de ce magicien aurait un premier héritier, le premier fils de chaque descendance de cet homme du Nord serait appelé Marack et lui servirait de garde du corps personnel. C'est ainsi depuis plusieurs générations, conclut-il en calant sa chope.

Miriel comprenait enfin pourquoi Marack fils avait été appointé à son groupe de gardiens. Ce fidèle compagnon, un des meilleurs combattants qu'elle connaisse de son âge, n'avait pas eu le choix et, finalement, elle non plus.

— Mon père a été le garde du corps personnel d'Arminas… Eh oui, ton paternel est un descendant direct du magicien que mon ancêtre a servi.

Miriel fronça les sourcils. Le Grand Druide n'avait jamais fait mention qu'il provenait d'une lignée aussi illustre.

— Marack mon père a longtemps cru que le serment familial prendrait fin avec le tien puisqu'il n'avait pas d'héritier, soupira le viking. Lorsque tu nous as été présentée comme sa fille, il a commencé immédiatement mon entraînement. J'ai

dû m'exercer deux fois plus fort que tous ceux qui s'entraînaient à Hinrik. Je ne pouvais faire autrement, il était le Jarl et ses attentes étaient décuplées…

Il s'assit devant son amie et la regarda dans les yeux.

— Ma destinée a été fixée dès l'instant où tu es née. Au début, je ne comprenais pas pourquoi je devais travailler aussi dur et aussi longtemps, mais on m'a fait comprendre que le sens du devoir remontait loin dans ma famille. Alors, j'accomplis maintenant ma tâche de protecteur avec loyauté et surtout avec honneur.

Miriel assimilait encore tout ce qu'elle venait d'entendre. Son compagnon l'observait pour voir sa réaction.

— Voilà, tu sais tout de moi maintenant. Est-ce que cela concorde avec ce que tu as appris ?

Elle ne bougeait plus, son esprit comptabilisait chacune des paroles et actions de son ami depuis son arrivée sur ce nouveau continent. Par surcroît, elle ne se rappelait pas de sa mère. Son père lui a dit qu'il s'agissait sans doute d'un blocage car celle-ci était décédée en accomplissant son devoir et en la protégeant. La druidesse commençait à peine à entrevoir le sacrifice que Marack fils a dû faire et que sa famille continuait à entretenir.

Elle se mit à penser que, si jamais elle avait des enfants plus tard, il y aurait un petit Marack qui serait toujours présent avec eux. La druidesse sortit de ses rêveries lorsque sa chope cogna la sienne.

— En effet, ton histoire concorde avec celle de mon père.

Extrêmement honteuse à son tour, elle n'allait tout de même pas lui dire qu'elle l'avait manipulé afin qu'il lui révèle ces informations.

« Il aurait été tellement plus simple d'être honnête avec lui dès le début… » songea-t-elle.

Enfin, pour faire disparaître son malaise, elle détourna la conversation par l'humour.

— Tu sais Marack, il y a un petit côté de toi qui me plaît bien. Tu devrais toujours être posé comme en ce moment… Si calme… doux comme un petit agneau.

À ces mots, la bête se réveilla et Marack rugit. D'un bond, il ramassa un oreiller de plumes et le propulsa sur la druidesse.

Comme elle n'en était pas à son premier combat d'oreiller avec ce jeune homme du Nord, elle esquiva le projectile en se baissant juste à temps. Elle se releva immédiatement pour prévenir ce qui allait être projeté en seconde rafale. Une tunique, une chaussette, la seconde chaussette, une cape... elle se servit de l'oreiller comme bouclier en riant. Enfin, après la dernière attaque, son grand frère de cœur se tenait devant elle, les bras croisés et la regardait en souriant.

— Maintenant que tu connais la vérité, je n'aurai plus à marcher sur des œufs et je pourrai faire ce qu'il faut pour te défendre. C'est une bonne chose que ton paternel t'ait mise au courant. Cela va me faciliter la vie maintenant, les courbettes et les excuses vont disparaître et je vais pouvoir me concentrer à protéger ta petite personne.

Il se mit à rire bruyamment en voyant que Miriel venait de réaliser que le doux agneau allait devenir impossible à gérer maintenant.

Elle lui tourna le dos et, avant de sortir, elle lui lança un dernier petit commentaire.

— Fais bien attention, Marack, fils de Marack. Si tu crois que cela va être plus facile, détrompe-toi. C'est peut-être le contraire qui va se produire, monsieur le viking en devoir familial. Maintenant que je sais que mon garde du corps personnel doit m'obéir en tout temps, et je mets l'accent sur l'expression *en tout temps*, j'ai bien l'intention de m'en servir !

Le large sourire de Marack se dissipa instantanément. Dans quel pétrin s'était-il encore mit les pieds avec elle ?

Miriel ferma la porte doucement derrière elle, en savourant l'image de son guerrier en émoi, bouche bée devant cette réplique.

« Comme disait Dorgen le nain, se dit Miriel en prenant une voix rauque, cette information vaut de l'or, oui, ça vaut de l'or! »

D'un pas décidé, la druidesse emprunta le corridor jusqu'aux appartements de son père. Elle allait avoir une discussion avec lui et celle-ci promettait d'être fort intéressante. De plus, en montant le grand escalier, elle s'imaginait déjà repartir en mission.

La nuit était tombée mais Arminas prenait son temps avant de retourner entre les murs de son sanctuaire. Il profita de l'occasion pour discuter avec les différents druides et soldats qui composaient chacun des nombreux postes de gardes.

Satisfait des réponses de ses disciples, il arriva enfin devant les murs fortifiés de Feygor. Les efforts, autant magiques que physiques, qui furent déployés pour construire ces murs demeuraient phénoménaux.

En franchissant les massives portes de l'entrée, le Grand Druide apprécia la justesse du jugement de sa fille concernant les deux aventuriers. Il sourit de satisfaction et salua la dernière sentinelle avant d'emprunter le tunnel qui traversait l'épaisse muraille de pierre.

En tant que Grand Druide, jamais il n'avait regretté sa décision en acceptant la responsabilité de *La Source*. Il avait donné sa parole et il la tint avec honneur. Il avait d'ailleurs sélectionné ses frères d'armes parce qu'ils partageaient les mêmes valeurs.

Le père surprotecteur, qui restait toujours en alerte en lui-même, comprit qu'il ne pouvait plus protéger sa fille et que celle-ci devait faire ses propres expériences. Tout comme il avait choisi sa fonction dans cet Ordre, Miriel devait maintenant trouver la sienne et y faire sa place. Il ruminait cette perspective comme pour mieux s'en convaincre.

> « Elle pourrait commencer cette belle recherche avec une nouvelle mission, marmonna-t-il en suivant le couloir de sa chambre. Ses compagnons sauront sûrement l'appuyer et la conseiller, comme mes amis ont su le faire. Ma décision est prise... »

Chapitre 26
Transition

Arafinway pataugeait en eaux troubles depuis son retour. Sitôt sa rencontre avec l'un de ses supérieurs terminée, voilà qu'il était sévèrement pris à parti par ses deux amis.

— Nous sommes en droit de savoir Arafinway, lui indiqua Seyrawyn. Nous avons rencontré un vieux bouc de paysan qui nous a rabâché des vilénies concernant l'Ordre de Lönnar.

L'éclaireur tenta de répondre à toutes les interrogations, sans trop divulguer les secrets de son Ordre : plus que jamais il se rappelait avoir prêté serment.

— Je vous le jure, ils ne sont pas du tout comme ça ! Je ne comprends pas dans quel but cet homme a avancé de tels mensonges à l'égard des druides.

— Peut-être s'agit-il seulement d'un groupuscule qui a décidé de profiter de la situation, avança Bertmund pour tenter de calmer son ami elfique qui prenait l'affront personnellement au nom de l'Ordre tout entier.

Moins diplomate et plus direct dans ses idées, Seyrawyn n'arrivait pas à concevoir que ces personnes, ces gardiens et protecteurs, qui agissaient pour le bien de la communauté ainsi que pour les créatures demeurant sur leur territoire, puissent demander en retour une quelconque rétribution pour leur travail.

— J'ai promis que je règlerais la dette de cet homme et c'est bien ce que je vais faire et ce, dès l'instant où Miriel sera de retour, lui déclara-t-il fâché.

Bertmund tenta de jouer le rôle du médiateur entre les deux elfes, mais les esprits étaient surchauffés. Seyrawyn perçut que l'éclaireur ne disait pas tout. Malgré son habileté, il ne semblait pas complètement transparent. Or, un doute, fut-il motivé par de bonnes intentions, n'en demeure pas moins suspect.

— Quelle est donc cette manie des secrets entre nous, sommes-nous des amis ou non ? insinua-t-il en poussant la discussion et l'interrogatoire jusqu'au point de rupture, ce qui incita Arafinway à leur tourner le dos, nullement confortable dans ce genre de tiraillement.

Acculés à ce silence révélateur, les pseudo-enquêteurs se mirent au moins d'accord sur un point : il valait mieux attendre le retour de la druidesse, prévu pour le lendemain, avant de poursuivre. Celle-ci pourra répondre elle-même aux questions soulevées au sujet des escroqueries entretenues par certains disciples de Lönnar. Chacun se persuadant que leur cheffe saurait résoudre ce conflit, bien installé au sein du groupe, en quelques mots sagement prononcés.

— Savez-vous où se trouve le Grand Druide ? demanda Miriel en croisant dans le corridor un des druides résident de Feygor.

— Non, druidesse, je n'ai pas vu le Grand Druide Arminas.

La druidesse attendait devant la porte des appartements de son père et était déterminée à avoir cette fameuse conversation avec lui. Elle voulait approfondir le sujet de la dette d'honneur de son garde du corps, Marack fils de Marack, mais surtout élaborer sur sa prochaine aventure. Les arguments se bousculaient de nouveau dans sa tête : cette super mission était taillée sur mesure pour elle et son groupe de compagnons.

Après avoir attendu un peu plus de deux heures, Miriel décida de retourner à sa chambre. De toute façon, personne n'oserait la renseigner sur l'horaire et les déplacements du Grand Druide et ils auraient raison : le chef spirituel de l'Ordre n'a pas à rendre des comptes sur ses allées et venues.

La meilleure chose qu'elle pouvait maintenant faire était d'aller se reposer. Elle longea les longs couloirs jalonnés de pots fleuris de l'aile dédiée aux druides de passage, l'esprit songeur. Sur les murs, les superbes fresques illustrant les plantes et leurs appellations, lui remémoraient ses leçons de botanique. Elle regrettait d'avoir agi à la hâte en voulant rencontrer son père, un peu comme la petite fille qui jadis courrait dans ce sanctuaire.

« J'aurais voulu lui redire que je suis maintenant digne du titre de Gardien du territoire et non une enfant capricieuse, se justifia-t-elle. Ma façon de m'exprimer nécessite peut-être un peu plus de maturité, un petit ajustement au niveau de mon comportement aussi… Mais j'ai tellement à apprendre en étant un chef de groupe de gardiens. »

Elle comprenait maintenant que pour avancer au sein des rangs de son Ordre, il fallait s'ajuster et faire les changements qui s'imposaient. Ce n'était pas en donnant un mauvais exemple qu'elle se mériterait des missions particulières.

« La confiance et le respect se gagnent à la goutte et se perdent au seau, me disait oncle Beren. Je devrai faire attention lors des prochaines rencontres afin de ne pas répéter cette attitude... »

Elle réalisa en chemin que de rencontrer le Grand Druide en privé et ce, par sa propre initiative, n'aiderait probablement pas sa cause. Lorsque le temps sera venu de donner un verdict sur cette mission, le Conseil s'occupera bien de la faire quérir.

Elle arriva à la chambrette qui lui avait été assignée pour son court séjour. À la différence de celle de Marack fils, la sienne avait vue sur la cour intérieure et était garnie de plusieurs rosiers en pots joliment peints à la main. Autrement, le même humble mobilier était amplement confortable pour des gardiens dormant habituellement à la dure.

Lorsque Miriel parvint enfin à s'endormir, son esprit continua de l'aguicher avec des rêves essoufflants. Au beau milieu de la nuit, elle se réveilla en sueur.

Dans son cauchemar, elle était seule dans une forêt qu'elle ne connaissait pas. Les animaux tentaient de se sauver d'une catastrophe. Ceux qui prenaient le temps de s'arrêter lui expliquaient qu'elle devait fuir le plus vite possible car un feu, vraisemblablement animé par une présence maléfique, avançait rapidement dans sa direction. La druidesse était surprise de son étonnante aptitude à comprendre et à dialoguer avec tous les animaux.

— Protège-nous gardienne, protège-nous !

— Je vais faire tout ce que je peux, répondit-elle.

— Je t'en supplie, demanda un petit écureuil roux, fais quelque chose ou nous allons tous mourir.

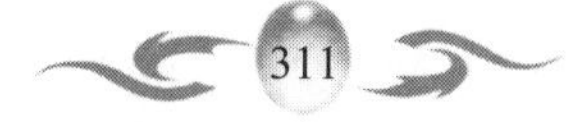

La jeune fille vit la forme du brasier qui terrorisait la forêt. D'un pas angoissé, elle se rapprocha prudemment de lui. Elle pouvait discerner à l'intérieur des flammes la forme d'une créature qui était à l'origine ce désastre.

Ses compagnons d'armes et quelques autres inconnus se battaient farouchement contre la fournaise surnaturelle. Et puis, au moment où elle allait enfin voir qui était à l'origine de toute cette crémation, tout devint noir et elle reprit conscience.

Cette expérience avait une saveur tellement réaliste qu'elle se posa la question à savoir s'il s'agissait d'un rêve ou d'une vision prémonitoire. Aucun de ses maîtres druidiques n'avait fait mention que les disciples de Lönnar avaient accès à la sphère de la magie divinatoire.

Elle tenta de dormir mais malheureusement son esprit ne faisait que battre la chamade. Tellement de choses s'étaient passées depuis sa nomination ! À défaut de pouvoir dormir, elle essaya néanmoins de se recueillir et de méditer jusqu'à l'aurore.

— Druidesse Miriel, êtes-vous là ? Dormez-vous ?

— Oui, je suis là ! répondit-elle à mi-voix en tentant de reprendre ses esprits.

— Le Conseil aimerait s'entretenir avec vous dans la prochaine demi-heure.

— Très bien, je serai prête pour cette rencontre, vous pouvez les aviser.

Lorsqu'elle arriva devant les portes de la salle du Conseil, les gardes lui ouvrirent immédiatement et l'invitèrent à y accéder sans attendre.

Miriel se remémora les bonnes intentions qu'elle s'était fixées car elle devait faire preuve devant son père et les doyens d'une plus grande discipline. Elle désirait plus que tout se présenter comme une Gardienne de l'Ordre et non comme la fille du Grand Druide.

Elle entra dans la pièce et s'arrêta devant la table où était demeuré assis le trio de druides. Elle remplaça une partie de la détermination qu'elle avait affichée la veille par du respect envers les trois hommes qui l'observaient silencieusement.

Poliment, elle salua d'une voix posée ses supérieurs. Lorsqu'elle eut terminé, elle remarqua que son ami Marack n'était pas dans

la pièce. Elle n'en dit mot en sachant que la règle voulait qu'elle réponde aux questions et non l'inverse.

La nouvelle attitude dans le comportement de la druidesse ne passa pas inaperçue. Les trois hommes demeurèrent un peu surpris de ce changement, mais néanmoins furent heureux d'assister à ce qui semblait être une transformation positive. « Puisse-t-elle être permanente », souhaita son père.

Arminas avait déjà mis ses amis au courant de sa décision d'offrir cette mission à Miriel. Il leur avait confié que le diadème n'avait décelé aucun mensonge de la part des deux aventuriers. Le temps était compté et tenter de retracer un groupe plus expérimenté pour accomplir cette mission s'avérait compliqué tout autant qu'inutile.

Le Grand Druide regarda ses conseillers puis s'adressa à Miriel qui attendait patiemment le verdict la concernant.

— Il a été décidé de mandater l'escadron de Gardiens de Miriel, accompagné de Bertmund et de Seyrawyn, à se rendre jusqu'au village fortifié de Vraxan en terres ennemies, afin d'intercepter le capitaine Salxornot et, si cela est possible, de le ramener à la tour de Vanirias.

Miriel eut du mal à contenir sa joie à l'annonce de cette nouvelle.

— Maintenant druidesse Miriel, cette mission est pour un groupe de cinq compagnons. Croyez-vous que vos deux amis vont accepter le mandat que nous vous confions pour le compte de l'Ordre de Lönnar ?

La druidesse prit le temps de bien formuler sa réponse avant d'ouvrir la bouche.

— Bertmund et Seyrawyn ont fait preuve de courage et de loyauté envers moi et mes compagnons. Ceux-ci vont certainement accepter cet honneur et ainsi démontrer leur allégeance envers notre Ordre druidique, même s'ils ne sont pas officiellement des Gardiens du territoire.

Miriel savait que Seyrawyn la suivrait partout et que Bertmund ne demandait qu'à faire partie d'un groupe et de se rendre utile. Elle pouvait compter sur leur aide.

— Très bien, répliqua Ferajar, tu pourras aller aviser tes compagnons car vous partirez dès demain. Une longue route vous attend. Que la dévotion de Lönnar vous accompagne !

En guise d'acceptation et de remerciement, elle fit humblement une révérence en prenant soin de croiser furtivement les yeux de son père. Elle devait s'assurer de ne pas laisser transparaître un large et spontané sourire.

— Avant de nous quitter, la cheffe de mission peut-elle rester un moment ? Voici nos cartes les plus précises, lui dit le Grand Druide en déroulant les précieux parchemins sur la table. Prends quelques minutes pour les mémoriser puis je vais les remettre en sécurité dans la voûte du sanctuaire.

Miriel les examina minutieusement et appliqua leur efficace technique d'imagerie mentale mille fois répétées. De plus, comme ces cartes avaient déjà été étudiées en classe, se remémorer la route et les points de repères lui parut un jeu d'enfant.

Quand elle eut terminé cet exercice, elle remercia poliment l'assemblée et demanda la permission de se retirer. Les portes de la salle se refermèrent derrière elle et la druidesse se dirigea sans attendre vers les appartements de Marack pour lui annoncer la grande nouvelle.

Une mission de haute importance militaire pour le salut de sa communauté lui incombait. Les mots prononcés par son père dansaient encore dans sa tête : *ceci doit être fait, ceci s'accomplira !*

Sitôt les portes refermées, Arminas se tourna vers ses deux amis Ferajar et Thorennor.

— Quel est votre avis, chers doyens ? Je dois avouer que je suis soulagé…

— En effet Grand Druide, il y avait quelque chose de différent chez votre fille. Est-ce la nuit qui lui a porté conseil ? Lui avez-vous soufflé les réponses ? Sinon, je croirais presque dénoter ce matin une lueur d'espoir que je qualifie de remarquable. Nous allons peut-être réussir, tous ensemble, à lui montrer la meilleure voie à suivre, souligna de son air le plus sérieux Thorennor à Ferajar.

Les deux doyens s'amusaient aux dépends de leur ami. S'ils avaient accepté la décision de leur chef spirituel, ils conservaient chacun un certain doute concernant cette dangereuse affectation confiée à de si jeunes recrues.

« Va Miriel, va découvrir au-travers les aventures ce que le monde te réserve. Je t'envie ma fille, je t'envie. » songea le Grand Druide qui se sentit tout à coup bien vieux.

Une fois arrivée aux appartements de son ami, Miriel remarqua par la porte ouverte qu'un disciple s'afférait à nettoyer la pièce pour accueillir un futur visiteur.

— Est-ce que vous avez vu le gardien qui était dans cette chambre ?

— Oui, j'ai croisé son chemin très tôt ce matin, le gardien Marack m'a demandé de vous dire qu'il sera à la porte du sanctuaire et qu'il vous y attendrait.

— Est-ce qu'il a dit autre chose ?

— En effet, il ne faisait que marmonner les paroles suivantes : plus vite je vais sortir, plus vite je vais pouvoir accomplir ma tâche !

Miriel le remercia prestement et se dirigea vers sa chambrette afin d'y récupérer sa petite escarcelle, ses armes, son armure de cuir ainsi que son Salkoïnas. Presque tout ce qu'elle possédait logeait dans son seul grand sac de voyage. Le reste, quelques effets personnels et souvenirs étaient, depuis longtemps, entreposés en sûreté dans un coffre.

De nouveau chargée comme une chèvre des montagnes, elle se dirigea d'un pas rapide vers l'entrée du sanctuaire car elle avait très hâte d'annoncer à son ami qu'ils partaient tous en mission avec la bénédiction de son Ordre.

Elle n'était qu'à une cinquantaine de foulées de Marack lorsqu'elle réalisa soudainement une vérité difficile. Elle venait de saisir toute la portée des mots de son ami cités par le disciple dans la chambre.

« Accomplir ma tâche… Suis-je seulement une tâche pour lui? Un fardeau même… Je vais devoir avoir une seconde conversation sérieuse avec mon très cher ami de longue date.» se dit-elle en se rapprochant de leur point de rencontre.

Elle passa devant lui sans s'arrêter et s'engagea dans le tunnel qui traverse le mur de pierre jusqu'à la sortie du sanctuaire.

— Gardien Marack, ramassez vos affaires et suivez-moi. Nous partons en mission officielle pour notre Ordre !

Le viking, surpris par le ton, s'attendait à un « bonjour » plutôt qu'à un garde-à-vous. Malgré tout, trop content de quitter l'enceinte du sanctuaire, il se ramassa rapidement et rattrapa Miriel en effectuant quelques pas de géant. Il poserait ses questions une fois le moment venu.

— Miriel et Marack devraient nous rejoindre au campement sous peu, répéta Arafinway à ses compagnons encore fâchés.

— Je ne suis pas mécontent de pouvoir rester allonger encore un peu, tout en lisant l'un de mes nombreux petits grimoires de voyageur, déclara nonchalamment Bertmund en lui tournant le dos.

Voyant que l'atmosphère lourde de la veille ne semblait pas vouloir se dissiper et que le troubadour ne désirait pas entretenir la conversation, l'éclaireur décida d'occuper son temps de façon constructive.

Chacun vaquait à ses affaires de façon différente et normalement, Bertmund placotait, écrivait, lisait ou grattait sa mandoline, quand il en avait une. Il pouvait aussi se tenir en forme en s'exerçant à l'épée ou en répétant des cascades.

Arafinway sortit son arc et passa sa frustration sur les cibles qu'il avait disposées un peu partout autour du campement.

Pour sa part Seyrawyn, n'aimant pas rester à découvert, s'était fait un petit coin dans les taillis. Habitué à être en pleine forêt, il se sentait un peu comme dans un aquarium en bordure de ce chemin, trop passant à son goût, qui menait à un sanctuaire dans une ville fortifiée. Il aurait grandement préféré se retirer du groupe et se réfugier dans un arbre centenaire, ses préférés. Il en avait justement localisé un, à seulement un quart de lieue du campement, en direction d'Alvikingar.

Sa forme de dragon lui manquait tellement ! Ainsi, la nuit dernière, il en profita pour y aller relaxer sur l'une de ses plus hautes branches. De son perchoir, tout étant nouveau pour lui; il prit soin de noter et d'observer au loin les différents points d'intérêt. Il repéra même le pont de Fey.

— Tout cela pour une elfe, druidesse par surcroît. Décidément, je suis devenu fou de suivre ces gens.

Il dormit un peu et, avant l'aube, il redescendit prestement rejoindre ses compagnons d'armes. Il avait reprit sa forme elfique afin de ne pas susciter d'attention dans ces nouvelles contrées.

« Qui sait comment d'autres personnes pourraient réagir devant une créature aussi impressionnante que moi sous ma vraie forme ? » pensa-t-il tout haut en allongeant ses pattes alertes sur la piste et en affichant un petit air de supériorité.

À l'opposé de sa position, Miriel avançait à un pas cadencé, tellement rapide, que Marack avait l'impression de revivre une session d'entraînement de marche forcée à Hinrik, sous la tutelle de son maître d'armes.

— Attends Miriel, est-ce que tu as invoqué un nouvel enchantement qui te permet d'avancer plus rapidement ? Si c'est le cas, j'aimerais bien en profiter moi aussi car, présentement, j'ai l'impression que tu vas t'envoler dans les airs et je ne serai même pas en mesure de te suivre.

— Une journée sans travailler et déjà on traîne de la patte Gardien Marack ?

Il ne pouvait voir son sourire pendant qu'elle continuait sa route, mais il se doutait bien qu'elle se moquait de lui. Il préféra garder ses énergies pour les créatures qu'ils allaient rencontrer.

La druidesse l'avait mit au courant du mandat très important qu'ils avaient reçu de la part de l'Ordre et cela le réjouissait autant que sa cheffe. Il retrouva son élan et la talonna comme son ombre. Après tout, n'avait-il pas été entraîné spécialement par l'élite des guerriers, le Jarl d'Hinrik ?

Miriel avait hâte de revoir ses amis afin de leur expliquer la merveilleuse opportunité qui venait de se présenter à eux.

Lorsque les deux compagnons arrivèrent au campement, ils s'attendaient à retrouver trois amis discutant autour du feu. Miriel aperçut d'abord Bertmund, à une extrémité du campement, lisant comme un solitaire, allongé sous un arbre.

De l'autre côté, Arafinway tirait sur une cible où elle devinait la forme d'un Yob dessiné rapidement avec un morceau de charbon. Quant à Seyrawyn, il s'était sans doute dissimulé comme à son habitude, en toute discrétion.

Arafinway fut le premier à voir Miriel et il courut à sa rencontre. Bertmund sentit sa joie revenir. Il se leva, prit le temps de bien ranger son petit carnet de cuir avant de se présenter à sa cheffe. Il redressa ensuite sa tunique et en secoua les quelques brindilles qui avaient décidées de rester accrochées sur son pantalon bouffant. Il désirait être parfaitement présentable en tout temps pour accueillir ses amis.

Bertmund s'empressa d'expliquer brièvement les derniers événements, le paysan et le fameux tribut aux druides.

Seyrawyn arriva au pas de course quelques instants plus tard. Sa vision extraordinaire lui avait permis de détecter ses compagnons sur le chemin de la montagne en direction du campement. Ne perdant pas de temps inutilement, le Falsadur-Dreki alla droit au but et se mit à interroger Miriel.

— Druidesse, est-ce que ton Ordre demande un paiement pour protéger les habitants de la communauté ?

Miriel tentait de comprendre exactement ce qui s'était passé pendant sa courte absence. Les propos de Bertmund, les interrogations d'Arafinway ainsi que l'empressement de Seyrawyn ne faisaient aucun sens pour elle non plus. Tous les trois tentaient d'expliquer à la cheffe, en même temps, une version différente des faits dont le fondement lui semblait de la même origine.

— Seyrawyn, Arafinway, je vous en prie, laissez-moi résumer la situation auprès de Miriel.

— J'accepte à la condition que le récit réel soit raconté sans tes fioritures ou tes exagérations coutumières ! dit le dreki.

— Mais bien entendu mon jeune ami, il en sera fait ainsi : strictement la vérité sans rien ajouter.

Arafinway se tut en laissant narrer cette légende urbaine, selon lui, erronée et sans fondements, par un seul porte-parole.

Marack écouta cette histoire invraisemblable et aurait bien aimé accompagner le paysan pour vérifier à qui était remise cette fameuse somme d'argent. Miriel suivait aussi attentivement et comprit subitement ce qui s'était peut-être vraiment passé lorsque Bertmund prononça le nom du paysan. Le vieux bouc de Drenadith ?

— Laissez-moi vous poser quelques questions à mon tour ! demanda-t-elle à ses amis.

Les compagnons acquiescèrent sans réserve, tous attentifs à la moindre réaction.

— Est-ce que ce paysan a été la seule rencontre significative que vous avez eue pendant notre absence ?

— Oui, répondirent les deux compagnons.

— Vous avez tous les trois rencontré ce paysan, c'est bien cela ?

— Non, pas moi cheffe. On m'a ordonné de me rendre au premier poste de garde, je n'ai pas eu la chance de discuter avec cet homme.

— Très bien, je crois avoir compris ce qui s'est passé, mais je ne pourrai pas valider ma théorie avant notre retour de mission.

— Nous partons en mission… tout de suite ? s'écria Arafinway d'un air enjoué.

Seyrawyn et Bertmund fixaient maintenant la druidesse avec surprise.

— Oui, nous partons tous les cinq immédiatement pour une expédition de la plus haute importance militaire. Mon Ordre nous a accordé l'honneur de le faire en son nom. À moins que vous ne désirez point en faire partie, pour des questions de mésententes, par exemple ? ajouta-t-elle en doutant tout à coup de leur unité.

Bertmund comprenait que les pourparlers de Miriel à leurs égards s'étaient bien déroulés et il avait de la difficulté à contenir sa joie.

— J'en serais ravi, Madame, pointez la direction et je vais m'y rendre ! annonça le soldat trop heureux de pouvoir faire partie d'une équipe et surtout d'y contribuer ses compétences.

— Un instant druidesse, tout d'abord, il y a la question de ce paysan qui n'est toujours pas réglée, s'interposa Seyrawyn qui attendait encore ses explications.

— Je crois connaître ce vieux bouc que vous avez rencontré et je vais m'entretenir avec lui dès mon retour, je te le promets.

— Jurez-moi alors que les druides de Lönnar, tous sans exception, ne perçoivent rien d'illégal des habitants de la région ! lui dit-il avec une inquiétude palpable.

— Je te le jure Seyrawyn, mon Ordre ne demande pas ce genre de chose.

— Alors je t'accompagne, mais il y a une chose que je dois faire avant de partir. Je vais quand même remettre ce petit rubis à la sentinelle du premier poste de garde. Ce n'est pas que je ne te crois pas, mais puisque j'ai promis que je le ferais...

Miriel aimait bien sa réaction, même si elle était hors contexte à présent car la sentinelle n'attendait sûrement pas ce cadeau, mais l'honneur était une valeur que son ami valorisait. Saisissant l'opportunité de prouver son jugement à son père, elle lui répondit en souriant.

— Très bien, je vais t'accompagner immédiatement voir ce garde et je vais lui ordonner de remettre cette pierre au Grand Druide. Nous pourrons à notre retour le rencontrer et faire la lumière sur cette affaire. Pendant ce temps, compagnons, il est temps de défaire le campement car nous partirons pour Alvikingar à midi, soit dans une demi-heure.

Le derki, la druidesse et le guerrier se rendirent jusqu'au poste de garde le plus près. Seyrawyn remit son rubis au guetteur qui ne comprenait pas pourquoi il recevait ce joyau.

— Tu me connais bien ? demanda la druidesse à l'homme du Nord qui observait la pierre précieuse sans comprendre.

— Oui, vous êtes la druidesse Miriel.

— Parfait, alors je te t'ordonne de remettre cette pierre au Grand Druide de notre Ordre et de bien lui dire qu'elle lui a été envoyée par Seyrawyn en guise de tribut pour la dette du vieux bouc de Drenadith. Est-ce que tu as bien compris ?

— Oui gardienne, j'ai bien compris et je te jure que ta demande sera accomplie ce soir sans faute.

— Est-ce que cela te convient mon cher compagnon ?

— Oui, en autant que nous revenions clore ce dossier avec ce Grand Druide à notre retour de mission car j'aimerais bien écouter ses explications. Mon mentor m'a toujours dit de me méfier lorsqu'il y a de la fumée sans que je ne puisse voir le feu.

— N'aie crainte mon bon Seyrawyn, nous allons en avoir des tonnes d'explications ! fit-elle en le rassurant de nouveau.

Puis, elle se retourna et redescendit le sentier, le pied léger et le cœur battant, entourée des cinq participants qui partageaient sa fierté. Cap sur la mission dont elle était porteuse.

La ville d'Udrag semblait être affectée par une vague de mauvais temps qui perdurait depuis plusieurs jours. La masse de nuages noirs, chargés d'éclairs, était concentrée au-dessus de la ville.

Tyroc en cherchait la cause. S'agissait-il de l'œuvre du druide de l'Ordre des Quatre Éléments ? Malgré ses soupçons, il n'avait aucunement l'intention de le confronter sur ce point. Après tout, de la pluie, même accompagnée de fréquentes bourrasques de vent, n'avait rien d'une épreuve, pour un Géant de pierre.

L'humeur du premier Vizir était noire et tous ceux qui osaient se mettre en travers de son chemin récoltaient un avant-goût de la tempête qui faisait rage autant à l'intérieur qu'à l'extérieur de ses appartements. Les éclairs tombaient sur les structures de la ville au moment où Dihur semblait manifester, sans retenue, sa furie contre les messagers qui apportaient leurs rapports de missions.

— Aucune bonne nouvelle, seulement des désastres ! Pas étonnant que ce Roi de pierre n'ait pas été en mesure de conquérir le territoire de l'Ouest auparavant, pestait le Vizir au messager Sotteck qui se tenait devant lui.

Dihur était à quelques jours de son départ car il devait rentrer à Pyrfaras, la capitale. Frustré, il observa les messagers en provenance de Bishnak, de la tour de Krel ou de Vraxan, tous porteurs de nouvelles désuètes !

— Comment peut-on prendre une décision militaire éclairée en réaction à une situation qui est arrivée depuis déjà quelques mois ? Réagir à n'importe quels de ces évènements est presque impossible !

Le pauvre soldat ne voulait que quitter ces appartements maudits. Pendant que son supérieur avait les yeux baissés, examinant avec un dégoût évident les missives qui venaient de le décevoir, le messager en profita pour se retirer en catimini.

Réalisant que celui-ci s'était esquivé depuis quelques instants et ce, sans être remercié, il s'élança sur son balcon afin de l'apercevoir se faufilant dans la rue.

— Où es-tu espèce de petit rat ! hurla-t-il en scrutant les passants qui osaient braver la grêle et le vent. Ah ! Espèce de coursier de malheur !

Il pointa du doigt celui qu'il croyait avoir reconnu et aussitôt un éclair s'abattit sur le pauvre Sotteck qui n'avait rien vu venir. Cette décharge du haut du ciel était-elle un coup des dieux ? Quoi qu'il en soit, la foudre s'abattit sur sa cible et le sol trembla pendant une longue seconde. La malheureuse victime s'affaissa.

Plusieurs petites décharges électriques parcoururent les flaques d'eau en sautillant puis le calme revint. Il ne resta sur le sol qu'une loque de chair calcinée encore fumante. Personne ne se serait risqué d'aller voir si quelques objets de valeur méritaient un retour vers le lieu du drame. La nature même de l'attaque portait une signature bien particulière et ce n'était pas seulement l'œuvre de dame nature. Les passants pressèrent le pas et la rue fut bientôt déserte.

« Tu ne m'apporteras plus jamais de mauvaises nouvelles, j'en suis certain », pensa l'auteur du barbecue.

Ce petit moment de détente avait réussi à faire apparaître un bref sourire sur le visage du druide. Un mince filet de soleil éclaira la rue mais cet instant ne fut qu'éphémère.

De retour à son bureau, le druide se questionna avec plus de sérieux sur la stratégie qu'il devait maintenant employer. Cet exercice prenait maintenant place dans son agenda de façon mensuelle.

« Une série d'années de plus à servir le Roi de pierre, je n'y arriverai pas; cela me pue au nez… ce temps ridiculement perdu ne fait que retarder l'échéance de ma domination totale.»

Il se concentra, ralentit son rythme cardiaque et sa respiration. En quelques instants, il entra en transe et laissa son esprit explorer les possibilités qui pouvaient bien s'offrir à lui.

Brusquement, il fut dérangé par un crépitement sourd venant du cœur de la cheminée. Le feu était déjà éteint depuis la veille, mais un tison semblait vouloir se raviver de lui-même. Ce n'était

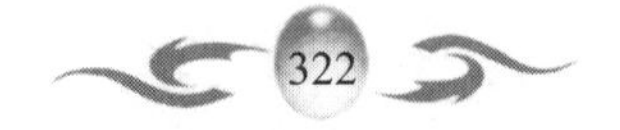

pas la première fois que Dihur assistait à ce phénomène et il savait parfaitement ce qui se passait.

— J'espère que ce n'est pas toi, Garzebüth, car je ne t'ai pas invoqué. La journée où je vais répondre à l'appel d'un simple esprit élémental de feu, qui ose s'imposer ainsi, celui-ci a intérêt à avoir une bonne raison ! gronda le druide, en direction du foyer.

Le crépitement s'arrêta aussitôt et le tison reprit sa couleur normale. Dihur n'était pas surpris de voir se manifester ce démon mineur qui tentait de le solliciter. Son état d'âme était un excellent catalyseur et cette créature, la percevant, voulut capitaliser sur les fortes émotions négatives générées.

Quelques heures avant son départ pour Pyrfaras, une dernière missive fit son chemin jusqu'à son bureau. Le document avait été remis à Tyroc en toute hâte.

— Voici un dernier rapport pour vous, Premier Conseiller du Roi. Il semble avoir une certaine importance.

Dihur avait eu suffisamment de mauvaises nouvelles pendant son séjour à Udrag. Il empoigna le document tendu par son chaperon et le lut immédiatement.

Toute autre personne qui lui aurait remis cette nouvelle aurait sans doute été incinérée sur le champ par le druide. Il ne pouvait faire brûler son garde du corps royal, même si la tentation était très alléchante.

— Tyroc, étais-tu au courant du contenu de cette missive ?

— Non, elle ne m'était pas destinée, alors je ne l'ai pas regardée, répondit le colosse sur un ton monocorde.

— Hé bien ! prends le temps de la lire, si tu sais lire évidemment, car c'est une très mauvaise nouvelle d'un point de vue stratégique.

Le Géant ne releva pas l'injure en prenant le parchemin et débuta silencieusement sa lecture. Après quelques minutes, Dihur perdit patience et lui arracha la courte missive des mains pour mieux lui en résumer le contenu.

— L'avant-poste de Yobs, qui était établi secrètement depuis bientôt une année sur le territoire ennemi, a été découvert.

Des escadrons de gardiens ont vite fait d'expulser nos troupes du monticule de pierre. Le contingent presque en entier a été anéanti par les démons et leurs chiens du Nord. Nous sommes repartis vers l'Est.

Dihur releva la tête en maugréant.

— Cet emplacement stratégique, qui avait été découvert par nos éclaireurs, était parfait comme pied-à-terre pour différentes missions dans cette partie du territoire ! Si seulement ces sombres idiots de Yobs avaient fait un peu plus attention pour garder cet endroit secret, celui-ci aurait été l'un des meilleurs emplacements d'attaque contre nos ennemis

Le Géant regarda son Vizir, qui semblait attendre de sa part une réaction ou un acquiescement quelconque sur la nouvelle désastreuse qui venait d'être portée à leur attention. Tyroc se força pour prononcer quelques mots d'encouragement même si cela ne faisait pas partie des consignes qu'il avait reçues de son Roi.

— Vous avez raison, ces Yobs sont de pauvres et sombres idiots !

Dihur resta figé, toujours aussi surpris devant le peu de démonstration des Géants de pierre. Décidément, rien ne fonctionnait comme il l'avait souhaité. Il commençait à regretter son choix d'avoir opté pour le subterfuge plutôt que l'approche directe avec toutes ces races de créatures.

Maintenant, il devait se présenter devant un Roi, les mains vides de surcroît, et qui, de toute évidence, n'appréciera guère les nouvelles qui lui seront rapportées. Cette situation devait changer rapidement car, dans le cas contraire, *La Source* de magie allait lui filer entre les doigts.

Le même jour, la petite délégation royale retourna vers la capitale des Géants avec un conseiller extrêmement grincheux à sa tête. Derrière eux, quelques toits de chaume fumaient encore, suite à un nouvel orage dévastateur.

Sur le chemin du retour et depuis son départ d'Udrag, Dihur eut beaucoup de difficultés à se concentrer. Une semaine s'était passée et cette sensation d'être épié devenait de plus en plus agaçante.

Le Géant de pierre n'était pas en cause; il s'agissait d'une autre présence. Un druide moins expérimenté n'aurait sans doute pas perçu cette très faible aura de magie qui planait tout autour de lui et de leur campement. Qui cherchait donc à le mystifier ?

Le druide demanda à ses dieux quelques faveurs car il avait deux hypothèses possibles sur la provenance de cette énergie surnaturelle.

> « L'une d'entre elles est ce minus, l'esprit élémental de feu, qui veut probablement se faire entendre dans l'espoir de pouvoir enfin échapper à mon emprise… La seconde est peut-être une créature qui a, soit le pouvoir de se camoufler ou soit utilisé un enchantement, pour exercer une surveillance constante sur moi. Dans tous les cas, ce mystère sera résolu demain avant le coucher du soleil. »

Après avoir suivi la piste dans les montagnes pendant la majeure partie de la journée, le chef ordonna d'établir le campement pour la nuit. Il restait encore assez de clarté pour deux bonnes heures de marche, mais personne n'allait en faire la remarque au Premier Vizir.

— Que personne ne me dérange pendant la prochaine heure, compris ? commanda-t-il aux deux soldats qui montaient la garde devant son pavillon.

Grâce aux divers enchantements accordés par ses divinités, il allait enfin pouvoir exposer ce qu'il percevait de plus en plus présent.

Il termina les rituels et sortit effectuer un petit tour du campement, avant de se diriger vers Tyroc, tranquillement adossé à un large tronc d'arbre.

— J'ai une question pour toi ! lui lança-t-il sans même attendre une réponse. Quelle est la plus longue distance à laquelle tu peux projeter l'une de ces pierres que tu gardes toujours à ta ceinture ?

Le colosse regarda son Vizir d'un air soupçonneux. Il prit son temps pour analyser la question et aussi considérer les raisons pour lesquelles, ce conseiller hautain, daignait lui faire la conversation sur un point archi connu de tous les Géants.

— Chez mon peuple, une centaine de coudées est la moyenne. Tout le monde sait ça…

— Et la précision ? Est-ce que tu lances sur la cible ou à des lieues de celle-ci ? poursuivit Dihur d'un air inquisiteur.

Tyroc trouvait la conversation étrange, mais répondit néanmoins à la question.

— Pour ma part, je peux toucher un jeune renard à cette distance si je le désire, mais cela n'est pas le cas pour tous les Géants de pierre.

— Et la vitesse d'exécution ? Votre lenteur doit sans nul doute affecter la distance et votre adresse. Le lancer d'une telle pierre est probablement moins efficace que les arcs employés par nos ennemis les démons…

Tyroc trouvait maintenant les propos lassants et, au dernier commentaire, il se sentit courroucé. L'échange devenait quelque peu insultant pour son clan.

— Désirez-vous un exemple pour satisfaire votre curiosité, Premier Vizir Dihur ?

— Oui j'aimerais bien ! Laisse-moi trouver ce qui pourrait bien servir de cible de choix pour cette petite démonstration.

Dihur avait une idée en tête depuis qu'il avait complété le tour du campement.

— Voilà… derrière toi, à environ 110 coudées, il y a un large faucon perché sur une branche. Crois-tu être en mesure de te lever, de prendre une pierre à ta ceinture et en te retournant rapidement, de la lancer pour atteindre ce volatile ?

Avec un rare sourire sur son visage, le colosse bondit sur ses pieds. Il fit preuve d'une agilité surprenante tellement son orgueil semblait à vif. Rapidement, il se retourna et lança le projectile sur la cible qui lui avait été indiquée.

Le boulet de pierre atteignit son objectif en un éclair. Aussitôt lancé, le Géant se rassit dans l'herbe nonchalamment. Au même moment, le cri affreux de l'oiseau blessé déchira le crépuscule.

Le Grand Druide fut surpris de la vitesse d'exécution de son chaperon. Voyant que le faucon n'était plus sur sa branche, il partit au pas de course en direction de l'endroit où il l'avait vu pour la dernière fois.

Lorsqu'il arriva au pied de l'arbre, ce n'était pas un faucon mais un humain qui gisait sur le sol. L'un des éléments qu'il vénérait et qu'il avait consulté par l'entremise de ses incantations avait raison. Il avait été suivi et surveillé par un druide. L'espion avait pris la forme d'un large prédateur du ciel pour passer inaperçu.

Dihur reconnut immédiatement le Salkoïnas encore attaché dans le dos du vieux druide à la barbichette blanche et s'approcha du corps toujours inerte.

— Tu respires encore mon cher ami ! J'imagine que l'impact du boulet et ta chute forcée t'ont certainement occasionné plusieurs blessures. Elles ne seront rien en comparaison avec les prochaines tortures que je te réserve…

Les soldats qui avaient vu courir le Premier Vizir se précipitèrent jusqu'à lui et découvrirent à leur tour le corps de l'homme gisant sur le sol.

— Emmenez-le, retirez-lui ses possessions et gardez-le sous surveillance, me suis-je bien fait comprendre ?

Les deux Mourskhas avaient très bien compris les ordres et repartirent avec l'espion qui venait d'être découvert.

Dihur adressa une prière de remerciement aux quatre éléments, car ils venaient de lui fournir un prisonnier de marque. Ce druide de Lönnar était certainement un haut placé dans la hiérarchie pour avoir ainsi accès à cette rare magie.

Ce n'était pas donné à tous les membres d'un Ordre de pouvoir prendre la forme d'un animal. Cette habileté n'est pas souvent rencontrée et seulement certaines factions de druides avaient la possibilité de recevoir ce don de la part de la divinité vénérée. Il regretta, le temps d'une pensée vengeresse, que ce ne soit pas le malfaisant Arminas en personne.

Le prisonnier fût dévêtu complètement car le chef voulait passer en revue tout ce qu'il y avait sur sa personne, sans la moindre gêne.

— Tyroc, j'ai une autre tâche pour toi. J'aimerais que tu t'assures, sans le tuer, que notre invité de marque ne puisse s'échapper en se transformant à nouveau. As-tu une idée sur ce qui pourrait être fait ?

Le Géant regarda le fragile homme du Nord, prit l'un de ses bras doucement puis, d'un mouvement sec, le plia dans le sens contraire de l'articulation en lui écrasant les cartilages.

Le prisonnier, venant à peine de sortir de son inconscience, tenta de reprendre ses esprits et de reconnaître les lieux. Instantanément, l'insupportable douleur le replongea aussitôt dans le noir.

— Ahhhh… Bravo ! Il venait à peine d'ouvrir les yeux, fulmina Dihur.

— Il n'est pas mort et il ne sera pas en mesure de voler à nouveau, j'ai fait ce que vous m'avez demandé.

« En effet, constata Dihur, avec un tel handicap ce druide de Lönnar ne pourra aller nulle part en volant. La chance vient de de me sourire enfin ! »

Il se réjouissait d'avoir capturé cet ennemi. Il venait également de compromettre en partie le système de messagerie de ses adversaires.

Ce n'est que la nuit suivante que le prisonnier manifesta sa présence par un hurlement de douleur qui fit sursauter une bonne partie des effectifs du campement. Il réalisa l'ampleur de sa fâcheuse position : il était détenu pas ses ennemis et gravement blessé.

— Je vois que tu as enfin repris conscience, je commençais à douter que mon géant n'y soit allé un peu trop fort avec ton bras. De plus, vois-tu, j'ai aménagé ce pavillon tout spécialement pour toi, cher confrère.

— Tu veux dire prisonnier et non invité ! cracha le disciple de Lönnar à son hôte.

Tyroc était demeuré derrière les deux Mourskhas qui maintenaient fermement le disciple. Le Vizir avait pris le temps de façonner magiquement un trône de pierre afin de pouvoir mieux interroger sa nouvelle victime. Il savourait pleinement cette nouvelle opportunité qui venait de se présenter à lui, au grand désarroi de l'autre qui affichait un air abattu.

— Ton bras ne te fait pas trop mal, j'espère ? Mon ami ne connaît pas sa force. C'est un géant après tout, compte-toi chanceux qu'il n'ait pas décidé de te plumer.

Le pauvre druide essaya de tenir tête à son interrogateur. La douleur était insupportable, l'os était sans doute broyé et tous les muscles de son coude ainsi que les nerfs avaient été déchirés.

Par miracle, la blessure ne semblait pas se solder par une fracture ouverte. Le moindre petit mouvement engendrait cependant une souffrance effroyable. Malgré tout, l'infortuné aurait préféré se

vider de son sang plutôt que d'avoir à endurer les paroles de ce druide déchu.

— Je me nomme Dihur, mais cela je suis prêt à parier que tu le savais déjà, n'est-ce-pas ? Depuis le temps que tu me surveilles ! Maintenant, j'aimerais bien savoir à qui je m'adresse, druide de Lönnar.

— Je n'ai rien à dire à un druide qui outrepasse nos Lois et la décision du Grand Conseil !

— Très bien… tu peux encore parler ! Retiens bien ceci, je ne suis pas celui qui t'inflige tes blessure alors je n'enfreins pas les lois druidiques. De plus, il te reste encore suffisamment de membres et de vie pour que mon ami, le Géant que tu as déjà rencontré, puisse s'amuser de nouveau avec toi. Tes réponses vont déterminer le temps de ses… distractions. Réfléchis bien avant d'agir, car te taire n'accomplira absolument rien de mieux. Parle donc si tu tiens à la vie.

Le druide de Lönnar tentait d'analyser qu'elles étaient ses options. La triste vérité était qu'il ne survivrait certainement pas à la torture et il était hors de questions de divulguer la moindre information à ce druide renégat.

— Ton nom ? réitéra Dihur d'un ton plus autoritaire.

Le chef, de son trône, ordonna aux Mourskhas de maintenir le prisonnier en place, pendant que Tyroc expliqua plus en détails les règles du jeu à ce chien du Nord.

— Tu réponds à la question, petit homme. Si tu restes muet, mon gourdin va s'abattre sur toi sans pitié et, comme tu as pu le constater, je suis un expert et je ne manque jamais ma cible.

Afin de bien se faire comprendre, Tyroc, amusé par les nouvelles permissions qu'on lui accordait en ce moment, leva son arme et annonça le point d'impact, soit la jambe droite. Dès l'instant où il eut terminé sa phrase, l'immense massue s'écrasa sur le genou du pauvre vieux druide qui hurla de douleur. Et le manège reprit.

Sous les impacts multiples et violents de l'arme, la victime perdit la notion du temps, ne sachant même plus ce qui se passait. La souffrance était toujours présente, tout son côté droit commençait à s'engourdir, et ses brefs moments de lucidité ne duraient jamais longtemps.

À un certain moment, il put enfin entendre son homologue lui parler, mais ses mots étaient incompréhensibles. Il vit le géant lui

adresser la parole de nouveau en suggérant que la massue allait reprendre du service. Sous le supplice qui s'éternisait, il finit par capituler et acquiesça aux demandes de Dihur.

— D'accord, d'accord, je vais répondre, ne me frappez plus… je vais répondre ! souffla-t-il épuisé.

— Quel est ton nom et qui t'a envoyé jusqu'ici ?

Combattant la douleur qui irradiait dans tout son corps, le druide tentait de garder en tête la meilleure façon de répondre à ce qui lui était demandé.

— Je me nomme Eoril et je suis en mission pour surveiller les activités à l'Est du Grand Lac à la demande de Ferajar, doyen de mon Ordre.

Le gardien de Lönnar n'était pas fier d'avoir été capturé comme un débutant. Lorsqu'il reconnut la prestance de Dihur qui se promenait dans les rue d'Udrag, il avait décidé de le suivre même lorsque celui-ci quitta la ville vers Pyrfaras.

La douleur lui faisait perdre conscience entre deux phrases. Dihur le bombardait de questions, sur *La Source* et son emplacement, sur les forces de sa communauté et les défenses mises en place par les druides. Eoril divaguait et ses réponses étaient souvent incohérentes. Il ne savait même plus depuis combien de temps il était retenu par ses geôliers.

Lorsqu'il reprit un peu de contrôle sur la douleur qui l'accablait, il se rappela d'une question que Dihur lui avait posée à maintes reprises. Qui est Haron ?

Le Vizir semblait penser qu'il s'agissait d'une personne, mais la réalité était toute autre. Eoril conclut tristement que s'il avait pu laisser passer cette bride d'information dans ses moments de faiblesses ou de divagation, quels étaient les autres secrets qu'il avait bien pu trahir ? Il pria Lönnar de lui insuffler du courage.

La torture allait en s'intensifiant et sa tolérance à la douleur diminuait.

— Ton manque de coopération me force à avoir recours aux précieux services de mon gigantesque bourreau. Je crois bien que cette fois-ci ce sera… ton bras gauche.

Les deux Mourskhas le remirent debout. Le prisonnier n'était plus conscient de ce qui se passait autour de lui et il n'offrit plus aucune résistance.

— De quoi est composé *La Source* ? Qui est Haron ? Combien d'entre vous êtes introduits à Pyrfaras ? Combien ? Qui ? Dihur continuait de le bombarder sans pitié.

Le Géant refit le scénario une fois de plus. Il pointa le bras gauche de sa massue et fit la motion une première fois pour bien viser. Lorsqu'il s'élança pour de bon, le Gardien de Lönnar rassembla le peu de force qui lui restait et réussit à surprendre les deux Mourskhas qui le maintenaient en place. Brusquement, il se projeta vers le côté de façon à recevoir le coup du Géant, non pas sur le bras, mais directement sur la poitrine.

Sa cage thoracique enfoncée, dans un dernier souffle, il libéra enfin toute sa peine.

— Pardonne-moi, Lönnar, j'ai failli à ma mission et pardonne-moi Haron, je ne pourrai plus prendre soin de toi.

— *Grra... Ahhhh !* Mais qu'as-tu fais ! Je t'ai ordonné de le torturer, pas de le pulvériser, hurla Dihur en sautant de son fauteuil vers le Géant qui ne s'attendait pas à un tel mouvement de la part du blessé.

Le chef maudissait vertement les deux Mourskhas qui n'avaient pas retenu assez fermement le prisonnier. Mais tout se passa si rapidement que personne n'avait eu le temps de réagir.

Tyroc avait délivré un coup très puissant et surtout très rapide. Le Vizir réalisa trop tard qu'il avait, encore une fois, fait confiance à ces créatures pour un travail qui nécessitait du doigté. Un orage éclata au-dessus du campement et la pluie glaciale martela la toile du chapiteau.

— Bande d'abrutis ! Si ce druide était disposé à mourir pour protéger ses secrets, alors il en connaissait davantage ! Sortez, sortez tous, chiens galeux, monstres incapables !

« Laissez-moi seul, je dois penser… »

Le garde du corps ne tint pas compte de l'ordre jusqu'à ce que Dihur le réitère fermement en le menaçant, un éclair de feu au bout de son doigt levé. Il sortit enfin lentement du pavillon, glissant son regard sur la victime puis sur le Premier Conseiller de son Roi, dégoûté.

Le Grand Druide l'Ordre des Quatre éléments n'en avait pas fini avec cet espion. Après avoir disposé les bougies en un cercle autour du défunt, il entama un chant dans une langue étrange aux sonorités rauques.

La magie courait le long du cercle et lorsqu'elle passait sur l'une des bougies, celle-ci s'allumait d'une flambée rouge intense, avec, en son centre, une petite flamme blanche lumineuse. Le rituel perdura pendant une dizaine de minutes.

Une fois cette opération terminée, Dihur enroula le corps du mort dans un linceul opaque. Cette forme de protection en empêcherait la détérioration car il avait d'autres plans pour ce druide.

Il ne lui restait enfin qu'à étudier soigneusement les effets personnels récupérés sur celui-ci. Cela lui permettrait peut-être d'en apprendre un peu plus… Il avait déjà effectué l'exercice, mais une seconde fouille pourrait sans doute révéler quelque chose de nouveau.

Il passait en revue tous les items détenus par Eoril et il se trouvait franchement déçu de la manie de simplicité de ces druides.

> « Ce bâton d'office avec une tête de bélier émane un peu de magie. Il fera un excellent cadeau pour le Roi Arakher. »

Dihur connaissait très bien ce symbole de Lönnar qui ne pouvait être utilisé que par l'un de ses disciples.

Une robe beige foncé en laine, sans marques particulières. Une large ceinture de cuir avec deux escarcelles. La première renfermait plusieurs composantes ainsi que quelques petits fruits, sans doute enchantés pour le sustenter durant son voyage. Il connaissait cet enchantement très commun chez les druides.

La seconde détenait une boursette de cuir noir avec l'effigie en métal d'un petit dragon. À l'intérieur, une simple pierre rouge bigarrée. Lorsqu'il la sortit de sa boursette, elle émit une faible aura magique.

> « Pour ce qui est de la boursette et de cette pierre rouge qu'elle contient, je crois que je vais l'étudier un peu plus afin d'en découvrir les pouvoirs. »

Il lui faudrait maintenant expliquer la perte de son prisonnier. Dihur commença à orchestrer un scénario machiavélique qui lui permettrait d'obtenir ce qu'il voulait. Cette fois, son chaperon ne pourrait plus rien lui refuser.

— Où allons-nous exactement, demanda Seyrawyn avec un brin d'angoisse à Miriel.

— Ne sois pas si anxieux, nous avons d'abord traversé la rivière Njord par le pont de Fey, celui en pierres, et dans un peu moins de deux jours, nous allons arriver à Alvikingar qui est la plus grande ville de notre communauté.

— Si ma mémoire est bonne, c'est l'endroit où La Temporaire devait escorter la caravane que vous avez rencontrée, ajouta Bertmund qui s'intéressait aux brides d'informations avancée par la druidesse. Pardonnez-moi, Madame, mais est-ce que cette ville existait déjà lorsque vous êtes arrivés sur l'île ?

— Non, elle fut érigée pierre par pierre par les premiers arrivants, il y a de cela plus de dix ans. Je n'ai pas assisté à sa création, celle-ci m'a été racontée.

— Création ? Tu veux plutôt dire construction, n'est-ce pas druidesse ?

Miriel regarda Seyrawyn droit dans les yeux pour bien lui faire comprendre que le terme employé était juste.

— Il s'agit bien d'une création. Aimeriez-vous que je vous raconte l'histoire d'Alvikingar ? dit-elle en ralentissant un peu le pas. Il s'agit du premier point d'arrivée de la communauté viking et elfique. Les premiers murs de pierres furent érigés pour délimiter l'espace requis pour cette grande ville. Elle devait offrir une protection pour tous en attendant de transférer les familles de colonisateurs dans les autres villes de leur choix, qui devaient parallèlement être construites ou créées.

— Madame, vous parlez de création, mais ces murs ont bel et bien été construits avec des blocs de pierre ?

— Oui, nous *construisons* manuellement et *créons* magiquement! répliqua Miriel à Bertmund avec un sourire.

Les mages en compagnie des druides ont orchestré leurs efforts afin de travailler sans relâche à l'édification de ces murs. Leurs habilités à pouvoir façonner et créer la pierre comme ils le désiraient leur ont permis d'accomplir le travail de plusieurs mois en quelques jours. La magie a opéré de véritables chefs d'œuvre, chacun travaillant afin d'assurer sa propre survie et celle de son voisin. Plusieurs sacrifices ont été faits pour voir naître cette somptueuse capitale.

— Je suis simplement stupéfait de ces informations ! répondit Bertmund, qui tentait d'écrire ce récit dans son nouveau grimoire.

— Tu peux également écrire dans ton calepin que les fondations de la première église de Tyr se trouvent à Alvikingar, ajouta Marack avec une touche de fierté, lui qui adhérait comme disciple fervent de ce dieu de la justice.

— Devons-nous absolument passer par cette ville ? s'enquit Seyrawyn qui espérait secrètement entendre une réponse négative de sa cheffe, lui qui craignait les cités.

— Oui, nous allons y faire un bref arrêt, le temps de prendre quelques fournitures.

— Merveilleux ! annonça un Bertmund enthousiaste. J'ai tellement hâte de découvrir cette capitale issue de la magie. J'espère avoir le temps de dessiner quelques croquis avant de repartir.

Le dreki était beaucoup moins enthousiaste que son ami à l'idée de passer les prochains jours dans une grande ville. Miriel le remarqua mais fit celle qui ne veut pas amplifier le dilemme de son équipier.

Deux journées plus tard, le groupe de Miriel s'arrêta pour une pause en admirant de loin les larges murailles de la capitale.

— Nous ne resterons que le temps de prendre des provisions pour cette mission. Que ceux qui ont besoin d'aller en ville m'accompagnent; les autres pourront nous attendre ici.

Miriel comprenait la phobie de Seyrawyn concernant les masses, alors elle s'efforçait de l'aider du mieux qu'elle le pouvait sans alerter les autres compagnons.

— Très bien, je vais rester et vous attendre, j'ai tout ce qu'il me faut pour le reste du voyage. J'irai visiter cette ville une autre fois, fit-il en sautant sur l'occasion.

— Très bien. Pour ma part, je dois discuter avec Saint-Beren, le grand prêtre de l'église de Tyr, déclara Miriel.

— Alors ce sera aussi ma destination, répliqua Marack qui fit un large sourire à sa cheffe, qui approuva son choix d'un hochement de tête.

— Un arc de meilleure qualité serait pour moi le but de ma visite, annonça Arafinway en tâtonnant sa petite bourse remplie d'écus sonnants.

— Eh bien moi, je suis curieux et je vais profiter de l'occasion. Je n'ai peut-être plus d'or ou d'argent pour acheter quelque chose, mais regarder les étals des marchands ne m'engage à rien… N'est-ce pas ? fit Bertmund, qui semblait douter de la pertinence de sa décision. Alors, si tu veux bien de ma compagnie, je t'accompagne, dit-il à l'intention de l'éclaireur. Tu pourras me faire visiter le quartier marchand.

D'un pas alerte, les nouveaux arrivants marchèrent donc vers la forteresse. Un comité d'accueil local les aperçut bientôt. Une demi-douzaine de kriegers bien armés interpella le groupe de Miriel avant que vienne le moment de franchir les portes fortifiées de la ville.

— Je suis Miriel, Gardienne du territoire et mes compagnons apprécieraient faire des provisions à vos étals. Sommes-nous autorisés à entrer dans vos quartiers ?

— Soyez les bienvenus… Avant tout, je dois vous informer que, par ordre du Jarl de la ville, nous avons reçu la consigne de questionner tous les visiteurs et de tenir un registre des allées et venues de tous les passants. Cette consigne s'applique à tous, n'y voyez pas une méfiance à votre endroit. La mesure de sécurité n'est en vigueur que depuis quelques jours.

— Alors, signons ce registre… puis je présume que nous serons autorisés à passer. Vous savez qui nous sommes ?

— Oui, Gardienne de Lönnar, vous et vos compagnons êtes les bienvenus dans la ville d'Alvikingar.

— Est-ce toujours aussi contrôlé ? De quoi ont-ils peur au juste? questionna Bertmund en s'adressant à Marack.

— Non, mais je crois que nous sommes un peu responsables de cette situation, à cause des informations d'espionnage que tu as décodées sur le fameux parchemin. Toutes les villes ont été avisées rapidement, ce qui est une bonne chose.

Bertmund acquiesça silencieusement au commentaire du guerrier. Effectivement, les mesures nouvelles démontraient le sérieux des découvertes récentes.

— Vous avez quatre heures pour acheter vos provisions et trouver ce que vous cherchez, les informa la cheffe. Le point de rencontre se tiendra devant les grandes portes. Bonne randonnée…

Miriel et Marack prirent la direction de l'église de Tyr tandis qu'Arafinway et Bertmund se dirigèrent vers le quartier marchand.

Le trajet n'était pas très long car l'église de Saint-Beren surplombait la plupart des constructions dans la ville. Elle avait été construite au milieu d'Alvikingar, une citadelle à l'intérieur des remparts.

— Cela ne te fait pas bizarre de te retrouver sur cette place centrale, Marack ? Il me semble que ça fait une éternité…. Tiens, voilà mon saule pleureur, près duquel j'ai donné mes dernières leçons, fit la druidesse avec un soupçon de mélancolie.

— En cinq mois, Miriel, nous en avons fait du chemin. Mais oui, cela fait étrange de revenir ici après tout ce qu'on y a vécu.

Ils arrivèrent sur le parvis de la cathédrale. Comme toujours, des sentinelles gardaient les portes du grand bâtiment de pierre et de verre. Ces templiers Tyrien étaient des guerriers Saints, entièrement dévoués à leur dieu et au grand prêtre de leur église.

— Je suis la Gardienne du Territoire Miriel et j'aimerais avoir une audience auprès du grand prêtre magicien de Tyr, Saint-Beren.

— Bienvenue à vous, druidesse Miriel et Marack fils de Marack, si vous voulez bien patienter quelques moments, je vais annoncer votre visite au grand prêtre.

Après quelques instants d'attente, c'est Beren lui-même qui se présenta à la porte de son église pour accueillir ses invités.

— Mon enfant, comme je suis content que tu prennes le temps de visiter ton jeune oncle préféré. Ne me fais pas ces yeux-là,

après tout, je n'ai que quelques centaines d'années, rien au-dessus de 250 ! déclama-t-il en la serrant sur son cœur.

Miriel a toujours été plus proche de cet elfe magicien que des autres frères d'armes de son père, qu'elle apprécie beaucoup d'ailleurs, mais qui ne sont pas des elfes comme elle.

— Grand prêtre de Tyr, merci de me recevoir si rapidement.

— Tant de protocole ! Tu es toujours la bienvenue, fille d'Arminas et toi aussi Marack fils de Marack. Allez, venez avec moi, nous serons plus tranquilles dans ma tour.

Pour Marack, Beren était un oncle au même titre que Lars, Grim et Lassik. Étant à Hinrik, Lassik le Géant et Grim étaient ceux qui l'on vu grandir et qui ont même participé à son entraînement personnel.

Plus d'une fois, son père et ses compagnons ont raconté leurs histoires d'aventuriers. Dans leur récit, les exploits d'utilisation de magie de cet elfe étaient transmis et enseignés avec un intérêt grandissant dont personne ne se lassait. Il sourit et suivit Saint-Beren qui était, ma foi, de fort bonne humeur.

— Allez, venez les jeunes, entrez et racontez-moi tous les détails de votre premier tour de garde en tant que Gardiens du territoire.

Le prêtre les invita à prendre place autour de la grande table de la bibliothèque, l'endroit où il aimait passer la majorité de son temps à faire des recherches sur l'unique sujet qui le passionnait, la magie sous toutes ses formes.

Une fois attablés, Miriel relata les faits saillants de sa mission. Beren portait également le titre de Gardien du Secret au sein de l'Ordre de Lönnar et était leur supérieur. Les deux jeunes étaient tenus de répondre aux questions de l'inquisiteur et, plus précisément, à celles concernant la magie employée lors des combats.

Écouter ces aventures lui rappelait combien il aimait relever de nouveaux défis en entreprenant une quête pour que la justice de Tyr soit accomplie. Il revivait un peu leurs péripéties en écoutant leur version respective.

— Montre-moi cette fameuse hache que tu as récupérée dans le campement des Géants, demanda-il au guerrier.

Beren l'observa sous tous ses angles, puis après l'avoir scrutée deux fois plutôt qu'une, il déposa celle-ci sur la table et entama une petite incantation.

Les deux jeunes l'observait tracer les symboles avec ses mains, puis saisir son symbole religieux représentant une épée longue sur laquelle était superposé un marteau de guerre. Lorsqu'il eut terminé, il prit quelques instants pour sonder plus méticuleusement le bel objet.

Celui-ci n'avait pas changé d'apparence ni même brillé d'une quelconque façon et ils se demandèrent en quoi pouvait-il être si mystérieux.

— J'en étais sûr, mais je devais m'en assurer avant de dire quoi que ce soit. Mon cher Gardien, tu as une arme magique entre les mains. Je ne suis pas en mesure de te dire exactement de quel type et quels sont ses pouvoirs avec cette simple incantation, mais je te confirme qu'elle est magique.

Beren était ravi de pouvoir apprendre au viking qu'il possédait maintenant une arme d'exception.

— C'est dommage de vous voir repartir aussi rapidement, j'aurais bien aimé faire quelques tests et incantations sur cette création magique. Découvrir d'où elle vient, a-t-elle été forgée sur Arisan ou ailleurs ? Qui est le maître d'armes forgeron qui l'a façonnée ? Quels attributs a-t-elle reçus et par qui ? J'en aurais pour des jours ou plutôt des semaines de plaisir à faire ces recherches…

— Je suis désolé, Beren. Même si je ne connais pas ses pouvoirs ou ses capacités, je la ramène avec moi, déclara le jeune en le voyant venir et en récupérant sa hache.

« Une arme magique, décidément, ce premier tour de garde fut rempli de surprises ! »

Miriel, de son côté, se disait que son ami allait encore s'enfler la tête avec son nouveau joujou.

— Oncle Beren, la raison de ma visite est que je désirais te parler de quelque chose en particulier. Que peux-tu me raconter sur les Skass ?

Le grand prêtre prit quelques instants pour considérer la question avant de répondre à sa filleule.

— Selon mes souvenirs, je me rappelle de t'avoir déjà parlé un peu de ces habitants de l'île et ce, lors de mes enseignements privés avec toi.

Le prêtre de Tyr avait changé son attitude à la mention de cette race d'humanoïdes qui pratique une magie bien particulière.

— Je me souviens de tes enseignements sur ce sujet et je me souviens également que celui-ci n'avait pas été abordé de façon très exhaustive par rapport aux autres matières.

— Tu sais petite elfe, il s'agit d'un sujet très délicat. Je t'ai fait part de cette information afin que tu puisses reconnaître les membres de cette race et aussi prendre certaines précautions lors de tes interventions avec eux. Mais cet enseignement s'arrête là. Je ne peux te parler plus de ce sujet sans enfreindre plusieurs promesses que j'ai dû faire pour le bien de la communauté.

Miriel en fut surprise. Beren qui refusait de parler d'un sujet comportant un certain degré de magie, c'était tout simplement impensable !

— Je ne savais pas que cela impliquait tant de précautions au niveau de la communauté. Très bien, je ne te poserai pas d'autres questions sur ce sujet Gardien du Secret Beren.

— Je ne voulais pas te fermer cette avenue de façon si formelle, Miriel, mais tu comprendras peut-être plus tard. Tu en connais juste assez pour savoir comment réagir devant eux et je ne peux malheureusement pas en révéler davantage.

La druidesse décida de ne plus aborder ce sujet. Poser plus de questions sur les Skass, et surtout sur le fait que son père semblait connu de ceux-ci, ne ferait que placer son oncle dans une situation inconfortable. D'autres occasions se présenteraient certainement pour en savoir un peu plus et aujourd'hui, elle comprit que ce n'était pas le bon moment pour approfondir le sujet.

Marack aussi se rappelait, dans le cadre de son apprentissage de garde du corps, avoir entendu des rumeurs sur les Skass et son vieux lui avait également raconté certaines histoires à leur sujet.

« La connaissance est une arme redoutable si on la reconnait pour ce qu'elle est en réalité ! » Les paroles de son père résonnaient encore aujourd'hui dans sa tête.

Pour la jeune druidesse, cette rencontre aurait pu l'éclairer sur les liens entre son père et ce clan. Comme elle savait qu'il était bien connu et respecté par cette race de sorcier, l'énigme demeurait grande car, généralement, ils semblaient être craints de tous. Déçue, elle devra attendre encore un peu plus avant d'aborder le sujet avec son paternel car il semblait qu'il serait fort probablement le seul à pouvoir répondre à cette délicate question.

Marack se leva aussi rapidement que sa cheffe, lorsque celle-ci décida qu'il était le temps de partir, s'il voulait avoir le temps de quérir les différentes provisions nécessaires pour leur voyage.

— Attends chère petite nièce, j'ai quelque chose pour toi !

Beren parcourait les nombreuses poches cachées dans la doublure de sa robe de magicien pour retracer un objet bien précis. Après quelques essais et erreurs, un large sourire apparut sur son visage.

— Ah ! enfin, le voici ce petit joyau, je crois bien qu'il te sera utile.

Il posa sur la table un petit bracelet de fer, ornementé de quelques petites pierres précieuses. À l'intérieur, on pouvait y découvrir de minuscules runes gravées soigneusement.

— Qu'est-ce que c'est et en quoi cela pourra-t-il me servir mon cher oncle ?

— Il s'agit d'une magie de manipulation… qui a pour effet de contrôler les plus simples d'esprit.

Miriel se retourna pour fixer avec un petit air taquin son ami guerrier qui l'observait intensément.

— Ne t'avise surtout pas d'essayer cette magie sur moi ! Tu y perdrais ton temps car mon mentor m'a enseigné à résister à ce genre de manipulation.

— En effet, cela ne fonctionnera pas sur Marack, mais sur une créature comme un Mourskha ou un Sotteck, il y aurait de forte chance que cela puisse t'être d'une certaine utilité. À condition bien sûr que le sujet ne soit pas trop intelligent et aussi qu'il ne soit pas un elfe car nous sommes immunisés à ce genre d'effet. Tu n'as qu'à le porter sur un poignet et de toucher la personne que tu désires affecter en mentionnant les paroles suivantes.

Beren s'approcha de l'oreille de Miriel et lui chuchota les quelques paroles elfiques qui devaient activer la magie du bracelet.

— Merveilleux, je vois déjà une multitude d'applications pour celui-ci ! se réjouit-elle.

— Malheureusement, il ne reste que quelques charges dans cette création et il n'est pas possible de le recharger. Alors, je te recommande de les utiliser avec astuce. Ah oui, j'oubliais... les effets de cet enchantement sont de très courte durée, alors ne tarde pas trop à en profiter et surtout reste sur tes gardes. Tu ne voudrais pas être surprise par ton soi-disant nouvel ami qui désire t'attaquer lorsque l'effet d'amitié sera terminé !

Miriel prit le bracelet et enlaça son oncle dans une grande accolade pour le remercier du présent.

— À ton tour Marack fils de Marack, j'ai également quelque chose pour toi, quelque part, par ici..., fit le magicien en recommençant ses fouilles.

Il déposa finalement sur la table une paire de gants de cuir noir, usés mais toujours en bon état.

— Ne te fie pas à leur apparence mon jeune ami, ils m'ont été forts utiles lors de mes nombreuses aventures. Il s'agit d'un objet magique qui confère à son porteur une poigne de géant. Personne ne pourra te désarmer ou te faire lâcher prise si c'est tenu dans tes mains.

Marack regarda la très petite paire de gants avec suspicion. Sous l'œil encourageant du prêtre, il se décida à en enfiler un. Instantanément, celui-ci prit juste assez d'expansion pour épouser parfaitement la main du guerrier.

Afin de faire un petit test, il remercia Saint-Beren avec une vigoureuse poignée de main. Au moment de lâcher prise, l'elfe tenta de se déprendre puis regarda Marack en plissant les yeux.

— J'aurais dû m'en douter : tu es bien le fils de ton père. Il m'a fait le même coup lorsque je lui ai passé ces gants pour un tournoi.

Beren claqua des doigts de sa main libre et Marack se sentit soudainement très léger. Tellement léger que l'elfe n'eut qu'à lever sa main, prise dans le gant, pour soulever sans effort apparent le guerrier abasourdi qui cherchait à reprendre pied.

— Tu vois, j'ai eu la chance de me procurer un anneau qui me permet d'altérer la gravité de ceux qui tente de me contenir, comme tu le fais présentement. Je ne l'avais pas à l'époque, mais l'action de ton vieux, comme tu l'appelles, a fait en sorte que je redouble d'efforts pour me procurer cet item. Maintenant, si tu désires retrouver tes deux pieds sur terre, je te suggère fortement de lâcher ma main, jeune Gardien du territoire.

Marack avait testé suffisamment le cadeau qu'il avait reçu du grand prêtre et relâcha l'emprise. Lorsque l'elfe fut satisfait et que la leçon avait suffisamment durée, il annula le sort de gravité et Marack retomba sur ses pieds immédiatement.

— Merci Grand prêtre Beren, je retiendrai la leçon !

— Ah ! je vois que tu as plus de bon sens que ton père. Très bon pour toi le jeune, cela va te servir, tu peux me croire !

Les deux gardiens remercièrent Saint-Beren du temps et des présents qui leur avaient été offerts et prirent la direction des grandes portes de l'église. Ils avaient des courses à faire et Miriel hâta le pas.

— Marack, attends, lui chuchota Beren qui les raccompagnait en prenant un ton très sérieux. Protège Miriel, Marack fils de Marack, au péril de ta vie, s'il le faut, c'est important. Tyr se souviendra de ta dévotion à cette cause.

Les paroles de Beren résonnaient étrangement en écho avec une autre voix dans sa tête. Ces mots avaient touché une corde sensible en lui qui n'était pas là auparavant. Il avait l'impression que Tyr lui-même avait parlé par l'entremise de son grand prêtre.

Troublé, il baissa la tête lentement en signe d'acquiescement envers son oncle, sans le perdre des yeux, et en quelques pas rejoignit Miriel qui se dirigeait vers les étalages colorés.

Le quartier marchand de la capitale était celui ou l'on pouvait presque tout trouver. Il y avait plusieurs boutiques qu'Arafinway n'avait encore jamais vues lors de sa dernière visite pour la Cérémonie des Gardiens. L'une d'entre elles attira son attention. Il s'agissait de l'échoppe de Fortran, le mage marchand, un nom qui éveilla en lui immédiatement une certaine quête.

Le jeune elfe arborait un grand sourire à l'idée qu'il allait pouvoir s'offrir un arc de qualité. Le commerçant l'invita avec Bertmund à le suivre dans l'échoppe car il avait, selon son dire, une récompense pour lui.

— Vous l'elfe, me reconnaissez-vous ? Vous faites partie des gardiens qui nous ont porté assistance dans la forêt. Je vous avais confié le mandat de récupérer mon coffre personnel.

— Maître Fortran ! Effectivement, je suis homme de parole ! Retrouver votre coffre était ma mission et c'est ce que nous avons fait, je vous le confirme. Il est présentement à la ville de Hinrik à la maison du Jarl, le père de Marack, vous vous rappelez, notre grand guerrier !

— C'est merveilleux ! Je vais faire les démarches pour le faire rapatrier dans les plus brefs délais. Je me suis renseigné à votre sujet, dès mon arrivée à Alvikingar et j'ai été ravi d'apprendre que vous aviez une certaine notoriété. Votre parole sur mon bien retrouvé est suffisante pour moi, voici la récompense que je vous ai promise.

Le marchand remis une bourse remplie d'écus de toutes sortes, pièces d'or, d'argent et quelques pierres précieuses.

— Au nom de ma cheffe, je vous remercie et si vous avez besoin de nous à nouveau, faites-nous signe…, répondit-il avec ambages et, en se reprenant promptement, plutôt contactez la gardienne Miriel, c'est avec elle que vous devrez négocier !

Comme un enfant à qui l'on venait d'offrir un sac rempli de friandises, Arafinway sourire béat, ramassa la large bourse et salua le marchand avant de sortir de son échoppe.

Bertmund fit un bref salut en direction du maquignon puis emboîta le pas derrière son ami qui avait déjà parcouru une bonne distance dans l'allée commerçante.

— Vous êtes bien pressé mon cher ami, mais où donc allez-vous en si grande hâte ?

— J'ai des provisions ainsi qu'un arc à acheter et la boutique de La Flèche de Feu est l'endroit tout indiqué pour dénicher la perle rare que je cherche.

— Vous avez bien dit La Flèche ? J'ai connu un soldat dont le patronyme était LaFlèche, il y a de cela quelques années, c'était un messager extraordinaire, il était fait tout en jambe. Je n'oublierai jamais la fois où celui-ci devant faire parvenir

une missive à une armée sympathisante à celle de La Temporaire... Mais cela vous ennuie peut-être ?

Sous l'encouragement de son interlocuteur, Bertmund débuta son histoire du fameux soldat, mais les propos trop sirupeux le lassèrent. Arafinway écouta de plus en plus distraitement, pensant à sa propre mission : acheter son arc. Le troubadour continuait de décrire les péripéties de son héros pendant que son ami augmentait sa cadence pour arriver le plus rapidement possible à la boutique qui l'intéressait.

Deux petites heures seulement avant de se rendre au point de rendez-vous et il y avait encore tant de choses à marchander. Ils aperçurent Miriel et Marack au détour d'une rue et, d'un signe de la main, ils indiquèrent aux autres qu'ils se hâtaient afin de terminer leurs achats.

Le compte à rebours parut plus long à Seyrawyn qui fut ravi de voir enfin ses compagnons revenir.

— Enfin, nous pouvons reprendre la route… Avez-vous trouvé tout ce que vous vouliez à l'intérieur de cette grande muraille ?

Le dreki semblait impatient de retrouver la sécurité de la forêt. Ces grandes plaines dénudées d'arbres centenaires, tout autour de la ville, ne lui convenaient pas vraiment.

— Tu ne me croiras pas, mon ami, mais je suis revenu plus riche de cette visite, annonça Marack en tâtant son escarcelle bien remplie grâce à la récompense du Mage Marchand.

— Pour ma part, je suis passé en coup de vent dans le quartier marchand. Notre ami éclaireur avait un itinéraire bien précis, qui ne laissait pas grand place pour fureter comme je l'aurais voulu. J'espère bien pouvoir revenir ultérieurement pour dénicher un bon livre, un instrument de musique ou quelques denrées rares, histoire d'entretenir mes différentes passions.

— Je te le promets Bertmund. La prochaine fois, je te ferai visiter la ville d'une façon plus calme, s'excusa Arafinway d'avoir pressé son ami afin de respecter les ordres de sa cheffe.

Miriel avait récupéré quelques composantes particulières pour les prochains repas dont l'un de ses plats préférés : des andouillettes de fromage au lait cru.

Marack, quant à lui, était bien content d'avoir reçu la somme d'argent promise par Fortran pour ce coffre qu'il avait transporté pendant plus de deux semaines. Du coup, il n'avait pas pris de chance : il avait rempli son havresac de viandes fumées et de poissons séchés. Il ne voulait certainement pas se priver de barbaque[28] pendant une bonne partie du voyage.

— Nous avons encore quelques heures de marche avant d'établir le campement, expliqua la cheffe. Nous nous dirigeons vers l'Est. Il nous faut longer le cratère d'Utgard et suivre par la suite la bande de terrain entre la rivière Quaroul et les Rocheuses d'Ortan. Nous en avons pour une trentaine de jours avant d'atteindre Vraxan.

L'éclaireur en compagnie de Seyrawyn ouvrit la marche pendant que Bertmund défilait mille et une questions au sujet de la ville d'Alvikingar afin que Miriel lui en apprenne davantage. Marack fermait la marche et il surveillait les arrières du groupe car, à plusieurs reprises, on les avait mis en garde contre les mauvaises rencontres possible.

La température commençait à changer car plus l'on se rapprochait du Solstice des Trois Voies, plus le temps devenait frais. À la grande joie de l'éclaireur, le feuillage des arbres passait du vert au rouge, se déclinant aussi de l'oranger aux jaunes. Cette palette de couleurs s'harmonisait avec son armure dont les plaques de cuir reproduisaient des feuille dans les mêmes tons. La saison des pluies s'était aussi installée et rendait les nuits inconfortables en raison de l'humidité.

Le jour suivant, Seyrawyn remarqua qu'Arafinway prenait très grand soin de sa nouvelle acquisition.

— Il s'agit de ton super achat, c'est bien cela ? demanda le dreki à son ami.

— J'ai presque tout investi ma précédente fortune dans l'achat de cet arc. Le maître archer qui me l'a vendu m'a assuré que j'avais entre les mains une arme de qualité supérieure qui était prête à être enchantée, si je le désirais.

[28] Barbaque : viande

— Est-ce ton intention ?

— Oui, je met de côté chaque solde, comme un collectionneur, dans ce but bien précis, expliqua l'éclaireur les yeux brillants à l'idée d'avoir un jour une arme magique en sa possession.

Miriel conserva une petite partie de la récompense et remit le reste à Bertmund pour compenser une partie de la note que Dorgen avait réussi à créer à l'Auberge du Troubadour Volant. Même s'il avait la carrure d'un nain, celui-ci avait l'appétit d'un géant et l'estomac d'un tonneau sans fond, surtout lorsqu'il s'agissait de spiritueux.

Selon les prévisions de Miriel, il leur resterait environ une dizaine de jours de sursis avant l'arrivée du capitaine espion à Vraxan. Le tout coïnciderait avec l'alignement des trois lunes du prochain solstice. Il ne fallait pas perdre de temps pour se rendre à cette ville ennemie et pour mieux respirer, elle souhaitait éviter les confrontations tout au long de la mission.

Miriel avait confiance en son équipe. La complémentarité de chacun la rendait moins craintive d'atteindre leur objectif dans les meilleurs délais. La survie de son Ordre reposait entre ses mains et elle ne voulait pas décevoir la confiance qui avait été mise en elle, particulièrement face à son père.

Les animaux se tenaient loin du petit groupe et les patrouilles de gardiens sur ce versant du lac étaient plus fréquentes. Heureusement aucune escarmouche ne les ralentit et, dès l'instant où le petit groupe se mit à longer la rivière en direction de Vraxan, la pression des patrouilles ennemies se fit sentir.

Leur éclaireur laissait plus fréquemment sortir son horrible chant de la bécasse à cou long pour les aviser du danger potentiel. Par chance, Seyrawyn travaillait en collaboration avec lui et plusieurs escarmouches purent être ainsi évitées.

Malheureusement, toutes bonnes choses ayant une fin, lors de la vingt-deuxième nuit, une patrouille ennemie composée de plusieurs Sottecks, quelques Yobs et un druide Mourskha, vénérant les Quatre Éléments, réussit à déjouer leur sentinelle.

Bertmund, qui n'avait pas une aussi bonne vision que les elfes ou Seyrawyn, scrutait du mieux qu'il le pouvait les alentours en décrivant des cercles autour du périmètre du petit feu

volontairement tamisé. Soudainement, il fut confronté à deux Sottecks et un Yob. En plein jour, il aurait certainement pu les tenir en respect, mais cette fois-ci l'avantage était de leur côté.

— Alarme, Alarme, compagnons, nous sommes attaqués !

Ses trois ennemis le tenaient en respect au bout de leur courte lance et Bertmund esquiva habilement leurs assauts.

Seyrawyn avait décidé de dormir sous sa forme naturelle de dragon et s'était perché sur une branche. Les pas feutrés près de lui le réveillèrent; il crut au déplacement du troubadour mais les cris alarmés lancés par son ami indiquaient un danger bien réel.

Se transformer sous sa forme elfique lui aurait pris quelques minutes. Il n'avait pas ce loisir. Il devait combattre avec ses armes naturelles, utilisant ses griffes et surtout son dard empoisonné au bout de sa queue pour repousser l'ennemi.

Marack, qui dormait toujours légèrement, sursauta à la mention du premier cri d'alarme, mais l'ennemi avait déjà avancé suffisamment pour encercler les trois gardiens. Le guerrier s'en voulait de n'avoir pas été plus aux aguets. L'avantage du terrain leur appartenait pour le moment, du moins tant que les gardiens demeuraient séparés de Bertmund et de Seyrawyn.

Le troubadour tentait de maintenir à distance ses attaquants, avec son épée longue, mais la tâche était de taille contre des lances courtes. Sa réaction fut instinctive : si l'ennemi avait la possibilité de le voir dans cette pénombre, alors il devait annuler cet avantage.

Par chance, il connaissait suffisamment de mots de la langue elfique pour se faire comprendre de ses compagnons. Il voulait éviter que ses paroles ne soient comprises par ses attaquants.

— Peu importe ce que je vais faire ou dire dans les prochains instants, ne regardez pas dans ma direction, je vais faire la lumière sur la situation !

Il accepta l'estafilade de l'une des lances pour invoquer une petite formule magique. Il remplit ses poumons et laissa sortir un cri si puissant, que la majorité des assaillants jetèrent un coup d'œil en sa direction.

Au même moment, une lumière éblouissante l'enveloppa. Bertmund avait invoqué un enchantement qui créait l'équivalent de la lumière du jour autour de lui. Tous ceux qui ont eu le malheur de le regarder à ce moment bien précis rugirent de douleur devant cette clarté éblouissante qui venait de les rendre aveugle.

Il ne s'agissait pas d'une cécité complète, ni permanente car l'effet allait s'estomper progressivement. Mais pour l'instant, les trois agresseurs qui entouraient le troubadour avaient beaucoup de difficultés à le percevoir car tout était flou.

Du côté de Miriel, seulement deux Yobs avaient été affecté par cette lumière. Les quatre autres créatures étaient toujours en mesure de bien les voir. Avaient-ils résisté à l'envie de regarder ou avaient-ils tout simplement réussi à se soustraire d'une manière quelconque à l'effet de cette magie ?

Elle n'eut pas le temps d'y réfléchir bien longtemps, puisque Marack s'interposa entre elle et les Yobs afin de la protéger. La cheffe cherchait rapidement un moyen de composer avec cette attaque surprise. Dans un bond rapide, Arafinway prit son marteau ainsi que son épée longue pour le combat rapproché.

Il se souvenait d'avoir utilisé son arc en de pareilles situations et cela n'avait pas été une bonne expérience : il avait vu la destruction complète de son arme et avait subi une blessure très profonde. Ainsi, afin de ne pas répéter l'erreur, il avait pris soin de ramasser une bonne épée au baraquement d'Hinrik.

Seyrawyn analysa la situation en un coup d'œil. Il aurait bien aimé aller porter assistance à son amie Miriel mais Bertmund était en plus mauvaise posture. La priorité était de se débarrasser de ceux qui entouraient le troubadour et, par la suite, tous les deux pourraient s'attaquer à ce que Marack leur laisserait.

Furtivement, il s'approcha du demi-géant qui cherchait toujours à transpercer son ami avec sa lance. Il se positionna derrière lui et aussi rapidement qu'il le put, le piqua avec son dard, dans la partie arrière du mollet qui n'était pas protégée par une pièce d'armure.

Le Yob laissa échapper un cri effroyable et d'un vif coup de lance embrocha l'un des Sottecks. Puisque sa vue demeurait embrouillée, il ne voyait que trois ombres, sensiblement de la même taille.

Quelques instants plus tard, ce colosse s'effondra sur le sol, empoisonné par le venin du dreki. Bertmund ne put voir ce qui arrivait mais il était ravi de constater l'apport inattendu de son ami dans ce combat.

Marack, de son côté, avait déjà présenté son marteau à l'un des Yobs qui n'était plus en mesure de répliquer aux attaques répétitives du guerrier. Arafinway retenait tant bien que mal les deux Sottecks qui avaient décidé de s'attarder sur son cas.

La druidesse implora la magie de son dieu et Lönnar acquiesça à sa demande. Au début, rien ne semblait avoir changé, jusqu'au moment où les Sottecks réalisèrent qu'à leurs pieds, une multitude de petits cailloux étaient en train de s'accumuler.

Miriel, grâce à son Salkoïnas, ordonna aux pierres d'attaquer les deux créatures qui s'en prenaient à elle avec leurs lances. Les plus grosses pierres s'aggloméraient pour former des massues redoutables. Leurs effets répétitifs harcelaient et martelaient les jambes des agresseurs. D'autres s'amoncelaient sur leurs jambes et l'immobilisèrent.

La situation semblait tourner à l'avantage des gardiens jusqu'au moment où une voix se fit entendre dans l'ombre. Un Mourskhas, en bon stratège, avait attendu le meilleur moment pour créer un effet de surprise. Il dévoila, dans un geste menaçant, ses bras camouflés sous sa cape et les leva en direction de la Gardienne de Lönnar.

Dans une main, il tenait un médaillon sur lequel on pouvait voir quatre signes bien distincts : les quatre éléments ! Il prit bien soin de se tenir à la limite de la lumière générée par l'enchantement de Bertmund et il passa à l'attaque.

Il avait revêtu une cape composée d'un brouillard obscur, comme un voile animé par une force vivante distincte de celle de son porteur. Le vêtement bougeait sans cesse pour absorber la lumière qui pouvait révéler sa présence, conférant une certaine invisibilité à son invocateur.

— À mort la druidesse de Lönnar ! Par ordre de mon Grand Druide, je vais mettre fin à ta pauvre existence !

De ses paumes ouvertes jaillirent quatre sphères d'énergie qui demeurèrent en suspension devant le druide en attendant l'ordre de frapper la cible désignée. Il pointa Miriel. Les quatre sphères,

composées de foudre en mouvement, prirent la direction de la druidesse, mues par une puissante décharge d'énergie.

Deux projectiles réussirent à toucher de plein fouet leur objectif. La druidesse reçut cette énorme foudre sans avoir le temps de faire le moindre mouvement d'esquive. Sous l'impact des sphères, elle fut soulevée et brutalement projetée au sol à plus de huit foulées de sa position initiale. Son corps absorba la brûlure et encore fumant, elle gisait inerte la seconde suivante.

Les deux dernières sphères furent interceptées par Marack qui s'interposa physiquement et volontairement pour les recevoir en pleine poitrine. Le guerrier, hurlant de douleur suite à l'impact de cette énergie, s'écroula, terrassé. Durement touché, il resta conscient malgré le choc et la souffrance. En tournant la tête, il aperçut sa cheffe inerte, couchée non loin de lui. Une colère incontrôlable s'empara de lui. Il se releva en criant et laissa sa furie et sa soif de vengeance guider ses prochaines attaques.

Le malheureux Sotteck qui combattait Bertmund et Seyrawyn ne savait plus où donner des coups. Il ne voyait plus la cible qu'il devait attaquer, les membres de son bataillon hurlaient de douleur et la peur le gagnait peu à peu.

Préférant la vie à la mort, il recula de quelques pas, fit volte-face et tenta sa chance au pas de course droit devant lui. Lorsque l'aveugle dépassa Seyrawyn, le dragon n'eut aucune réticence à attaquer de dos la créature qui venait de s'en prendre à ses amis et utilisa une seconde fois son dard dans le cou du Sotteck.

La créature embrassa solidement l'arbre qui se trouvait sur son chemin, puis tomba sur le dos. Empoisonné tout autant que solidement assommé par cet obstacle qu'il n'avait pu éviter, il succomba.

Le troubadour, maintenant libéré de ses assaillants, se porta au secours des autres combattant furieusement plusieurs ennemis à la fois. Marack était animé d'une rage qui décuplait ses forces. Il avait délaissé son marteau pour prendre sa hache et effectuait un véritable carnage parmi les Yobs, acceptant en contrepartie plusieurs taillades mineures.

Arafinway, quant à lui, concentrait ses efforts sur les Sottecks qui évitaient de s'en prendre au guerrier fou. Comme le combat à l'épée et au marteau n'était pas la spécialité de l'éclaireur, l'aide de Bertmund fut fort appréciée.

Le Mourskha druidique qui venait d'accomplir sa première attaque magique contre Miriel entamait déjà une seconde série d'incantations. Se croyant à l'abri sous sa cape d'ombre, jamais il n'aurait pensé qu'une menace puisse l'atteindre, surtout pas celle d'un petit dragon.

Seyrawyn, les sens en éveil et les dents bien aiguisées, mordit sans retenue l'affreux druide et maintint du mieux qu'il le put son emprise sur son avant-bras. Ce n'était qu'une question de temps avant que celui-ci ne puisse se déprendre. Il appliqua toute sa concentration sur l'effort que lui demandait le maintien de sa mâchoire fermée sur ce membre qui se débattait.

Il aurait bien aimé piquer ce druide avec son dard, mais la sécrétion de ce poison s'effectuait après une certaine période de temps et il ne pouvait emmagasiner que deux doses avec un espace entre les usages. Et les deux événements lui semblaient trop rapprochés, dans l'effervescence de ce combat. Cette arme demeurait sa plus dévastatrice, à condition que la victime ne résiste pas à son venin.

Marack, Bertmund et Arafinway eurent le dessus assez rapidement sur les attaquants encore valides. Le druide des Quatre Éléments, voyant que ses soldats n'avaient pas été à la hauteur, ne trouvait plus désormais d'intérêt à poursuivre cet affrontement.

Grâce à une dague portée à sa ceinture, il attaqua Seyrawyn farouchement afin de se déprendre de l'emprise de ce petit lézard. Malgré une épaisse cuirasse d'écailles, il accepta deux blessures avant de lâcher prise et le Mourskha s'enfuit dans le boisé. Le dreki le laissa filer, choisissant plutôt d'aller porter secours à ses compagnons. Il s'approcha prestement de Miriel, étendue comme une poupée de chiffon abandonnée.

Marack souffrait de sa blessure magique mais resta debout jusqu'à la fin du combat. Autour de lui, les ennemis démembrés gisaient sur les lieux de l'hécatombe[29].

— Elle respire, Miriel est en vie; tu entends Marack, elle est blessée, mais vivante !

Les paroles rassurantes de Seyrawyn furent les dernières que le guerrier entendit avant de pousser un grand soupir et de

[29] Hécatombe : carnage

s'effondrer à son tour sur le sol. La massive dose d'adrénaline qui l'avait maintenu en mode survie pendant la bataille venait de se dissiper.

Le pseudo-dragon sentait le besoin de se retrouver sous son autre forme. Il alla se réfugier dans les bois et, au bout de quelques minutes, redevint un elfe des bois. Il reprit son poste, vêtu d'une simple tunique avec à sa ceinture de cuir, ses deux épées courtes et sa petite escarcelle.

— Bertmund, peux-tu éteindre ta lumière avant qu'une autre patrouille ne nous repère et décide de s'acharner sur le reste de notre groupe ?

Le troubadour annula immédiatement sa magie et l'obscurité recouvrit à nouveau tout le campement. Même le feu avait été piétiné et les tisons éparpillés s'éteignaient doucement.

— Nous devons quitter cet endroit sur-le-champ et déplacer nos amis blessés. As-tu une idée de ce qu'il faut faire Bertmund ?

— Un brancard, utilisons les lances des Yobs... Il faut un tablier ou une solide cape de cuir assez large pour les accueillir tous les deux. Selon moi, ce serait sans doute la solution la plus simple.

— Parfait, prends Arafinway avec toi et confectionnez ce brancard. Je dois m'occuper de certaines petites choses et sécuriser les alentours. Le chef de cette patrouille pourrait décider de revenir avec des renforts pour achever ce combat.

Pendant que ses compagnons s'afféraient aussi prestement et silencieusement que possible à construire le moyen d'évacuer les blessés, Seyrawyn s'assura que les ennemis qu'il avait empoisonnés ne se relèveraient plus jamais. Il n'avait jamais eu à préciser à ses compagnons que son venin ne faisait qu'endormir très profondément ses victimes et ce, seulement durant quelques heures. Discrètement, il s'assura d'ailleurs que le sommeil de chacune des créatures tombées au combat soit permanent.

« Il y a assez d'un ennemi au pouvoir magique qui se terre dans l'ombre... S'il a l'audace de revenir, je suis prêt ! murmura-t-il en faisant une seconde ronde de sûreté. Personne ne fera encore du mal à mes amis tant que je veillerai sur eux ! »

Chapitre 29
Le nouvel allié

L'inspection des objets personnels du druide Eoril n'avait pas vraiment fourni de nouvelles informations. Cependant, Dihur savourait une certaine satisfaction à l'idée d'avoir éliminé un druide de Lönnar. Comme il n'était pas celui qui l'avait terrassé, il ne désobéissait pas aux Lois druidiques et on pourrait même prétendre, si besoin était, qu'il s'agissait simplement d'un suicide.

Il ne désirait pas intervenir personnellement dans la mort d'un druide de Lönnar avant que le temps prescrit ne soit écoulé. Mais son stratagème s'accomplissait indirectement, par l'entremise des services d'un guerrier sous ses ordres; ainsi son honneur resterait sauf car il aurait besoin du Grand Conseil des druides pour asseoir sa future puissance.

Il utiliserait certainement sans scrupules toutes les créatures et stratèges mis à sa disposition pour accomplir son odieux dessein et enfin obtenir *La Source*, juste pour lui.

Dès son arrivée aux portes de Pyrfaras, les gardes lui transmirent une invitation immédiate du souverain qui l'attendait dans la salle royale. Décidément, pour cette race, c'était tout l'un ou tout l'autre au niveau de la patience.

Pour éviter une réprimande bien inutile dans les circonstances, Le Premier Vizir s'y rendit sur le champ afin de présenter son rapport. D'ailleurs, les trois derniers jours lui avaient amplement donné le temps de préparer sa version des faits, retenant les détails habilement ficelés de ce qu'il souhaitait partager avec Arakher.

— Ah ! enfin, vous voilà, cher Premier Conseiller, nous attendions votre visite avec un intérêt tout particulier.

Le hall d'audience de sa majesté était anormalement rempli par plusieurs dignitaires. Il y avait de nouveaux Géants de pierre, sans doute des seigneurs. Il reconnut quelques Yobs, d'anciens commandants militaires qui s'étaient démarqués par leurs faits d'armes. Toute la Cour du Roi semblait impatiente d'entendre les dernières nouvelles.

Puisqu'aucun compte rendu n'avait été présenté depuis son départ pour Udrag, même une petite délégation de demi-géants de la ville de Drikdarok, cette ville fortifiée plus au Sud de leur capitale, y siégeait. Habituellement cloîtrés dans leur forteresse, leur chef Siegferbret, à la requête du Roi, avait spécialement dépêché l'un de ses bras droit en compagnie d'une escorte.

Dihur emprunta le seul chemin possible qui menait directement devant le souverain de pierre, observant attentivement la foule afin de tenter d'identifier les nouveaux personnages entassés le long des murs. Il salua son Roi en s'inclinant révérencieusement. Cette attitude devait donner l'illusion de sa parfaite loyauté et surtout de sa grande magie devant les invités qui le scrutaient méticuleusement.

— Roi Arakher, annonça-t-il d'une voix forte, j'ai d'excellentes nouvelles pour vous. Superviser directement les troupes à partir d'Udrag n'a été que bénéfique pour sa Majesté.

« Je constate qu'Ogaho, cet élément perturbateur questionnant et doutant de tout ce que j'avance comme informations, n'est pas présent… Hum, profitons-en pleinement.»

Le mage, dans un geste démesurément large et pour démontrer sa prestance, éteignit la majorité des torchères de la salle pour n'en conserver que quelques-unes allumées. D'un claquement de doigts, il réorienta sur lui la source lumineuse comme un halo braqué sur un illustre invité. Ensuite, il pointa le mur assombri derrière le roi et fit scintiller toutes les pierres précieuses de la grande carte géographique en même temps. La stupéfaction de l'auditoire, devant ce jeu de lumière parfaitement orchestré, fit naître un demi-sourire sur le visage de parfait comédien de Dihur.

— Je m'explique mon bon Roi. J'ai été en mesure de réajuster les quarts de patrouilles de façon à réagir avec les divers rapports de mission qui ont été portés à mon attention. De plus, le fait de pouvoir intervenir plus rapidement nous a

permis d'intercepter plusieurs petits groupes de démons qui sont de plus en plus audacieux. D'ailleurs, certains de ces escadrons ont même dépassé les Rocheuses; ils se trouvent à moins de cinq jours de votre Capitale. Quelle menace !

Dihur exagérait volontairement ses actions tout en éteignant et rallumant les endroits géographiques décrits au fil de son récit. Il dénaturait aussi les rapports qu'il avait obtenus afin de préserver sa position d'autorité tout en assurant sa propre vie. Arakher ainsi que les membres de sa Cour écoutaient, subjugués par chacun de ses mots, le rapport de ce grand manipulateur d'opinion.

— Afin de corroborer mes dires, j'aimerais faire venir Tyroc, fidèle et distingué Géant de pierre au service de sa Majesté.

Il fit entrer le Géant comme on présente une grande célébrité. Du bout de la salle jusqu'en avant, les torchères s'allumèrent une à une, puis s'éteignirent au rythme des pas de Tyroc. Enfin, à la demande expresse du Roi, il raconta en détails ce qu'il avait vécu quelques jours plus tôt, non loin de la cité des Géants.

Tyroc décrivit ce que son chef lui avait demandé d'accomplir afin de capturer le druide de Lönnar métamorphosé en faucon. Cet humain, sous l'apparence d'un simple oiseau, était en réalité un espion qui se dirigeait vers la cité de Pyrfaras.

Dihur tenait absolument à ce que les exploits du Géant soient bien entendus et surtout retenus par les invités d'Arakher. Ne tarissant pas d'éloges sur celui qui fut son compagnon de route, il se permettait régulièrement de mettre l'accent sur la précision du tir et sur la distance phénoménale de ce lancer qui toucha sa cible du premier coup.

Le récit souligna l'apport exceptionnel de Tyroc, le démarquant et le valorisant auprès de son Roi. Ainsi, l'accomplissement majeur de l'un des membres de sa propre race sera sûrement un sujet royalement entretenu durant les trois ou quatre prochaines semaines.

— Je désire voir ce prisonnier d'un peu plus près. Qu'il soit amené devant nous immédiatement, tonitrua Arakher, voulant satisfaire sa curiosité sur un ennemi qui pouvait se transformer en oiseau. Gardes, faites venir cet espion afin que ma Cour puisse l'admirer !

Entendant l'ordre du Roi, Tyroc ouvrit la bouche pour lui raconter dans quelles circonstances ce druide ne se retrouvait pas

dans les donjons de sa forteresse. Dihur s'empressa de prendre la parole et referma en ces termes le piège si méticuleusement planifié :

— Majesté, c'est avec une grande tristesse que je suis dans l'obligation de vous annoncer que cet intrus, qui a réussi si sournoisement à s'immiscer sur vos terres, a succombé à ses blessures malgré notre désir de le soumettre à votre examen.

Le Roi se leva visiblement courroucé.

— La force légendaire des Géants de pierre en fut malheureusement la cause, s'empressa d'ajouter le Vizir. Le boulet que cet espion a reçu en plein thorax lui a certainement facturé plusieurs os. Vous savez, il est aussi paradoxal pour moi de demander à un Géant de ne pas utiliser sa force remarquable lors d'un combat que d'exiger au soleil de ne pas réchauffer le sol de ses rayons !

Le Roi n'était pas dupe à la flatterie ennuyeuse de son Premier Conseiller mais néanmoins, il se ravisa.

— Mon bon Roi, fit le premier Vizir en s'inclinant, le moribond a succombé à ses blessures moins d'une journée après sa capture. N'est-ce pas cher ami ? enjoignit-il à Tyroc en se tournant vers lui, les yeux perçants.

Le garde du corps, voyant l'ire couver chez son souverain adoré, n'osa pas envenimer la situation mais il se sentit déchiré à l'idée de couvrir le Vizir grâce à un mensonge éhonté. À bien y penser, la mort d'un simple chien du Nord, projeté sous sa massue, n'était pas une action suffisante pour récolter la colère de son Roi et par la suite celle de tout son peuple. Il ne voulait pas non plus porter l'odieux de ce décès, voire être puni pour avoir écrasé le seul espion capturé non loin des murs de la capitale. Évidemment, il méritait une bien meilleure reconnaissance.

Dihur percevait nerveusement le combat qui se livrait dans l'esprit du Géant. Il avait misé gros sur Tyroc, maintenant il attendait de voir s'il avait le contrôle moral de sa proie. Au bout de longues secondes, le Géant s'exprima en scellant ainsi son destin.

— Oui, Majesté c'est exact, votre Premier Conseiller dit la vérité.

Dès lors, il sut qu'il était *de facto* redevable à ce Grand Druide de l'Ordre des Quatre Éléments pour sa nouvelle notoriété grandissante auprès du Roi.

— En effet, notre force est reconnue par tous les citoyens qui résident sur mes terres. J'aurais bien aimé voir de plus près cette créature, décréta le Roi en se caressant le menton d'un air pensif, tout en scrutant la physionomie de son guerrier.

Afin de détourner vers lui l'attention que son nouvel allié recevait, qui visiblement le rendait mal à l'aise au point de risquer de se trahir en ajoutant quoi que ce soit, Dihur enchaîna immédiatement avec l'intention de remettre au Roi un présent inusité.

— Cher souverain, en guise de compensation, j'aimerais vous remettre ce cadeau.

Le mage débuta une invocation et, lorsqu'il eut terminé, un faucon de feu jaillit de sa main et prit son envol. L'oiseau fit un premier tour de piste du grand hall sous les *Ohhh !* et les *Ahhh !* de l'assemblée.

Lorsqu'il survola son créateur, celui-ci lui lança un bout de bois dans les airs. Le faucon l'attrapa au vol et refit à nouveau le tour du grand hall, avant de venir se poser à quelques foulées du Roi. Ce dernier regardait la créature et son regard oscillait vers son Vizir d'un air suspicieux. Le gigantesque faucon disparut et dévoila le bout de bois qu'il tenait : ce présent était rien de moins que le bâton d'office du défunt druide.

— Je vous présente l'une des armes magiques employées par les gardiens de l'Ouest contre vos troupes. J'ai évidemment rendu celle-ci inoffensive afin qu'elle n'explose pas au sein de votre demeure. Ces démons font l'usage de ruses complètement déloyales envers leurs ennemis. Cependant, ma formidable magie me permet de contrer cette façon déshonorante de combattre.

Arakher était intrigué de voir ce bâton à tête de bélier, supposément magique, qui avait fait l'objet de plusieurs mentions dans les rapports de mission. Il s'agissait de la première fois que l'un d'entre eux parvenait à se rendre jusqu'à ses pieds.

La réputation de cette arme était bien connue et elle existait en plusieurs exemplaires, ce qui soulevait une certaine vague d'inquiétude parmi ses troupes. Le Roi s'empara du petit bâton

qui était l'équivalent d'une petite baguette magique ou d'une canne dans sa main.

Dans une atmosphère fébrile, la foule observait le Roi qui brandit aisément le Salkoïnas entre pouce et index en se réjouissant de pouvoir détenir l'un des symboles de son ennemi : un trophée de guerre symbolique.

Dihur en profita pour faire signe à Tyroc de se retirer de la salle royale. Le Géant obéit sans rien dire et recula tranquillement jusqu'à ce qu'il franchisse le seuil des grandes portes.

Lorsque le silence fut relativement revenu, le Premier Vizir continua vertement à faire son rapport auprès d'un Roi de très bonne humeur. Ce simple petit bâton avait réussi à le remettre dans ses bonnes grâces.

Lorsqu'il eut enfin fini de faire de l'esbroufe en gonflant de façon exagérée tout ce qu'il avait fait pendant son séjour à l'extérieur de la capitale, le souverain fit une proclamation royale.

— Avis à tous mes sujets, que mes mots soient transmis à tous ceux qui sont sous mon commandement. J'ordonne que tous les oiseaux qui sont à portée de tir soient terrassés sans délai. L'ennemi a des pouvoirs qui lui permettent de se transformer en ces créatures qui apparaissent inoffensives. Alors, accomplissez cette action sur mon ordre, il en va de la sécurité du royaume.

Dihur ne s'attendait pas à ce qu'une proclamation aussi drastique soit effectuée, mais bon, si cela pouvait l'aider à gagner du temps et surtout atteindre ses objectifs alors qu'il en soit ainsi. Avec un peu de chance, d'autres druides de Lönnar seraient terrassés ce qui n'était pas une si mauvaise chose en fin de compte.

— Premier Vizir Dihur, le royaume vous remercie ! Vos actions ont été notées et votre collaboration à l'initiative de Tyroc envers l'espion découvert est également reconnue. Allez, il est temps de vous reposer, vous l'avez bien mérité !

Après avoir quitté le grand hall, Dihur avait deux petites actions dont il voulait s'acquitter le plus rapidement possible. L'une d'entre elle était de rencontrer à nouveau son nouvel ami, un certain Géant de pierre. Il lui fallait solidifier son emprise sur son nouvel allié.

Moins d'une heure s'était écoulée après que Dihur fut remercié par le roi. Il avait déjà résolu le premier *hic* de son équation, maintenant il pouvait s'attaquer à sa seconde priorité.

Tyroc se présenta tardivement aux appartements du druide tel qu'ordonné. Une fois de plus, la vitesse d'exécution de ces géants pour certaines activités simples le surprit d'une façon contrariante.

Le Géant regarda approcher le conseiller d'un air méfiant Il l'accueillait avec un faux sourire ne trahissant pas ses pensées.

— Comme je suis content de te voir cher ami !

— Trêve de courtoisies vides et de courbettes, je m'étonne de votre intérêt. Qu'y a-t-il de neuf ?, grogna-t-il. Dites rapidement ce que vous avez à dire, je vous prie…

Dihur l'observa en silence : c'était la première fois que ce Géant plaçait autant de mots les uns derrières les autres. C'était un bon signe, il avait toute son attention !

— Je t'ai présenté devant les tiens comme un Maître artilleur. Le Roi a reconnu tes prouesses et tu as débarrassé ton royaume d'un espion qui rapportait nos faits et gestes à ses supérieurs.

— Oui je sais, répondit le guerrier toujours méfiant. Que voulez-vous en échange, car c'est la raison pour laquelle vous m'avez convoqué, n'est-ce pas ?

— En effet, tu comprends assez vite. Je suis agréablement surpris de constater que tu ne perds pas ton temps avec mille détours. Je veux ton aide, tout simplement. Tu auras dorénavant une grande influence auprès de la Cour, auprès du Roi. Je désire tout simplement que, lorsque le temps sera venu de supporter mes suggestions auprès de ton souverain, tu te rappelles cette petite conversation.

— C'est tout ? répondit-il avec dégoût.

— Oui, pour l'instant c'est tout. Tu peux repartir raconter tes exploits à qui désire l'entendre.

Le Géant se retourna lentement, les épaules basses, et lorsqu'il eut atteint la porte pour sortir, Dihur l'apostropha une seconde fois.

— Ah oui, j'oubliais les deux Mourskhas qui étaient sous le chapiteau avec nous. Tu sais ceux qui pourraient raconter comment tu as complètement écrabouillé la cervelle de ce druide que le roi aurait tant aimé voir de ses propres yeux…

Le colosse s'était arrêté, figé, mais ne se retourna pas.

— Eh bien, je les ai réaffectés à d'autres tâches. Mais s'il devait m'arriver un quelconque malheur, ils ont ordre de répandre la rumeur comme quoi tu as manqué de jugement lorsque tu as fais usage de ton gourdin sur le seul et unique démon capturé à proximité de la capitale.

Le druide fit une pause et le Géant ne bronchait toujours pas.

— Tu vas certainement te dire que la parole de ces créatures ne serait pas suffisante pour renverser l'opinion de ton Roi. Mais es-tu prêt à prendre la chance qu'elle sème le doute ou ternisse ta réputation auprès des tiens ? Je crois que non ! De plus, j'ai quelques parchemins qui racontent en détail ce qui est arrivé et qui mentionne combien tu as eu du plaisir à abuser de ton statut à l'égard du prisonnier et ce, malgré mes recommandations.

— Tout ceci est faux… bredouilla l'autre en se retournant, fronçant les sourcils devant les accusations qui venaient d'être portées contre lui.

— Mais si, et c'est la seule vérité qui sera connue. Seuls toi et moi sommes au courant d'une quelconque autre version; mais quelle version au fait ? Souviens-toi que ton aide et ta loyauté envers moi serviront uniquement le bien de ton peuple. C'est un bien maigre prix à payer pour conserver ta nouvelle position auprès du Roi et tous les privilèges qui y sont rattachés.

Tous les deux savaient fort bien que le prisonnier s'était projeté volontairement sous son gourdin et par la faute des deux Mourskhas qui n'ont pas bien fait leur travail.

— J'ai bien compris, Premier Conseiller ! marmonna le nouveau Maître artilleur, avant de quitter la pièce.

Tyroc aimait bien les richesses, la nouvelle baraque, les serviteurs et surtout la popularité qu'il venait d'acquérir auprès de son peuple et de son Roi. Mais le prix en valait-il l'enjeu ?

Dihur se réjouissait en se frottant les mains fébrilement. Il avait déjà donné des ordres pour que les deux Mourskhas quittent immédiatement la capitale en direction de Bishnak. Grassement payés en avance, ceux-ci ont eu pour mission de remettre un parchemin au druide de l'Ordre des Quatre Éléments qui est en position d'autorité à cet avant-poste.

Le Grand Druide n'avait pas trop d'espoir que ces soldats réussissent à se rendre jusqu'à l'avant-poste en un morceau. Trop de créatures rodaient sur le chemin et il souhaitait ardemment qu'elles ne fassent qu'une bouchée des deux voyageurs.

> « Si par miracle ces deux idiots réussissaient cette mission, le parchemin ordonne au druide de Bishnak de les faire exécuter sur-le-champ, à sa discrétion. Ils n'auront ainsi jamais une seconde chance, ils n'avaient qu'à bien tenir le prisonnier. », songea-t-il avec colère.

Dihur contemplait la petite pierre rouge récupérée sur le corps du druide de Lönnar. Il la caressait et laissaient ses mains parcourir ses côtés polis en se réjouissant de la tournure avantageuse des événements.

> « Arminas, mon vieil ennemi, je vais déguster ta déchéance… Je vais prendre tout ce que tu as et tu regretteras le jour où tu m'as humilié devant nos pairs, maugréa-t-il. Enfin justice sera rendue ! »

Les brancardiers Arafinway et Bertmund demandèrent une pause, après avoir franchi à la hâte plusieurs lieues au cœur de la forêt dense. Transporter Miriel était une tâche relativement facile mais avec Marack en surplus, le coup de collier[30] était considérable. Bertmund, légèrement blessé, redoublait d'efforts, désavantagé en cette noirceur à marcher sans bien voir où il mettait les pieds. Ils déposèrent en douceur les corps de leurs amis.

— Ça va, on s'arrête, chuchota Seyrawyn. Prenez soin d'eux. Moi, je vais m'assurer que le sorcier qui nous a attaqués ne nous embusque pas à nouveau.

— Je crois plutôt qu'il s'agissait d'un druide de l'Ordre des Quatre Éléments, affirma l'éclaireur à voix basse.

— Ils ont ce type de pouvoirs ? demanda aussitôt Bertmund qui, lui aussi, était persuadé qu'il s'agissait d'un sorcier.

— Miriel ou Marack pourrait te le confirmer hors de tout doute. Je crois qu'il tenait dans ses mains la marque d'office des Quatre Éléments, mais malheureusement, je n'en suis pas certain, avoua l'éclaireur.

— Gardez le silence, leur ordonna le dreki. Il est peut-être dans les parages et le bruit que vous faites pourrait le mener jusqu'à nous très facilement.

Chacun des compagnons acquiesça à cette consigne de discrétion comme si chaque élément du paysage avait des oreilles. Le pseudo-dragon scruta les alentours pour s'assurer que personne ne les traquait. Si une autre patrouille ennemie les avait pris en filature, il le sentirait sans doute.

Avec aisance, il avait assumé le poste de chef *par intérim*, puisque ni Miriel ni Marack n'étaient en mesure d'assumer cette

---

[30] Coup de collier : expression, faire un grand effort.

responsabilité dans l'état où ils étaient. Il avait instinctivement constaté qu'Arafinway attendait qu'on lui dise quoi faire tandis que Bertmund n'avait aucune attirance pour les positions d'autorité.

Toujours inconsciente, la druidesse respirait lourdement. Marack bénéficiait d'une plus forte constitution, mais toutes les estafilades qui recouvraient son corps le plaçaient aussi dans une situation précaire.

— Je crois que cet endroit est sécuritaire pour nous reposer un certain temps, déclara le nouveau chef. De toute façon, avons-nous le choix ?

Malgré la souffrance silencieuse infligée par les coups de la dague du druide, il proposa d'assurer le premier tour de garde avec diligence.

— Explorons nos possibilités, proposa le troubadour qui aimait demeurer dans l'action. Je n'ai pas le pouvoir d'utiliser de la magie de guérison, alors que pouvons-nous faire d'autre ?

— J'ai souvent aidé Miriel à soigner les blessés, fit Arafinway. J'ai remarqué que Marack utilisait avec succès une pommade qui accélère la cicatrisation des blessures après les combats. Si nous faisions des pansements en appliquant cet onguent.

Seyrawyn récupéra le petit pot dans lequel se trouvait un cataplasme très odorant, d'une couleur ocre. Il le remit à l'infirmier en herbe qui en appliqua une mince couche sur les blessures jugées les plus sévères de Marack, puis les recouvrit avec des bandages propres.

Bertmund était persuadé que la mixture avait quelques vertus médicinales au niveau des estafilades. Cependant, dans le cas de Miriel, comme la blessure semblait plus interne qu'externe, la pommade serait inutile.

— Je crois que j'ai une idée pour Miriel ! annonça l'éclaireur, le regard soudainement illuminé.

Il plongea ses mains dans le sac de voyage de la druidesse. Il cherchait quelque chose de bien précis, mais d'une façon très délicate. Il en ressortit une petite fiole de verre qu'il présenta à ses amis.

— Il s'agit d'une potion que nous avons reçue par une dame dans la forêt. Elle m'a déjà guéri avec une pareille

concoction, supposément magique et qui aurait des propriétés curatives.

— D'accord, comme nous n'avons rien d'autre pour améliorer le sort de Miriel, je propose de l'utiliser, déclara Bertmund. Si elle reprend consciences, elle pourra invoquer ses pouvoirs de guérison pour elle-même et Marack.

Le soldat ne faisait qu'appliquer une façon logique de procéder. Seyrawyn approuva la suggestion et Arafinway déboucha le flacon afin d'administrer le nectar à son amie.

Pendant ce temps, le dreki redoublait d'attention en patrouillant les abords du campement. Malgré le fait que l'escorte du druide avait été décimée, celui-ci représentait une menace potentielle qu'il ne fallait pas prendre à la légère. Une heure plus tard, il ressentit une présence étrange.

— Il y a quelque chose qui nous traque, je ne sais pas de quoi il s'agit mais cela vient dans notre direction, nous devons partir tout de suite.

Les deux compagnons reprirent le brancard avec leurs deux amis encore inconscients et, sans dire un mot, talonnèrent le dreki de près. Les brancardiers se relayèrent en alternance et, à chaque halte, la même présence malsaine flottait autour du groupe. Quelques heures après cet arrêt, l'ennemi se manifesta suffisamment pour que le Falsadur-Dreki, devenu vraiment nerveux, puisse le percevoir plus distinctement.

Miriel gisait, toujours inerte, tandis que Marak le guerrier alternait entre l'inconscience et quelques brefs moments de lucidité, au grand regret de l'infirmier, malgré les soins prodigués.

Le viking mit une demi-journée avant de pouvoir rester suffisamment éveillé pour comprendre la situation. Quelques heures plus tard, après avoir engouffré une quantité incroyable de viande fumée, il fut suffisamment en forme pour marcher sporadiquement à côté du brancard.

Ce n'est qu'après une journée complète de sommeil profond que Miriel reprit enfin ses esprits, au grand plaisir de tous.

— Que s'est-il passé? demanda-t-elle aux quatre visages souriants qui se penchaient sur elle. Je ne sens plus mes mains, ni mes pieds…

À l'aube du deuxième jour, la potion de Simfirkir fit pleinement son œuvre. La jeune elfe recouvrit tranquillement sa dextérité et sembla complètement guérie, sans séquelles apparentes, outre de légers étourdissements. Les seuls vestiges encore visibles étaient les points d'impacts noircis laissés par les sphères sur son armure de cuir.

Elle était heureuse de constater que tous les membres de son groupe étaient en vie. En tant que druidesse, elle passa en revue l'état de santé de ses compagnons. Marack se relevait de ce choc important et ses coupures s'étaient déjà refermées grâce aux bons soins d'Arafinway. En observant les entailles subies par Seyrawyn, elle constata qu'elles étaient aussi presque guéries.

— Cela te fait-il encore mal ? Qu'as-tu mis là-dessus pour te soigner? lui demanda-t-elle doucement en écartant la tunique.

— Tu étais blessé ? Et tu ne nous l'as pas dit ! s'exclama l'apprenti-infirmier, un peu troublé de n'avoir rien vu.

— Je n'ai rien mis, druidesse. Je guéris bien, semble-t-il. Je sais que mes blessures se cicatrisent en partie lorsque je me transforme de dragon en elfe et vice versa.

— Probablement que les influx énergétiques accélèrent ta guérison, expliqua Bertmund dont la curiosité s'aiguisait par l'observation. Et tu ne pries pas de divinité non plus… Hum, purement physique, intéressant…, conclut-il en ressortant son calepin.

La druidesse se recueillit quelques moments pour remercier son dieu de lui avoir sauvé la vie en plaçant la Skass sur sa route. Elle demanda ensuite à obtenir la magie nécessaire afin de guérir complètement toute sa troupe.

Puis elle discuta avec Seyrawyn qui avait pris la relève de Bertmund pour monter la garde.

— Nous avons été forcés de nous déplacer à toutes les deux ou trois heures environ. Nos amis sont épuisés, ils ne pourront pas continuer encore bien longtemps.

— Tu perçois vraiment une créature qui nous pourchasse ? demanda Miriel sur une note très sérieuse.

— Oui druidesse, j'en suis certain !

— Est-ce le druide rival qui nous a attaqués ?

— Même avec mes sens en alerte, je n'arrive pas à savoir s'il s'agit de ce druide ou d'une autre créature. Elle demeure cachée, nous piste et nous observe en attendant sans doute le bon moment pour donner son assaut. Elle se déplace et nous contourne, car quelquefois, à son contact, les animaux se rabattent vers notre campement.

— Tu as bien fait de proposer une avancée, même lente, car chaque déplacement nous place en position de se défendre. Notre ennemi ne peut savoir dans quel état sont les troupes. Un peu plus tard, je vais tenter quelque chose pour débusquer celui qui nous pourchasse.

Seyrawyn était ravi de voir que son amie allait beaucoup mieux et qu'elle avait repris le commandement du petit groupe.

— Nous passerons encore une heure ici avant de repartir, si cela est possible. Essaie de prendre un peu de repos, c'est à mon tour de monter la garde.

— Oui cheffe ! annonça l'elfe des bois en grimpant sur une branche et s'y adosser pour dormir.

Miriel apprenait de plus en plus à apprécier chacun des membres de son équipe. Même Marack avait accepté les directives de Seyrawyn pendant qu'elle était toujours inconsciente. Il préférait garder toutes ses forces et sa vigilance pour la défendre, diriger lui était devenu moins important, dans son état, lui par ailleurs si orgueilleux de son statut.

Pendant que ses amis se reposaient, la gardienne de Lönnar s'installa sur un cap de roche couvert de mousse et ferma les yeux. Ses mentors lui avaient souvent raconté que les druides avaient la capacité de pouvoir communiquer avec les animaux de leurs territoires, mais aussi avec la végétation qui s'y retrouvait.

Elle n'était plus sur le territoire que les gardiens de Lönnar protégeaient mais peut-être que ses pouvoirs druidiques lui permettraient quand même d'obtenir l'information qu'elle cherchait.

Miriel ouvrit son esprit à toutes les possibilités. Elle tenta en premier lieu d'entrer en contact avec les animaux, puis avec les plantes qui se trouvaient tout près d'elle. De temps en temps, elle ouvrait les yeux, prenait une grande respiration et se replongeait à nouveau en transe pour tenter d'obtenir quelques informations pertinentes en se branchant sur son environnement.

Elle s'y appliqua avec volonté et espérait vraiment pouvoir y arriver, mais en vain, rien ne se passait. Il s'agissait d'un rituel dont elle avait entendu parler par ses supérieurs sans l'avoir essayé auparavant.

Déçue, elle commença à douter de la possibilité de bien réussir cette incantation. Elle allait arrêter ses efforts, lorsqu'elle entendit une faible voix...

— Qui es-tu ?

— Je suis Miriel, et toi ?

— Moi, mon nom est Glorfindel.

— Es-tu un animal ou une plante ?

— Mais de quoi parles-tu ? Je suis un druide ! Un Gardien du territoire et disciple de Lönnar.

Miriel ouvrit les yeux et bondit sur ses pieds en position de combat. Ses compagnons se reposaient paisiblement, quelques foulées plus loin, tout était calme et personne d'autre ne se trouvait près du campement.

Seyrawyn ouvrit un œil, mais Miriel lui fit signe que tout allait bien. La druidesse ne comprenait pas ce qui venait de se passer. Venait-elle de communiquer réellement avec un autre disciple de Lönnar ou y avait-il un arbre ou un petit mulot qui se payait sa tête ?

Elle décida de reprendre à nouveau l'exercice et s'installa sur la mousse puis ferma les yeux et cette fois-ci appela directement avec son esprit ce fameux druide.

— Disciple de Lönnar, Glorfindel es-tu toujours là ?

Après quelques instants, la voix lui répondit à nouveau.

— Oui, je suis toujours là ! Toi, qui es-tu Miriel ?

— Je suis également une Gardienne du territoire. Comment se fait-il que tu puisses me parler par la pensée ?

— Je ne sais pas, c'est la première fois que cela m'arrive. Je dormais pour récupérer, car la plupart de mes compagnons n'ont pas survécu à l'embuscade des Yobs. Il ne reste que mon ami guerrier Tulkas et moi-même. Nous avons survécu grâce au sacrifice du reste du groupe qui a protégé notre retraite.

— Où es-tu ? À quel endroit sur le territoire es-tu affecté ?

Miriel avait des doutes sur la véracité des propos qu'elle entretenait avec son interlocuteur. Il s'agissait peut-être d'une ruse des druides de l'Ordre des Quatre Éléments. Il lui fallait percer à jour ce mystère et découvrir la vérité.

— Nous sommes au Nord-Est du Grand Lac, à l'endroit où la berge forme une pointe dans la rivière Quaroul. Nous revenons vers Alvikingar.

— Très bien, j'ai une bonne idée de cet endroit.

Miriel avait mémorisé les points d'intérêts pouvant servir de repères et si l'endroit que lui avait mentionné le disciple de Lönnar était exact, son groupe n'était qu'à une ou deux journées de marche de distance.

— Si vous pouvez vous déplacer, continuez de longer la berge de la rivière, nous devrions nous rencontrer d'ici une journée ou deux.

— Très bien, je vais te faire confiance, va avec la dévotion de Lönnar, Miriel !

La druidesse ouvrit les yeux à nouveau, mais cette fois-ci, l'expérience avait été moins saisissante. Les dernières paroles de ce gardien se voyaient plus rassurantes et surtout plus normales pour un druide de son Ordre.

Miriel n'avait pas accompli ce qu'elle désirait, mais si son dieu lui a permis de communiquer avec un autre de ses disciples qui avait besoin d'assistance, il y avait certainement une raison.

« La sagesse de Lönnar est grande et ce n'est certainement pas moi qui va questionner ses actions ! »

L'heure était déjà passée et la cheffe s'afféra à réveiller ses compagnons, lorsqu'une multitude de petits animaux traversèrent le campement à toute vitesse.

— Exactement comme les autres fois, la créature qui nous piste se rapproche, nous devons partir cheffe !

— Prends les devants Ara et toi, Seyrawyn, ferme la marche. Je veux mes deux meilleurs éclaireurs en bonne position pour voir arriver notre ennemi.

Bertmund et Marack prirent place au centre de la colonne et le groupe avança en silence vers l'Est.

L'expérience divine à laquelle elle venait de participer serait partagée un peu plus tard dans la journée. Pour l'instant, tous se devaient de mettre un peu plus de distance avec le traqueur qui n'avait pas lâché prise afin d'éviter tout affrontement.

Le Falsadur-Dreki avait une excellente vision et des réflexes aiguisés car plusieurs patrouilles auraient vite fait de les repérer et de les intercepter. Au moins trois groupes d'ennemis furent évités avant qu'Arafinway ne puisse trouver une cache suffisamment grande pour accueillir l'escadron entier.

Miriel y ajouta sa touche personnelle en stimulant la croissance de la végétation tout autour de la cache. De cette façon, celle-ci était mieux camouflée et offrait une sécurité supplémentaire.

Marack remit une ration généreuse de barbaque à chacun de ses amis, tous ayant bien besoin de refaire leurs forces.

— Rien de tel qu'une bonne tranche de sanglier pour nourrir les muscles et maintenir une bonne constitution, leur signifia-t-il à la manière de Dorgen.

Seyrawyn fit un effort pour mordre dans le plus petit morceau qui restait, afin de faire plaisir à son ami. Il préférait de loin le goût sucré des fruits à la viande, mais n'avait aucune réticence à manger la chair d'un autre animal.

Il s'agissait d'une préférence tout simplement. Son ami Wilfong aimait bien les rôtis et, pour lui faire plaisir, Seyrawyn chassait le petit gibier aux abords de son territoire.

Voyant que le moment était propice, Miriel décida de partager son expérience de la matinée.

— Compagnons, je dois vous parler de quelque chose d'étrange qui s'est passé ce matin, pendant que vous vous reposiez.

Tous intrigués, particulièrement Marack, ils écoutèrent ce que Miriel voulait leur relater. La seule personne qui émit un doute concernant cette prise de contact fut justement le viking. Ne rien prendre pour acquis et toujours tout questionner étaient dans sa nature, surtout si cela avait rapport avec sa responsabilité de protecteur du groupe.

— Je n'ai jamais entendu l'un de nos mentors mentionner ce genre de rituel. Est-ce qu'il s'agit d'un moyen de communication réservé aux druides d'un certain rang dans l'Ordre ? lui demanda le guerrier en formulant déjà dans son

esprit la possibilité d'un guet-apens de la part de la faction rivale.

— Pour ma part Madame, je ne suis pas familier avec tous ces aspects druidiques et vous m'en voyez fort désolé. Dans tous les cas, je recommande fortement la prudence mes chers amis. S'il s'agit d'un piège, alors soyons préparés à toutes éventualités. Dans le cas contraire, nous porterons secours à ces gardiens qui ont subi de lourdes pertes. Peut-être pourront-ils nous renseigner sur ce qui se trouve dans la direction que nous devons prendre, en amont de la rivière ?

Bertmund aurait bien aimé pouvoir aiguiller ses amis concernant l'expérience de Miriel, mais cela ne faisait pas partie de ses compétences. Il ne pouvait qu'offrir conseils de sécurité et recommandations.

Les deux autres n'avaient aucun commentaire à ajouter.

— Très bien, je prendrai une décision le moment venu. Je voulais vous partager cette information pour ne pas vous surprendre, tout simplement. Ainsi, chacun peut aider à détecter les indices d'une présence.

Seyrawyn avait décidé qu'il serait plus pratique de demeurer sous la forme d'un elfe des bois pendant le trajet. Il ne se transformerait que très brièvement afin de garder son léger avantage. De plus, il avait commencé à récupérer le venin de son dard dans des petites fioles de verres, bien à l'abri dans son escarcelle. Il pourrait peut-être en badigeonner l'une de ses épées courtes en cas de besoin.

Cette cachette qu'Arafinway avait trouvée juste avant la tombée de la nuit serait parfait pour reprendre des forces. Malheureusement, ce moment de répit fut de courte durée.

Pendant la première partie de la nuit, un mystérieux vent se leva puis souffla le petit feu de camp qui était camouflé par des rochers pour contenir la lumière qui s'en dégageait.

Alertés, Marack et Seyrawyn, qui étaient de garde, se mirent en position de défense. Réveillant silencieusement leurs compagnons qui restèrent immobiles, ils scrutèrent les environs. Malgré la fatigue générale, il avait été convenu d'avoir deux sentinelles par tour de garde durant la nuit et l'une d'entre elle se devait de voir dans le noir ou, à tout le moins, dans la pénombre.

Malheureusement pour Marack, l'obscurité était toujours l'un de ses handicaps et le dreki s'appliqua à déceler toute trace possible d'un intrus pouvant être invisible.

— Est-ce que tu perçois quelque chose ou quelqu'un ? demanda Marack qui anticipait une attaque à tout moment.

— Non, rien pour l'instant, mais il y a quelque chose avec nous, ça j'en suis certain.

Il n'y avait rien de physique qui permettait d'affirmer avec certitude qu'un intrus avait pénétré dans la cache grâce à cette rafale de vent.

Bertmund fut le premier à agir. Il plongea sa main dans un petit sac de victuailles puis, en la ressortant, projeta devant l'ouverture de la cache une poignée de farine.

Une bonne partie de celle-ci fut soufflée sur les compagnons qui se sont retrouvés enfarinés. Pendant deux secondes à peine, une petite forme pas plus haute que deux coudées se dévoila, volant au-dessus du sol.

L'apparition de la créature, surprise par le jet de farine, se mit à tourner sur elle-même pour se débarrasser de cette poudre blanche qui l'avait recouverte en partie.

Puis, plus rien. Le vent s'était estompé, les feuilles avaient cessé de frémir et tout était redevenu silencieux.

— Maintenant, nous avons une idée de cette créature qui nous pourchasse, expliqua la druidesse à voix basse. Cette étrange chose est un esprit élémental de l'air ou du vent, un *Vindrandi*. Ils sont invoqués par les druides de l'Ordre des Quatre Éléments afin de pourchasser une proie et de signaler sa position à leur maître. Le parfait chien pisteur qui a dû rapporter nos moindres faits et gestes. Reste à savoir qui est son maître ?

— Notre repaire a été découvert, devons-nous lever le camp ?

— Non, car Ara, Bertmund et Marack sont désavantagés lors des combats nocturnes. Un seul point d'entrée est plus facile à défendre que de combattre à aires ouvertes. Nous allons rester dans cette cache et attendre le lever du soleil.

— Très bien cheffe, à vos ordres cheffe !

Lorsque le troubadour alluma sa petite lampe portative, l'éclaireur commença à rire de bon cœur en observant les visages

enfarinés de tous ses compagnons. Se sentant un peu responsable du maquillage blafard qu'il venait de leur appliquer, le barde s'excusa.

— Je suis désolé Madame, vraiment. Ce fut un réflexe d'aventurier que d'employer cette vieille tactique. Laissez-moi remédier à la situation avec mes quelques petits enchantements appropriés pour l'occasion.

Il s'étira et s'approcha de chacun des membres de son groupe en invoquant l'une de ses formules préférées et employée de façon quotidienne.

— *Instructius purgatio refurbishmint* !

Instantanément, chacun avait maintenant une tenue soignée et propre, dépourvue de farine ou de saleté et de surcroît réparée, lavée, détachée, brossée, repassée, lissée, dérouillée et revernie. La stupéfaction était totale.

— Alors, c'est ça ton secret pour ton apparence toujours impeccable, à tout moment de la journée, espèce de vieux renard ! lui lança Marack qui venait enfin de comprendre ce mystère au sujet du troubadour.

— Et oui, un secret de ménestrel, fit-il un peu gêné, et qui est employé par plusieurs de mes confrères. Que voulez-vous, spectacle oblige…

— Merci beaucoup Bertmund, pour ce nettoyage rapide, lui dit la druidesse. Un dernier point cependant, la prochaine fois que l'envie te prendra de pratiquer cette vieille technique pour découvrir un intrus invisible, laisse-moi faire en premier l'un de mes enchantements; une aura de dévoilement. De cette façon, cela nous évitera d'avoir l'apparence d'une troupe de saltimbanques maquillés.

— Oui, Madame cheffe ! C'est compris et bien noté, cheffe ! répliqua le soldat de La Temporaire, habitué de saluer son supérieur en se mettant au garde-à-vous.

Le sourire était revenu sur chacun des visages des compagnons. Ce moment de détente malgré le *Vindrandi* qui pouvait roder à l'extérieur, fit le plus grand bien au groupe de Miriel.

Le reste de la nuit se passa sans aucun autre incident, l'élémental d'air qui les avait confrontés en début de soirée ne tenta pas une seconde visite. Et quelques-uns en profitèrent pour dormir un peu.

Aux premières lueurs de l'aurore, Bertmund s'afféra à parcourir ses petits grimoires. Il se rappelait avoir déjà entendu parler de la petite créature qui les poursuivait. Peut-être trouverait-il une information pertinente pour s'en débarrasser. Il relut ses notes à propos des élémentals…

Malgré les précautions appliquées pour rendre leur déplacement le plus silencieux possible, le chant de la bécasse à cou long se faisait entendre sur une base régulière.

Arafinway annonçait par son signal qu'il avait repéré une patrouille ennemie et puis, quelques instants plus tard, le chant de la fauvette épieuse les obligeait à attendre que le contingent passe son chemin avant de reprendre la route.

Miriel ne cherchait pas à confronter des escadrons adverses, leur mission était trop importante pour perdre du temps à faire disparaître des Yobs et des Sottecks de la surface de l'île.

L'éclaireur effectuait ses chants avec cœur, quoique toujours avec autant de maladresse, et il profitait de chaque occasion pour pratiquer ses différents signaux. Marack avait toujours espoir qu'un jour, sa maîtrise des chants d'oiseaux s'améliore.

Soudainement, Seyrawyn aperçut deux humains qui tentaient de se faufiler entre les gros rochers en bordure de la rivière. Afin de ne pas indiquer leur position, Arafinway fut mandaté pour les approcher subrepticement. Le dreki, quant à lui, resta en arrière, camouflé en retrait sous forme de dragon, pour bénéficier au maximum de son habileté à intervenir sans être repéré..

Arafinway les observa quelques instants et se risqua en appliquant un simple signal bien connu par les gardiens. La réponse fut satisfaisante au point qu'il décida de ramener ce duo d'étrangers à sa cheffe.

Le fait que l'un d'entre eux possède un Salkoïnas était également une confirmation qu'il s'agissait du druide avec qui Miriel s'était entretenue.

— Miriel, je présume ? avança un jeune elfe aux allures d'un homme du Nord, âgé de vingt-cinq ans au maximum, à peine quelques années de plus que Miriel.

— Oui, c'est bien moi. Et vous, le disciple Glorfindel de Lönnar?

— En effet, j'étais le chef de mon groupe de Gardiens duquel n'a survécu que mon guerrier, je vous présente Tulkas.

Le second homme du Nord fit un léger signe de tête envers les membres du groupe de Miriel, puis reprit sa place derrière son druide.

— Glorfindel, j'aimerais bien m'entretenir avec vous en privé. Marack, offre de la viande à Tulkas, je suis persuadée qu'il va apprécier un peu de sanglier.

Marack exécuta l'ordre qui lui avait été donné et servit une généreuse portion de barbaque assaisonnée au Gardien du territoire tout en gardant un œil sur les deux druides qui s'éloignaient du groupe pour discuter à l'écart.

— Que s'est-il passé, où est le reste de votre groupe ?

— Nous avons subi plusieurs embuscades ces derniers jours. Cette partie du Grand Lac a été fortement renforcée par des patrouilles ennemies accompagnées de magiciens ainsi que de druides opposés à notre Ordre.

— En effet, nous avons déjà fait la rencontre de l'un d'entre deux, avoua Miriel. Pour ce qui est des patrouilles, jusqu'à présent nous avons été en mesure de les esquiver. Mais nous sommes pourchassés par une petite créature invisible qui nous tient en alerte sur une base constante.

— Je n'ai pas rencontré de telle créature. Néanmoins, j'aimerais bien savoir comment vous avez fait pour me contacter pendant mon sommeil ?

Miriel demeura quelque peu surprise, elle en avait déduit que cette intervention était de nature divine.

— Ce n'est pas Lönnar qui vous a permis de me parler de cette façon ?

Glorfindel resta également surpris de la réponse de Miriel.

— Peut-être, je ne sais pas. Mais je suis bien heureux de pouvoir faire le chemin du retour avec l'assistance de ton groupe de Gardiens.

— Malheureusement, nous ne sommes pas sur le chemin du retour, au contraire. Nous devons nous rendre encore plus à l'Est. Mais si le *Vindrandi* continue de nous talonner, je ne

crois pas que je vais pouvoir accomplir mon devoir pour notre Ordre.

La druidesse pouvait voir la déception sur le visage de l'elfe.

— Je comprends ta situation et je poursuivrai alors mon chemin avec Tulkas. Cependant, je suis peut-être en mesure de t'aider d'une certaine façon. Est-ce que tu connais le rituel de communion avec la nature ?

— Oui, c'est un peu ce que j'ai tenté de faire lorsque nous nous sommes parlé via nos esprits.

— Normalement, celui-ci doit être effectué par plus de deux druides du même Ordre. Je te propose de faire ce rituel ensemble pour tenter de résoudre ta problématique avec ce petit être qui te pourchasse. De toute façon, je ne désire pas m'aventurer dans cette partie du territoire, sachant que celle-ci pourrait me traquer et signaler ma position à toutes les patrouilles ennemies.

— Je suis d'accord, que dois-je faire ?

Les deux druides s'installèrent face à face sur l'herbe ombragée. Glorfindel tendit la tête de son Salkoïnas afin que Miriel puisse le toucher. Il lui demanda de faire la même chose avec son bâton d'office, ce qu'elle fit sans hésitation.

Il commença à réciter une prière à Lönnar lui demandant de leur accorder un peu de sa sagesse pour comprendre et remédier à la situation qui les affligeait. La sensation de Miriel était différente de ce qu'elle avait expérimentée lors de sa première tentative.

Chacun parcourut une partie de la forêt en esprit seulement. La perspective changeait très rapidement et la druidesse adorait la légèreté de son envol. Quelquefois, elle avait l'impression d'être un arbre ou un loup, un écureuil, ou même un oiseau survolant les montagnes. Elle pouvait voir le Grand Lac et la rivière qui se frayait un chemin vers l'Est, entre les montagnes.

Glorfindel brisa le silence et interpella Miriel pendant la communion.

— Je crois avoir vu ce qui te traque. Je suis dans le corps d'un renard et je lui ai demandé de m'aider. Son flair est plus perceptif que le nôtre et son instinct le guide… il est, nous sommes, en mesure de le suivre. Je vois ce qui te chasse et tu as raison, il s'agit d'une créature du plan élémental de l'air… ce n'est pas un *Vindrandi*, mais plutôt un *Niyol*. Il n'est pas

très courageux, ni très puissant, mais sa force est son invisibilité, ce qui lui donne un grand avantage au combat.

— Ce serait bien celui qui nous pourchasse, qui nous tient toujours en alerte et donne notre position aux patrouilles ?

— Oui, je crois bien que nous avons trouvé votre mouchard, qui relaie les informations à son maître. Nous allons nous débarrasser de lui. Laisse-moi te guider Miriel. Rejoins mon esprit et cherche une créature plus robuste dans les alentours où je suis. Moi, je vais continuer de le suivre avec mon ami renard.

La druidesse se concentra pour retracer l'esprit de son collègue et, une fois trouvé, elle se mit à chercher quelque chose de plus imposant. Son esprit voyageait d'une créature à une autre, d'un esprit à un regard, d'un arbrisseau à un arbre centenaire. Elle s'y posa pour voir l'ensemble de ce coin de forêt.

Une immense créature se faufila soudain entre les arbres avec une incroyable agilité. Si elle n'avait pas utilisé la cime de l'arbre centenaire pour faire ses recherches, elle ne l'aurait jamais découverte. Elle tenta de s'en rapprocher mais une barrière mentale fut érigée.

— Que me veux-tu ?

— Ton aide ?

— Je ne me mêle pas de vos affaires, passe ton chemin, druidesse! Je t'ai répondu par politesse, rien de plus. Oublie-moi maintenant.

Miriel perdit la trace du mastodonte presqu'aussitôt. Cette créature avait ressenti la présence spirituelle de Miriel et avait immédiatement mit en place une barrière pour se protéger et ainsi dissimuler son identité.

« Voici, un autre point étrange à discuter avec les doyens à Feygor », songea-t-elle.

La jeune fille continua sa recherche pour trouver un animal qui pourrait l'aider. Le temps la pressait et, par chance, elle rencontra une créature mesurant un peu moins de six coudées de haut sur un peu plus de neuf foulées de long. Elle laissa son esprit le contacter pour voir si cet ours brun lui prêterait assistance.

— Qui es-tu, je ne te connais pas et pourtant je te comprends, serais-tu l'un de mes ancêtres ?

— Non, mon noble ami ours, je suis une gardienne de Lönnar, une druidesse qui protège la forêt dans laquelle tu vis avec ta famille.

— Une deux pattes, c'est bien ça ? Celle qui est plus petite que les autres dans ton Clan et qui marche à trois pattes.

Miriel ne comprenait pas ce qu'il voulait dire, jusqu'au moment où elle réalisa qu'il voulait parler de son bâton d'office, la troisième patte.

— Tu me connais, donc tu m'as déjà vue ?

— Oui, je t'ai vue marcher avec les autres deux pattes, accompagnée de celui qui n'est pas un deux pattes mais qui te ressemble à cause de ses oreilles pointues.

Il voulait parler de Seyrawyn, sous sa forme d'elfe, que certains animaux perçoivent autrement. Miriel retint l'information, celle-ci pourrait s'avérer utile éventuellement.

— Glorfindel, j'ai rencontré un grizzly et il semble réceptif à discuter avec moi, que dois-je faire ?

— Demande-lui s'il peut nous aider. Explique-lui ce qui arrive dans des mots qu'il va comprendre.

Miriel essaya de choisir les phrases qui seraient les plus appropriées pour parler à un ours, puis se raisonna à continuer la discussion normalement, avec respect tout simplement.

— Ami ours, j'aurais besoin de ton aide et je crois que tu pourrais me porter secours avec ta grande force.

— J'ai la sensation que tu es une bonne deux pattes, contrairement à beaucoup d'autres sur ce territoire. Si tu crois que je peux t'aider, laisse-moi savoir ce que tu attends de moi.

Miriel s'attendait à plus de réticence de la part de ce colosse. Elle avait des appréhensions là où il n'y en avait pas. Peut-être qu'effectuer une demande via le rituel de communion facilitait les échanges ? Elle se rappelait que les tensions avaient été beaucoup plus grandes avec les lions des montagnes.

— Il y a une petite créature qui se promène comme le vent. Elle ne laisse pas de trace sur le sol, car elle vole. On ne la voit pas, mais on peut la sentir et percevoir les signes qui nous indique où elle se trouve. Cette créature nous chasse, moi et ma famille, et elle nous veut du mal. Pourrais-tu faire quelque chose pour nous aider ?

— Où se trouve ton ennemi, gardienne ?

— Si tu me laisses te guider, je serai en mesure de te mener jusqu'à elle. Il y a présentement un renard qui la suit et qui n'est pas très loin de ta position.

— Alors, montre-moi le chemin. Je vais t'aider et dévorer ce chasseur qui envahit mon territoire.

Miriel dirigea le grizzly vers l'endroit où elle discernait l'esprit de Glorfindel qui accompagnait le renard.

— Il est tout près et il va passer ce gros arbre dans quelques instants. Est-ce que tu sens sa présence ?

— Oui, je perçois son odeur très brièvement, mais c'est suffisant pour moi.

Au moment où le Niyol passa devant l'arbre centenaire, celui-ci vit apparaître une très large patte griffée. L'ours agile empoigna la créature et la ramena vigoureusement contre son torse.

Ses deux pattes avant le tenaient fermement et il était tout heureux d'avoir capturé le Niyol qui essayait de tourner sur lui-même. Le vent était beaucoup plus agité tout autour du grizzly et sa première tentative pour le mordre donnait un spectacle des plus cocasses.

Lorsque sa mâchoire tenta de prendre une bouchée de sa proie, le vent souffla si fort qu'il réussit à repousser l'attaque. Miriel pouvait voir les joues complètement gonflées du grand mammifère qui ne cherchait qu'à faire une croquée de ce petit être flasque entre ses griffes.

La seconde attaque fut plus fructueuse, l'ours l'a mordu en débutant par le haut puis bifurqua sur le côté. Sa mâchoire se referma lentement sur son prisonnier et le vent s'estompa aussi rapidement qu'il était apparu. L'ours poussa un énorme grondement en signe de victoire sur son adversaire.

— Il n'est plus là, je ne le sens plus. Ton chasseur avait une odeur, mais il ne goûte rien du tout ! Tu peux continuer ton chemin avec ta famille, gardienne, ce vent ne te dérangera plus maintenant.

— Je te remercie ami ours, je n'oublierai pas l'aide que tu m'as apporté aujourd'hui.

Le grizzly retourna dans son coin de forêt là où Miriel l'avait rencontré. Elle ouvrit les yeux et Glorfindel la regardait avec un large sourire.

— Tu vois, cela fonctionne toujours mieux à deux.

— En effet, je n'y serais jamais arrivée seule, merci de ton aide cher confrère. Je suis ravie de cette expérience. J'ai appris quelque chose aujourd'hui et je vais me rappeler de cette leçon.

— La magie invoquée pour conjurer le *Niyol* avait sans doute été instiguée par le druide de l'Ordre des Quatre Éléments, raisonna-t-il.

— Et la sphère de l'air était sans doute sa force, c'est la raison pour laquelle il invoqua ce type de créature...

Ils se levèrent et retournèrent au campement en échangeant leurs impressions sur cette tournée forestière.

— Est-ce que ça va cheffe ? demanda un éclaireur un peu inquiet en voyant Miriel revenir un peu pâle.

— Je vais très bien Ara, merci. Nous allons pouvoir dormir ce soir, la créature qui nous traquait n'est plus; nous devons remercier notre nouvel ami mais aussi un grizzly de leur aide.

— Tu veux dire que le grognement que nous avons entendu non loin de nous est l'ours dont tu me parles ?

Miriel jeta un coup d'œil à ses amis. Tulkas avait formé un périmètre de défense tout autour d'eux car le grondement si terrifiant et, surtout, tout près de leur position avait suscité une extrême méfiance.

— Alors, je suis content de savoir que ton grizzly est de notre côté dans ce cas !

Les deux druides se regardèrent et rirent de bon cœur. Arafinway relâcha sa garde et reprit le guet un peu plus loin du groupe. Chacun retourna à ses occupations et laissa aux druides la chance de récupérer leurs forces. Marack était cependant demeuré à proximité des deux chefs car il l'avait toujours à sa charge, que Miriel le veuille ou non. Toute personne qui s'approchait de d'elle méritait sa vigilance.

La druidesse profita du répit pour continuer à échanger sur ce qui pouvait les attendre un peu plus à l'Est.

Une fois que les deux gardiens du territoire se furent suffisamment reposés, Miriel accepta de revenir un peu sur ses pas pour raccompagner Glorfindel et Tulkas. Une demi-journée de marche ne les retarderait pas trop sur leur itinéraire.

De plus, la jeune fille appréciait les conseils du druide. Elle avait appris plusieurs choses avec ses mentors, mais rien ne valait l'expérience sur le terrain. Ce gardien du territoire avait obtenu son titre depuis plus de cinq années maintenant. Il avait survécu à plusieurs embûches et ses histoires, racontées autour du feu lors du repas, prenaient une tournure à la fois inspirante et instructive.

Même Marack se laissa prendre au jeu en effectuant une petite joute amicale au marteau avec l'autre guerrier. Malgré son jeune âge, le garde du corps de la druidesse remporta l'échange. Tulkas, ayant au moins une bonne dizaine d'années d'avance sur Marack, fut impressionné par les prouesses du gardien qui venait de le confronter.

Arafinway jubilait de pouvoir entendre de nouvelles histoires et Bertmund aussi. Ce dernier profita également du savoir du druide, en lui posant quelques questions sur différents sujets, question de jauger l'étendue des connaissances de cet autre chef de gardiens.

Seyrawyn se tenait un peu à l'écart. Il craignait toujours autant les villes mais, en réalité, il n'aimait peut-être pas les foules. Il ne connaissait pas ces deux nouveaux gardiens et leurs histoires ne semblaient pas l'intéresser.

Il portait plutôt son regard sur la forêt et ses alentours. Il y avait plusieurs patrouilles d'ennemis et il fallait bien une sentinelle pour s'assurer de ne pas être surpris. Il choisit donc ce rôle obscur mais important pour toute la nuit.

Assis sur le tronc d'un arbre à demi déraciné, il regardait les étoiles, un peu mélancolique, en se remémorant les anecdotes racontées par son ami, son cher mentor. Winfong lui manquait énormément…

Chapitre 31
Nouvelle magie

Journal d'Ogaho,
Vizir du tout-puissant Arakher, Roi des Géants de pierre
Mission royale : infiltration en terres ennemies

Depuis ma dernière entrée dans ce journal, trois semaines se sont écoulées. Nous sommes rendus dans une petite baie en vue de la pointe extrême des terres des hommes du Nord.

Nous avons prestement traversé, heureusement sans encombre, le passage entre les Rocheuses D'Ortan et l'Île du Scorpion Blanc. Ce fut plus facile que prévu. La suite s'avéra pénible car les côtes de cette chaîne de montagnes étaient truffées de danger.

Sujet treizième : Une malédiction ?

Je dois avouer que mes rêves se sont intensifiés. Ce qui était plutôt plaisant au départ tourne un peu plus au cauchemar maintenant. Peut-être était-ce une malédiction lancée par le démon, finalement.

Ce n'est pas la fréquence qui a augmenté puisqu'ils sont plus sporadiques maintenant, mais j'atteins de nouveaux points culminants avec chaque nouveau songe et cela me trouble.

Dès le réveil, les émotions qui sont avivées en moi me portent à réfléchir sur de nombreuses prises de décision. Encore si celles-ci n'étaient que les miennes ! Mais je me vois prendre le rôle des différents Géants de pierre de mon histoire et interpréter ce qui a été fait ou dit dans mon passé. Je ne modifie rien, je ne fais que revivre à leur place les actes qui ont été accomplis.

Ce qui me dérange, c'est que je ne suis pas toujours en accord avec ces prises de contrôle. Je lutte alors intérieurement pour

défendre la droiture de la loi et j'ai mal… Je déteste souffrir ainsi ! J'ai passé mon existence à me créer un univers confortablement calme et je ne désire pas que cela change.

Décidément, je crois que je vais devoir considérer une façon de me protéger d'un quelconque sortilège. Mes compétences se rapprochant plus des éléments que de l'esprit, je me sens impuissant face à cette magie.

S'agirait-il d'un effet secondaire suite à mes tentatives infructueuses de déchiffrer le dialecte ancestral offert par mon ami ? Y aurait-il des enchantements mis en place pour affecter quiconque tentant de percer à jour le secret de ce parchemin ?

Je ne désire pas aggraver ma situation… J'ai une mission à accomplir et je dois pouvoir employer toutes mes habiletés magiques pour y arriver. Succomber à la malédiction de runes gravées sur un bout de cuir, parce que trop curieux de découvrir son mystère, ne servira pas ma cause ni à celle de mon Roi.

Je vais donc attendre de me retrouver dans mes appartements pour consulter ma bibliothèque personnelle afin de remédier à cette situation, en espérant que je n'ai pas trop aggravé mon cas avec mes multiples tentatives.

Sujet quatorzième : Gousgar

La bonne nouvelle est que nous avons aperçu une grande tour sur l'escarpement rocheux surplombant l'entrée de la baie des hommes du Nord. Selon nos informations, datant de plusieurs années, le nom qui lui est donné serait Gousgar.

Il s'agit de la seconde partie de ma mission, la première étant de mettre à jour nos cartes géographiques et topographiques au cas où mon Roi préparerait une attaque par la mer.

Donc, afin de faire une évaluation précise de cette base grâce à mes nouveaux enchantements, je dois me rapprocher le plus possible de cette tour. Mes deux incantations, retrouvées parmi les trésors de l'une des nombreuses caravanes interceptées il y a de cela plusieurs dizaines d'années, vont enfin pouvoir servir pour la juste cause royale.

Toutes les composantes ont été réunies pour réussir cette magie et j'ai fermement l'intention d'en apprendre le plus possible sur ce poste d'avant-garde. Pour que cela fonctionne, je dois me

positionner exactement devant la tour sur ce côté-ci de la rive. La distance n'a pas d'importance, je dois seulement être en ligne directe avec la cible.

D'après mes estimations, nous devrions arriver à l'endroit choisi dans deux jours, peut-être moins, si notre marche nocturne s'effectue sans anicroche. Pendant que mes Morjes exploreront le fond marin du fjord pour m'en rapporter les détails, j'utiliserai mes enchantements pour en apprendre un peu plus sur sa structure et ses habitants.

> « Dihur contrôle peut-être mieux les éléments, songea-t-il, mais moi, je suis un mage : mes pouvoirs sont différents et tout aussi puissants ! »

Sujet quinzième : Exploration

Nous avons forcé la marche de la dernière nuit et nous sommes arrivés au point parfait pour mes incantations. La prochaine nuitée sera la première reconnaissance pour les Morjes qui vont patrouiller la mer et, par la suite, dessiner sur une carte les divers récifs et gouffres dont il faudra probablement se méfier.

De mon côté, je dois préparer les composantes qui me serviront pour les deux sortilèges que je vais utiliser pour la première fois. Ces ingrédients sont plutôt rares sur Arisan et il me fallut plus de cinq années pour amasser l'équivalent de trois doses. Toutefois, je suis persuadé que cet investissement me sera rentable en fin du compte.

Tous les Morjes dormaient profondément sous l'abri magique de leur maître. Cette quiétude leur permettait de ne pas se soucier des patrouilles de gardiens ou des prédateurs à la recherche de proies faciles. Bien qu'il n'ait pas très bien dormi ces dernières semaines, Ogaho espérait de tout cœur que son prochain sommeil soit réparateur.

Présentement, il s'amusait avec sa petite pierre mauve qu'il portait maintenant en permanence à sa ceinture dans une boursette de cuir.

— Petit porte-bonheur, je vais te nommer Visca. Maintenant, je désire que tu me permettes de dormir aujourd'hui… car ce soir, j'aurai besoin de toutes mes forces pour la magie que je vais invoquer, lui dit-il en caressant doucement son doux lustre bien poli.

Ogaho réalisa qu'il venait de demander à sa pierre mauve de le protéger des mauvais rêves, d'empêcher son esprit de quitter son corps. La petite pierre spéciale Visca venait d'être baptisée et surtout pleinement adoptée par un mage de pierre.

Ce jour de sommeil se passa étonnamment bien. Le mage dormit si profondément que ce sont ses soldats qui le tirèrent de son paisible sommeil. Le soleil était presque complètement sous l'horizon et bientôt deux lunes mauves et leur demi-croissant trônèrent dans le ciel devant une cour d'étoiles. Le mage remercia Visca de sa protection pour un repos fort apprécié et fit sortir ses Morjes, sauf un. Il s'installa à sa table et passa en revue les composantes qu'il devait soigneusement préparer.

Le mage de pierre ordonna à son soldat de l'assister pendant le rituel. Il ne voulait pas être dérangé et, surtout si quelque chose de fâcheux se passait, il devait lui administrer le contenu en entier d'une potion aux propriétés curatives.

Tout d'abord, pour la clairvoyance, il lui fallait broyer une petite parcelle de pierre nommée azurite-malachite, mélange naturel très rare d'azurite bleu et de malachite vert. Il mêla la poudre obtenue avec quelques gouttes d'huile de noix de muscade à l'aide d'une petite branche de cuivre natif, afin d'amplifier les vertus de chacun des éléments.

Avec la peinture bleue ainsi obtenue, le mage devait dessiner, à cinq endroits bien distincts autour de son œil gauche, de simples petits points avec le bout du doigt en recréant la forme d'un losange arrondi.

Pour la clairaudience, il broya une très petite pierre de fluorine bleu clair. Il mélangea la poudre obtenue à des pétales de sauge bleue avec un petit mortier fait entièrement d'ambre. Il devait appliquer ensuite la peinture, également en cinq points, pour créer un motif représentant la moitié d'un cœur, en suivant le contour de son oreille droite.

Concernant les deux enchantements, le nombre de points semblait important car ils ouvraient des portes sur les perceptions extra-sensorielles au niveau de l'esprit. Ces mélanges de pierres et de plantes favorisaient des perceptions claires et précises.

Cependant, il était averti de ne pas en abuser car leurs propriétés pourraient éventuellement endommager les hémisphères du cerveau de l'invocateur lors d'une suractivation des sens.

Lorsqu'Ogaho appliqua les peintures magiques selon les instructions qui accompagnaient les enchantements dans le grimoire mystique, il récita la formule magique au même moment.

— *Permets-moi de faire la lumière sur ce qui est obscur et laisse-moi entendre les voix de ceux sur qui la lumière est projetée.*

Tous les points de peintures se mirent à scintiller et pulser à l'unisson. Le Vizir s'installa derrière une petite fenêtre de sa maisonnée et fixa la tour de Gousgar. Il cibla une première meurtrière éclairée afin d'y observer ses occupants.

Il pouvait y voir quatre hommes du Nord qui festoyaient autour d'une copieuse table de victuailles. Chacun discutait de leur retour vers Yngvar dans la prochaine quinzaine, lorsque les trois lunes seront bien alignées. L'observateur comprit que les tours de garde dans cette forteresse semblaient durer le temps d'un cycle lunaire, soit trois mois.

Un homme du Nord apparut à la meurtrière et alluma des torchères éclairant un peu partout autour des fortifications. Ces torches étaient particulières : il y avait une flamme, mais celle-ci ne brûlait pas, elles étaient toutes enchantées divinement. Ogaho avait déjà vu ce type de magie pratiquée par Dihur. Il conclut que le premier vizir partagerait certains pouvoirs avec ces démons.

Les torches étaient disposées de façon stratégique à l'intérieur ainsi qu'à l'extérieur des murs et permettaient de voir sur une grande distance. Une attaque surprise sous le couvert de la noirceur n'était absolument pas une admissible pour eux.

L'explorateur invisible continua sa visite dans les corridors de Gousgar, prenant bien soin de décrire ce qu'il voyait à son assistant qui prenait quelques notes. Il y avait plusieurs pièces, trois armureries jusqu'à présent, des baraquements pour au moins deux cents hommes. Le toit était muni de plusieurs machines de guerre, dont quelques balistes qui semblaient pouvoir pivoter. Il se heurta étrangement à trois pièces inaccessibles où il ne pouvait ni entrer ni entendre quoi que ce soit de celles-ci.

Il prononça plusieurs noms qui revenaient souvent dans leurs conversations.

Il décoda certaines appellations d'officiers dont celui du capitaine Njal, le commandant de cette forteresse.

Il chercha plus tard ce capitaine dans les trois endroits possibles évoqués par les soldats : dans ses appartements privés, dans le hall des officiers où les comptes rendus ainsi que les ordres étaient échangés et au-dessus de la tour où le capitaine effectuait souvent un tour de garde personnel avec les hommes qui s'y retrouvaient. Les gardiens racontaient que le commandant aimait voir et entendre le bruit des vagues, cela lui rappelait sa terre natale.

Le mage de pierre cligna des yeux à quelques reprises car la magie des enchantements utilisés s'estompait tranquillement. Les dix points de peinture avaient presque disparus et tout semblait s'être bien passé. Il avait visité Gousgar pendant presque deux bonnes heures, mais l'effort de concentration qui lui avait été demandé pour faire cet exercice l'avait exténué.

Il fit signe à son assistant que tout allait bien, se sentant seulement affaibli par la randonnée mystique. Il trouva un siège et, durant les heures suivantes, ils récapitulèrent tout ce qui avait noté pendant la transe.

Il avait récupéré certaines brides d'informations mais une seconde tentative lui permettrait d'en apprendre certainement plus. Cette fois-ci, la visite se ferait de jour, vers les huit heures du matin, au moment où le capitaine rencontrait ses officiers pour prendre connaissance des rapports de la nuit précédente et aussi transmettre ses ordres. Le mage sourit car cette bribe d'information, si cavalièrement mentionnée par un officier à l'un de ses soldats, était fort appréciée.

Il était assez tard et Ogaho devait reprendre ses forces s'il voulait pouvoir répéter l'enchantement pour une deuxième fois, juste avant la réunion. Il y avait également ces pièces blindées qui le tracassaient; pourquoi sa magie ne lui permettait-elle point de traverser pour explorer l'autre côté de ces portes ?

Il ordonna à son assistant de récupérer les informations des autres Morjes dès leur retour et aussi de le réveiller un peu avant l'aube afin de préparer les concoctions pour sa seconde expédition.

Aussitôt couché, le géant de pierre s'endormit, épuisé. Son sommeil fut trouble et les personnages qui se présentaient à lui étaient translucides, contrairement à ses précédentes expériences. Ses autres rêves lui permettaient de discuter ou de voir des personnes physiques, faites de chair et d'os.

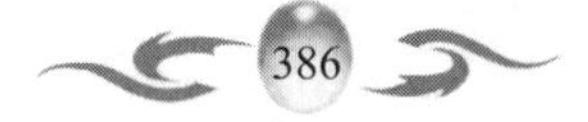

Quelquefois, il interprétait le rôle de l'un de ces personnages, mais le contexte demeurait matériel et vraisemblable.

Ce matin, ce qui tentait de le tourmenter avait l'apparence de fantômes. Il s'agissait probablement d'esprits qui ne semblaient pas avoir trouvé une paix intérieure après leur mort. Ils s'approchaient de lui, mais ne le touchaient pas en gardant tous une certaine distance, comme si un cercle de protection avait été tracé tout autour de son corps. Lorsqu'un lémure ou fantôme mal intentionné tentait de se rapprocher, il y avait un autre esprit, une petite présence bénéfique, qui s'interposait et qui repoussait le spectre en lui hurlant son mécontentement.

Ogaho se réveilla en sursaut, encore fatigué, mais beaucoup moins que les jours précédents lors des cauchemars angoissants. Il vérifia instinctivement d'un geste de la main si la petite pochette de cuir contenant son porte-bonheur était à sa ceinture. Rassuré qu'elle s'y trouve toujours, il remercia Visca de prendre soin de lui, puis fit un effort pour se lever et préparer les composantes aux propriétés magiques.

Tout était prêt, le soleil avait fait son apparition depuis une heure environ et la tour laissait transparaître des mouvements nombreux à l'intérieur des murs. Il était grandement temps d'effectuer une seconde visite, non courtoise mais indétectable.

Comme une partie des pouvoirs du mage avait déjà été employés à maintenir sa maisonnée toujours érigée et surtout camouflée, il savait qu'il devait faire attention à sa nouvelle magie, surtout en plein jour.

Il fit entrer son assistant dans sa chambre et s'assit devant la fenêtre pour voir la tour des ennemis du Roi. Il répéta, dans l'ordre, les enchantements avec les points de peinture et récita de nouveau la formule magique. Son esprit et ses sens s'ouvrirent et commencèrent à voyager jusqu'à Gousgar.

Encore une fois et très facilement, il se promena dans les corridors de la forteresse et décrivit tout sur son passage pour que son assistant puisse consigner ses propos sur papier. Il en profita pour clarifier certains détails perçus la veille.

Après avoir visité de nouvelles pièces, il arriva enfin à la salle où avait lieu la réunion des officiers.

Njal avait déjà reçu les rapports des différentes sentinelles. Le visiteur apprit que seule une altercation avec une bande de prédateurs avait eu lieu. Les intrus avaient tenté de s'en prendre à la patrouille de nuit qui protégeait le secteur Ouest à l'extérieur de la tour. Il y avait donc également des patrouilles extérieures; or, comme elles étaient en mesure de voir dans le noir, le rapport de force leur fut bénéfique. Le mage trouva cette information forte utile d'un point de vue stratégique car il s'agissait d'une défense qu'il ne fallait pas négliger. Il entendit le capitaine remercier ses hommes et demander à l'un des démons habillé d'une longue robe rouge de demeurer quelques instants de plus.

— Qu'est-ce qui vous tourmente, cher capitaine ?

— Nous avons toujours la visite de l'un des Gardiens messager de Lönnar, au moins un mois avant la fin d'un quart de garde. Jusqu'à présent, le druide Éoril tarde à arriver. Je m'inquiète Maître Rainor, car il devait nous apporter les dernières nouvelles et j'aime être tenu informé de ce qui se passe sur le territoire.

Njal parut encore plus soucieux.

— Nous sommes éloignés et ces indications capitales peuvent faire la différence entre la vie et la mort pour notre communauté, incluant les hommes sous ma responsabilité à Gousgar. Je crois qu'il serait prudent d'expédier un messager sous escorte à Yngvar. Peut-être que mon cher ami Lars aura eu vent de quelque chose. Il est le Jarl de la ville, toutes les informations lui passent entre les mains de toute façon.

— En effet, ce serait sage de…

L'elfe arrêta soudainement et commença à scruter la salle dans laquelle tous les deux se trouvaient.

— Ne parlez plus, nous ne sommes pas seuls, je sens une présence qui nous épie !

Njal fit quelques pas vers l'arrière et saisit sa hache à deux mains dans une position défensive devant la porte de la pièce comme s'il voulait empêcher l'intrus de se sauver. Son compagnon, un elfe sorcier, commença à réciter des paroles dans une langue inconnue et l'observateur invisible se doutait bien qu'il s'agissait d'une formule magique. Il n'avait cependant aucune crainte vis-à-vis ce démon. Comme il n'était pas là physiquement, ses efforts pour le débusquer dans la pièce seraient vains.

Lorsque Maître Rainor eut terminé son sortilège, rien n'arriva exactement comme le Géant l'avait prévu. Le sorcier tenait dans sa main gauche une amulette et, de sa main droite, il sonda à tâtons la chambre à la recherche de l'intrus. Ogaho était fort amusé du spectacle mais, au moment où il décida de déplacer son esprit pour quitter la pièce, l'elfe se retourna vers lui et lui présenta la paume de sa main droite dans laquelle il vit un gros œil qui le fixait.

Au même moment, le mage de pierre sentit un voile se déposer sur ses sens. Il n'avait plus aucune vision ni d'ouïe, tout était silence et noirceur. L'attaque qu'il reçut fut brutale et presque instantanée. Elle fut si violente qu'elle le projeta physiquement vers l'arrière, hors de son siège. Ogaho venait de goûter au contresort employé pour terminer abruptement les sortilèges de clairvoyance et de clairaudience.

Il se doutait qu'il y avait certains risques à employer cette magie, mais les détails n'étaient pas inscrits dans le livre qu'il avait trouvé. Le sorcier elfique avait retourné la force des sens de l'épieur contre lui-même et cette manifestation magique fut l'équivalent de recevoir un coup de poing en plein visage.

Son assistant se porta au secours du mage renversé sur le sol. Selon les ordres qu'il avait reçus, il tentait maladroitement d'administrer la potion qui lui avait été remise. Ogaho avait reçu une bonne droite et son visage le faisait terriblement souffrir.

Il lui fit signe qu'il n'avait pas besoin d'une potion… c'était surtout son égo de magicien qui était touché. Il regrettait de ne pas avoir quitté la pièce dès l'instant où la magie fut invoquée.

> « Je retiendrai cette leçon… Jamais on ne frappera de nouveau ! »

Il ne lui restait qu'une seule dose pour ce sortilège et il était préférable de garder le tout pour la ville un peu plus à l'ouest. Son intrusion allait certainement avoir des répercussions qui pourraient rendre dorénavant sa mission beaucoup plus difficile.

Il était temps que les Morjes se lèvent et repartent immédiatement à la nage. Une autre mission les attendait, celle de s'assurer que le messager et son escorte en provenance de Gousgar n'atteignent jamais Yngvar. À cela aussi, la pierre fétiche qu'il prenait à témoin devait l'aider.

Dihur sentait que le vent avait tourné en sa faveur. Depuis son retour à Pyrfaras, il était en meilleurs termes avec le Roi. De plus, il avait réussi à resserrer son emprise sur un Géant de pierre influent qui avait dorénavant les faveurs de la cour et un prestige partagé par tous les habitants d'Arakher.

Le Premier Vizir pouvait maintenant se concentrer un peu plus sur son propre agenda. Il avait reçu quelques missives de ses disciples, mais ils voulaient surtout leur transmettre toutes les informations qu'il avait récupérées pendant son séjour à Udrag.

Son ennemi avait le pouvoir de prendre une forme animale. Il devenait important que ses adeptes portent attention aux créatures qui les entouraient. Qui sait combien de gardiens possédaient cette faculté et à quelle étendue celle-ci pouvait s'exercer ?

— Grand Druide, c'est moi Horkeg, puis-je entrer ? demanda un Sotteck partisan de l'Ordre des Quatre Éléments.

— Tu peux entrer, j'allais justement te faire quérir.

Le disciple pénétra dans les appartements du Grand Druide en prenant bien soin de refermer la porte derrière lui.

— Alors, que s'est-il passé durant mon absence ? Qu'as-tu observé ou entendu ? J'espère que tu t'es bien acquitté du mandat que je t'ai confié.

— Oui Maître, vos directives ont été suivies. J'ai d'ailleurs certaines informations d'un grand intérêt pour vous.

— Parle, tu as toute mon attention.

Horkeg relata les dernières nouvelles et les différents faits jugés à propos pour son chef. Rien de bien particulier, mais Dihur préférait entretenir ce réseau d'information au sein du palais.

— Il y a un dernier point, Ô mon Maître, que vous devez savoir. Un ancien résident de la capitale est revenu au bercail depuis bientôt un mois. À la demande de son père, le prince Ajawak a été contraint de revenir à Pyrfaras. Aucun bataillon, régiment ni même une patrouille d'éclaireurs ne peut-être placé sous le commandement du prince sans l'autorisation personnelle et écrite du Roi.

— Est-ce que l'héritier serait en défaveur auprès de son paternel ?

— Selon les commentaires qui ont été acheminés jusqu'à sa Majesté, ses tactiques en tant que commandant laissaient à désirer au cours de ces derniers mois. Beaucoup d'effectifs furent littéralement sacrifiés à l'ennemi lors de ses multiples croisades menées dans le seul but de retrouver son arme favorite.

Dihur se rappelait avoir vu à plusieurs reprises les demandes de troupes et aussi la lettre du shaman mentionnant l'irascibilité que le prince démontrait face à ses troupes lors des combats.

— Tu peux disposer, brave Horkeg, ton dévouement à la cause des Quatre Éléments a été noté.

Le disciple se retira en silence et referma la porte derrière lui. Dihur trouvait que sa chance avait vraiment tourné. Il ressentait un fort sentiment de retour de balancier autour de lui et cela le rendait heureux. De plus, il lui semblait que la justice divine devenait son alliée dans tout ce qui le concernait.

Il aimait la sensation de pouvoir que cela lui procurait. Maintenant que son emploi du temps était un peu moins chargé, et considérant les bonnes grâces accordées par le Roi, il décida de porter son attention sur les fameux artéfacts récupérés sur le druide Eoril.

Ses appartements étaient beaucoup plus appropriés pour découvrir la magie que pouvait contenir les objets personnels du gardien de Lönnar.

Il savait pertinemment que le bâton d'office était une arme qui ne pouvait être utilisée que par un druide de Lönnar. Dans les mains d'un autre druide ou de toute autre personne, celui-ci n'était qu'un simple bâton demeurant endormi, désenchanté et passif.

Le Roi pouvait donc s'amuser à le manipuler comme bon lui semblait, cet objet magique, aussi puissant qu'il puisse être, n'était devenu qu'un simple trophée de guerre, ni plus ni moins.

Certains instruments magiques conservaient la propriété d'apparaître comme des objets normaux. La clé était d'effectuer des recherches bien précises avec des incantations particulières si l'on voulait réussir à révéler leur vrai potentiel.

La tunique serait la première à être étudiée et sondée pour y détecter un sortilège quelconque. La ceinture de cuir et son escarcelle pouvaient comporter une possibilité également. Le dernier objet était déjà mystique : ce caillou rouge était sans doute une pierre semi-précieuse composée de jaspe, d'agrégat et de quartz multicolore créant les petites veines blanches retrouvées sur toute sa surface.

Il en émanait une aura fascinante qui méritait d'être étudiée et approfondie. Dihur décida de garder la pierre rouge dans sa petite boursette de cuir et de la conserver sur lui. Étant donné qu'il y détectait de la magie, il préférait la garder sur sa personne.

Il entreposa les autres colifichets dans un coffre de métal et créa un enchantement spécial qui brûlerait toute personne qui oserait l'ouvrir sans avoir donné le bon mot de passe. Une précaution incontournable dans cet antre où des mains baladeuses sottèques, mourskhaises, yobboises ou même pierreuses pourraient s'aventurer.

Quelques jours après son arrivée en ville, le prince de pierre Ajawak pénétra dans les appartements de Dihur sans aucune forme de déférence. Cette visite impromptue n'enchanta guère le Premier Conseiller du Roi.

— Premier Vizir, j'ai affaire à vous : je vous ordonne de m'aider!

— Je vois qu'il y a encore place pour l'amélioration de vos manières, cher prince.

— Je ne suis pas ici pour prendre des leçons ! tonitrua-t-il à la manière d'un roi. Vous allez faire ce que je vais vous dire et tout de suite !

Le ton sur lequel Ajawak dictait ses ordres n'était certes pas en accord avec le Grand Druide qui toisa cette royauté dépourvue de toute politesse, malgré son rang. Il était après tout le piètre résultat d'une alliance entre une Trolle et un Géant de pierre.

« Je n'arriverai jamais à comprendre pourquoi le Roi Arakher a choisi d'engendrer une pareille créature, songea-t-il. »

Affichant un sourire des plus faux, Dihur accueillit le prince d'une façon sournoisement courtoise.

— Cher prince, bienvenue dans mes modestes quartiers. Si j'avais su un peu plus tôt que vous vouliez vous entretenir avec moi, j'aurais fait en sorte de mieux vous recevoir, veuillez accepter mes plus humbles excuses. Que puis-je faire de si exceptionnel pour vous, mon ami ?

— Laissez de côté vos tournures de langue de bois, je n'ai que faire de vos excuses. Je veux retrouver ma hache et c'est vous qui allez le faire avec votre magie. Comme Ogaho le mage n'est pas là et que vous êtes le Premier Vizir, vous me devez obéissance. Ainsi, je vous l'ordonne !

« Hum… il semble que cette hache soit un cadeau bien précieux à ses yeux. Voyons jusqu'à quel prix voudra-t-il la récupérer… », pensa le druide très calculateur.

— Vos ordres pourraient être exécutés, mon bon prince, mais ce genre d'intervention demande une grande implication de la part de celui qui la réclame.

Devant lui se tenait un commandant de l'armée d'Arakher, un prince héritier et, implicitement, une nouvelle opportunité d'acquérir un allié stratégique dans sa quête contre Arminas.

— Que veux-tu… de l'or ? Mon père t'en donnera plus que tu ne pourras jamais dépenser dans ta vie. Trouve ma hache demi-géant, trouve-la tout de suite, fais-la apparaître immédiatement.

— Malheureusement, la magie ne fonctionne pas de cette façon, expliqua patiemment le Vizir qui faisait face à un gamin trop gâté. La personne qui vous a volé votre bien, notre ennemi à tous, un démon ou un de ses esclaves, a sans doute une magie qui protège votre hache contre tout ce que je pourrais employer…

Le druide laissa quelques instants à Ajawak afin que ses paroles en suspens puissent faire leur bout de chemin jusqu'au cerveau de cette grande brute. Voyant que le volcan allait entrer en éruption sous peu, il tendit son piège.

— Allons… il y a peut-être moyen de faire certains sortilèges qui pourraient révéler qui est le voleur et ainsi déterminer où il se trouve. Mais ceux-ci sont hasardeux et nécessitent tellement de composantes particulières à recueillir… D'ailleurs, cette tâche est sans doute beaucoup trop titanesque, même pour vous.

Ajawak qui avait pour la première fois une réelle chance de pouvoir retrouver son joujou et de retracer le voleur pour lui faire payer son action, sauta sur l'occasion et tendit l'oreille.

— Cher Prince, reprit le Vizir d'une voix perfide. Il ne s'agit pas ici d'une simple petite quête. Ces rituels émanent de la magie satanique et comportent certains risques. Je ne suis pas certain que je suis prêt à affronter ces périples et risquer ma vie pour votre hache.

Le prince n'avait qu'une obsession : récupérer son arme et se venger ensuite en l'utilisant vertement contre le voleur.

— Je suis ton prince et tu vas m'obéir ! Je vais trouver les composantes et tu vas faire les rituels. Lorsque tu auras fini, moi, Ajawak, te serai redevable du risque que tu vas affronter pour moi. Mon code du guerrier dit que si tu te bats à ma place et que tu survis, je dois t'être reconnaissant. Si tu meurs, je ne te dois rien !

Le raisonnement était ridicule aux yeux de Dihur, mais Ajawak croyait en ce code. Les cérémonies en question comportaient bien certaines difficultés mais rien de vraiment dangereux pour un Grand Druide expérimenté tel que lui.

— Très bien, fils d'Arakher, laisse-moi te dire quels sont les ingrédients que tu dois m'apporter pour accomplir cet immense combat que je vais livrer à ta place.

Il adorait réutiliser les propres mots du prince, cela donnait un meilleur impact sur cette cervelle qui a sans doute reçu un trop grand nombre de coups lors de ses batailles. La régénération des Troll avait sans doute dépassé ses limites habituelles; Ajawak en était un exemple parfait.

Dihur alla récupérer un large tome de cuir, volumineux à souhait, recouvert de runes et de symboles magiques, l'un de ses biens les plus précieux qui lui avait permis de monter dans la hiérarchie de son Ordre des Quatre Éléments. Après avoir feuilleté ses pages jaunies tachées de sang séché, il s'arrêta aux paragraphes les plus intéressants afin de les résumer à voix haute pour le prince.

— Écoutez bien Ajawak, voici les éléments du premier rituel pour obtenir l'identité de celui qui a dérobé votre bien. Ainsi, pour accomplir le rituel *Des questions dans le royaume des esprits,* les composantes nécessaires sont :

1. La tête d'un ennemi

Celle-ci doit être toujours rattachée à son corps
et l'ennemi doit être vivant au moment de la cérémonie.

Plus ton ennemi est une personne importante, plus grandes sont
les chances d'obtenir des réponses précises.

Il s'agit de la porte d'entrée dans le royaume des esprits.

2. Des offrandes

pour chacun des dieux des Quatre Éléments

• *Des métaux précieux pour l'élément de la terre*

• *Une eau cristalline, la plus pure possible*
pour l'élément de l'eau

• *Un courant d'air pris sur la cime d'une montagne*
pour l'élément de l'air

• *De la cendre volcanique pour l'élément de feu.*

Il leva les yeux afin de déceler la moindre émotion sur le visage verdâtre devant lui. Rien ne semblait le rebuter.

— Maintenant pour le second rituel, afin de connaître la direction dans laquelle se trouve le voleur identifié par les esprits et le pourchasser. Ainsi, pour accomplir le rituel *Du pointeur*, il vous faut les composantes suivantes :

1. La main d'un voleur
Il doit être toujours vivant au moment de la cérémonie.

Celle-ci sera coupée par le sorcier célébrant en temps et lieu.

2. Un collier d'argent serti de rubis.

Les pierres ont la propriété
de protéger son porteur contre la perte de ses biens,
un excellent catalyseur pour la main du voleur
qui t'aidera à retrouver le coupable.

Ce collier ne pourra être porté que par le propriétaire du bien volé, et par personne d'autre.
La main qui y sera attachée pointera la direction générale
de la personne recherchée,
uniquement au lever du soleil à chaque jour.

Dihur lui déclara finalement sur un ton solennel :

— Apporte-moi toutes ces composantes, que tu dois toi-même récupérer et je te promets sur le code des guerriers que je vais me battre pour toi contre les esprits pour obtenir les informations qui te guideront jusqu'à ton précieux bien.

Ajawak passa en revue tout ce qu'il devait récupérer et tenta d'analyser la promesse que le Grand Druide venait de lui offrir si aisément sur un plateau d'argent. Il mesura surtout mentalement la longue période d'attente avant qu'il ne puisse tenir à nouveau sa hache entre lui et son ennemi.

Malheureusement, ce qui lui était offert ici était la seule solution possible à sa portée pour le moment. Il était conscient que ses tentatives de pénétrer aveuglément en force, sacrifiant inutilement ses soldats, sur les terres de l'Est lui avait valu les défaveurs de son père.

Ces rituels devenaient donc, selon lui, sa seule et unique chance de pouvoir sortir de la capitale, de poursuivre le voleur et d'enfin récupérer sa renommée en même temps que son arme.

Dihur voyait que le prince jonglait à tout ce qui venait d'être discuté et, pour l'encourager à accepter sa proposition, il lui tendit un dernier appât.

— Si tu es sérieux concernant cette démarche importante, alors tu peux compter sur mon aide. Ce que tu me demandes ne

relève pas des fonctions d'un Premier Vizir au sein de la Cour du Roi. Même Ogaho n'a pas les connaissances pour accomplir ce que je te propose. Tu désires employer mes habiletés druidiques et, normalement, ces faveurs ne peuvent se marchander. Mais je ferai une exception pour toi et je t'aiderai à retrouver ton arme.

Dihur fixa le prince de ses yeux plissés, durcissant ainsi les marques tribales sur son visage.

— L'offre est faite maintenant, à toi de te décider, car elle ne sera plus disponible demain. Cette lutte, je vais la faire pour toi et contre des esprits maléfiques. Alors, que désires-tu au plus profond de toi-même ?

En réalité, le Grand Druide avait aussi quelques questions personnelles à poser aux esprits mais il n'avait pas le temps ni les ressources pour effectuer cette incantation. La mésaventure du prince et sa détermination à retrouver sa hache étaient les éléments parfaits pour lui faire croire que ce rituel était spécifiquement pour lui.

Le druide y voyait sa chance mais ne pouvait laisser voir que la cérémonie allait autant lui profiter.

Ajawak avait déjà pris sa décision et se battre contre quelque chose d'immatériel ne l'intéressait pas. Avec un large sourire, le prince hocha la tête pour accepter l'alléchante proposition et le piège princier se referma aussitôt.

Le pouvoir dont Dihur était le plus fier n'était-il pas de manipuler les intentions des plus faibles?

Chapitre 33 — Le plan fou

— Encore ! Non, ce n'est pas possible, toute leur armée doit être campée dans ce bout de territoire !

Marack n'en revenait tout simplement pas de constater à quel point il y avait quantité de patrouilles du côté sud de la rivière Quaroul.

Après la demi-journée de marche pour escorter leurs nouveaux amis, Glorfindel leur avait indiqué quelques passages qu'ils pourraient emprunter sans trop de risques. Ainsi, pour traverser la rivière, il suggéra fortement un petit détour de la rivière plus étroit et surtout connu. Ses gardiens et lui y avaient même camouflé magiquement un petit radeau de billots et ils purent l'utiliser sans trop de peine. Il s'agissait d'ailleurs de la seule portion praticable pour atteindre le rivage de la ville de Vraxan.

En traversant, ils entraient définitivement en terres ennemies et plus ils s'enfonçaient vers la ville, plus les nombreux bataillons leur occasionnaient de fréquents déplacements pour éviter les assauts.

— Tu t'attendais à quoi exactement, Marack, une randonnée facile en plein champ avec seulement des écureuils sur notre chemin ? commenta Miriel en taquinant son guerrier et décrochant au passage un sourire sur le visage d'Arafinway.

— Non cheffe, quelques écureuils seulement cheffe, pas un congrès d'ennemis de tout acabit issus des échanges entre une dizaine de générations. Ces huit derniers jours, nous en avons vu partout. Nous sommes presque devenus des experts dans l'art d'éviter des patrouilles, des bataillons, des éclaireurs. C'est presque un miracle si nous n'avons pas encore été découverts.

— Alors de quoi te plains-tu exactement, du manque d'exercice?

— Pardonnez-moi Madame, s'interposa Bertmund, je suggère de poursuivre cette discussion un peu plus tard, si vous le voulez bien. Ils se rapprochent et, pour ma part, le manque d'exercice me convient très bien, si c'est du combat que vous sous-entendiez.

La druidesse et le guerrier demeurèrent silencieux, pendant que le groupe d'éclaireurs passait son chemin à plus d'une centaine de foulées de leur position.

— Regarde au loin Marack, tu vois, c'est la ville de Vraxan qui s'y trouve. Il est tout à fait normal que nous rencontrions encore plus de patrouilles. Il s'agit de leur point de ravitaillement, un peu comme nous avec Hinrik et les groupes de Gardiens qui s'y rendent pour se reposer avant de repartir à nouveau.

— Je sais, je sais, répondit l'ours un peu exaspéré.

Bertmund avait offert son expertise pour étudier et surtout découvrir les routines de cette ville. Muni de sa lunette d'approche, celui-ci observait les changements de tours de garde, l'arrivée et le départ des patrouilles ennemies ainsi que de l'approche des petites caravanes.

Marack voulait rentabiliser son temps; il décida d'appuyer la démarche de son ami lorsqu'il y avait des évènements plus intéressants. Vu l'absence de structure à l'extérieur des murs de pierre, la forteresse s'appuyait contre la paroi rocheuse de la montagne, ce qui lui offrait une défense naturelle.

Le troubadour consignait tout ce qu'il pouvait voir et remarquer dans son petit grimoire du voyageur. Son sac en contenait maintenant une bonne douzaine sur plusieurs sujets tous aussi importants les uns que les autres.

Seulement deux d'entre eux étaient encore complètement vides et il s'agissait du plus précieux trésor de cet érudit. Sa bibliothèque personnelle d'ouvrages de référence le rendait indispensable pour retracer certaines informations rares.

Arafinway resta un peu en retrait pour s'assurer que le groupe de ne soit pas surpris pendant que Seyrawyn effectuait le même travail, mais sur le front opposé. En plein territoire ennemi, sans effectifs pour venir leur prêter main forte, ce n'était certes pas le temps de se faire prendre. De plus, il fallait aussi éviter à tout prix une confrontation avec une patrouille qui pourrait signaler leur position.

— Les Sottecks en charge non loin de notre position ont certainement remarqué qu'il y avait de nouvelles espèces d'oiseaux dans leurs forêts. La bécasse à cou long ainsi que la fauvette à capeline se font entendre souvent, rigola gentiment le viking à sa cheffe.

— Malheureusement, pour des habitués de la forêt, l'imitation laisse encore à désirer. Mais nous admirons tous l'effort qu'Ara y consacre et la dévotion qu'il accorde à Lönnar avec chaque imitation, le gronda Miriel à voix basse.

— Je ne riais pas de lui ! s'insurgea-t-il. J'ai promis de ne plus me moquer de ses signaux et c'est ce que j'ai fait depuis l'altercation où il s'est sacrifié pour te protéger. De plus, je me suis juré que personne ne se moquera ouvertement de ses imitations si je suis dans les alentours. Par Tyr, mon marteau fera régner la tolérance et le respect envers mon ami !

— Et dans le cas contraire, il y a toujours la justice à la Marack, qui possède des poings forts et, tu le sais, sa propre bible de la diplomatie, le taquina-t-elle pour l'apaiser.

Il lui décocha un regard foudroyant et sourit. Elle avait encore réussi à le ramener à la raison.

La druidesse se leva et s'approcha de la position de Seyrawyn. Elle avait décidé, dès le début de cette mission, de prendre le temps de discuter un peu plus avec son nouvel ami et d'apprendre à mieux le connaître. Les discussions oscillaient autour de sa vie en tant que Falsadur-Dreki et de la sienne en tant que druidesse. Elle avait envie aujourd'hui d'approfondir un sujet que Seyrawyn avait soulevé plusieurs semaines auparavant.

— Seyrawyn, éclaire-moi sur un point. Tu m'as déjà dit que les dragons sont partout mais qu'ils avaient choisi de ne pas se mêler des affaires des hommes ou des créatures à deux pattes, n'est-ce pas ? lui chuchota-t-elle.

— Oui druidesse, en effet, ce sont bien mes paroles. C'est une dragon-fée qui a bien voulu m'instruire sur les dragons.

— Tu connais bien plusieurs races de dragons alors !

— Seulement ceux qui sont passés sur mon territoire, répondit-il à voix basse.

Le dreki la regarda gentiment et ils en causèrent assis côte-à-côte sur un petit tronc d'arbre.

— Laisse-moi t'expliquer un peu comment fonctionne nos territoires. Les dragons s'établissent dans une zone où il n'y a pas un congénère déjà établi. La grosseur du territoire varie énormément pour chaque race de dragon. Pour ma part et aussi selon ma taille, la parcelle de terrain dont je m'occupais n'était pas tellement grande, mais elle me convenait parfaitement.

Tout près d'eux une branche craqua et ils se turent. Miriel pressentit un lièvre et le chassa par la pensée.

— Je disais donc qu'un dragon perçoit de façon mystique certaines informations lorsqu'il est présent sur son territoire. Si un dragon désire se faire voir, il sera vu. Le contraire est tout aussi juste. S'il ne désire pas avoir de contact avec le monde extérieur, il ne sera jamais découvert.

— Alors, tu n'es pas en mesure de savoir si nous avons déjà croisé des dragons depuis que tu es sorti de ton territoire ?

— Oui… et non, certains se sont manifestés pour m'aviser qu'ils savaient qui j'étais et, par respect pour ceux-ci, je n'ai pas dévoilé leur présence. C'est un genre de code d'éthique entre nous. Mais ma connaissance de ce protocole est malheureusement très limitée.

— Toi ? Un dragon qui ne connait pas les coutumes de ta propre race ?

— Je te rappelle que je suis un Falsadur-Dreki et, pour certains, je ne suis qu'une moitié de dragon. J'ai rencontré, il y a de cela un peu plus de quatre années, un dragon qui voyageait et qui s'est trouvé à passer par chez moi. Celui-ci a été assez aimable pour rester quelques jours en ma compagnie et m'enseigna certaines petites choses sur les dragons en général. J'ai également appris que j'appartenais à une infime minorité dans la communauté draconienne existante.

— Il y a une communauté de dragons comme celle des elfes et des viking ? s'exclama la druidesse impressionnée.

— À vrai dire, il y *avait* une communauté. Les dragons ont une perception du temps qui est différente de ce que toi ou Marack pouvez avoir. Avec les siècles, les membres de cette collectivité ont décidé de garder leur distance les uns des autres. Chacun s'affère à ses occupations et s'occupe comme

bon lui semble de son territoire. Les intérêts sont variés et la poursuite de ceux-ci s'effectue à leur propre rythme. Moi par exemple, j'ai ressenti qu'il était temps de voir autre chose que mes arbres et mes grottes. Il n'y avait qu'une raison qui me faisait demeurer sur mon territoire et celle-ci n'est plus là maintenant.

Miriel retint à nouveau ce dernier commentaire, qui avait été avancé avec une note de tristesse de la part de Seyrawyn. Un autre sujet de conversation à avoir avec celui-ci, mais pas maintenant car Marack et Bertmund s'approchaient furtivement. Elle put voir que son garde du corps avait un air soucieux.

— Du nouveau ? J'espère qu'il s'agit d'une bonne nouvelle ! murmura-t-elle.

Marack fit signe à son ami troubadour de prendre la parole pour répondre à leur cheffe.

— Très bien ! Madame, depuis ces trois dernières journées, nous avons appris par observation tout ce que nous pouvions savoir sur cette forteresse de l'extérieur. Il nous faut y pénétrer pour savoir si ceux que l'on recherche sont déjà arrivés ou s'ils sont sur le point d'y arriver. Malgré les fortes objections de mon ami guerrier ici présent, je crois avoir un plan pour nous permettre de pénétrer dans la ville. Mais il y a certains petits détails qui nécessitent d'être mis au point.

— Petits détails ! s'écria Marack en sursautant, c'est complètement fou ce plan ! Il a les mêmes chances de réussite que de se livrer à l'abattoir en disant : *Menez-nous à votre chef !*

Le viking tentait de se contenir du mieux qu'il le pouvait, mais le plan d'action de Bertmund n'était pas conforme à ses tactiques habituelles.

— J'admets que cela pourrait être mieux… Voilà : nous pourrions nous présenter à la porte de cette ville et dire que nous sommes les espions qu'ils attendent. Le bateau et son capitaine ne sont pas encore arrivés car il n'y a rien sur la rive. Marack pourrait se faire passer pour le chef de cette bande, ce soi-disant Rattisk LeRoux.

— Mais je ne suis pas roux justement, ils vont bien voir que c'est une supercherie !

Miriel demeurait silencieuse et considérait le dangereux mais très audacieux plan du soldat. Son idée avait un certain potentiel.

Personne d'autre n'oserait se présenter aux portes d'une forteresse ennemie à moins d'être des espions à la solde du Roi de pierre.

Seyrawyn, qui écoutait la conversation, décida de résoudre la problématique. Il n'aimait pas les controverses et certainement pas les tensions qu'elles généraient entre la druidesse, son guerrier et le troubadour.

Il invoqua silencieusement une petite formule magique, du même calibre qu'il avait employé lorsqu'il avait ouvert les portes des cellules dans le complexe souterrain des Yobs. Ces enchantements très mineurs lui avaient été enseignés par son mentor et depuis qu'il s'était aventuré hors de son territoire, il trouvait celles-ci fort pratiques.

Devant les hésitations de la druidesse, le guerrier se défendit.

— Je te connais Miriel et je te le répète, cela ne fonctionnera pas. Si ce chef s'appelle LeRoux, c'est qu'il y a une bonne raison, il doit avoir les cheveux couleur de carotte et cela est loin d'être mon cas.

Marack prit entre ses mains l'une de ses mèches de cheveux brun foncé pour s'assurer de bien se faire comprendre. Au moment où il fit le geste afin de prouver son point, il étira une flamboyante mèche rousse jusque sous le nez de sa cheffe.

Seyrawyn laissa échapper un petit fou rire le plus discrètement possible et Miriel comprit en faisant aussitôt le rapprochement : le dreki venait d'appliquer sa touche magique.

— Je crois que l'un des détails à solutionner a été résolu, mon cher. Essayons de voir ce que l'on peut faire pour les autres points. Ce plan est un peu téméraire, mais il a des chances de réussir, déclara la druidesse, les yeux brillants et un sourire en coin.

Marack voyant que ses cheveux étaient maintenant colorés resta bouche bée devant le fait accompli. Il regardait sa cheffe d'un air abattu, puis contempla sa transformation plus en détails, grâce au morceau de miroir que Bertmund tira de son sac.

Ils élaborèrent en équipe le plan de Bertmund et débattirent des divers autres points soulevés. Miriel prit la décision de tenter la mascarade. Seyrawyn leur annonça qu'il ne pouvait venir avec

eux à l'intérieur des murs de la ville mais ne put offrir aucune raison valable à ses compagnons.

Marack allait s'objecter à cette désertion, mais la jeune fille lui fit comprendre qu'il avait un autre rôle à jouer à l'extérieur de la ville et que, sous sa forme naturelle, il n'avait aucune chance d'être détecté par les patrouilles.

Toutefois, elle aurait bien aimé avoir le dreki à ses côtés. S'il n'était pas encore prêt à faire le premier pas pour vaincre sa peur, ce défi personnel ne pouvait être relevé par personne d'autre que lui.

— Alors nous sommes un groupe de démons et deux hommes du Nord, confirma Bertmund. Je vais devoir faire un petit changement de costume, si je veux passer pour un viking au lieu d'un milicien de La Temporaire.

— Il faut dissimuler tout ce qui pourrait nous identifier à un groupe de gardiens de Lönnar, précisa Miriel. Si nous sommes fouillés, nous prétendrons qu'il s'agit d'accessoires utilisés pour s'infiltrer chez les ennemis. Ta nouvelle hache Marack est peut-être connue ici car elle vient d'un commandant de patrouille, alors essaie de lui donner une autre apparence avec ces lanières de cuir et ces bandes de tissus. N'oubliez pas de camoufler vos marteaux et je vais faire la même chose avec mon Salkoïnas.

Marack LeRoux avait reçu des instructions bien précises de la part du troubadour au sujet du comportement qu'il devait adopter lors des rencontres avec leurs nouveaux alliés de la forteresse de Vraxan.

Si des questions un peu plus précises étaient posées, chacun s'était donné un nom ainsi qu'un petit historique. Les récits avaient été partagés et le scénario appris par chacun des compagnons.

Bertmund avait un enchantement qui lui permettait de dialoguer dans la langue des Yobs. Il s'efforcerait de traduire les paroles de son nouveau chef, Rattisk LeRoux, si le besoin se faisait sentir.

Voulant éviter de ressembler à un groupe qui tente de s'infiltrer sous le couvert de la noirceur, il a été convenu de se rendre en direction de la forteresse dès l'aube. Avec un peu de chance, le petit escadron pourrait se joindre à l'une des patrouilles qui

retournerait à la forteresse, histoire d'avoir une escorte au lieu de se faire transpercer par les archers des remparts.

Dès l'aube, ils se dirigèrent en direction de Vraxan, à un peu moins de deux lieues de leur poste d'observation. Ils connaissaient l'horaire respecté par les Sottecks, car Bertmund avait déduit cette routine. Ils aperçurent bientôt un bataillon d'une vingtaine de soldats se dirigeant vers la forteresse sur une trajectoire parallèle à la leur.

— Je vous dis que c'est du suicide, du suicide ! Nous allons être obligés de courir tout en évitant les flèches !

— Ferme-la, LeRoux et fais ce qui est convenu, intima Miriel sur un ton sans équivoque.

La druidesse demeura à quelques foulées de Marack. Il s'agissait d'ailleurs de la condition *sine qua non*[31] pour que le guerrier se prête à la manœuvre. Elle devait rester près de son garde du corps et cette requête était non négociable.

Le troubadour avait décidé d'agir comme un viking beaucoup plus âgé. Il courba son dos légèrement vers l'avant et se munit d'un bâton de marche, qui était en réalité le Salkoïnas de Miriel, décoré en camouflage pour la circonstance.

— Nous avons été repérés par la patrouille. Ils nous foncent dessus !

— Je sais Ara. Nous avions envisagé cette possibilité, alors Marack, tu sais ce que tu as à faire, contiens-toi, je t'en supplie.

Bertmund fit son enchantement pour parler le Yob même s'il connaissait déjà un peu la langue des Sottecks.

Les gardiens continuaient d'avancer lentement en direction de la grande porte tandis que le groupe de soldats se rapprochaient en leur vociférant des insultes.

— Tu saisis tout ce qu'ils disent Bertmund, n'est-ce pas ?

— Oui Marack, heu… Rattisk. Je comprends tout ce qui est dit.

— Peux-tu me traduire ?

— Tu ne veux pas le savoir, mais je peux te confirmer que ce n'est pas très éloquent à notre égard.

---

[31] Sine qua non : expression latine signifiant « sans laquelle cela ne pourrait pas être. »

Marack s'arrêta et prit le temps de s'appuyer sur la tête de sa hache et observa les Sottecks qui avaient commencé à ralentir leur charge étant donné que ces intrus ne semblaient pas réagir à leur approche ni à leurs insultes.

L'attitude non agressive et neutre des compagnons faisait partie du stratagème pour dérouter leurs assaillants. Le groupe de soldats les encercla et continua de brandir leurs lances, mais personne ne bougea.

L'un d'eux avança sa lance un peu trop près du visage de Marack et celui-ci attrapa l'extrémité qui lui était présentée. Le Sotteck tenta de se déprendre mais Marack décida de maintenir son emprise sur la lance.

Ils étaient maintenant deux à tenter de tirer sur celle-ci. Les gants que Saint-Beren lui avait offerts fonctionnaient merveilleusement bien. Ils étaient maintenant trois essayant de lui faire lâcher prise.

Voyant que la démonstration avait assez duré, Marack inclina son poignet d'un mouvement sec et brisa le manche de la lance à l'endroit où il la tenait. Les créatures qui ne s'attendaient pas à ce genre de réaction furent surprises et perdirent l'équilibre pour se retrouver tous les trois étendues sur le sol.

Le chef s'avança et ordonna de les faire prisonniers, c'était le moment où Bertmund devait agir dans la langue des Yobs. Il s'adressa directement à celui qui venait de donner les ordres.

— Nous sommes envoyés par Arakher le grand, en mission royale; portez la main sur nous et il se fera un plaisir de décorer les murailles de Vraxan avec vos carcasses, pour vous rappeler que ses ordres sont la Loi.

En entendant les mots *mission royale* et le nom de son roi, le commandant maîtrisa promptement ses troupes pour en savoir un peu plus sur ce curieux groupe d'étrangers qui osait parler de leur souverain.

— Qui êtes-vous ?

— Qui je suis ? Et vous, qui êtes-vous !

— Mon nom est Vruuuk et je parle ta langue, esclave du Nord.

— Si je te parle en Yob, c'est pour que tu puisses mieux comprendre les ordres que je vais te donner en tant que ton supérieur. Mais je vais te rendre la tâche facile, je vais te

répondre maintenant dans ta langue natale. En vérité, si je te parle, c'est que mon chef ne répond pas normalement au simple soldat qui n'est même pas digne d'être un animal de compagnie à un Troll des montagnes.

La tension monta d'un cran suite à l'insulte lancée par le troubadour.

— Mais je te pardonne car il est fort probable que tu n'es pas assez important dans la ville de Vraxan pour savoir que nous allions arriver, tel que convenu, à ta forteresse ! Je vais te le dire lui, qui il est !

Bertmund pointa du doigt Marack qui laissait sortir des petits grognements de temps en temps pour signifier qu'il n'était pas content. Ce n'était pas du théâtre, ceux-ci étaient sincères et cela ne faisait pas partie de l'attitude de son nouveau personnage.

— Crois-tu que nous serions ici sur vos terres, sans bonnes raisons ? Montre-moi que tu es un chef d'armée et non un simple d'esprit. Mon maître est Rattisk LeRoux également connu sous le nom de La main d'acier et par ordre du Roi des géants de pierre, nous devions nous rendre jusqu'à Vraxan pour rencontrer le capitaine Salxornot.

Il vit tout de suite dans la réaction de Vruuuk que les noms mentionnés ne lui étaient pas inconnus. Il espérait que les paroles, l'attitude et l'arrogance qu'il avait employées étaient suffisantes pour convaincre le chef. La bande de créatures continuait de les dévisager avec agressivité.

Vruuuk s'adressa par la suite au troubadour dans le langage des hommes du Nord.

— Je suis au courant, notre shaman Ombarkul Morkim nous a parlé de la venue de LeRoux à Vraxan et le capitaine Salxornot est attendu dans les prochains jours pour nous ravitailler.

Maintenant le troubadour pouvait se permettre de prendre une attitude plus mielleuse à l'égard de Vruuuk.

— Alors, je me suis trompé sur toi tout comme tu t'es trompé sur nous. Nous sommes alliés dans cette guerre contre les démons et leurs esclaves qui sont à l'ouest de l'île.

— Il semble que tu as raison, vieil homme, mais délie ta langue avec plus de respect lorsque tu t'adresses à moi, car j'ai des instructions pour ton maître, mais rien à ton sujet.

— J'en prends bien note et, pour te remercier, tu devrais nous escorter jusqu'à la ville. De cette façon, tu pourras récolter la gloire d'avoir contribué à la mission royale que nous avons effectuée pour Arakher, et cela te distinguera au sein des tiens.

— Ce sont nos alliés, par ordre d'Ombarkul et nous allons les escorter jusqu'à la ville.

Bertmund regarda Miriel et lui fit un petit clin d'œil pour la rassurer. En réalité, il était mort de peur et la partie était loin d'être gagnée : il fallait aussi convaincre ce Ombarkul qu'ils étaient les espions du Roi de pierre.

Marack n'aimait pas toute cette mascarade et se faire escorter par une bande de Sottecks de façon officielle dans la ville de Vraxan lui paraissait encore plus bizarre. Si par Tyr, il s'en sortait, cela serait sans doute l'une des plus fabuleuses histoires à raconter à Hinrik. À moins que Bertmund ne la raconte à sa façon, ce qui risque d'être encore plus invraisemblable.

Il ne pouvait rien faire d'autre que de suivre et de continuer à grogner son mécontentement pour cacher son angoisse.

Le troubadour demeura aux aguets tout le long du trajet. Il leur fallait maintenant pénétrer dans la ville et il misait beaucoup sur les pouvoirs de persuasion de sa nouvelle connaissance, en espérant qu'il était bien connu par ses pairs.

— Tu as une grande ville Vruuuk, est-ce que celle-ci a une histoire ? demanda Bertmund tout naturellement.

Il réalisa trop tard ce qu'il venait de dire. Il avait questionné par habitude, comme il le faisait tout le temps. Il espérait que le chef ne lui arrache pas la tête pour l'arrogante question qu'il venait de poser.

— Vraxan est une grande ville, lui répondit son guide sans percevoir le soupir de soulagement de son compagnon de marche. Elle renferme entre ses murs, un peu moins de 3 000 fiers et braves Sottecks, tous fidèles au roi Arakher. Vraxan dans la langue de mes ancêtres, veut dire Épine Glorieuse. Elle a été baptisée honorifiquement ainsi suite aux nombreux assauts qui ont été repoussés lorsque le Roi Arakher a assiégé cette ville pour la première fois.

— Alors, elle est faite forte comme les Sottecks. C'est un digne nom pour ta ville, complimenta Bertmund en employant un air des plus sincères.

Les mains moites, celui-ci était surpris d'avoir osé faire la conversation et, en même temps, ravi de toujours avoir sa tête sur ses épaules. Il décida toute de même de ne pas trop pousser sa chance et choisit de ne plus poser d'autres questions.

Miriel avait assisté à toute la scène et fut déconcertée de l'aisance avec laquelle son ami s'en sortait. Le programme se déroulait comme prévu.

Le chef des sentinelles interpella le bataillon au pied des murailles.

— Mais qu'est-ce que tu nous rapportes Vruuuk ? Il faut tuer les animaux avant de les manger ! Tu as oublié comment faire, alors tu me les as amenés pour que je te montre comment ?

Les autres gardes devant la porte se mirent à rire de la plaisanterie de leur chef à son homologue sotteck.

Comme les sentinelles affectées à la garde de la grande porte étaient tous des Mourskhas, Bertmund comprit que la moquerie ainsi que la mesquinerie semblaient régner entre les deux races. La tension était palpable. Mais lorsque Vruuuk invoqua le nom du grand shaman, qui était également un Sotteck, les sentinelles sont devenues plus conciliantes.

— Très bien Vruuuk, tu les as trouvés, alors ils sont sous ta responsabilité. Tu peux les escorter tout de suite vers Ombarkul. Laissez-les passer, ce sont les invités du grand shaman. Passez aussi le mot qu'il ne faut pas les toucher jusqu'à preuve du contraire.

Bertmund saisit la dernière remarque et ravala difficilement sa salive avant de suivre leur escorte.

« Le plan fonctionne bien, se disait-il pour se convaincre. Vruuuk va pouvoir récolter un peu d'honneur en escortant directement le groupe de LeRoux jusqu'au shaman. »

Miriel et Arafinway ne pouvaient se permettre de parler librement étant donné que leurs ennemis comprenaient leur langue. Elle aurait pu se risquer à parler en elfe à Arafinway et à Marack, mais elle préféra garder le silence et attendre la suite.

À deux coins de rue de l'entrée de la ville, la compagnie s'arrêta devant une auberge qui avait pour nom évocateur *Le Chaudron.* Le commandant donna la permission à ses soldats d'aller se reposer et boire une bonne bière à sa santé. Il n'en conserva que six car il voulait surtout s'assurer d'obtenir l'entière reconnaissance du shaman lorsqu'il présenterait les espions du Roi.

La consigne des sentinelles les concernant n'avait pas encore fait bien du chemin. Plusieurs résidents avaient tenté de s'en prendre aux aventuriers et Vruuuk devait faire usage de toute son autorité pour bien leur faire comprendre qu'ils étaient des invités.

Marack avait cependant pu repousser avec satisfaction une attaque de la part d'un Mourskha. Faisant fi de la consigne, celui-ci se rua vers le viking qui bloqua facilement l'épée avec sa hache et la maintint près du sol. Vruuuk en profita pour trucider le malheureux.

Dans cette ville, ce genre d'action était reconnu comme un meurtre. De plus, la créature qui venait de l'attaquer était complètement saoule et ne représentait aucun véritable danger pour le chef de compagnie. Nonchalamment, celui-ci essuya son épée sur la tunique du malheureux ivrogne et reprit son rôle de guide.

Marack trouvait sa journée très longue et il n'avait qu'une idée en tête : partir de cette ville le plus rapidement possible. Miriel pouvait voir dans le regard de son ami que la retenue dont il faisait preuve ne perdurerait pas très longtemps.

Arafinway, de son côté, observait discrètement l'intérieur de la ville. Il n'y avait pas beaucoup d'elfes qui pouvaient se vanter d'avoir vu, sur invitation, la forteresse de Vraxan. Un quartier marchand, des auberges, des tavernes, des rues avec des enfants, une ville bien organisée s'offrait à leurs yeux. C'était également la première fois qu'il voyait les enfants de leurs ennemis. Ceux-ci s'amusaient à courir dans les ruelles tout comme les elfes et les hommes dans les diverses villes de sa communauté. À l'exception peut-être que leurs jeux étaient atrocement cruels et violents.

— Nous allons par là, pointa le guide. Dis à ton maître LeRoux de bien recommander Vruuuk au shaman. Tu as compris ?

Le point d'intérêt était une immense structure finement construite directement dans la paroi rocheuse de la montagne. En devanture, un attroupement s'était formé autour d'une plate-forme surélevée sur laquelle on pouvait voir une grande et noble statue. Vruuuk remarqua l'intérêt que le petit démon à arc communiquait avec ces yeux.

— Il s'agit du dieu de tous les Sottecks, il se nomme Zaoma le Grand, le tout-puissant.

Arafinway lui fit un petit signe de tête en guise de remerciement pour l'information et tous aperçurent sur la place, un orateur entretenant une partie de sa congrégation et de ses disciples.

Seul Bertmund comprit que les messages véhiculés traitaient de la Noble Cause : il fallait continuer à appuyer le roi Arakher dans la défense de leur territoire contre les démons et leurs esclaves qui menacent tous les jours d'envahir et de s'approprier leurs terres.

Il n'avait cependant pas l'intention de traduire quoi que ce soit à ses amis.

— Nous devons attendre la fin du vrai discours de la Foi de Zaoma qui parle par la bouche d'Ombarkul.

Bertmund fit signe de la tête qu'il comprenait et approuvait les paroles qui étaient dites par le prêtre représentant la foi de ce dieu.

« Par chance, Marack n'entend rien de ce discours. Sa colère lui aurait fait faire une razzia sur tout ce qui se trouve devant lui présentement. »

Une fois l'oraison terminée, le shaman s'esquiva et la foule se dispersa rapidement. Leur guide les mena alors à l'intérieur de la falaise, là où se trouvait leur église ainsi que les appartements d'Ombarkul.

— Ô grand shaman, votre humble disciple vous amène ceux dont vous nous avez parlé, les émissaires du Roi Arakher, revenus de leur mission.

Ombarkul, enfoncé dans un fauteuil somptueux au fond d'une grande salle, regarda silencieusement le groupe pendant quelques instants. Puis il invoqua un peu de magie et s'adressa à Marack dans la langue des hommes du Nord.

— Ahhhh ! LeRoux, je vois pourquoi vous portez votre nom. C'est comme le borgne ou le manchot. Entrez, entrez, je vais m'instruire de vos informations.

Marack ayant entendu les paroles du shaman et ne voulant absolument pas discuter avec cet ennemi, répliqua à la grande surprise de tous.

— Mes informations sont pour le Roi seulement. Nous sommes fatigués et je suis ici uniquement pour attendre le capitaine Salxornot. Est-il déjà amarré ? S'il ne l'est pas alors nous allons l'attendre tout simplement. Me suis-je bien fait comprendre ?

Le ton était sec et sans aucune émotion.

— Très bien, très bien, je ne voudrais surtout pas offenser sa Majesté en la privant du premier rapport qui lui est destiné.

— Nous avons besoin d'en endroit pour nous reposer. Avez-vous des accommodations ou une auberge à nous recommander ?

— Vruuuk, emmène-les au *Minotaure Boiteux* et veille à ce qu'ils ne manquent de rien. Ils sont sous ta responsabilité jusqu'à l'arrivée du capitaine. Je te laisse les protéger et je te confie un *très* précieux trésor…

Le guide avait bien saisi l'allusion du shaman qui lui lançait prestement une petite bourse remplie d'écus pour défrayer les frais de leur séjour et de tous les accompagnements possibles.

Marack regarda Bertmund en haussant les épaules. Il s'attendait à un peu plus de réticences de la part de ce sorcier.

« Un peu facile… Mais j'en ai assez entendu », songea-t-il en repartant vers l'extérieur, talonné de très près par ses trois amis et laissant Vruuuk quelques moments seul avec le chef spirituel de leur communauté.

— Merci ô grand shaman Ombarkul, celui qui entend et parle au nom de Zaoma !

La bourse à la main, il allait assurément exécuter les ordres donnés par Ombarkul et sortit. Il rattrapa la petite délégation et les invita cordialement à le suivre pour se rendre jusqu'à l'auberge recommandée. L'humeur de Marack prenait du mieux.

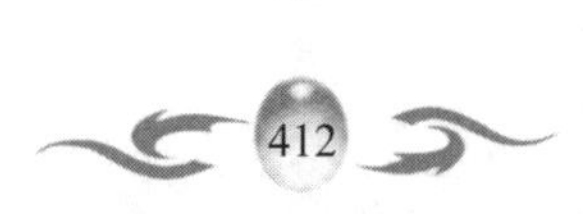

Chapitre 39 — La quête d'Ajawak

— Excusez-moi, votre Altesse, je suis l'émissaire du Premier Vizir. Je dois vous remettre différentes missives de sa part.

Le prince, dans ses appartements, attendait impatiemment la visite de ce messager.

— Tu as ma permission d'entrer, espèce d'escargot lambin. Je t'ai attendu tout l'après-midi ! vociféra le prince à l'égard du pauvre coursier. Est-ce que tu sais ce qu'il en coûte de faire attendre un membre de la famille royale ? Peut-être devrais-je prendre ta vie à titre d'exemple pour les autres, cela me procurerait au moins un bref sourire.

— Si votre Altesse désire prendre la vie d'un simple disciple des Quatre Éléments qui vient lui porter les instructions pour sa quête, alors ce sera mon honneur d'accomplir cette mission. Même si mon existence ne représente qu'un bref sourire à vos yeux, soyez assuré de mon entière dévotion à votre cause. Vous pourrez expliquer par la suite à mon Maître Dihur, pourquoi je ne suis pas retourné le voir après m'être acquitté de son mandat personnel vous concernant.

Ajawak ne désirait pas que le Vizir revienne sur sa décision à cause d'une misérable vie de Sotteck. Une pratique de combat avec une troupe de dix soldats lui procurerait facilement dix brefs sourires. Laissant passer son élan de frustration, il toisa le moucheron, courbé en deux sous le poids de ses paquets.

— Je te laisse ta vie, allez parle maintenant. Explique-moi ce que ton maître t'a chargé de me remettre.

— Le grand Vizir a soigneusement pris le temps de retranscrire sur un parchemin les composantes que vous devez vous procurer. Afin de vous aider dans cette mission, voici quatre

petits coffrets de métal qui ont été spécialement enchantés pour récupérer certains des éléments mentionnés dans la liste.

— Bon, décampe avant que je ne change d'idée et vas voir ton maître tout de suite. Dis-lui que je vais récupérer tout ce qu'il y a sur sa liste.

— Bien votre Altesse, j'y vais de ce pas, déclara Horkeg en se retirant, tel qu'ordonné.

Il s'empressa ensuite de livrer le message à son grand druide que les colis avaient bel et bien été remis au prince.

Ajawak avait assez perdu de temps et fit un premier arrêt à la voûte où les trésors de la famille royale étaient entreposés. Il mit une bonne heure à déplacer des petites montagnes de pierres précieuses et autres qui avaient servis à la confection de différentes œuvres d'art. Il cherchait des articles bien précis.

Il prit un large sac et y déposa quelques poignées d'écus d'argent. Puis, il sélectionna des rubis qui avaient sensiblement tous la même taille et surtout la même teinte de rouge.

Pour le coffret destiné aux métaux de la terre, quatre statuettes pas plus hautes que l'ongle de son pouce furent sélectionnées. Une de bronze, une d'argent, une d'or et une dernière d'un métal noir qui avait la propriété d'être extrêmement résistant.

Satisfait de ce qu'il avait récupéré dans les coffres de son père, il se dirigea hors du palais. Il devait maintenant s'assurer de la confection d'un collier pour le second rituel.

Les Géants n'ont pas la réputation d'être des artistes en ce qui concerne la création d'œuvre d'art. Certains ont démontré des talents pour la peinture, d'autres pour la sculpture, mais le travail d'orfèvrerie n'avait jamais vraiment attiré ce peuple.

Il y avait cependant, au sein de Pyrfaras, une famille de Géant de pierre qui s'était vue confier la garde d'étranges petites bêtes. Ajawak avait souvent entendu la légende voulant que celles-ci aient été retrouvées quelques jours après que les dieux s'en soient débarrassées. Leur colère les aurait expédiées sur Arisan dans des chariots de feu qui s'écrasèrent dans les montagnes non loin de la capitale.

Ces créatures étaient très petites, ne mangeaient presque rien en comparaison avec un Mourskha et leurs petites mains leur permettaient de façonner de jolis objets délicats dans toutes sortes de matériaux.

Arrivé à la demeure de son concitoyen, Ajawak cogna vigoureusement à la porte de bois noir tout en s'annonçant.

— C'est le prince Ajawak, fils d'Arakher, ouvrez-moi car je dois vous parler.

Une géante ouvrit la porte et invita le prince à pénétrer dans la demeure de pierre.

— Mon nom est Oqualla, que puis-je faire pour vous, mon prince ?

— On m'a dit que c'était vous qui aviez conservé sous votre toit les petits hommes tombés du ciel ?

— Oui, en effet, j'en ai trois et ils sont bien ici.

— Va les chercher, j'ai besoin de leur talent.

La géante obéit immédiatement et revint avec les trois portions d'hommes à ses côtés.

L'un d'entre eux avait une barbe blanche laissant transparaître son âge avancé et marchait avec difficulté. Le second avait une barbe brune bien taillée, se tenait droit et semblait être en pleine possession de ses moyens. Le troisième, le plus jeune des trois, n'avait aucune barbe, mais ce n'était pas un enfant car il avait la même taille que les deux autres, soit deux coudées et demie.

— Les voici, votre Altesse.

Elle ordonna aux trois petites personnes de s'incliner devant la royauté et de se présenter. Comme ils avaient appris à faire ce qu'il fallait pour survivre dans ce monde gigantesque, ils s'inclinèrent devant Ajawak qui les dévisageait et se demandait s'ils seraient en mesure d'accomplir la tâche qu'il allait leur confier.

— Mon nom est Svelfri et je suis le doyen, voici mon apprenti Norbfird et le plus jeune est mon fils Svopplird. Nous sommes tous des Gnomes, mon Seigneur.

Gnome, demi-portion ou insecte, dans l'esprit d'Ajawak, c'était du pareil au même.

— J'ai besoin de vos aptitudes pour fabriquer un collier. En voici le plan, êtes-vous en mesure de le confectionner ?

Le prince déchira une partie du parchemin sur lequel se retrouvait un dessin et le tendit à Svopplird. Le jeune prit le bout de papyrus et le remit à son père. Svelfri inspecta brièvement le document et le confia à son apprenti avant de répondre à la question.

Dihur avait pris soin de dessiner minutieusement le collier d'argent serti de rubis, qui serait nécessaire pour la seconde cérémonie. Il y avait un positionnement particulier pour les rubis et celui-ci devait avoir une attache centrale pour y fixer la main d'un voleur.

— C'est pour un rituel, n'est-ce pas ? Cette information est nécessaire car si c'est le cas, je dois purifier chacun des objets qui sont mentionnés sur ce bout de parchemin.

— Oui, c'est pour un rituel. Maintenant, est-ce que tu peux faire ce que je te demande ou dois-je aller voir ailleurs, gronda le prince en se pliant pour le regarder de plus près.

— Sauf votre respect, mon Seigneur, je crois bien que nous sommes les seuls ici à Pyrfaras aptes à accomplir ce que vous demandez.

Ajawak savait très bien que le minus avait raison, l'art de la joaillerie et la miniaturisation désirée, n'était pratiqué par personne d'autre dans la capitale.

— Oui, nous pouvons faire cet article, mais que pouvons-nous espérer recevoir en échange de nos services ?

— Tu oses me demander un paiement, vieil insolent ! C'est ta vie que tu mets en jeu et celle de tes comparses à tes côtés !

Les yeux de l'héritier contrarié passaient du noir au rouge.

— Précisément, c'est ma vie que je vais mettre en jeu. Je suis celui des trois qui détient le savoir et en échange de la vie des deux autres Gnomes, nous allons confectionner ton collier.

Devoir négocier pour obtenir ce qu'il désire dans son propre royaume était un concept avec lequel le prince n'avait pas

l'habitude. Mais il avait besoin de ce bijou et pour lui, ces créatures n'avaient plus vraiment d'importance à ses yeux. Une fois l'œuvre achevée, il les aurait fait taire à jamais de toute façon. Des témoins, il n'en voulait pas.

— Tu es audacieux, mais j'ai besoin de ton savoir, alors je t'accorde ce que tu demandes. Cet ornement doit être complété quelques jours avant le jour du renouveau. Réussis et tes deux acolytes seront libérés; échoue et les trois, vous n'aurez plus la chance de faire quoi que ce soit lorsque j'en aurai terminé avec vous.

Norbfird et Svopplird n'étaient pas d'accord avec le pacte que leur mentor venait de conclure. Mais les décisions du doyen devaient toujours être respectées, telle était la façon de faire chez les Gnomes.

Ajawak leur remit le sac contenant l'argent et les rubis puis il sortit de la maison d'Oqualla. Il avait encore beaucoup à faire. Dihur lui avait bien écrit que ce rituel ne pouvait être pratiqué qu'une seule fois par année et ce, à une date bien précise. Il devait récolter les composantes rapidement afin de ne pas manquer sa chance. S'il fallait attendre une année supplémentaire, il mourrait d'impatience !

Le prince avait décidé de partir très tôt le lendemain matin et ainsi éviter une kyrielle de reproches de la part de son père. Il profita de la soirée qui lui restait à Pyrfaras et, installé sous le halo de sa lampe de chevet, dans le secret de sa chambre, il relut les directives du grand druide.

« Ce Vizir n'a rien laissé au hasard, songea-t-il en parcourant le parchemin de nouveau. Il y a des endroits bien identifiés pour récupérer les offrandes des Quatre Éléments. J'ai déjà trouvé ce qu'il faut pour la composante de la terre, il ne me reste que les trois autres éléments à ramener. »

Sur le papier, les instructions ressemblaient à ceci :

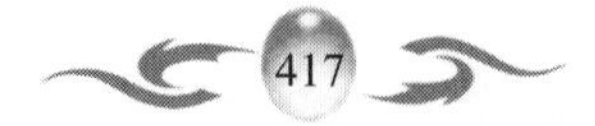

INSTRUCTIONS POUR LES COMPOSANTES

Tu dois te rendre à Bishnak, l'affaire d'une quinzaine de jours pour un Géant comme toi. Là tu y trouveras, au Puy de la Lance de Skirnir, juste à côté de cette ville, plusieurs cascades d'eau qui sont, selon les dires, d'une pureté inégalable.
C'est à cet endroit uniquement que tu dois récupérer la composante de l'eau.

Par la suite, tu devras revenir vers Pyrfaras et emprunter une piste qui se trouve derrière la Capitale. L'un de ces vieux sentiers miniers, dans les Mâchoires de Titan, te mènera au lieu d'une seconde composante.
Sur l'une des plus hautes cimes de ces monts, sera mis à contribution l'un des coffrets pour attraper une rafale de vent glacial. Tu devras être en hauteur pour récupérer cet élément car tout autre vent ne sera pas adéquat.

La dernière composante se trouve un peu plus loin, au Nord-Est, au-delà du désert, dans la région des Nuages Noirs. Le dernier coffret servira à accueillir les cendres d'un volcan toujours actif.
Celles-ci doivent être récupérées à la base du volcan, lorsque celui-ci gronde et fait comprendre à tous qu'il est le roi incontesté de cette région.

Ajawak lisait les phrases poétiques que Dihur avaient écrites sur le parchemin et trouvait qu'elles étaient inutiles.

« Je n’ai pas de temps à perdre à essayer de comprendre tous les mots qui se retrouvent là-dessus ! marmonna-t-il courroucé. De l’eau à la montagne près de Bishnak, du vent en haut de la montagne de glace et des cendres en bas du volcan. Voilà, cela aurait été beaucoup plus simple ainsi !

De plus, réfléchit-il, s’il y a un voleur de trop à Bishnak et qui n’est pas très gros, je le hisserai sur mon dos sur le chemin du retour vers Pyrfaras. »

Avant de prendre quelques heures de sommeil, Ajawak décida d’écrire une missive à son père. Il avait espoir que, s’il se forçait à y exprimer ce qu’un père aurait voulu entendre de la part de son fils, celle-ci adoucirait la colère engendrée par son départ.

Cher père,

J'ai besoin de réfléchir aux commentaires sur lesquels vous m'avez fait des remontrances. Les murs de la Capitale ne m'aident pas à me recueillir. Je vais partir seul, sans escorte, sans troupe d'éclaireurs ni bataillon pour ainsi éviter la perte inutile des soldats de votre armée.

Je vais me rendre jusqu'à Bishnak et revenir à Pyrfaras, ce trajet fait en solitude m'éclairera peut-être sur mes actions irréfléchies d'il y a quelques mois.

Votre fils repentant, Ajawak.

Cette ruse pourrait-elle servir sa cause ? En rangeant soigneusement le parchemin et d’autres effets dans son havresac, il se surprit à sourire. Lui, si impatient, venait d’accepter de respecter le temps imposé par la force des choses. Il saurait seulement lors de son retour, dans un mois environ, ce que son père lui répondrait.

Ils étaient arrivés depuis deux jours maintenant et ils logeaient tous au *Minotaure Boiteux*, une sinistre auberge au cœur de Vraxan. Vruuuk avait reçu comme mission de veiller à ce que les étrangers ne soient jamais seuls et surtout qu'ils ne parlent à personne.

Même sur la recommandation expresse du Premier Vizir basé à Pyrfaras, un de ses disciples de l'Ordre des Quatre Éléments n'a pas été en mesure de pouvoir s'approcher des espions du Roi. Il semblerait qu'ici, l'autorité du Grand Druide ne pouvait rivaliser avec une directive royale.

— Miriel, il n'est pas question que je prenne une bière avec des Sottecks ou toute autre créature qui se trouve dans la grande salle sous nos pieds.

— Ne parle pas si fort, on pourrait t'entendre. Et s'il arrivait une telle misère, ce n'est pas une bière que tu dégusteras mais bien une épée toute rouillée ou la massue d'un Yob qui est l'équivalent d'un tronc d'arbre. Ce sera notre mort à tous si tu continues de te plaindre ! le gronda de nouveau la druidesse à voix basse.

— Oui, oui, je sais, parlez moins fort. Mais je ne changerai pas d'avis. Je ne veux pas que toi ou Arafinway y alliez également !

Marack se croisait les bras devant la porte de leur chambre dortoir avec son air entêté. L'auberge était devenue une impossible cage dorée. Ils mangeaient dans leurs appartements et les sorties étaient restreintes ou simplement refusées.

De plus, il semblait bien que cette ville ne dorme jamais et leur sommeil était constamment entrecoupé. Par la fenêtre, les compagnons avait remarqué que les activités du jour n'étaient en

rien différentes de celles de la nuit. Ainsi, on pouvait voir les lavandières à la fontaine de l'aube blafarde jusqu'aux aurores tandis que les nombreux grillous, potiers d'étain ambulants, et forains faisaient la criée de leur marchandise du zénith au crépuscule, comme si la vie était un fil sans fin.

Pour accomplir sa tâche, une compagnie entière de Sottecks campait en permanence dans la salle à manger de l'établissement et ce, sur les ordres de Vruuuk. Il faut dire que la tentative d'enlèvements, quoique ratée, d'une faction de Mourskhas, fromentée par un loyal disciple de l'Ordre des Quatre Éléments, n'avait pas facilité leur cause.

Miriel regardait son ami qui campait sur ses positions en demeurant obstinément debout devant la porte. Elle commençait à regretter d'avoir opté pour ce plan, le voyant aussi opiniâtre.

— Nous ne pouvons rien faire de plus dans la situation présente et demeurer ici est bien plus sécuritaire, grogna Marack à ses amis. Est-ce que tu as pensé à ce qui arriverait si le vrai LeRoux devait se présenter aux portes de la ville ?

— La situation pourrait s'envenimer dramatiquement ! commenta nerveusement l'éclaireur.

— La missive mentionnait qu'ils allaient arriver aux alentours de la fin du sixième mois, juste à temps pour le Solstice des Trois Voies. Cela nous donne encore une semaine avant cet évènement lunaire, avança Miriel pour rappeler à l'ordre son guerrier.

— Nous devons être partis bien avant cette date, c'est tout ce que j'ai à dire ! ronchonna Marack, toujours à voix basse.

La tension montait entre les trois compagnons qui cherchaient une façon de pouvoir se soustraire à leurs geôliers. Devant le viking borné, ils finirent par accepter de demeurer une fois de plus dans la chambrette.

Bertmund, quant à lui, avait passé la majorité des deux derniers jours en compagnie de Vruuuk et des soldats de sa patrouille. Il s'était accordé le mandat de récupérer le plus d'informations possibles… sur absolument tout !

Le second soir de leur séjour, le troubadour aux joues rouges et au regard vitreux monta en déséquilibre à leur dortoir. Il avait l'impression de revivre la même scène qu'avec son ami Dorgen à

Hinrik. Lui qui avait l'habitude de siroter plutôt que d'ingurgiter à répétition différentes sortes de spiritueux, mettait une fois de plus son pauvre foie à l'épreuve. « Quoi, vous êtes déjà tous couchés? » pensa-t-il en plongeant tête première dans sa couchette.

Le lendemain matin, dégrisé, Bertmund osa quémander une guérison miraculeuse à Miriel pour son affreux mal de crâne. Peu après, il fut en mesure de raconter ce qu'il avait réussi à obtenir comme informations.

— Nous t'écoutons, qu'as-tu appris la nuit dernière sur Salxornot? demanda la druidesse bien curieuse.

— Bien Madame, je peux affirmer sans nul doute que notre capitaine est perçu comme une célébrité dans cette ville. C'est un Sotteck qui a fière allure et qui est de famille noble. Il a reçu une grande éducation et c'est ce qui lui permet d'avoir autant de support et d'admiration de la part de son peuple. Physiquement, il est presque aussi grand que Marack, avec les cheveux noirs tressés et une barbe courte toujours bien taillée.

— Un noble chez les Sottecks, on aura tout vu, soupira Marack, levant les yeux au ciel.

— Laisse-le continuer Marack et va grogner devant la porte si tu ne veux pas écouter ce qu'il a à dire. Continue Bertmund !

— Sa popularité vient surtout du fait qu'il voyage beaucoup entre les villes surtout du côté est du Grand Lac. Il a également la vocation d'être l'un des messagers les plus fidèles du Roi. Les cales de son navire sont toujours remplies de plusieurs tonneaux de vins, bien prisés dans les endroits où il fait escale, et il s'en sert pour asseoir sa popularité.

— A-t-il une marque particulière pour se démarquer dans une foule de Sottecks ? demanda Arafinway.

— Oh, il sera facile à reconnaître car il est le seul Sotteck à porter une armure de plaques de cuir noir richement décorée. Son arme de choix est le marteau de guerre à une main qu'il manie farouchement. Il n'est pas seulement une figure de proue, mais un guerrier réputé pour ses nombreux combats.

— Enfin, voilà un adversaire de mon calibre, marmonna le viking.

— Il est dit aussi qu'il serait l'un des descendants directs de la famille royale qui a capitulé lorsque le territoire de Vraxan fut conquis par le Roi Arakher.

— Et il a juré loyauté au nouveau Roi qui a usurpé son trône ? Étrange… nota la druidesse.

— Ce capitaine dort toujours sur son bateau et n'a confiance qu'en son équipage qui lui a juré fidélité. C'est un petit bateau comprenant un effectif d'une douzaine de matelots seulement. Son embarcation est facile à repérer car il y a une tête d'oiseau en proue.

— Tout cela en une soirée ? demanda l'éclaireur impressionné.

— J'ai encore mieux… Des rumeurs, de très mauvaises langues selon mes sources, auraient mentionné qu'il ne serait rien d'autre qu'un trophée de conquête pour les Géants de pierre. Un parchemin de transmission sur deux pattes pour le compte du Roi.

— Comment as-tu fait pour en apprendre autant en si peu de temps ? questionna enfin Miriel.

— Cela m'a presque coûté tout l'or que vous m'aviez remis Madame. Cependant, je peux vous garantir qu'il fut employé à bon escient, pire, au détriment de ma santé. Mon estomac va certainement me bouder pendant un certain temps, car l'alcool qui est servi dans cet établissement est à l'image de l'aubergiste qui remplit les verres.

Arafinway fit la grimace.

— Bien joué mon ami, tu peux aller te reposer, je crois qu'il serait sage que tu reprennes un peu de tes forces dans le cas où nous serions obligés de faire une sortie en force.

— Merci Madame, je vais allez exécuter cet ordre immédiatement.

Bertmund se leva, fit quelque pas, puis se laissa tomber sur la première paillasse qui était à sa portée.

— Bon, maintenant, on fait quoi cheffe ? demanda le guerrier.

— Nous attendons Salxornot, quoi d'autre pouvons-nous faire ?

Très tôt à l'aube de la troisième journée, un carillon se fit entendre à l'intérieur de la ville, comme si toutes les cloches

allaient s'envoler. Plusieurs citoyens s'écriaient dans les rues : *Le capitaine est enfin arrivé !*

Le mandat qui avait été confié au groupe de gardiens de Miriel était de ralentir l'acheminement des informations jusqu'aux Géants de pierre. Les moyens possibles étaient multiples afin de maîtriser ou d'éliminer le messager-capitaine avant qu'il ne remette ses informations au Roi. De plus, n'importe lequel des membres du groupe des espions de LeRoux pouvait détenir et surtout divulguer ces précieuses observations par la suite.

Devant ce dilemme et selon leurs capacités réduites, les aventuriers avaient convenu de capturer Salxornot, possesseur de probablement maintes informations capitales, plutôt que de tenter de confronter le groupe d'espions.

La druidesse connaissait les enjeux qui allaient se jouer dans les prochains jours et ses troupes se devaient d'agir rapidement.

— Il y a présentement beaucoup d'agitation dans les rues, remarqua Arafinway. Vu le débarquement prioritaire des fûts et de vivres, l'arrivée du capitaine est sans doute le moment que la ville attendait pour festoyer.

— Oui, tu as entièrement raison mon jeune ami, approuva Berthmund. Un des Sottecks m'a dit qu'il doit décharger une pleine cargaison de plusieurs tonneaux étrangers. C'est le moment où les cabaretiers vont regarnir leurs caves et souligner le passage de ce Seigneur.

— Mes amis, faites vos paquetages immédiatement et demeurez prêts à réagir au moindre signal. Bertmund mon ami, va ensuite me chercher Vruuuk, je vais tenter quelque chose. Marack, si jamais le cadeau de mon oncle ne fonctionne pas, tu as ma permission de l'assommer puis de l'attacher. Rien d'autre, pas de tuerie, tu as bien compris ? annonça subitement Miriel en sautant sur ses pieds, prête à l'action.

— Je n'avais pas l'intention de faire autre chose. Ce genre d'attaque est dépourvu d'honneur et ne m'intéresse pas, tu le sais bien !

— Je le sais, mais je ne veux pas d'ambiguïtés, vous m'avez tous bien compris ?

Arafinway ne devinait pas ce que sa cheffe allait tenter et le soldat semblait également sans indice sur ce qui allait se passer. Il descendit tout de même quérir leur guide.

Vruuuk était ravi de l'arrivée du capitaine car cela voulait dire que le vin nouveau allait être sur le marché. Grâce à la rondelette petite somme d'écus qu'il venait d'acquérir pour le travail qu'il effectuait pour Ombarkul, il allait être dans les premiers à pouvoir s'en procurer.

Bertmund le retraça sur le porche de l'auberge, avec la majorité de ses hommes qui attendaient la rentrée officielle de leur héros. Avec beaucoup de persuasion et quelques écus supplémentaires, il réussit à le convaincre de le suivre en haut dans leur chambre.

Il aurait préféré rester à l'extérieur et voir Salxornot arriver en ville, mais il voulait également continuer de recevoir un salaire et des pourboires pour la responsabilité qui était la sienne et que d'autres lui enviaient.

— Que voulez-vous LeRoux, je suis très occupé, vous savez. D'ailleurs, ces cris dehors sont pour le capitaine qui va vous ramener vers le Roi. C'est un honneur que vous avez de pouvoir voyager avec ce guerrier de grande renommée.

Miriel qui était derrière la porte, s'avança lentement, pendant que Vruuuk faisait l'éloge de son héros de toujours. Elle récita l'incantation que Saint-Beren lui avait enseignée, déposa sa main sur le Sotteck et la magie, à son grand soulagement, opéra.

— Nous aimerions sortir nous aussi pour voir le capitaine et aussi son merveilleux bateau, tu pourrais facilement nous aider à nous dissimuler afin que nous puissions le voir. Tu ferais cela pour moi, mon ami !

Vruuuk se retourna avec un large sourire et regardait Miriel d'un autre œil. Pour lui, il s'agissait maintenant de sa meilleure copine et sa demande était tout à fait légitime. Après tout, lui aussi aimerait bien voir le capitaine sur son navire.

— Attendez-moi, ici je reviens dans quelques instants !

Marack regardait Miriel et attendait qu'elle lui dise d'agir, de l'assommer, de le retenir, mais celle-ci ne fit rien de la sorte. Son nouvel ami était sous l'emprise du sort contenu dans le bracelet. L'idée de pouvoir s'échapper sans attirer trop d'attention devenait de plus en plus une bonne occasion à saisir.

Une dizaine de minutes plus tard, les gardiens étaient dans la ruelle derrière l'auberge en compagnie de Vruuuk qui leur avait tous fourni de longues capes à capuchons. Dans son esprit, il ne

s’agissait que d’un emprunt à court terme pour aider une amie très chère. Il essaya de les mener aux abords de la rue principale pour attendre discrètement la venue de leur héros.

— Mon ami, j’aimerais mieux voir le bateau tout de suite, peut-être que le capitaine s’y trouve encore. Ne serait-ce pas merveilleux de pouvoir l’acclamer sur le bord de la rive ?

Miriel ne savait pas exactement comment le bracelet fonctionnait et Beren s’était bien gardé de lui expliquer en détails. Lui qui aimait faire ses propres découvertes par des expérimentations avait toujours été sous l’impression que ce hobby était partagé par tous les elfes pratiquant la magie.

Elle savait cependant que l’enchantement ne perdurerait pas très longtemps alors elle espérait que ses suggestions aient un quelconque impact.

— Tu as raison mon amie, allons voir sur la rive, mais les sentinelles ne voudront pas vous laisser sortir de la cité, ce sont des Mourskhas. J’ai une autre solution; je connais une porte dérobée par laquelle il nous sera possible de nous faufiler... Mais cela va me coûter une petite fortune.

— Je te donnerai de l’argent dès le moment où nous serons payés pour nos services pour le Roi. Est-ce que cela te convient ?

Vruuuk fit un large sourire et les invita à le suivre rapidement.

Après plusieurs détours pour éviter les grandes artères, il mena le groupe à une seconde sortie sur le côté est de la forteresse. Celle-ci était gardée par deux sentinelles bien connues de leur guide.

Il les soudoya abondamment pour acheter leur silence, puis il se dirigea vers la devanture des grandes portes.

— Vous voyez, il y a déjà un attroupement qui attend la rentrée du capitaine. Venez, mes amis, venez vous choisir une bonne place !

Le groupe se greffa à la foule qui se massait rapidement pour acclamer ce héros populaire, tout en restant dissimulés sous leur cape. De leur position, ils pouvaient observer le quai.

— Tu vois quelque chose toi, Ara ?

— Non, rien du tout à l’horizon et toi, Marack ?

— Il n’y a rien, mais nous sommes sortis, alors je suggère de nous esquiver en douce immédiatement.

Tout à coup, la foule s'emballa. Miriel ne voyait toujours rien et allait répondre à son guerrier lorsqu'une chose des plus étranges se présenta sous ses yeux : un Sotteck apparut, marchant dans les airs à environ une dizaine de coudées au-dessus de l'eau. Il se déplaçait naturellement et sans effort.

— Là, je le vois ! lança Arafinway à sa cheffe en pointant du doigt l'apparition.

Tous les compagnons n'en croyaient pas leurs yeux, le capitaine Salxornot venait d'apparaître de nulle part et, maintenant, ses hommes d'équipage déchargeaient des tonneaux d'ébène qu'ils roulaient sur ce qui semblait être une planche de bois imaginaire.

— Tu ne comprends pas ce qui se passe, mon amie ?

— Non, je le vois mais je n'arrive pas à y croire.

— Le bateau est magique ! Il peut disparaître et apparaître selon les désirs du capitaine.

De son côté, Marack, après avoir entendu les histoires sur ses prouesses au combat, observa le capitaine et aurait bien aimé se mesurer à lui, marteau contre marteau.

Le capitane empoigna son arme de pierre et le pointa en direction de l'eau. C'est à ce moment que le bateau se dévoila entièrement.

— Mais, qu'est-ce que nous avons là ? s'interrogea Marack. Ce n'est pas une caravelle, ni une frégate. Ça se rapproche un peu d'un knörr[32]ou d'un snekkja[33] mais il n'y a aucun skjaldrim[34] pour accrocher les boucliers des rameurs !

Miriel écoutait distraitement son guerrier tant elle était fascinée par le spectacle.

— Ce navire mesure près de 60 foulées de long par 16 foulées de large, analysa Marack à voix basse pour sa cheffe, un seul mat central muni d'une large voile.

— Il ne s'agit pas d'une embarcation construite pour la guerre ou pour de longues traversée sur la mer, mais plutôt d'une œuvre d'art créée par un maître artisan à son apogée, déclara fièrement Vruuuk. Il y a même une cabine sur le pont localisée à la poupe. La figure de proue représente la tête d'un oiseau.

---

[32] Knörr : type de navire marchand à bordages à clin utilisé par les vikings.
[33] Snekkja : un des principaux types de bateau de guerre à l'époque des vikings.
[34] Skjaldrim : bordage spécial où les rameurs placent les boucliers pour servir de protections contre les projectiles.

— Non pas un oiseau, mon cher, car vous remarquerez que le torse est différent, le corrigea gentiment Bertmund.

Il mit quelques instants avant de trouver la créature qui était représentée.

— Il s'agit ici d'un griffon, mon ami, dit-il en se tournant vers le Sotteck. Une tête d'aigle et un corps de lion ailé. On peut voir les ailes de la créature qui sont sculptées sur les parois de la proue. Il y également les pattes massives de félin juste en dessous des ailes.

L'autre approuva sans réserve et rugit de nouveau bruyamment avec la foule pour signifier sa joie.

« Ce navire est tout simplement unique, construit d'une façon que je n'ai jamais vu, songea Marack en admiration. Peut-être que mon père, lors de ses nombreux voyages, serait plus apte à identifier sa provenance, mais pour l'instant, le tout demeurera un mystère. »

Arafinway contemplait également les diverses sculptures retrouvées un peu partout sur la coque. Il y avait des entrelacés multiples qui se prolongeaient sur la carène[35].

L'éclaireur remarqua également qu'il y avait une douzaine de Sottecks ainsi qu'un être beaucoup plus petit qui se pointait le bout du nez entre les trous des rames. Ayant des airs d'un lutin étrange, probablement bridé avec une créature inconnue, elle dépassait cependant à peine le court bastingage.

Il se posa même la question à savoir s'il s'agissait d'un enfant. L'un des matelots répondit à son interrogation lorsqu'il donna un coup de pied à la créature en lui ordonnant d'aller faire le ménage de la cale. Il s'agissait visiblement d'un souffre-douleur de l'équipage, d'un mousse engagé pour faire toutes les basses besognes.

Le shaman Ombarkul Morkim ordonna soudainement à tous de se taire afin qu'il puisse parler. La foule devint silencieuse, au point de cesser de respirer.

— Cher Capitaine Salxornot, bienvenue à nouveau dans la ville de Vraxan. Nous sommes toujours honorés d'accueillir celui qui se distingue par sa grandeur et sa renommée.

---

[35] Carène : partie basse de la coque d'un navire.

— Merci Grand Shaman, très fidèle et dévoué disciple de Zaoma, je suis toujours ravi de remettre les pieds sur les terres de mes ancêtres.

Les formules de politesse ayant été observées, le capitaine qui n'avait pas dépassé le quai se dirigea jusqu'à son ami Ombarkul. Puis il ordonna à une poignée de Sottecks d'amener les tonneaux qu'avait déchargés son équipage.

Aucun matelot n'avait reçu la permission de se rendre à terre et aucun d'entre eux n'auraient osé outrepasser l'autorité du capitaine. Aussitôt que les tonneaux furent pris en charge par les soldats du shaman, la planche de débarquement fut retirée. Le bateau se déplaça par lui-même sans l'usage de ses rames. Il s'immobilisa à environ 500 foulées du rivage, avant de disparaître à nouveau.

Vruuuk était tellement content de voir les nombreux tonneaux faire leur entrée par les grandes portes qu'il suivit d'instinct la foule qui continuait à manifester sa joie dans les rues de la ville.

— Je n'ai pas l'intention de rester plus longtemps, chuchota Miriel vraiment soulagée d'avoir perdu son guide. Allez, dépêchez-vous et reprenons le chemin par lequel nous sommes arrivés.

Prenant soin de longer la muraille sur quelques centaines de foulées de la porte principale, le groupe se faufila prestement vers la forêt où Seyrawyn les attendait depuis maintenant trois jours.

— Vous êtes enfin de retour ! Lorsque j'ai vu l'attroupement devant les portes de la ville, j'ai eu peur d'un carnaval où vous trôniez sur le menu. Et lorsque ce bateau est apparu et puis a disparu au beau milieu du cours d'eau, je ne savais plus trop quoi penser…

— Tu as vu tout ça à partir d'ici ? demanda le troubadour, impressionné par l'habileté visuelle de son ami.

— Plus précisément, tout en haut de cet arbre, cela me permettait d'avoir un meilleur champ de vision, répondit l'elfe des bois, enchanté de les voir revenir tous sains et saufs.

— Désolée Seyrawyn de t'avoir fait attendre. Nous avons eu…euh… un repos forcé.

— Que s'est-il passé, racontez-moi depuis le début, à partir de la patrouille qui vous a escortés jusque dans l'enceinte des murs de la forteresse de Vraxan.

Bertmund s'offrit pour narrer en détail les péripéties de leurs mésaventures à son ami qui n'en demandait pas tant, mais qui acquiesça par gentillesse.

Marack, quant à lui, avait seulement une requête à formuler à sa cheffe.

— Miriel, peux-tu faire disparaître cette teinte de roux de mes cheveux, je ne me sens plus moi-même, je t'avoue.

— Je te promets que demain matin il n'y aura plus l'ombre d'une tache de rouille sur ta belle et brune chevelure, lui répondit-elle d'un air taquin.

Le guerrier soupira, prit son mal en patience et alla se positionner pour faire le guet afin de ne pas être surpris par l'une des nombreuses patrouilles du coin.

La druidesse se retourna vers Seyrawyn et lui fit un petit clin d'œil pour s'assurer qu'il allait accomplir la requête de son ami guerrier. Un large sourire fut offert et un léger signe de la tête en guise d'acquiescement.

— Seulement cette histoire, Bertmund, et aucune autre, car ce soir nous allons attaquer le navire du capitaine Salxornot. Nous rediscuterons du plan d'attaque après le récit rocambolesque que tu vas lui faire, sans doute très différent de ce qu'aura été la réalité.

— Madame, vous me blessez ! Je ne raconte que la vérité et rien d'autre. Je ne fais que décrire à ma façon ce que j'ai pu percevoir, entrevoir ou entr'apercevoir avec une petite touche personnelle de fioriture, rien de plus, je vous l'assure.

Tous se mirent à rire devant la défense peu convaincante de leur troubadour préféré.

Bertmund balaya de sa main les rires qui lui étaient adressés et débuta son récit au grand plaisir de tous. Miriel se surprit à

attendre avec impatience la version tout à fait différente d'un évènement auquel elle avait participé. À cet instant, elle se fit une note personnelle : *Ne jamais laisser ce raconteur d'histoires faire un rapport à ses supérieurs sans supervision.*

— Alors, nous sommes tous d'accord que, pour capturer Salxornot, nous devons faire l'assaut sur les planches de son navire et sous le couvert de l'invisibilité qu'il confère.

Ils acceptèrent tous la stratégie maintes fois révisée selon les points de vue. Seyrawyn avait observé qu'un esquif en provenance du milieu du cours d'eau avait fait son chemin jusqu'au quai. Il y avait quatre Sottecks à son bord qui chantaient joyeusement. Les premières permissions venaient probablement d'être accordées.

— Le contexte nous est favorable, vu qu'un nombre restreint de matelots reste de garde au lieu de profiter de cette permission dans la ville. Ils ne s'attendront pas à un abordage si près de l'une de leur forteresse. Ils seront moins vigilants, ce sera un avantage de plus pour nous. L'effet de surprise demeure notre plus grande alliée, déclara Marack en remplissant ses fonctions de tacticien auprès de Miriel.

Il avait élaboré une stratégie d'assaut en teenant compte des forces de chacun des membres de son groupe.

— Comment allons-nous faire pour nous rendre jusqu'au vaisseau ? demanda Bertmund intrigué.

— Nous allons nous séparer en deux groupes. Bertmund et Seyrawyn, vous allez revêtir les capes de Sottecks et vous faire passer pour deux des matelots qui retournent sur le navire en empruntant la petite embarcation qu'ils ont utilisée pour se rendre en ville. Bertmund étant donné que tu parles leur langue, tu vas pouvoir attirer leur attention tout le long, en ramant.

— Je suis la diversion, si je comprends bien ?

— Précisément ! rétorqua Marack.

— C'est tout à fait dans mes cordes, j'adore donner une performance !

— Le but est de retenir l'attention des marins sur le pont, car Miriel, Arafinway et moi allons arriver à l'opposé pour les prendre de revers. De là, Bertmund, l'importance de les tenir occupés par tous les moyens que tu jugeras adéquats pour accomplir ta tâche.

— De quelle façon allez-vous pouvoir vous rendre de l'autre côté? demanda Seyrawyn qui était aussi préoccupé par la stratégie.

— Miriel, as-tu toujours accès à l'enchantement qui nous permettrait, à tous les trois, de marcher sur l'eau ?

— Je vois ce que tu veux faire, répondit Miriel. Oui, j'ai cet enchantement accessible mais seulement pour trois.

Seyrawyn était un peu déçu de ne pas pouvoir essayer de marcher sur l'eau avec ces amis. Mais il comprenait qu'il devait assister Bertmund, une fois arrivé au navire. Il était celui qui assurerait les arrières du troubadour.

— Parfait, nous devons agir vite et bien. Miriel, la meilleure position afin d'invoquer tes enchantement serait la proue du navire. Je m'attends donc à ce que tu sois à cet endroit pendant que je vais combattre. Si tu vois qu'il y a trop d'effectifs sur le pont ou qu'ils chargent vers toi, tu as toujours l'option de passer par-dessus bord et de te déplacer autour du vaisseau. L'enchantement perdure assez longtemps pour nous permettre d'effectuer une retraite stratégique en transportant chacun un compagnon. Une dernière chose, laissez-moi le capitaine et occupez-vous de tous les autres, est-ce bien compris ?

Tous dirent oui à l'exception de Miriel qui se réservait le droit de décider des actions qu'elle entamerait une fois à bord. Elle était la cheffe après tout !

— Reposez-vous bien, nous partons quelques heures après le coucher du soleil. Nous allons profiter de la noirceur pour mettre notre plan à exécution.

Quelques heures plus tard, les aventuriers exécutèrent leur tactique et arrivèrent sur la berge, juste en dessous de la structure du débarcadère, fait de poutres de bois.

— Tu vois, nous sommes presque rendus et personnes ne nous a remarqué jusqu'à présent, chuchota Marack. Je peux voir l'esquif que les marins ont utilisé et il est toujours amarré au quai. Miriel, tu m'as dit que tu as une façon de pouvoir découvrir où se situe le navire invisible sur la rivière ?

— Oui, j'ai ce qu'il faut. Ara, Seyrawyn, gardez l'œil ouvert pendant que j'effectue le sortilège approprié, répondit Miriel le cœur battant.

Miriel se rapprocha de la rive et s'agenouilla de façon à pouvoir toucher l'eau avec une de ses mains. Elle sortit quelques morceaux de pain avec son autre main et les déposa sur le dessus de l'eau une fois le rituel accompli.

Presque aussitôt, une forme longue comme un petit roseau et aux doigts palmés attrapa tous les morceaux de pain. Il s'agissait d'une créature qui faisait partie de la race des *Lutrinae*[36]. Miriel reconnut l'animal à son pelage composé de poils courts et longs qui lui conférait une bonne protection contre les eaux froides de cette région si près des montagnes.

Elle se concentra puis plongea ses deux mains dans l'eau. L'animal se laissa caresser et alla même jusqu'à solliciter l'attention de la druidesse étant naturellement très affectueux.

— Tu as vu comment il se laisse faire, fit remarquer Arafinway.

Bertmund était toujours surpris de voir avec quelle aisance les druides arrivaient à manipuler l'humeur des animaux. Miriel entretenait une discussion, tout à fait normale pour elle, avec l'animal marin.

— Tu as bien compris, tu dois retracer l'endroit où se trouve la très grande huître qui flotte sur le dessus de l'eau là-bas.

Le mammifère comprit la tâche qui lui était demandée et se dirigea en direction du milieu du cours d'eau. Miriel lui avait communiqué par l'esprit une image de ce qu'elle recherchait.

— Comment allons-nous savoir qu'il a retrouvé le navire ? demanda Marack.

— Lorsqu'il va trouver ce que je lui ai demandé, il va faire de belles acrobaties devant celle-ci pour nous signaler sa position. Seyrawyn, porte attention toi aussi car tu es celui qui va diriger Bertmund lorsqu'il va ramer.

[36] Lutrinae : famille des loutres.

Tous observaient soigneusement dans la pénombre la surface de l'eau pour repérer les éclaboussements que la petite créature allait créer.

— Là, je le vois, pointa du doigt Seyrawyn. Ton ami a fait son travail, j'ai mémorisé l'endroit où nous devons nous rendre.

— Très bien, alors prenez les capes de Vruuuk et allez réquisitionner la petite barque. Il n'y a personne qui monte la garde sur le quai et tout devrait bien se dérouler. Nous allons attendre votre signal avant d'attaquer l'embarcation. Si nous sommes découverts avant vous, ce serait à toi Bertmund de prendre la décision de venir nous rejoindre ou de vous sauver le plus rapidement possible.

— Ne vous en faites pas Madame, je vais les tenir occuper et il est hors de question que nous vous laissions combattre seuls.

Bertmund regarda son compagnon nautique et les deux savaient exactement ce qu'ils avaient à faire. Ils montèrent sur la structure du quai et prirent possession de leur moyen de transport.

Lorsque les deux compagnons commencèrent à ramer, Miriel pria son dieu et invoqua l'enchantement qui leur permettrait de marcher sur l'eau. Ce n'était pas leur première fois puisqu'ils l'avaient déjà expérimenté en entraînement. Arafinway aimait à la folie se promener magiquement de cette façon mais n'était toutefois jamais arrivé à marcher sur l'eau… Il adorait tellement la sensation de ne pas s'enfoncer dans la rivière qu'il sautillait partout gaiement par petits bonds.

— Ara, arrête de faire le lapin, tu vas attirer l'attention sur nous ! S'il y a des guets sur le pont du navire, ils vont vite t'apercevoir.

— Bien cheffe, je vais essayer de me retenir, mais la sensation est tellement incroyable ! Tu vas devoir me refaire cet enchantement plus souvent, je ne m'en lasserai jamais.

— Promis, maintenant en silence et sans saut, c'est bien compris ?

Arafinway se calma puis reprit les devants pour mener son groupe jusqu'à leur destination.

De son côté, Bertmund demanda à Seyrawyn de ramer. La petite embarcation se dirigeait dans tous les sens et il avait beaucoup de difficulté à la manœuvrer. Il s'agissait pour lui de sa première tentative dans ce genre d'embarcation. Bertmund ne l'aurait pas

souhaité autrement. Les coups de rames inégaux et parfois saccadés, donnaient l'illusion à tous ceux qui pouvaient les observer qu'un ivrogne était aux commandes de la barque.

Le troubadour profita de cette impression et mima lui aussi une personne qui avait bu une quintuple ration de rhum. Ce n'était pas difficile à jouer, il avait eu amplement la chance de voir comment les Sottecks réagissaient sous l'effet de l'alcool lors de son récent séjour au *Minotaure Boiteux*. Il devait juste faire attention de ne pas passer par-dessus bord.

La ruse avait fonctionné, une vigie les observait et toute son attention était fixée sur l'esquif. Le spectacle permit au groupe de Miriel de s'approcher de l'autre côté du navire sans se faire repérer.

— Voshnak, c'est toi ? Espèce d'ivrogne, je croyais que même saoul tu étais en mesure de pouvoir naviguer. Qui est avec toi ? Poik ou Wof ?

Bertmund entendit s'ouvrir les rideaux de la scène et offrit sa performance, en prenant une voix affaiblie et grincheuse.

— C'est moi, Wof ! Laisse Vosknak tranquille et guide-nous plutôt pour nous rendre, sinon il va prendre toute la soirée.

— Tu as une drôle de voix, Wof ?

— Si tu avais bu tout ce que j'ai avalé et vu la moitié de tout ce que je me suis enfilé, tu aurais une grosse voix toi aussi ! Laisse-nous le temps de monter et je vais te raconter, c'était mé-mo-rable…

Lorsque l'esquif toucha la coque du navire, les occupants de la petite barque basculèrent sous le choc jusque dans le fond de celle-ci. La collision avait été suffisante pour alerter quelques matelots. Certains se présentèrent pour porter secours à leurs camarades qui semblaient avoir passé une excellente soirée en ville.

De leur côté, les trois gardiens avaient anxieusement suivi la conversation qui prenait place sur l'eau. Cela leur avait permis de mieux déterminer où se trouvait le navire et coururent jusque sous la ligne de flottaison.

Découvrant de solides points d'appui, la druidesse et ses deux amis débutèrent prestement leur escalade. Dès l'instant où leurs pieds ne touchaient plus la surface de l'eau, l'invisibilité n'était

plus un obstacle et ils se préparèrent pour attaquer dès le signal de Bertmund.

— Miriel, je peux voir le pont et il est tout éclairé ! chuchota Arafinway émerveillé.

— Oui, je sais. Je vois tout moi aussi.

La barrière occulte bloquait toutes les sources d'éclairage qui émanaient du bateau vers l'extérieur. Marack se réjouissait de ne pas avoir à combattre dans la pénombre et allait pouvoir se mesurer à Salxornot sans cet handicap.

Les matelots à leur opposé s'afféraient à récupérer les deux ivrognes qui avaient de la difficulté à se relever. Bertmund avait donné la consigne à son ami de l'imiter au niveau de ses mimiques.

— Au lieu de vous moquer de nous, vous devriez nous aider à nous hisser à bord, espèce de soldats d'infanteries ! Avez-vous été recrutés uniquement comme matelots parce que vous n'êtes pas capables de mettre un pied devant l'autre ? Un kobold[37] de maison réussirait à faire mieux que vous !

Bertmund mettait en pratique les diverses insultes qu'il avait eu la chance d'entendre pendant ces deux derniers jours à l'auberge en compagnie de sa patrouille de Sottecks.

Le troubadour se tenait de dos à l'équipe et regardait son ami dans le fond de la barque. Soudainement, il fit une ascension rapide jusque sur le pont du navire. Il venait d'être empoigné par deux paires de bras musclés qui l'avaient tout simplement hissé cavalièrement à bord.

— Tu devrais faire attention à ce que tu dis, matelot ! commenta l'un des colosses qui venait de lui faire passer la rambarde.

— Et vous, vous devriez faire plus attention aux personnes que vous invitez à bord, cher ami !

Constatant sa méprise alors qu'il relâchait sa proie, il hurla sa colère envers cet intrus, un chien du Nord de surcroît.

Ils étaient trois et cernaient Bertmund. De plus, le troubadour vit une vigie à la proue ainsi que deux autres soldats sottecks sur le pont, non loin devant la cabine arrière, qui s'avançaient dangereusement vers lui.

[37] Kobold : créature reptilienne de très bas niveau.

Seyrawyn franchit à son tour la rambarde en quelques bonds. Il dégaina rapidement l'une de ses épées courtes, enduite de son venin, et attaqua le matelot le plus près de lui. L'attaque fut rapide et précise et la victime s'effondra instantanément sans offrir de résistance.

Marack qui venait d'entendre Bertmund sur le pont se hissa d'un seul coup pour atterrir sur les planches en position de combat. Si les deux Sottecks pensaient pouvoir se réfugier dans la cabine, ils devaient maintenant faire face à un guerrier qui avait opté pour son marteau de Lönnar afin de transmettre ses salutations.

— Arafinway, occupe-toi de la vigie, vite ! cria Marack qui les tenait en respect.

L'éclaireur arriva rapidement mais de façon plus discrète et visa la vigie. Celle-ci s'était déjà déplacée et sonna la cloche plusieurs fois. L'éclaireur dût lui décocher trois flèches mortelles avant qu'elle ne rejoigne son dieu Zaoma. Malheureusement, l'alarme avait été donnée.

Miriel sauta la dernière sur le pont, entre la vigie inerte en avant et le mat central. Demeurant près du bastingage, elle analysa la scène.

Faisant face aux assauts, Marack n'était pas encore débordé. Il venait de débuter une série d'esquives devant celui des adversaires qui semblait être le plus expérimenté et tenait le second, moins menaçant, à distance avec une série de feintes.

Bertmund brandissait son épée longue et Seyrawyn ses deux épées courtes qui occupaient les deux marins colériques en tentant de les tenir en respect avec leur coutelas.

Nerveusement, Arafinway cherchait une nouvelle cible et considéra le matelot que Marack ne faisait que tenir à distance. Sa flèche se ficha exactement dans la planche derrière la tête du du bougre le faisant se déplacer d'un pas. Rapidement, il se protégea des projectiles derrière la large stature de Marack. L'éclaireur en encocha une autre et attendit une meilleure ouverture.

Miriel demeurait sur ses gardes car Salxornot n'était pas encore sorti de sa cabine. Tout semblait sous contrôle.

« L'effet de surprise a été notre meilleur allié. Les Sottecks à bord de ce navire n'étaient pas préparés à recevoir une

attaque quelconque, songea-t-elle. Ils sont maintenant victimes de leur trop grande confiance en leur égo. »

Elle réservait surtout ses énergies pour maîtriser le capitaine. Malgré la demande formelle de son guerrier pour le lui réserver, elle avait décidé de s'en occuper elle-même.

Marack générait le plus d'activité dans ce combat et son adversaire, un vétéran qui avait sans doute vu plus d'une bataille, réussissait à maintenir le *statu quo*[38]dans cette altercation.

Le second adversaire de Marack n'était ni plus ni moins qu'une nuisance qui se cachait dans son ombre. L'équivalent d'une mouche que l'on essaie de balayer de la main pendant que la guêpe qui nous attaque capte la majorité de notre attention.

Ce moucheron avait vu comment Arafinway avait réglé le compte de sa vigie et senti aussi le frôlement d'une pointe acérée. Comme il ne voulait surtout pas ressembler à une pelote à aiguilles, il s'organisait pour garder Marack entre lui et l'archer démoniaque. Malgré tous ses efforts, une seconde flèche se ficha dans sa jambe et le faisait hurler de douleur.

Brusquement, l'écoutille centrale du pont bascula pour permettre à deux autres matelots de se joindre à la mêlée. Sabres et boucliers en main, ils avaient revêtu leurs armures de métal et se dirigèrent immédiatement vers la poupe et l'impétueux guerrier.

— Marack attention, ils foncent sur toi !

En entendant cette petite voix, l'un deux se retourna et remarqua la démone en retrait avec son grand bâton qui semblait coordonner les attaques partout sur le navire. Il fit volte-face, enligna de ses yeux méchants la druidesse et s'avança en sa direction.

En équipe, et bien que le troubadour laisse paraître une large tache ensanglantée sur son uniforme, Bertmund et Seyrawyn combattaient tant bien que mal leurs assaillants. Largement plus instruits au niveau du maniement des armes, ces Sottecks avaient été entraînés et étaient beaucoup plus dangereux que ceux qui étaient rencontrés dans les bois.

Le colosse qui tenait tête à Marack risqua un petit coup d'œil en direction du centre du navire et se réjouit de l'arrivée de son ami qui venait lui porter secours.

---

[38] Statu quo : rester dans l'état actuel des choses.

Ce petit moment d'inattention fut la brèche que le viking attendait. Lorsque le vétéran détourna son regard pour accueillir son allié, l'une des têtes de bélier du grand marteau lui enfonça complètement le pied le plus avancé dans le plancher de bois du bateau.

Son hurlement douloureux fut aussitôt étouffé par la seconde tête de bélier qui remonta en flèche vers la mâchoire du belliqueux. Sous l'impact, son maxillaire inférieur fracassé se déboîta complètement laissant apparaître des fragments d'os brisés et pointus au-travers d'une peau en lambeaux.

La souffrance qu'il expérimentait surchargea littéralement son système nerveux. Il avait la bouche béante, incapable de lancer un seul son. Le pied fracturé était toujours encastré dans les planches du pont. L'étincelle d'agressivité qui brillait encore dans ses yeux quelques instants auparavant disparut et il s'effondra lourdement sur le sol, désarticulé.

De son côté, Arafinway réussit à atteindre la mouche une seconde, puis une troisième fois, lui permettant de le clouer au mur de la cabine du navire. La pauvre ne bougeait plus, elle avait enfin terminé d'enquiquiner son ami guerrier.

Voyant que le Sotteck caparaçonné était bien décidé de mettre à mort la démone, Arafinway encocha de nouveau et visa juste.

— Miriel, il fonce sur toi ! lui cria-t-il en décochant deux flèches très rapidement mais qui rebondirent sur les épaisses plaques de métal.

La jeune elfe n'était pas surprise car elle avait vu son adversaire rebrousser chemin et la menacer. Elle avait déjà invoqué Lönnar et pointa son Salkoïnas dans la direction de cette tortue de métal.

À l'autre bout du bateau, Marack aurait voulu porter secours à Miriel mais faisait toujours face à un redoutable adversaire blindé. Celui-ci lâcha un cri de guerre au nom de son dieu et chargea en trombe le gardien au grand marteau. Le viking leva instinctivement son arme devant lui.

En l'espace de quelques instants et dans un bruit de tonnerre, une grande vague étroite de trois foulées jaillit de la rivière et s'éleva derrière Miriel. Telle un anaconda composé entièrement d'eau, elle se faufila entre la druidesse et accrocha le bras d'Arafinway. L'elfe hurla de douleur au seul contact de l'eau avec sa peau. Il

n'avait été qu'effleuré, mais cela lui avait causé une bonne brûlure; l'eau étant bouillante.

Ce serpent d'eau géant fonça sur le premier Sotteck cuirassé qui avait mis son bouclier en position pour se protéger de la charge qui arrivait par le haut. Le plancher de bois du navire craqua terriblement, mais rien de céda.

Les deux Sottecks, témoins du bruit effroyable de leur camarade derrière eux, ne purent résister : ils devaient s'assurer de ne pas être pris à revers. La fraction de seconde nécessaire pour se retourner fut suffisante pour Bertmund et Seyrawyn. Ils achevèrent adroitement les deux créatures en leur enfonçant chacun leur épée profondément dans les chairs. Les Sottecks tombèrent à genoux, trucidés.

Au lieu de détourner les trombes d'eau avec son bouclier, l'assaillant de Miriel fut plaqué durement au sol et maintenu en place. L'eau bouillante s'infiltra alors immédiatement sous l'armure et trempa la créature rugissante. Il beugla à peine durant quelques secondes, sa peau exposée aux brûlures ardentes, puis les convulsions s'arrêtèrent. Il n'y eut plus aucune réaction de sa part.

Le jet d'eau se cabra verticalement comme un cobra et en traçait même les traits sur sa tête. Il enligna ensuite une seconde victime, ses volutes de chaleur montant vers le ciel, attendant l'ordre d'attaque qui allait suivre.

Parallèlement, Marack reçut le mastodonte de plein fouet et fut plaqué durement vers le côté du navire. En anticipant et en acceptant le coup, le viking employa sa force dans la même direction que la charge et fit à son adversaire l'équivalent de la prise de l'ours.

Il prit son marteau de gardien d'une main et le glissa dans le dos de son adversaire. De sa main libre, il agrippa l'autre bout du manche et encercla ainsi ce gros bloc de métal. Profitant de l'adhérence de ses nouveaux gants, il maintint solidement son adversaire en étau.

Lorsqu'ils furent tous deux propulsés sur la rambarde, le viking effectua une manœuvre de levier sur son adversaire et… basculèrent par-dessus bord. Marack eut juste le temps de faire un clin d'œil et un sourire à sa cheffe, tout à fait stupéfiée.

— Marack ! Noooooooon !

Miriel instantanément brisa sa concentration sur son invocation. Le grand cobra d'eau ondula dangereusement puis explosa en générant une pluie de gouttelettes brûlantes, aspergeant tous ceux qui étaient présents sur le pont du navire… et en-dessous.

Chaque compagnon se protégea de son mieux de l'attaque aqueuse mais fut tout de même blessé légèrement. La druidesse, elle-même brûlée au visage et aux bras, se rua, affreusement angoissée et prête à plonger pour le secourir, vers l'endroit où son guerrier avait disparu.

— Ah, Marack ! s'écria-t-elle agrippée par-dessus la rampe *in extremis*. Qu'est-ce que tu fais-là ?

Le guerrier courbaturé gisait sur le dos, les bras en croix avec son marteau dans sa main droite et flottant juste au-dessus du niveau de l'eau. Miriel chercha des yeux le Sotteck mais ne le vit pas.

— J'ai émis la possibilité que son armure allait agir comme une ancre, expliqua-t-il en restant allongé. Il s'est sûrement rendu jusqu'au fond de la rivière d'ailleurs.

— Mais à quoi as-tu bien pu penser en effectuant une telle manœuvre !

Le père de Marack lui avait toujours enseigné que l'analyse rapide d'une situation lui permettrait de réagir de façon adéquate à toutes attaques qui lui seraient portées. Ce n'était pas entièrement vrai, mais il lui fallait entraîner son âme de combattant à réagir le plus rapidement possible vis-à-vis n'importe quelle situation.

Ainsi, sur terre, son stratagème n'aurait donné aucun résultat, le Sotteck étant trop cuirassé pour se faire le moindre mal de cette faible hauteur. Mais sur l'eau, le viking avait émis l'hypothèse que son poids le coulerait. Une fois passée la rambarde, le guerrier avait relâché son étau et le belliqueux avait tout simplement plongé en solitaire, coulant à pic au fond de la rivière.

Le seul détail qui avait échappé à sa logique était l'enchantement que Miriel avait employé sur chacun d'eux pour leur permettre de se rendre jusqu'au navire et qui était encore actif.

— J'ai cependant mal anticipé ma chute, avoua-t-il un peu honteusement. Je pensais que le choc serait absorbé par l'eau, mon armure étant de cuir et non de métal, alors j'aurais pu nager. J'avais complètement oublié ton sortilège de flottaison. Est-ce que tu savais que la surface de l'eau, grâce à ta magie, est aussi dure que le plancher de pierre de l'église de Tyr ?

— Tu aurais pu te tuer en coulant aussi, si mon sort aurait été terminé, le gronda-t-elle.

— Tu sais Miriel, je crois que je n'avais jamais vu ce type d'invocation avec la forme de serpent d'eau brûlante, j'avoue que c'est une première pour moi !

— C'était une première pour moi aussi mon cher, mais je voulais seulement repousser mon assaillant, pas le faire bouillir à vif.

Marack, toujours étendu sur l'eau, regardait Miriel sur le pont du navire et tenta de se redresser en vain, l'impact l'ayant quelque peu ébranlé.

Miriel descendit avec Bertmund et ils aidèrent leur ami à se remettre sur pieds. Rapidement et toujours sur le qui-vive, Seyrawyn et Arafinway balançaient par-dessus bord les précédents occupants de la place. Même la mouche fut décrochée du mur et coulée à son tour.

Malheureusement, une fois dans l'eau, comme celle-ci n'était pas encore morte et avait joué la comédie, elle se mit à nager et s'empressa de donner l'alerte.

— Cette mouche crie plus fort qu'elle ne nage, maugréa le viking en se frottant les membres. Mais elle est trop loin maintenant pour la rattraper…

Miriel, nerveuse, savait que le temps leur était compté. Elle craignait de voir surgir le capitaine à tout moment. Le groupe de gardiens n'avait plus le choix : ils devaient fouiller le navire en commençant par la cabine. Salxornot y était peut-être dissimulé.

Même si personne ne se plaignait ouvertement, c'était tout de même un peu de sa faute s'ils étaient brûlés. Elle prit quelques minutes pour faire de petites incantations de guérison sur ses amis, question de les réconforter et de les soulager. La fouille débuta ensuite activement alors que Marack avait repris totalement ses esprits.

Arafinway se positionna à la proue et assuma de rôle de vigie afin d'éviter que ses compagnons soient pris de revers. Il pourrait

également garder un œil sur la mouche au loin qui continuait de crier pour attirer l'attention des sentinelles postées aux portes de la ville.

Le guerrier sonda la porte de la cabine et l'ouvrit d'un coup d'épaule, bien inutilement, car elle n'était pas verrouillée. Celle-ci donnait sur une étroite coursive qui comportait deux autres portes coulissantes. La première pièce était une petite chambre avec un trône fixé en plein milieu de celle-ci.

La seconde, un peu plus spacieuse et luxueuse, comportait un immense lit, une table et deux larges coffres. Sans doute la chambre du capitaine, mais elle était aussi vide de son occupant que les autres pièces.

— Bertmund, monte la garde en haut, lança Miriel.

Marack, Seyrawyn et la druidesse descendirent visiter la cale par l'écoutille centrale, son seul point d'accès pour l'équipage.

Les possibilités de se cacher sur cette coquille de noix n'étaient pas si nombreuses. La soute possédait quelques tonneaux de vin en réserve et peu de victuailles. La cabine d'équipage ne comportait que treize hamacs.

Miriel réalisa très vite que le capitaine était sans doute toujours à la ville avec une poignée de matelots. Arafinway avait aussi rappelé à ses amis la présence de la petite créature qui ne dépassait pas le garde-fou.

> « Où pourrait-elle bien se dissimuler ? songea-t-il en cherchant plus spécifiquement dans les petites cachettes. Pauvre petite, elle ne restera pas bien longtemps sur cette embarcation car les soldats de la ville, alertés par la mouche, vont certainement monter une attaque pour reprendre le bateau. »

Seyrawyn, qui faisait cavalier seul, commença à inspecter les tonneaux répartis de façon logique dans la soute. Tout ceci étant nouveau pour lui, il en profita pour regarder d'un peu plus près ces gros contenants de bois de chêne. Il remarqua un tonneau d'un bois d'ébène qui n'était pas disposé comme les autres, un peu plus massif et fixé très solidement au navire.

Le dreki perçut quelques bruits provenant de l'intérieur de celui-ci. Il tendit l'oreille, puis entendit une respiration. En glissant ses

doigts et en observant d'un peu plus près les lattes, il découvrit deux charnières très soigneusement dissimulées.

Il y avait un être vivant dans ce baril et une porte pour y entrer. Maintenant qu'il pouvait affirmer avec certitude qu'une ouverture était présente, il invoqua la même incantation qu'il avait utilisée pour ouvrir les cellules dans le complexe des Yobs.

La porte secrète se déverrouilla aussitôt et s'entrouvrit. Une créature de trois coudées et demie s'écroula au pied du dreki.

— Je l'ai trouvé ! s'écria Seyrawyn.

Marack et Miriel se rapprochèrent rapidement pour voir de quoi il s'agissait.

— Pas faire de mal à moi ! Jettaro aider vous en échange de sa vie… oui ?

— Madame, vite montez ! appela aussi le troubadour par l'écoutille.

— Amène-le sur le pont Seyrawyn, afin que l'on puisse mieux l'observer, demanda Marack, qui se dirigeait déjà vers l'escalier en suivant Miriel.

Le dreki prit par le bras la créature qui se laissa guider vers l'escalier puis gravit les marches par coup de deux, car l'elfe se dépêchait à rejoindre ses amis.

Le petit être, habillé de la même façon que le reste de l'équipage, plaidait pour sa vie.

— Couard comme tu l'es, je présume que combattre n'est pas l'un de tes points forts, grogna le viking en le regardant de haut, le sourcil relevé.

Le petit lui montra ses crocs, puis esquissa un sourire.

— C'est un garfadet[39], expliqua Bertmund en s'approchant de plus près. Il s'agit sans doute de la progéniture d'un lutin et d'une autre créature, mais laquelle ?

Personne n'osa se prononcer, même pas le troubadour.

— Quoi qu'il en soit, ce frêle matelot occupait sans doute le rôle de mousse au sein du précédent équipage, conclut-il.

— Miriel, il y a de l'animation autour des portes, la mouche a donné l'alarme et ils vont arriver sous peu. Quels sont tes ordres, cheffe ?

---

[39] Garfadet : hybride entre un lutin et une autre petite créature.

Arafinway avait raison. Les sentinelles avaient finalement entendus les plaintes du matelot blessé car on fit sonner toutes les cloches de la ville. Ce n'était qu'une question de temps avant que les petites embarcations ne se rendent jusqu'à eux. Ils devaient partir immédiatement.

— Nous avons échoué notre mission. Le capitaine n'était pas à bord, fit la druidesse d'un air déçu. Et comme nous avons effectué une tentative contre lui, il va revenir avec un contingent de soldats plus important.

— On fait quoi avec ça ? pointa Marack en regardant la créature que Seyrawyn avait ramenée sur le pont. On ne peut pas le laisser sur le bateau, ce petit mouchard va tout raconter et nous trahir.

— C'est dommage que l'on ne puisse pas partir avec le bateau, j'aurais bien aimé le gouverner mais je dois avouer que mes connaissances de la navigation sont quasi inexistantes et je n'ai rien dans mes petits grimoires sur le sujet, pensa tout haut Bertmund. Les possibilités qu'offre ce navire et surtout à l'avantage que celui-ci confère à leurs ennemis semblent immenses...

— Moi, je sais comment fonctionner le navire, vous pas tuer moi et Jettaro, vous montre secret du capitaine !

Marack s'empara du garfadet et le souleva jusqu'au niveau de ses yeux pour lui adresser la parole.

— Le secret du capitaine ? C'est une ruse, tu ne veux que sauver ta vie. Tu ne peux pas gouverner à toi tout seul cette embarcation. Il y avait une douzaine de matelots pour opérer ce drakkar. Alors ne me mens pas, lui dit-il en le secouant, que peux-tu nous offrir qui pourrait sauver ta vie ?

Marack n'avait pas envie de perdre son temps, il voulait bien faire comprendre que l'existence de Jettaro était véritablement en jeu.

— Si chef à vous accepte de me garder en vie et donner sa parole à elle, moi je montrer comment avancer bateau magiquement, pas matelot, comme capitaine.

Jettaro regarda Miriel de ses grands et affreux yeux en l'implorant. Sa bouche se tordit bizarrement en attendant la réponse.

Il fallait faire vite, il y avait de plus en plus de torches apparentes sur la berge, ce n'était qu'une question de minutes avant d'être abordé par la milice de la ville, venue en renfort en compagnie du capitaine.

— Très bien, tu as ma parole que tu resteras en vie. Maintenant, montre-nous tout de suite comment faire avancer le navire car, dans le cas contraire, notre entente s'arrête là et je laisse mon guerrier s'occuper de toi. Me suis-je bien fait comprendre Jettaro ?

— Oui cheffe, je comprends. Avec moi vous venez !

Miriel n'aimait pas se faire appeler chef par cette créature, cela impliquait presqu'il était un membre de son équipe et la sensation qui y était rattachée la mettait mal à l'aise.

Jettaro les mena jusqu'à la pièce où se trouvait le trône et invita Miriel à s'asseoir sur celui-ci. Marack n'aimait pas la situation et aurait préféré tenter sa chance avec les soldats qui seraient montés à bord. Mais de combat, il n'était pas question pour l'instant.

Seyrawyn, par contre, était visiblement ravi, il allait savoir comment ce bateau pouvait avancer magiquement.

Miriel prit place, les pieds au sol, son Salkoïnas debout dans sa main gauche, sa main droite déposée sur l'accoudoir et elle attendit qu'il se passe quelque chose… mais rien n'arriva.

— Que dois-je faire Jettaro, le bateau n'avance pas.

— Je ne comprends pas, le capitaine assis dans chaise se concentre et le bateau devient invisible ou visible, avance, recule. Jettaro dit la vérité !

— Alors dis-moi comment faire, ordonna Miriel plus angoissée qu'impatiente.

— Jettaro ne sait pas comment, il a essayé plusieurs fois. Jettaro croyait que c'était parce que ses pieds pas par terre toucher que le bateau pas obéir…

Il devait y avoir une façon de contrôler ce navire, mais Miriel n'avait pas le temps d'expérimenter.

— Nous partons sur-le-champ, cela ne fonctionne pas, je n'arrive pas à faire quoi que ce soit. Abandonnons le navire !

Marack empoigna Jettaro et suivit Miriel qui se dirigeait de nouveau vers Arafinway et Bertmund vers la proue. Seyrawyn, un peu plus curieux, conservant une de ses deux épées dans sa main au cas où, décida de s'asseoir sur le trône et de se concentrer comme Jettaro l'avait décrit lorsqu'il regardait le capitaine. Il ferma les yeux.

Il ne ressentait rien, aucun contrôle, aucun mouvement. Il allait se relever lorsque, soudainement, il ressentit une drôle de sensation de communion. Il pouvait voir Arafinway à la proue du navire. Il savait où se trouvait Bertmund, il sentait Miriel et Marack marcher sur les planches du pont.

— Avance, bateau, le plus rapidement possible vers l'Ouest, ordonna-t-il à voix haute en tentant sa chance.

Bertmund s'était approché de l'esquif afin d'y embarquer; la secousse le surprit en pleine manœuvre et il en perdit presque l'équilibre. Maintenant assis au fond de la petite chaloupe toujours attachée au navire, il subissait un remorquage à vive allure.

Arafinway qui parlait à Miriel fut projeté violemment vers l'avant et atterrit contre celle-ci. Marack tenait encore Jettaro.

— Qu'est-ce que tu as fait et, surtout, comment l'as-tu fait ? lui dit-il en le secouant de nouveau.

— Pas moi ! Pas moi !

Le bateau avançait en pleine noirceur à vive allure et les torches sur la berge s'éloignaient rapidement. Miriel fit un bref décompte et remarqua aussitôt que Seyrawyn n'était pas sur le pont.

— Ara, retourne à la proue et regarde où nous allons. Assure-toi que personne ne tente de nous aborder, si cela est encore possible. Marack, je crois que Bertmund apprécierait ton aide en ce moment…

On pouvait entendre le troubadour, décontenancé, demander assistance pour remonter dans le navire.

Miriel prit Jettaro par le bras et se dirigea vers le trône. Le Falsadur-Dreki était bien assis et semblait adorer son expérience. Il y avait cependant une chose qui attira immédiatement son attention : son épée courte déposée nonchalamment sous l'avant-bras gauche de son ami.

La druidesse, grâce à ses dons, pouvait apercevoir une faible aura de magie se transférer de l'épée au fauteuil. Celle-ci était tenue par la poignée, la lame vers lui et prête à être utilisée et, surtout semblait-il, elle était en contact avec l'accoudoir.

« Serait-ce cette épée, le catalyseur nécessaire pour gouverner le bateau ? songea-t-elle en se rappelant l'action du capitaine Salxornot qui fit apparaître son bateau en brandissant son marteau de pierre. Le capitaine n'aurait alors aucun pouvoir réel, autre que celui de détenir une arme sans doute magique qui avait le véritable contrôle sur le navire ! Je ne suis pas assez sûre… une autre question pour notre Ordre à notre retour. »

— Tu t'amuses bien Seyrawyn ?

— Merveilleusement bien, c'est très facile. Tu veux essayer ? lui répondit-il joyeusement.

— Non, je te laisse t'amuser, continue de diriger le navire vers l'Ouest. Nous retournons vers Feygor. Si tu peux conserver l'invisibilité du navire, fais-le. Je préfère que nous passions inaperçus aux yeux des patrouilles ennemies, surtout celles qui ont un druide de l'Ordre des Quatre Éléments comme conseiller au commandement.

— Oui cheffe, certainement cheffe ! Je continue à m'amuser sur tes ordres, cheffe !

Miriel le regarda en haussant les épaules. Son ami venait encore une fois de leur sauver la vie. Décidément, elle ne s'en sortirait pas; elle avait un garde du corps pour le combat rapproché et un second pour le groupe tout entier.

Elle tourna son regard vers Jettaro, qui lui offrit le plus large sourire possible, dévoilant des canines cariées, que son visage étrangement amusant pouvait accommoder.

— Jettaro reste en vie… oui ? Chef tenir parole ?

Elle se demandait bien ce qu'elle allait faire avec ce petit être. Marack n'allait pas aimer cela du tout ! Garder un prisonnier, sans savoir de quelles fourberies il était capable, n'était certes pas son activité favorite. Mais une promesse faite se devait d'être tenue !

Chapitre 36
YNGVAR

Journal d'Ogaho,
Vizir du tout-puissant Arakher, Roi des Géants de pierre
Mission royale : infiltration en terres ennemies

Malgré le danger, comme d'avoir été exposé par un des sorciers démons dans la tour de Gousgar, mes deux visites magiques m'ont permis de reproduire assez fidèlement les plans intérieurs de cette fortification. De plus, les Morjes ont pu identifier un passage exempt de récifs et de brisants. J'en suis ravi car cette information pourrait certainement permettre à un capitaine de passer ces obstacles et de continuer sa route jusqu'à Yngvar pour donner l'assaut sur un deuxième front.

Sujet seizième : Le messager

J'ai ordonné à la totalité de mon escorte restante d'intercepter le messager que le capitaine Njal avait l'intention d'envoyer à Yngvar, la ville plus à l'Ouest. Avec un peu de chance, mes Morjes pourront rattraper cette patrouille et ainsi me fournir l'occasion de me rendre à ma destination finale avant que l'alerte ne soit déclenchée. Lorsqu'ils auront accompli cette dernière mission, les survivants pourront retourner vers Pesek.

J'ai inscrit aux dernières pages de mon journal personnel toutes les informations que j'ai pu recueillir jusqu'à présent. La suite y figurera lorsque j'aurai complété mon évaluation de la ville voisine.

Sujet dix-septième : Le passage

Cela fait maintenant douze jours que je fais cavalier seul depuis la tour de Gousgar. Les pauvres créatures qui ont espéré avoir un repas facile avec ma vieille carcasse vont regretter pour toujours leur tentative. Si un jour des voyageurs refont le trajet que j'ai emprunté, ils pourront admirer les belles statues de pierre que j'ai laissées derrière moi. Il y a deux Trolls en particulier qui pourraient servir d'exemple, mais les transporter jusqu'à Pyrfaras serait une problématique hasardeuse que je ne désire pas résoudre pour l'instant.

J'aurais pu simplement les combattre par les armes, mais je ne voulais pas risquer de me blesser inutilement. Je suis un mage de pierre après tout et les pratiques à ma disposition ne sont-elles pas cet arsenal d'incantations des plus variées. Mais je dois avouer que j'ai toujours un faible pour celle qui transforme mes assaillants en statue de pierre.

J'ai finalement traversé la pointe extrême occidentale des Rocheuses des Dents d'Ortan pour me rendre à la partie la plus étroite de la rivière qu'ils appellent Njord. Cette nuit, je dois tenter de la traverser à gué, si cela est possible. Dans le cas contraire, je vais devoir faire un choix entre me construire un radeau de fortune ou me résoudre à faire la traversée à la nage.

Sujet dix-huitième : Visca

Je suis persuadé que Visca, mon petit porte-bonheur, continue de me protéger contre les spectres qui tentent de me tourmenter durant mon sommeil. Peut-être s'agit-il simplement d'un catalyseur à mon esprit pour me donner la force de combattre ce qui m'afflige depuis bientôt plusieurs semaines, je ne sais pas. Mais cela fonctionne et je vais continuer cette invocation qui me procure un repos diurne non pas complet, mais plus réparateur.

Mes nuits de courses sont longues et pénibles surtout depuis que je suis en mesure d'avancer à une vitesse de Géant et non de Morje. Une fois traversé du côté Ouest, ce ne sera plus qu'une question de six ou sept jours, direction plein Nord, pour atteindre mon but. J'anticipe que ce rivage sera de plus en plus patrouillé par les gardiens qui la protègent : ainsi j'espère ne pas avoir trop de statues à dissimuler sur ma route.

Ogaho avait en partie raison car le côté ouest de la rive était beaucoup plus surveillé qu'il ne s'y attendait. Afin d'éviter le plus grand nombre d'escadrons possible sur la rive, il choisit de nouveau de passer par le versant accidenté. Après dix jours de randonnée dans les Montagnes de Brisingamen, il arriva enfin près de Yngvar.

De ce promontoire, la vue sur la ville fortifiée était absolument superbe. Nichée au creux de la falaise, la petite cité faisait face à une grande baie turquoise bordée d'une plage très aisément accessible, prenable même. Au loin, à plus de 40 lieues, au bout de la longue protection rocheuse des montagnes, il pouvait apercevoir une minuscule tour. Trop loin pour y faire son enchantement de visiteur surnaturel, il reconnut tout de même Gousgar.

Ce bel emplacement lui permit de dessiner les murs de la ville ainsi que certains repères dignes d'intérêt d'un point de vue militaire. Se rapprochant furtivement, il se positionna en hauteur sur le côté ouest de la fortification. L'intérieur de la ville lui était maintenant accessible et il observa soigneusement l'activité qui régnait dans ce repaire d'ennemis.

Sujet dix-neuvième : Échec des Morjes

Cher journal,

J'ai bien peur que la mission de mes Morjes ait échouée. Je ne suis pas disposé à croire que cette ville soit toujours sur un pied d'alerte comme j'ai pu le constater aujourd'hui car celle-ci se trouve à être un des points stratégiques les plus inaccessibles en territoire ennemi.

Les entrées sont fermées et chaque visiteur est systématiquement fouillé avant de pouvoir y accéder. À chaque ouverture et fermeture de ces portes massives, tous les habitants de la ville et des montagnes peuvent entendre la complainte des gonds rouillés gémissant plusieurs fois par jour. Je comprends par cela que ces gonds n'ont pas été actionnés depuis fort longtemps et que les charnières en témoignent bruyamment.

Des gardes sont également postés sur les remparts à toutes les trente foulées environ et des torches, semblables à celles utilisées à Gousgar, sont positionnées en un périmètre de sécurité tout autour de la ville.

J'en conclus qu'ils sont en état d'alerte et que mes Morjes pourraient tous avoir péris.

Sujet vingtième : Visite nocturne en ville

J'ai utilisé ma dernière composante pour laisser mes sens se promener en plein jour et parcourir les rues de cette ville. Il s'agissait pour moi de la meilleure façon d'en apprendre plus sur ses fortifications et ses habitants. J'ai noté les différents points d'accès ainsi que les murs les plus faibles, genre de détails qui ne peuvent être perçus que par un expert comme moi.

J'ai souvent entendu le nom d'une personne mentionné à plusieurs reprises par les gardes, également prononcé précédemment par Njal, le capitaine de la tour. Il s'agissait de Jarl. Ce n'est qu'un peu plus tard que j'ai réalisé qu'il s'agissait d'un titre seulement et attribué à un certain Lars, chef de cette ville fortifiée.

J'ai pu le retracer juste un peu avant que mes enchantements ne se terminent. Je m'attendais à trouver un sorcier démon à la tête de cette forteresse mais, encore une fois, il s'agissait seulement d'un des esclaves.

C'était un grand homme aux larges épaules, ainsi puis-je le décrire, mesurant juste un peu moins que sept coudées. Sa crinière blonde parsemée de gris me laisse deviner le degré d'expérience que ce guerrier pourrait avoir. Vêtu d'une tunique rouge, il était facile à suivre de loin. J'ai remarqué qu'il utilisait étrangement son épée comme une extension naturelle de son bras. Il se promenait dans les rues et pointait son arme en donnant une série d'ordres partout où il passait.

Autre fait bizarre, de sa forte voix résonnante, il semblait inspirer plus de courage que de peur à ses guerriers. Je crois qu'il agissait comme le cœur de cette forteresse, peut-être au nom d'une âme qui avait reçu et accepté la responsabilité de protéger sa commune.

Le dernier ordre que ce Jarl a donné avant que je ne les quitte fut de badigeonner les charnières de graisse d'ours afin de les faire taire.

> « Depuis ce temps, le portail d'Yngvar est muet, songea-t-il. Dommage car j'aimais bien ce chant qui me racontait les allées et venues des autres visiteurs. »

L'échec des Morjes a peut-être été à mon avantage après tout. Cela m'aura permis de voir la ville en étant d'alerte ainsi que ses défenses. J'ai pu aussi admirer à mon goût ses nombreuses machines de guerres dissimulées derrière des cloisons et maintenant visibles pour ma propre inspection. Cette nuit, et cette fois en personne, je vais m'infiltrer de façon invisible à l'intérieur des murs de cette ville et je vais terminer mon inspection et évaluation des défenses de cette place fortifiée.

La nuit venue, sous une froide rafale d'automne, Ogaho descendit la montagne très lentement et surtout en prenant bien soin de dissimuler sa large stature avec les différents rochers et arbres qui se trouvaient sur sa route. Un ciel presque totalement voilé masquait les étoiles ainsi que les trois lunes mauves incomplètes, lui conférant un petit avantage de plus pour son activité nocturne.

Il n'était qu'à une vingtaine de foulée du périmètre éclairé mis en place pour déceler l'approche de leurs ennemis. Il ne pouvait aller plus loin sans risquer de se faire repérer. Il but entièrement une petite potion qui lui conféra la protection nécessaire pour passer inaperçu.

Rien n'était laissé au hasard et il avait soigneusement planifié son excursion et choisi un endroit bien précis pour pénétrer dans la ville en catimini. La forteresse était entourée de murs de pierres renforcis par des poutres de métal.

> « L'idée n'était pas dépourvue d'une certaine habileté, analysa-t-il, mais l'art de construire une forteresse appartenait à ceux de sa race. En preuve, Pyrfaras était un chef d'œuvre de robustesse et d'ingéniosité. »

L'un des murs offrait des points d'appuis parfaits pour un géant et, heureusement, les gardes étaient légèrement trop distancés.

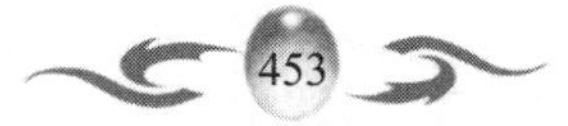

Entre le moment où il prit sa boisson, puis traversa à la course le périmètre éclairé, escalada le mur d'une quarantaine de coudées, jusque de l'autre côté sans être détecté par les gardes, il s'écoula un peu moins de 10 minutes. La durée de son invisibilité n'étant que d'une heure, tout au plus, il ne lui restait qu'une quarantaine de minutes pour exécuter son plan et satisfaire sa curiosité.

> « Malgré sa grande population, ce temps du jour est plutôt inactif, remarqua-t-il de nouveau. Pour une ville remplie de démons et de leurs esclaves et qui ressemble à Udrag ou même à Vraxan, cette manie de déserter les places publiques la nuit me semble bien curieuse. Même le point d'eau potable de la fontaine centrale s'est endormi… »

Il passa devant les commerces des artisans de cuir, du forgeron, du claveteur, ou le fabricant de clous, et de son voisin le layetier, ou le fabricant de caisses et de coffres en bois et de métal. Le boquetier avait laissé ses sabots tout neufs suspendus sous son perron et, malheureusement, les volets de l'armurier étaient solidement cadenassés. À une rue de là, les auberges regorgeaient de contingents de soldats festoyant bruyamment. Décidément, Yngvar n'était pas tellement différente des villes coloniales retrouvées sur le côté est du Grand Lac.

Il poursuivit sa route devant les étals vides des margoulins[40] de légumes puis s'arrêta, momentanément intéressé par les vitrines d'un marchand de jouets et d'un luthier. Juste à côté, il admira le travail minutieux d'une dentellière et, au-travers un orifice, celui d'un orfèvre. Le côté artistique de ces gens le remua et cette émotion nouvelle le fit ralentir. Il se ravisa rapidement car le temps lui était compté.

Le Vizir inspecta les diverses machines de guerre, des balistes, des catapultes et au sol des trébuchets ayant une portée maximum d'environ 600 foulées. Il y avait également de grandes arbalètes amovibles dont il estima la portée à 150 foulées à en juger par la grosseur de l'arc incorporé dans sa construction. Il prit bien soin de retenir les divers emplacements de ces engins.

Ses connaissances de la pierre lui permirent de déceler les points de faille des murs. Il se promenait d'un point d'intérêt à l'autre en se dissimulant même si la potion était toujours active. Selon

[40] Margoulin : petit marchand.

ses calculs, il lui restait encore assez de temps pour aller voir un dernier endroit avant de quitter cette ville.

Il se rendit sans problème jusqu'aux baraquements des soldats. Ceux-ci pouvaient accueillir facilement un peu plus de 1 500 guerriers et la ville devait abriter presqu'autant de citoyens, qui seraient vraisemblablement tous disposés à prendre les armes pour défendre leurs biens et leur vie.

Ogaho ayant suffisamment d'informations, il repartit d'un pas pressé vers son point d'entrée. Il emprunta quelques ruelles en continuant à dissimuler sa présence et tenta de ne pas s'attarder aux nouveautés.

« Je n'ai plus le temps, je reviendrai plus tard. », se dit-il.

En regardant derrière lui, il tourna prestement un coin pour éviter le prolongement d'une toiture d'une échoppe marchande. Brusquement, il se retrouva face à face avec un imposant viking d'une centaine de kilos qui marchait d'un pas déterminé. Ogaho n'ayant tout simplement pas pu se retirer du chemin, les deux colosses se percutèrent fortement et se retrouvèrent tous les deux sur le sol.

— Est-ce que ça va Thorgil, tu ne sais plus comment marcher maintenant ? demanda le Jarl en lui tendant la main pour l'aider à se relever.

Thorgil fut saisit. En se frottant l'épaule, il se demandait encore avec quoi il était entré en collision avant d'attraper la main de son chef. Lars aida son compagnon à se remettre sur pieds en se moquant de lui.

Parmi tous les habitants, le mage venait de renverser l'un des gardes du Jarl de la ville de Yngvar et qui était, en plus, en compagnie de deux gardiens dont une démone.

La gardienne de Lönnar remarqua la première le nuage de poussière créé par l'atterrissage sur le dos du Géant de pierre, juste un peu plus loin dans la ruelle.

— Attention ! Il y a quelqu'un ou quelque chose là-bas qui utilise la magie pour se dissimuler, lança la druidesse en alerte.

Aussitôt, le second guerrier prit lui aussi une position défensive devant elle pour la protéger.

Lars et Thorgil s'avancèrent prudemment dans la petite allée pour voir ce qui s'y terrait. Ogaho, qui ne voulait pas entamer une confrontation, aurait aimé conserver son passage le plus discret possible. Par contre, le chemin qu'il devait emprunter pour sa fuite se trouvait de l'autre côté de ses quatre adversaires.

Il avait été découvert et ce n'était qu'une question de temps avant que l'alarme ne soit déclenchée par l'un d'eux. Les deux hommes du Nord avançaient, épée et marteau à la main, sans avoir aucune idée de la position de leur ennemi, si ennemi il y avait.

— Tu crois vraiment qu'il y a un intrus dans toute cette poussière? chuchota Lars à son compagnon pas encore complètement convaincu de cette possibilité.

— Définitivement ! Je n'ai pas l'habitude de tomber pour simplement t'amuser, Jarl, déclara Thorgil grognon.

Lars avait une très grande confiance dans les druides de Lönnar. Arminas les avaient souvent tirés d'une mauvaise situation grâce à ses sens elfiques et à sa magie druidique. En quelques secondes, il sonna l'alarme.

La gardienne débuta une incantation et la tête de son Salkoïnas commença à briller d'une lueur bleutée. Elle le pointa ensuite en direction de la ruelle et, à ce moment précis, un tourbillon de poussière colorée s'éleva et remplit la venelle[41]. Le mage voyait avec stupeur le contour de ses mains, de ses bras et maintenant tout son corps délimité par un filtre bleu qui l'identifiait très clairement. La silhouette du Géant apparaissait maintenant dans le noir. Les guerriers s'élancèrent vers lui pour le capturer ou le terrasser.

L'alarme avait été donnée et une multitude de combattants allaient maintenant se ruer vers Ogaho. Ne désirant pas prolonger son séjour, il invoqua la magie de la pierre, celle qui lui avait si souvent sauvé la vie jusqu'à présent.

Il devait s'occuper de celle qui l'avait retrouvé, c'était une priorité. Immédiatement et d'un geste large, il la pointa en rugissant, histoire d'ajouter un peu d'effet théâtral à son attaque. La gardienne, prise de court, n'avait jamais fait face à ce type de magie auparavant et n'eut pas le temps d'esquiver ou d'invoquer une quelconque protection.

[41] Venelle : ruelle.

Elle sentit le sortilège du Géant se saisir d'elle rapidement. Tout d'abord de ses jambes, puis ce fut le haut de son corps. Maintenant, elle n'avait plus de sensibilité dans les mains qu'elles voyaient se transformer en pierre. Au moment où, complètement affolée, elle s'apprêtait à avertir ses compagnons de son terrible sort, la transformation fut complétée.

Thorgil armé de son titanesque marteau prit un élan et asséna un puissant coup directement sur le côté de la cage thoracique du Géant de pierre redevenu visible, son attaque sur la druidesse ayant épuisé le charme de la potion.

Le Géant accepta volontairement l'assaut du guerrier mais, en abaissant son bras, il immobilisa l'arme du viking. Thorgil s'acharna à vouloir la déprendre pendant que Lars attaquait avec son épée. La ruelle n'étant pas très large, seuls deux gaillards pouvaient combattre côte-à-côte.

Le Géant, de sa main libre, communiqua toute sa fureur en un seul coup de poing dans l'estomac du Jarl. Plié en deux cherchant à retrouver son souffle, Lars était hors combat, incapable de se tenir debout. Il regretta amèrement de ne pas avoir enfilé son armure. Thorgil lâcha la prise de son marteau et opta pour une technique plus directe.

Il fit la prise de l'ours à l'une des jambes du Géant, qui regarda l'homme ayant un peu plus que la moitié de sa propre stature, avec un air de désapprobation. Le troisième guerrier qui venait de réaliser que la druidesse n'était plus qu'une statue et que son Jarl, était semi-inconscient au sol, se mit à crier encore plus fort le signalement de l'intrus.

Ogaho choisit une solution moins exigeante sur son système pour régler le cas du petit mouchard qui donnait des signes de vouloir aller chercher de l'aide.

Ne pouvant pas se permettre de le laisser s'échapper, il prononça une formule magique et mit sa main dans son escarcelle pour en retirer un petit caillou gris. Le viking courant dans la ruelle n'avait encore que trois ou quatre foulées à franchir pour s'en sortir et ainsi atteindre la rue principale.

— Alarme ! Alarm... cria-t-il en recevant le projectile du mage en plein dos qui avait magiquement atteint la taille d'un melon.

Son dos brisa sous l'impact et il s'affaissa sur les pavés.

Thorgil, essoufflé de n'avoir aucun impact signifiant avec sa prise de soumission pour renverser le géant, changea de tactique et ramassa l'épée de son Jarl qui était à quelques pas de lui. Il était dorénavant plus important de protéger la vie de Lars que d'essayer de capturer ce colosse.

Ogaho vit le viking le menacer farouchement et invoqua une dernière incantation magique afin de fuir ce lieu avant que le reste de l'armée ne débarque dans la ruelle.

Le Jarl commençait à reprendre son souffle et ses esprits. Malgré trente ans d'escarmouches avec ses compagnons, jamais il n'avait reçu un coup de poing aussi fulgurant. Combattre un géant de pierre serait une aventure qu'il recommencerait, mais seulement bien cuirassé et avec l'assistance de plusieurs autres combattants ainsi que d'un sorcier, surtout si le Géant est un mage comme celui-ci.

Ogaho avait terminé de réciter son incantation et le pouvoir choisi était maintenant à sa disposition. Il recula doucement puis se retourna et partit au pas de tonnerre vers le fond de la ruelle. Il tourna de nouveau le coin par lequel il était arrivé et, une fois hors de portée, il s'éleva tout droit dans les airs dans un bond prodigieux. Après avoir atteint suffisamment d'altitude, il se dirigea en planant vers sa demeure magique pour récupérer.

Thorgil, voyant que le jarl allait un peu mieux, décida de poursuivre la créature qui venait de leur donner une sévère correction. Lorsqu'il tourna le coin pour voir où elle était rendue, il ne vit qu'un corridor vide qui bifurquait un peu plus loin.

> « Peut-être est-il redevenu invisible… », analysa-t-il en balayant largement les alentours de son épée.

En entendant les pas d'un bataillon non loin, il cria le plus fort possible afin de signaler sa position et poursuivit sa battue dans les ruelles d'Yngvar en espérant que les renforts bloquent les accès et l'aident dans sa tâche.

Le mage de pierre redescendit aussitôt qu'il eut dépassé le périmètre de lumière à l'extérieur des murs de la ville. Il s'assura qu'il n'était pas suivi et se réfugia enfin dans son sanctuaire.

Le coup porté avec le marteau lui avait sans nul doute fracturé quelques côtes.

— Je déteste souffrir… maugréa-t-il en s’étendant sur son lit.

Malheureusement, la magie qu’il avait invoquée en dernier recours dans la ruelle avait surtaxé ses ressources et il ne put se soigner avant plusieurs heures de repos.

Ogaho savait que l’enchantement de voler ne pouvait être utilisé trop souvent car il consommait de l’énergie de façon proportionnelle au poids que l’on désire soulever. En tant que Géant très lourd, il lui fallut presque toute sa concentration pour ne pas s’écraser. Malgré tout, c’était sa seule option, car jamais il n’aurait pu escalader à nouveau le mur d’enceinte extérieur ni la falaise de la montagne par la suite.

Sujet vingt-et-unième : Constats

Décidément, ces vikings, ces hommes du Nord, comme ils aiment être appelés, sont pleins de ressources. Je me surprends à penser que j’ai un certain respect pour ces créatures. De plus, cette communauté n’est pas comme celles, plus évoluées, des Sottecks ou même des Morjes. Les différentes factions qui la composent travaillent en collaboration pour atteindre un même but et se soutenir lorsque nécessaire.

Ma mission royale est terminée et je peux enfin retourner vers mon peuple. Les informations vitales que je rapporte pourront permettre à mon Roi de capitaliser sur ses forces militaires et aussi valider celles remises par son groupe d’espions.

Ogaho s’assura que sa maisonnée magique soit bien camouflée et s’enveloppa enfin d’une énergie de guérison afin de réparer les dommages qui avaient été causés par l’attaque au marteau de l’un des vikings. Il se surprit à utiliser l’appellation *viking* plutôt que *chien* ou *esclave*, comme il était écrit dans les nombreux rapports qui en faisaient la mention.

Enfin, il prendrait encore quelques jours de repos afin de laisser l’état d’alerte s’estomper un peu. Si les patrouilles n’étaient pas trop curieuses, il pourrait alors quitter ces montagnes et repartir vers Pyrfaras en passant par Vraxan, histoire de faire une petite halte. Peut-être pourrait-il y apprendre quelques nouvelles avant de rentrer la tête haute à la capitale.

Chapitre 37
Retour à la réalité

— Tu vois Miriel, je suis en mesure de contrôler ce bateau sans aucun problème, déclara Seyrawyn confortablement installé dans le fauteuil du capitaine.

L'elfe des bois adorait la sensation de contrôle que cette embarcation magique lui procurait. En symbiose avec son environnement, il avait l'impression d'être partout à la fois et voyait d'une vue périphérique absolument saisissante. De plus, il la dirigeait avec une aisance remarquable et appréciait l'avantage indéniable que lui conférait son invisibilité. Seul le fin sillage laissé derrière trahissait leur passage et parfois certaines créatures marines remontaient pour briser les ondulations et s'y laisser bercer.

La druidesse s'interrogea d'un air grave sur la fréquence avec laquelle ce capitaine avait passé sur la rivière Njord sans être remarqué, tout autant que la prouesse de circuler sous le nez des mages de la tour de Vanirias.

— Continue de le faire avancer, mais surtout fais attention, je ne voudrais pas te retrouver inconscient. Tu ne sais pas comment cette magie peut réagir avec ton corps.

— Je vais tâcher de faire attention druidesse, je te le promets.

Le Falsadur-Dreki était littéralement absorbé par ses nouvelles capacités magiques. Depuis qu'il avait réussi à prendre les commandes, son esprit travaillait à découvrir les autres possibilités que pouvait détenir cet objet merveilleux.

Miriel sortit de la cabine et monta discuter avec Marack et Bertmund sur le pont supérieur. C'était l'endroit le plus adéquat pour avoir une vue d'ensemble du navire. Le gouvernail, situé derrière eux, s'animait par la volonté du dreki afin d'effectuer les corrections nécessaires au fil des obstacles rencontrés.

— Notre ami s'amuse bien ? demanda le guerrier nonchalamment appuyé sur le garde-fou.

— Trop bien, il me fait penser à oncle Beren à qui on aurait remis un nouvel article surnaturel. Peut-être s'agit-il de son côté magicien elfique qui s'impose un peu plus.

— Vous vous rendez compte, Madame, il a été en mesure, après seulement six jours d'essais et d'erreurs, de contrôler presque parfaitement ce navire seulement par la pensée. Il n'a même plus besoin du trône pour le faire, seulement le fait d'empoigner son épée courte au moment de donner l'ordre. C'est vraiment remarquable, exprima le troubadour impressionné.

— Druidesse, tu devrais essayer, c'est vraiment extraordinaire, jamais je n'aurais pensé pouvoir autant m'amuser, lui cria Seyrawyn de son trône.

La grande voile n'était même pas déroulée et le bateau avançait magiquement à pleine capacité sans avoir recours à la puissance du vent.

— Parle pour toi Seyrawyn, je suis obligé de monter la garde presque tout le temps devant cette petite créature qui ne nous sert absolument à rien, déclara Marack, mécontent de son sort.

En effet, il devait servir de geôlier pour Jettaro et cela lui donnait l'impression de perdre son temps.

— La cheffe démone a donné sa parole qu'elle ne le tuerait pas et c'est moi qui a hérité de la tâche de le surveiller, de le nourrir et d'en prendre soin, lâcha-t-il dans un grognement.

Jettaro, les mains liées derrière son dos, avait été attaché par le guerrier à l'unique mat du navire. De cette façon, il avait de l'air frais et pouvait se dégourdir un peu les jambes et cela permettait à Marack de garder un œil à distance sur son prisonnier.

Le prisonnier n'était pas non plus satisfait de son sort. Il était le souffre-douleur des membres de l'équipage et du capitaine Salxornot mais, au moins, il avait sa liberté. La captivité ne faisait partie de son entente et il demandait avec insistance à parler avec la cheffe.

De son petit air sournois, il se faisait un malin plaisir de le mentionner à son bourrel[42] à toutes les deux heures environ.

Vers l'après-midi d'un septième jour d'entraves, profitant que tout le monde, incluant Seyrawyn, se retrouve sur le pont, la petite créature décida qu'elle en avait assez.

— Je veux parler à cheffe ! Je veux parler à cheffe ! Toi le gros chien, détache-moi et vas me chercher ton maître ! Toi compris ? Je te parle, cochonnet de service, cherche maître à toi !

Le viking courroucé était devenu la cible des insultes qui ne cessaient de s'accroître depuis la prise du navire. L'acharnement de Jettaro eut finalement raison de sa patience.

— J'en ai plus qu'assez, je crois que j'ai été acceptable dans ce rôle de geôlier. Je t'ai nourri, je ne t'ai pas bâillonné, je ne t'ai pas maltraité, lui dit-il en s'approchant de lui menaçant, jusqu'à présent…

Il détacha le garfadet de son pieu et se dirigea vers la rambarde. Il ne voulait, ni ne pouvait rien faire contre lui, mais il allait tout de même tenter de l'intimider ou mieux, le faire taire.

Miriel, voyant son compagnon détacher le prisonnier, s'étira le cou pour voir ce qu'il allait lui faire. Bertmund et Arafinway n'auraient jamais enduré une parcelle des grossièretés que le petit monstre avait vociférées depuis le début à leur compagnon.

Arafinway était d'ailleurs surpris que son ami n'ait pas remédié à la situation au tout début. C'était une première pour Marack, il avait fait preuve de beaucoup de retenue.

Le guerrier souleva la corde au bout de ses bras et fit dandiner Jettaro juste au dessus de l'eau.

— Continue de me parler de la sorte et je te promets que je vais m'organiser pour t'apprendre à nager.

— Jettaro sait déjà nager, porcelet va manquer à sa parole donnée à sa cheffe, pas d'honneur chez le cochon, pas d'honneur !

— Marack fils de Marack, repose immédiatement Jettaro sur le pont sans lui faire de mal. Tu m'as promis de ne rien lui faire, rugit la druidesse d'un ton sans équivoque.

---

[42] Bourrel : bourreau.

Marack obéit à contrecœur. Il n'en pouvait plus de subir la grogne de cet horrible insolent. Voyant qu'il allait y avoir une discussion entre la cheffe et le guerrier, Seyrawyn décida d'aller tenir la laisse du mousse qui écoutait subitement avec une grande attention et en silence.

— Miriel, je n'en peux plus, ce petit nabot ne fait que m'insulter, me narguer et surtout me tenir éveillé la nuit car il veut toujours quelque chose. Par chance que ce navire a encore quelques victuailles car au rythme où il mange, comme un ogre malgré sa petitesse, il aura vite épuisé toutes nos rations.

— Ça va, tu as fini ?

Miriel promenait son regard entre son compagnon et le mousse qui lui adressa son beau sourire aux dents pointues. Elle avait l'impression d'être une mère qui devait séparer deux petits enfants qui ne faisaient que se chamailler pour attirer son attention.

— Gardien Marack, tu as reçu mes ordres concernant ce prisonnier et je m'attends à ce que tu les exécutes à la lettre.

— Justement exécuter est l'une des choses qui me passe par la tête depuis quelques jours. Tu ne vas tout de même pas ramener cet ennemi à Feygor, n'est-ce pas?

— Non, j'ai l'intention de le laisser à Vanirias avant de continuer notre chemin vers Feygor par la suite. Nous allons sortir de cette rivière et atteindre le Grand Lac dans quelques heures, encore cinq jours et nous serons rendus à la tour elfique.

— C'est cinq jours de trop, selon moi.

Seyrawyn regardait ses deux amis argumenter au sujet d'un simple prisonnier. Ce n'était pas la première fois que Marack et Miriel ne voyaient pas les choses du même œil. La plupart du temps, c'était la cheffe qui remportait les échanges et Seyrawyn trouvait le tout un peu injuste.

Il avait entendu toutes les paroles que Jettaro avaient dites au guerrier et son ami méritait mieux que des insolences. Le dreki se tourna vers le mousse, qui lui faisait aussi un grand sourire et les yeux doux.

Il prit son épée courte, coupa les liens du prisonnier puis de façon aussi subite qu'inattendue, poussa Jettaro par-dessus bord. Au même moment, il ordonna au navire d'accélérer sa vitesse afin de mettre le plus de distance possible ente eux et l'ex-prisonnier.

— Mais qu'est-ce que tu as fait Seyrawyn, tu es fou ! Je t'ordonne de faire immédiatement demi-tour pour aller le récupérer, je crois qu'il a de la difficulté à nager, je ne le vois plus, s'écria-t-elle aussi surprise qu'en colère.

— J'ai réglé le problème entre toi et Marack, c'est tout.

Miriel, mécontente, ne comprenait pas ce qu'il voulait dire et serra les dents devant son ami qui la regardait d'un drôle d'air. De son côté, il ne comprenait pas qu'elle ne saisisse pas le sens de son action. Pourtant, tout était très clair dans sa tête de dreki. Il décida quand même de s'expliquer, histoire d'éviter toute mésentente.

— Tu as ordonné à Marack de garder le prisonnier et de ne pas l'exécuter, commença-t-il doucement, ni de lui faire du mal. Marack a accepté la tâche imposée et a obéi sans déroger.

— Alors pourquoi l'as-tu condamné ? lui lança-t-elle vraiment fâchée.

— Le petit Jettaro n'a pas hésité à profiter de la situation et a rendu la tâche presque impossible à accomplir pour notre ami. Tout à l'heure, j'ai constaté que Marack voulait seulement le faire taire. Toi druidesse, de ton côté, en lui ordonnant d'arrêter son action, tu as réduit à néant toutes possibilités d'avoir la paix.

Le guerrier approuva du regard et la druidesse écoutait en se contenant.

— Une tâche d'ailleurs qui n'était pas raisonnable à en croire tous mes autres compagnons, reprit Seyrawyn. Car tous ont émis le même commentaire en secret et presqu'en silence. Je le sais parce que je les ai entendus de la cabine.

Les compagnons le dévisagèrent attentivement, surpris.

— Ah oui, je peux vous entendre discuter partout sur le navire lorsque je suis en contact avec la grande chaise. Toi-même druidesse, tu t'es questionnée sur la pertinence et le risque que tu avais pris concernant ton prisonnier.

Il fit une pause pour reprendre son souffle dans un silence total.

— J’ai donc réglé le problème : Marack ne t’a pas désobéi, le prisonnier ne verra pas vos fortifications et il n’a pas été exécuté non plus. Ton ordre a été respecté car il n’est pas mort et l’honneur de Marack est intact. Je peux encore l’apercevoir d’ici. Il savait nager en fin de compte, car il est toujours vivant et il a atteint la berge nord de la rivière. S’il rencontre l’une de ses patrouilles, il pourra s’en tirer. Dans le cas contraire, son destin s’accomplira.

Miriel n’avait plus rien à dire, elle regarda ses compagnons qui avaient tous eu la même réflexion au sujet du garfadet. Ce n’était pas une bonne idée de l’amener avec nous, et il ne pouvait pas non plus remplacer le vrai prisonnier qu’ils avaient mission de ramener à Feygor pour se faire interroger.

La gardienne avait envisagé que si elle ramenait un informateur, peu importe qui il était, cela compenserait peut-être le fait d’avoir échoué à la première mission officielle accordée par son ordre druidique. Mais maintenant, elle n’avait plus rien…

Brusquement, réalisant l’ampleur de son échec, elle se retourna et partit vers la cabine du capitaine en se mordant la lèvre inférieure pour retenir ses larmes. Marack fit signe aux autres compagnons de ne pas intervenir immédiatement. Il se positionna au garde-à-vous devant sa porte, comme il l’avait fait tant de fois. Ce nouveau tour de garde était plus naturel pour le guerrier et il le jugea drôlement plus approprié face à ses vraies responsabilités.

Plusieurs heures après que Miriel se soit enfermée dans la cabine, Seyrawyn s’avança vers le guerrier, l’air inquiet.

— Tu crois qu’elle va aller mieux ?

— Rassure-toi, ce n’est pas ton action qui a mit Miriel dans cet état. Mais plutôt la triste réalité : la mission de capturer Salxornot a été un échec. Malgré tout, j’ai bon espoir que l’Ordre de Lönnar va apprécier la capture de ce navire stratégiquement avantageux. Ainsi, la mission n’aura pas été inutile.

— Hum… Es-tu absolument certain qu’elle ne m’en veut pas ?

— Oui, sûr ! Elle n’est pas rancunière et t’a probablement déjà pardonné. Elle doit seulement digérer le tout et accepter ce qui s’est passé. Cela fait partie de l’expérience de vie d’un chef.

Marack avait adopté l'attitude apaisante de son père en mentionnant son dernier commentaire. Il regarda Seyrawyn et camoufla un petit sourire devant son air vraiment triste. Il aimait bien ce jeune elfe, c'était vraiment un bon compagnon, digne de devenir un véritable gardien.

Miriel, les yeux rougis, réfléchissait à la situation, étendue sur la couchette, en tentant d'accepter peu à peu les faits. Elle se culpabilisait des piètres résultats de sa mission et cherchait désespérément une façon d'expliquer tout ceci devant le Conseil. Elle passa en revue toutes les étapes qui les avaient menés jusque-là, en retraçant les erreurs de jugement qu'elle avait commises.

Malgré tout, elle avait entendu Marack discuter avec les autres compagnons, juste devant la porte de sa cabine. Elle appréciait sa façon de dédramatiser la situation et de ne pas la condamner. Il était vraiment comme un grand frère bienveillant. Elle s'en voulait de ne pas avoir vraiment remarqué tous les efforts qu'il avait faits pour respecter ses ordres.

Avait-elle manqué de jugeote en demandant à un guerrier gardien de Lönnar, un disciple de Tyr le justicier de surcroît, de garder en vie un fourbe ennemi ? Elle aurait mieux fait de confier cette tâche de geôlier à Bertmund, plus diplomate.

Miriel préféra la solitude pendant le reste de la journée. En soirée, elle offrit enfin d'effectuer le premier tour de garde en compagnie de Bertmund, toujours positionné à la proue du navire.

— Vous savez Madame, malgré le fait que j'ai pu penser ou dire quelque chose contre l'un de vos ordres, cela ne veut pas dire que je ne l'aurais pas exécuté. Vous pouvez également vous attendre de la même diligence de la part de chacun de vos compagnons. Même de votre ami, le Falsadur-Dreki qui a eu une idée… quelque peu biscornue, pour résoudre la problématique du prisonnier. Il a agi de bonne foi sans compromettre ses compagnons qu'il estime beaucoup.

— Mon cher et sage érudit, je suis d'accord avec vous et je ne lui en veux pas. D'ailleurs, je n'ai jamais mis en doute votre loyauté à tous. Pour citer un bon ami à moi, je dirais

simplement que c'est l'expérience d'être un chef qui fait son bout de chemin…

La druidesse demeura silencieuse, emmitouflée dans sa cape, par cette fraîche nuit étoilée. Les trois lunes sœurs étaient maintenant complètes et lui faisaient penser qu'il y avait souvent trois voies différentes dans une situation pour arriver au même résultat. Elle apprenait, tranquillement, lentement et quelquefois à la dure, mais elle apprenait. Miriel réalisa qu'elle était très chanceuse d'avoir de si bons amis qui lui faisaient confiance.

La huitième journée se présenta tout différemment pour tous. L'atmosphère semblait plus légère, plus détendue et Miriel n'eut pas besoin de s'expliquer, tous ses compagnons s'assuraient qu'elle ne manquait de rien et poursuivaient presque gaiement les tâches qui leur avaient été assignées.

Il faut dire que de passer une nuit sans le tintamarre de Jettaro fit certainement toute une différence. Marack avait meilleure mine par ce beau matin frais mais ensoleillé, sans doute grâce au repos légitime du guerrier.

Depuis leur départ, il n'y avait qu'une seule chose que le groupe de gardien n'avait pas encore effectuée. Deux coffres mystérieux étaient toujours dans la cabine du capitaine. Ils furent tellement préoccupés par la possibilité de se faire suivre, d'être rattrapés ou attaqués par une patrouille, que les malles étaient demeurées dans l'oubli.

— Je me porte volontaire pour les ouvrir, confia le dreki, enthousiasmé de pouvoir utiliser ses habiletés techniques personnelles.

— Je n'ai pas d'objection, répondit Miriel en échangeant un regard avec les autres compagnons.

Seyrawyn sonda le premier coffre puis le second. Les deux étaient fermés à clé. Il sortit de son sac de cuir un assortiment de petits outils, tous aussi bizarres les uns que les autres. Bertmund reconnut certains d'entre eux, très utiles, pour avoir employé les mêmes à une époque où il pratiquait… une autre profession.

L'elfe des bois employa habilement une technique raffinée qui démontrait un savoir-faire et une bonne compréhension du mécanisme qui était crocheté. Le troubadour en apprécia l'expertise et le doigté.

« Comment une créature qui n'est jamais sortie de son territoire peut-elle détenir de tels objets, songea-t-il. Et surtout, savoir aussi bien s'en servir... »

Le premier coffre s'ouvrit assez facilement. Tous s'approchèrent pour en voir le contenu.

— Des effets personnels, des vêtements de rechange, des accessoires d'apparat, des bottes absolument géantes, énuméra le serrurier. Rien de bien spécial. Comme vous tous, j'ai bien hâte de découvrir ce qu'il y a dans l'autre, bien plus gros !

L'expert du moment inspecta le second coffre abondamment renforcé. Le mécanisme de verrouillage était complexe et nécessitait une approche différente et un peu plus de travail. Après d'interminables minutes, il déposa enfin ses outils.

— Voilà c'est fait ! s'écria-t-il très fier d'avoir réussi sans avoir eu recours à sa magie. J'ai réussi à le déverrouiller, regardons à l'intérieur maintenant !

Il ouvrit le couvercle et le rabattit vers l'arrière. Instantanément, une multitude de fines pointes acérées furent projetées en direction de l'homme curieux qui tentait d'ouvrir le coffre.

— Aïe ! J'ai été piqué par un insecte…

Seyrawyn ne prononça que ces simples mots avant de tomber inconscient sur le sol. Miriel se précipita vers lui pour y découvrir sur l'une de ses mains, une minuscule petite aiguille enduite d'une sève rosée.

— Madame, je vous en conjure ne toucher pas à cela, elle est assurément empoisonnée, lança le troubadour en l'écartant prestement.

Le troubadour sortit une petite pince de la trousse d'outil de Seyrawyn et retira l'aiguille de la main de son ami.

— Je crois bien qu'il s'agit d'un poison, peut-être bien mortel. Madame, de grâce rassurez-moi, dites-moi que vous connaissez une prière pour guérir les personnes qui sont empoisonnée ?

— Oui, oui, je connais ce genre d'incantation. Transportez-le sur la couchette du capitaine et laissez-moi un moment pour me concentrer.

Miriel ferma les yeux quelques instants puis apposa sa main sur le front déjà fiévreux de son ami. Aucune réaction, bien au contraire, son teint venait de passer au jaune.

Personne n'avait remarqué, mais le bateau avait ralenti et il était sur le point de s'immobiliser.

— Miriel, Miriel, nous ralentissons ! s'époumona Arafinway depuis la poupe près du gouvernail.

— Nous sommes presque immobilisés. Est-ce que l'état du navigateur serait étroitement relié à la magie du navire ? interrogea Bertmund.

— Je n'en sais rien… murmura-t-elle en réfléchissant à toute vitesse.

— Nous sommes redevenus visibles aussi, rajouta Arafinway observant la rive à environ trois cents foulées.

— Il ne va pas mieux, Miriel il faut faire autre chose, confirma Marack.

— J'ai utilisé le seul enchantement que je connaisse... Ce poison est tellement puissant que j'ai l'impression de n'avoir que ralentit sa progression. Mais pour combien de temps encore ? se désola-t-elle devant son état qui empirait sous ses yeux.

La druidesse constata qu'elle ne pouvait rien faire d'autre à bord de ce navire.

— Je dois aller dans la forêt et trouver quelques plantes qui pourraient peut-être faire un contrepoison plus puissant pour le sauver.

— Très bien, je t'accompagne, donne-moi juste le temps de mettre l'esquif à l'eau et de ramer jusqu'au rivage, répondit Marack bien décidé. Et ce n'est pas une option !

Elle lui en fut gré et lui sourit.

Une fois sur la rive, Marack fit remarquer à sa cheffe qu'effectivement le navire était visible comme Arafinway l'avait souligné. Il hissa la barque sur les galets pendant que Miriel scrutait les alentours pour prévenir tout danger potentiel.

— Que cherche-t-on exactement ? demanda le viking qui voulait aider.

— J'ai besoin de feuilles de menthe, d'une fleur de l'armoise, quelques tiges de vahona et des feuilles d'angélique. Avec tout cela, je devrais pouvoir concocter une potion pour temporairement aider Seyrawyn, jusqu'à notre arrivée à Vanirias.

« Comment allons-nous nous y rendre avec ce bateau figé ? À la voile ? Je trouverai des solutions plus tard… pour l'instant, des plantes. »

— Je connais trois des choses que tu as nommées. Essayons de garder une distance raisonnable et de faire la recherche en parallèle.

Miriel accepta la consigne et ils se mirent à chercher les ingrédients. Après une demi-heure de fouille, toutes les composantes avaient enfin été retracées.

— Marack, pousse cette coquille de noix car je dois retourner rapidement sur le navire.

Bertmund tentait de réconforter son ami du mieux qu'il le pouvait en lui parlant constamment et en l'encourageant à demeurer éveillé. Il ne fallait surtout pas qu'il ne sombre dans le coma.

Marack ramait le plus vite possible pour se rapprocher du navire. Il se rappelait un vieux dicton viking qui disait que mourir empoisonné ou dans son lit, au lieu d'une épée à la main en plein combat, avait la même valeur qu'une vache qui rendait l'âme sur son foin.

« Il n'y a aucun honneur à mourir ainsi et je ne veux pas de ce genre de fin pour mon ami le demi-dragon. »

La druidesse avait donné des instructions précises à Arafinway pour préparer un petit feu ainsi qu'un chaudron avec de l'eau. À leur retour, tout avait été installé et préparé, chacun voulant participer à la guérison de leur ami.

— Tout est prêt Ara ? Merci, tu as fait bouillir l'eau !

— Oui Miriel, j'ai tout fait comme tu m'as demandé. Tu vas le sauver, n'est-ce pas ? demanda l'éclaireur vraiment inquiet.

Selon la formation qu'elle avait reçue à titre de guérisseuse, elle broya les ingrédients récupérés avec ceux qu'elle avait déjà dans son escarcelle avant de les déposer dans la casserole remplie d'eau.

La concoction bouillit pendant cinq longues minutes puis elle la laissa reposer avant de l'administrer oralement au patient qui sombrait dans le délire. Le poison qui se frayait un chemin dans son système provoquait visiblement un état d'euphorie avant la mort. Les symptômes ressemblaient un peu comme la belladone, la datura ou la ciguë, réputées pour leurs effets secondaires chez les victimes empoisonnées.

Miriel lui fit boire la décoction qu'elle venait de préparer et invoqua à nouveau son dieu pour obtenir une seconde chance. Elle n'avait rien à perdre, l'action des deux antidotes, l'un magique et l'autre physique pourraient peut-être devenir bénéfiques.

Lönnar lui accorda la magie bienfaitrice pour son compagnon et, après quelques moments, la respiration de Seyrawyn se fit plus stable et plus profonde.

De plus, signe qu'il allait mieux, le bateau, reconnaissant que son navigateur revenait en ce monde, redevint invisible et reprit très lentement sa course.

— Il y a vraiment une relation magique entre le dreki et le navire, avança Bertmund à Miriel, pendant que celle-ci regardait son ami reprendre des couleurs.

— Si personne ne s'y oppose, j'aimerais bien pouvoir prendre le premier tour de garde auprès du dreki, demanda Marack.

— Bertmund, peux-tu me sécuriser le gros coffre, s'il-te-plaît ? demanda la cheffe gentiment.

Bertmund ne voulait pas non plus qu'il ne fasse une seconde victime et s'assura donc que celui-ci ne contenait plus aucune autre trappe. Une fois que le troubadour donna son approbation, l'éclaireur retira tout le contenu de la malle.

Il sortit un large sac qui contenait de nombreuses pièces de monnaie de toutes sortes.

— Oh ! Sans doute la solde des membres de l'équipage. Je crois qu'il y en a qui vont grincer des dents… fit-il.

— Et avoir des raisons de plus pour nous courir après, ajouta le troubadour en soupesant la grosse bourse.

— Miriel, on a trouvé quelque chose de très intéressant, lança Arafinway joyeux.

— C’est le livre de bord du capitaine ainsi qu’une série de missives attachées par un simple ruban rouge ! déclara Bertmund en prenant avec précaution le livre pour le feuilleter de façon générale.

— Tu peux lire ce qui y est inscrit ? s’enquit-elle.

— Un peu, je vais devoir prendre un peu de temps pour déchiffrer ces pattes de mouches, Madame, avec votre permission bien sûr !

Miriel acquiesça.

De son côté, Arafinway prit les missives avec le petit ruban rouge et se rapprocha de Miriel quelques minutes plus tard, arborant un air de mécontentement.

— Qu’y a-t-il Ara, tu as appris une mauvaise nouvelle dans ces documents ?

L’éclaireur lui remit les missives toujours attachées par le petit ruban rouge.

— Je suis incapable de défaire ce ruban, de le couper avec ma dague ou de faire glisser les missives hors de son emprise. Rien à faire, ce lacet de satin ne veut pas bouger.

Miriel essaya à son tour et arriva au même résultat que son compagnon. Elle se concentra et découvrit finalement que le ruban était magique.

— C’est un travail pour notre ami aux mille et une ressources, lui répondit-elle en regardant Bertmund attablé au bout de la pièce. Va lui remettre, je suis persuadée qu’il saura nous surprendre et réussir là où nous avons échoué tous les deux.

Arafinway, qui avait retrouvé son sourire, lui remit les parchemins puis retourna s’installer sur la figure de proue en avant. Il aimait bien cet endroit, il avait l’impression d’être assis sur le griffon et lorsque le navire prenait de la vitesse, cela lui donnait l’impression de voler.

Seulement 3 jours, tu pourras constater par toi-même la beauté de cette œuvre magique, à la fois druidique et elfique.

Seyrawyn se disait silencieusement qu’il était hors de question pour lui d’y pénétrer et il accéléra néanmoins la vitesse de son navire. L’impression de voler vers une destination mystérieuse, à la fois fascinante et effrayante, le fit frissonner.

Chapitre 38
L'inspiration de Dihur

— Enfin des résultats encourageants ! s'écria le Premier Vizir d'une voix forte et énergique qui résonna en écho sur les murs de pierre de ses appartements.

Dihur se réjouissait des nouvelles missives en provenance des disciples de son ordre.

— Trois druides à l'ouest de Vraxan, cinq sur le flanc est des Monts Krönen et deux autres non loin de la pointe des montagnes d'Orgelmir, au sud de la ville de Bishnak. Une dizaine de druides et presqu'une quarantaine de gardiens ont perdu la vie au combat en essayant de défendre leur précieux territoire. Quel bonheur ! Quelle joie !

Le Grand Druide des Quatre Éléments était ravi des nombreux parchemins qui ornaient sa table de travail. Il entretenait une conversation avec lui-même, comme à son habitude, mais cette fois, il était enthousiasmé des résultats produits par ses adeptes druidiques.

« J'aime moins celle-ci, mais tout de même : plusieurs druides ont réussi à s'esquiver de l'escarmouche mortelle qu'ils ont rencontrée. Les gardiens de Lönnar se sont sacrifiés pour permettre à leur chef de pouvoir s'échapper. Quelle couardise de la part de ces druides ! Une pareille lâcheté n'aurait jamais été tolérée dans les rangs de mon Ordre. »

Cependant cette réussite des offensives avait un prix. Plusieurs effectifs furent perdus, mais contrairement aux assauts irréfléchis de la part du prince, il y avait un bon nombre d'ennemis qui avaient été terrassés.

« Je crois que je ne divulguerai pas ces pertes tout de suite à Arakher. J'ai de bons résultats, concrets et, surtout, des carcasses ennemies pour appuyer les démarches militaires entreprises.... Excellente idée. »

Dihur connaissait la réputation des hommes du Nord au combat et la précision des arcs employés par les elfes. Les troupes d'Arakher étaient plus nombreuses, mais les prouesses au combat de la part des Mourskhas et des Sottecks n'étaient en rien imposantes sur le champ de batailles.

Il constata avec amertume qu'un groupe de trois ou quatre gardiens pouvaient tenir tête et terrasser un groupe de dix Sottecks sans perdre de compagnons. Leur technique de combats et leur détermination étaient ce qui leur permettait de résister à leurs ennemis.

Les Yobs avaient un peu plus de réussite contre ces groupes, de part leur stature et surtout leur force, mais encore tout était une question d'entraînement et d'attitude.

Dihur se promenait dans ses appartements et effectuait le constat de ses alliés au sein du royaume.

« Voyons voir ce qui est à ma disposition : un Géant de pierre qui a une certaine notoriété auprès de la Cour royale, un prince bâtard, néanmoins reconnu comme un commandant farouche et un guerrier d'une grande puissance ainsi que plusieurs disciples druidiques stratégiquement placés dans les villes orientales du Grand Lac. »

Tout en marchant, il s'amusait à lancer dans les airs puis à attraper le petit caillou rouge qu'il avait récupéré sur le druide Éoril. Il arpentait les dalles de pierre de son vaste appartement en tentant d'évaluer les autres possibilités qu'il pourrait bien exploiter pour augmenter son pouvoir en ce royaume.

— Hum… Je dois pousser les troupes d'Arakher plus loin en territoire ennemi, et ainsi forcer Arminas à reculer un peu plus à chaque jour.

Il adorait monologuer dans ses appartements, énoncer à haute voix les actions qui le rendraient heureux. Projeter dans l'univers les possibilités pour parvenir à atteindre son but.

Lors de l'une de ses réflexions, il ressentit soudainement une chaleur qui grandissait au creux de sa main. Il déplia lentement

ses doigts pour voir ce qui arrivait et constata que la pierre était responsable de cette intrusion inopinée.

Dihur était en mesure de pouvoir soutenir une certaine intensité de chaleur, il était après tout un Grand Druide et un Maître concernant l'élément de feu. La pierre se mit à tourner de plus en plus vite sur elle-même. Intrigué, il approcha sa main de son visage et continua d'observer la manifestation particulière qui s'opérait sous ses yeux.

Après une trentaine de secondes, il eut un soupçon au sujet du phénomène qu'il observait et d'une voix grave et mécontente, il s'adressa promptement au caillou.

— Garzebüth, est-ce toi qui te manifestes encore pour attirer mon attention ?

Dihur n'appréciait pas les intrusions de plus en plus fréquentes de ce petit esprit mineur de l'élément de feu.

Subitement, derrière le Grand Druide, la flamme d'une torchère oscilla durant quelques secondes. Puis, dans la volute de fumée qui s'élevait jusqu'au plafond, la forme de Garzebüth se matérialisa. L'esprit mineur qui avait entendu son maître mentionner son nom, sans l'appeler officiellement de façon physique, se risqua à jeter un petit coup d'œil dans le monde réel. De façon originale, il entrouvrit les rideaux de fumée et il s'étira le cou en direction de son maître.

— Je te jure que si c'est toi qui fait tourner ce caillou, je vais m'organiser pour te donner une mission qui va te faire voyager jusqu'aux profondeurs d'un océan ! Une flammèche comme toi va certainement apprécier l'ironie de devoir plonger dans une vaste et profonde étendue d'eau pour y récupérer un objet beaucoup trop lourd pour tes propres facultés ! tonitrua le Premier Conseiller visiblement irrité.

Les traits de fumée, qui composaient le visage de Garzebüth, se contorsionnèrent sous la peur et se dissipèrent aussitôt. Il n'était pas responsable de ce qui arrivait et ne voulait surtout pas récolter la punition que son maître venait de concocter.

Malgré la semonce, la pierre de jaspe rouge continuait de prendre de la vitesse, à un point tel que le druide s'en débarrassa en la

laissant tomber. À son contact au sol, la dalle du plancher explosa brusquement dans un tonnerre de poussière.

La petite pierre avait fracassé si violemment la pierre qu'elle s'y encastra, formant au fond du cratère déchiqueté, une empreinte ovale et régulière.

Cet objet magique avait définitivement attiré l'attention de Dihur. Il la regardait maintenant avec respect, écartant du même coup la probabilité qu'il s'agisse de son hiérodule[43] de feu.

Les jours passèrent et l'intérêt de Dihur grandissait à en devenir une obsession. Il accomplissait machinalement les tâches reliées à sa position, mais ce n'était pas assez. D'une manière générale, il s'enorgueillissait chaque jour davantage de l'accomplissement de la grande mission qu'il s'était donné : rétablir l'équilibre des choses en reprenant le territoire d'Arminas. Il était vraiment injuste que seuls les druides de Lönnar aient accès à *La Source.*

Depuis son retour d'Udrag, cette fierté se manifestait encore plus lorsqu'il effectuait ses contacts auprès de ses disciples via le bassin d'eau dans le grand jardin du palais d'Arakher.

Ses paroles convaincantes influençaient avantageusement ceux qui étaient dévoués à sa cause. Sans doute que ses envolées oratoires passionnées relevaient de l'inspiration du moment. Mais il y avait plus !

Sa curiosité morbide concernant la pierre de jaspe rouge fit en sorte qu'il la conservait en tout temps sur lui maintenant. À chaque jour, il s'employait à effectuer un nouveau test pour voir comment l'objet mystérieux allait réagir.

Ses incantations ainsi que ses pouvoirs druidiques de base ne semblaient pas pouvoir percer à jour ses secrets. Il adopta une approche plus scientifique, par essais et erreurs, pour tenter d'en découvrir un peu plus, mais sans succès.

Il utilisa les éléments qui étaient à sa disposition. Il appliqua en premier de la glace que la petite pierre fit fondre très rapidement.

[43] Hiérodule : esclave attaché au service d'un temple.

Le feu n'avait aucune emprise sur elle, ce qui ne le surprit point. Peu importe l'élément qu'il appliquait, celui-ci conservait une température constante au toucher. Rien de visible ne se passait sous l'eau non plus.

La laisser tomber par terre n'était pas nécessaire, il y avait assez d'un cratère dans ses appartements.

Sur cette réflexion, il s'empressa de réparer la dalle de pierre avec un sortilège avant que le Roi ne pose trop de question. Il décida d'y remédier en utilisant une incantation qui lui permit de modeler un bloc de granit et faire disparaître toute trace de l'impact.

Par la suite, il tenta de remodeler le caillou rouge avec la même incantation. Mais il était impossible de lui faire prendre une autre forme. Décidément, cette magie était plus puissante qu'elle ne le laissait paraître.

Toute la semaine qui suivit, l'objet occupant définitivement toutes ses pensées, il étudia attentivement sa pierre et nota de nouvelles observations.

À l'aide de deux disques de verres superposés l'un au dessus de l'autre, il observa en détails les petites lignes blanches de quartz qui parfois représentaient des images. À moins que son esprit ne lui ait joué des tours, il croyait bien avoir aperçu la forme d'un loup.

> « De plus en plus étrange… songea-t-il. Ces lignes pourraient aussi bien représenter une carte, s'il était possible d'en comprendre le sens. »

Il l'observait sous tous ses angles pour tenter de déceler une information spécifique qui lui permettrait de déchiffrer le code secret de cette curiosité magique.

Il remarqua trois lignes continues et distinctes qui se croisaient et qui semblaient être composées d'un minerai de fer ou peut-être même de bronze. Chaque jour, il découvrait avec un bonheur renouvelé de nouvelles informations sur le tracé des lignes.

Ces études s'échelonnèrent sur une période d'une semaine tout au plus. Il ne pouvait y consacrer plus de temps pour le moment, car il était constamment sollicité. La bureaucratie de son rôle de Premier Vizir commençait à lui peser de nouveau sur les épaules.

« Je ne comprends, pas, la semaine passée, je me félicitais des actions ainsi que des résultats que j'avais obtenus jusqu'à présent. Ma quête se concrétisait un peu plus à chaque jour… Je dois résister à la tentation de m'occuper de mon caillou à temps plein… Il faut que je persiste dans l'organisation de mon ultime mission et ne pas déroger de ce chemin. », se dit-il résolu.

Pourtant son esprit tourmenté lui disait de continuer, de percer les secrets si jalousement gardés par la pierre. Son côté logique et sa discipline druidique lui faisaient prendre conscience de l'emprise que celle-ci avait sur lui. Cette perspective de pouvoir ne l'enchantait guère et il décida de faire un dernier test qui durerait quelques semaines.

— À nous deux petite pierre rouge, je te présente la jolie boîte enchantée dans laquelle tu vas résider quelques semaines. N'aie crainte, le passage du temps n'aura aucun effet sur toi pendant que tu y seras confinée et surtout… isolée.

Dihur voulait s'assurer qu'il n'y avait pas une quelconque manipulation qui était exercée par cet objet sur son illustre personne. La boîte bloquerait ces influences; de cela, il en était certain.

« Maintenant l'important était de demeurer concentrer sur ma première mission, ma seule et unique mission ! Je dois donc m'affairer à garder Arakher heureux si je veux faire avancer la guerre jusqu'aux portes du sanctuaire de mon ennemi. »

Ogaho n'était plus présent pour lui mettre des bâtons dans les roues. Il se devait de capitaliser sur cet avantage qui ne perdurerait pas éternellement.

« Le second Vizir est certainement en territoire ennemi pour accomplir son devoir envers son Roi. Avec un peu de chance, il ne survivra pas à cette mission. », se réjouit-il d'un air machiavélique.

Mais Dihur ne sous-estimait pas son adversaire, surtout qu'il s'agissait d'un mage, alors il entreprit immédiatement sa préparation pour la prochaine étape de son plan. Chaque jour le rapprochait de son ultime rêve de pouvoir.

— Voici Vanirias, notre phare elfique, premier avant-poste de la communauté, annonça fièrement Arafinway toujours juché sur le griffon.

Bertmund regardait la structure fortifiée que Marack avait si bien décrite et ressentit une grande fierté : admirer l'œuvre unique issue de l'effort collectif de la caste des druides et des mages resterait gravé dans sa mémoire.

Seyrawyn avait un intérêt moins marqué pour cette tour de guet qui signifiait une immersion en société. L'idée de s'y aventurer ne lui plaisait guère et il lui préférait de loin la griserie de piloter *son* bateau.

Miriel qui ne voulait pas générer un nuage de flèches ainsi que des attaques magiques de la part des occupants de la tour, préféra conserver le voile d'invisibilité sur l'embarcation même après avoir accosté au quai de poutres.

Au moment de débarquer, Miriel s'adressa à son équipage.

— Je vais aller rencontrer le commandant Hindwimrin. Ara, tu seras celui qui va m'accompagner pour cette sortie. Tu as déjà fait l'un de tes stages ici à titre d'éclaireur, alors tu connais bien cette tour et son protocole.

Marack allait émettre son objection, n'aimant pas l'idée de rester derrière, mais Miriel coupa court à son élan.

— Tu sais très bien, mon cher guerrier, que je n'ai rien à craindre en m'aventurant dans cette tour. Je te demande de veiller sur ce navire en compagnie de nos amis, lui demanda Miriel d'une voix plus conciliante. C'est important pour moi.

— Tes ordres seront suivis à la lettre, cheffe ! Mais fais attention, tu veux bien ? Tu connais mes motivations

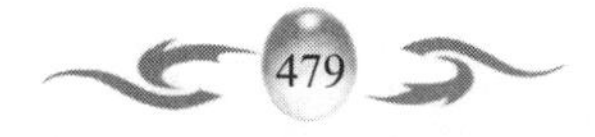

maintenant. Arafinway, elle est sous ta responsabilité, me suis-je bien fait comprendre ?

L'éclaireur se retourna vers son ami et armé d'un large sourire lui répondit :

— Oui, bien compris, sous-chef de la cheffe !

La druidesse regarda l'éclaireur puis son guerrier. Elle haussa les épaules en signe de résignation et soupira avant de rejoindre son nouveau gardien, déjà sur la berge en direction de la tour.

Ils n'avaient fait que quelques pas et déjà des gardes surgirent des taillis et les encerclèrent. Miriel s'immobilisa, ayant en main son fidèle Salkoïnas, pour expliquer sa venue et elle demanda à voir le Gardien du Secret de la tour.

— Venez Gardiens de Lönnar, vous êtes les bienvenus.

Les sentinelles les conduisirent sans encombre jusqu'aux racines majestueuses de la tour et les firent attendre près d'une petite porte camouflée par des vignes aux feuilles rouges.

Peu après, le Gardien du Secret Amdir sortit et son accueil fut très chaleureux. Elle lui fit un bref résumé de sa mission.

— Ce que vous me dites est de haute signification et je ne peux pas me prononcer seul. Attendez-moi ici, je vais quérir mon Seigneur immédiatement.

En attendant, Arafinway refaisait un tour d'horizon visuel. De leur point de vue, ils apercevaient au loin la grande île du centre mais pas les autres rives car ce Grand Lac était aussi vaste qu'une mer intérieure. Ce lieu, son vent particulier et ses odeurs maritimes, lui rappelaient tellement de souvenirs ! Pourtant, son stage ici n'avait pas été de tout repos : cela n'avait plus d'importance maintenant qu'il avait gradué comme Gardien du territoire.

Miriel s'approcha et caressa du bout des doigts les racines grises et presque lisses de l'arbre-tour. Est-ce une hallucination ou ont-elles vraiment vibrées sous son contact ?

Brusquement, la porte s'ouvrit et le commandant elfique accompagné du druide Amdir s'approcha. Ils étaient escortés par un contingent spécialement créé pour la situation qui venait de se présenter sur leur territoire.

— Bonjour druidesse Miriel, fille d'Arminas, nous avions été avisés de votre arrivée imminente voilà quelque temps par une missive de votre père. Bonjour gardien… Arafinway ? salua le Seigneur en se tournant vers l'éclaireur, surpris.

— Bonjour mon Seigneur, Maître de cette tour, salua poliment la jeune fille.

— Dites-moi, je cherche à l'horizon et je ne perçois rien. Je veux voir de mes propres yeux cette embarcation magique et surtout rencontrer ce rarissime Falsadur-Dreki. Allez, marchez, nous vous suivons.

Arrivés sur le quai qui semblait désert, le commandant la regarda presque courroucé de s'être fait jouer une mauvaise blague.

— L'embarcation se trouve exactement ici ! expliqua Miriel. Seyrawyn ! Tu peux faire apparaître le navire maintenant, nous sommes avec nos alliés.

Le voile tomba et Hindwimrin apprécia plus en profondeur la beauté du navire qui se présentait, miroitant sous ses yeux. Il prit quelques instants, admiratif devant cette merveille.

Les trois autres compagnons s'étaient alignés sur le pont et attendaient les prochaines directives de leur cheffe. Seyrawyn avança d'un pas.

— Bienvenue à Vanirias, le phare elfique d'Arisan. Permission de monter à bord ?

Le dreki ne savait pas quoi répondre et le commandant attendait la formule d'usage de la part de l'occupant du navire avant de pouvoir y mettre les pieds.

— Il ne connait pas cette formule d'usage, expliqua Miriel au Seigneur.

Le commandant comprenait la situation et décida d'éduquer le nouveau venu. Sur sa missive, Arminas expliquait la mission de la gardienne Miriel ainsi qu'un bref résumé sur les amis qui l'accompagnaient.

Cette lettre agissait également en guise d'autorisation pour permettre à Bertmund et Seyrawyn de pouvoir pénétrer dans la tour elfique.

— Tu n'as qu'à dire *permission accordée* et nous allons pouvoir te rejoindre sur le pont, mentionna-t-il à Seyrawyn, d'une voix chaleureuse et particulièrement rassurante. Pas tous, les dignitaires seulement…

Le dreki regarda Miriel qui lui fit un léger signe de tête en guise d'approbation.

— Très bien, permission accordée. Vous êtes les bienvenus, venez me rejoindre, je vous attends ! Tous… Pour une fois.

Il ne savait plus quoi dire d'autre; il n'avait vraiment aucune idée de ce qu'il fallait faire dans ce genre de situation. L'idée même du protocole le rendait mal à l'aise. C'est pour faire plaisir à Miriel qu'il accepta cette invasion qu'il espérait de courte durée.

Le commandant était accompagné d'une vingtaine de soldats elfiques qui avait la mission de monter la garde sur la nouvelle acquisition des Gardiens de Lönnar. C'était la première fois que Seyrawyn voyait autant d'elfes réunis en un même endroit.

Pour être digne de son mandant, il salua chaque elfe qui emprunta la planche pour accéder au navire, en appliquant sa nouvelle formule d'usage.

— Permission accordée, mon nom est Seyrawyn.

— Permission accordée, mon nom est Seyrawyn

— Permission accordée, mon nom est Seyrawyn

Miriel allait l'interrompre pour rendre l'exercice plus convivial mais son hôte intervint :

— Gardienne, s'interposa Hindwimrin, laisse-le faire. Tu ne vois pas que c'est sa façon de te faire honneur, en appliquant ce qu'il vient d'apprendre ?

La druidesse acquiesça à la volonté de l'elfe gris et sourit au geste un peu exagéré de son ami. Le commandant, quant à lui, était ravi de pouvoir rencontrer ce nouveau membre au sein de la communauté.

Hindwimrin s'approcha du dreki et lui tendit la main en signe d'amitié et décida de tenter sa chance en lui adressant la parole en langage elfique.

— *Je suis très content de faire ta connaissance Seyrawyn.*

Celui-ci le regarda, étonné puis son regard croisa celui de Miriel ainsi que celui d'Arafinway. Le dreki resta figé et ne dit plus un mot.

— Pardonne-moi, je croyais que tu parlais la langue des elfes.

Seyrawyn était un peu surpris de recevoir autant d'attention, mais il était ravi de pouvoir rencontrer d'autres elfes, surtout à l'extérieur des murs de la tour. Il trouvait ce commandant Hindwimrin Tinwë très différent des membres de la troupe de Miriel.

Soudainement, il lui répondit dans le même dialecte elfique.

— Ce langage des elfes est une sonorité que je connais bien. Elle fait partie de celles qui m'ont été enseignées par mon mentor. Je me nomme Ka Bael Harlan Corlisthi Kaus Therus et je suis enchanté de faire votre connaissance.

Seules deux personnes purent traduire le nom énoncé dans la langue des dragons, le commandant et Bertmund le saisissant seulement en partie. Le troubadour trouva étrange d'entendre pour une première fois Seyrawyn se présenter de cette façon.

— Je suis honoré de faire ta connaissance aussi, cousin des dragons et du ciel.

Bertmund se mit à gribouiller rapidement dans l'un de ses grimoires les quelques mots dont il se souvenait. Il n'avait pas tout compris, mais il avait bien la ferme intention de traduire un peu plus tard.

— Les elfes qui m'accompagnent vont s'occuper de ce navire et le protéger. La druidesse Miriel m'a expliqué que l'épée que tu portes te permet de le contrôler. Pourrais-tu la remettre à mes mages, ici présents, afin qu'ils puissent apprendre ce que tu connais de ce navire.

Miriel se doutait bien de cette suite logique dans l'ordre des événements mais ne savait pas comment son ami allait réagir, surtout que personne d'autre n'avait été en mesure de gouverner

le navire. Elle était également la première qui avait perçu la relation entre l'épée et le trône.

Il s'agissait pour Seyrawyn de l'une de ses épées courtes, une épée magique reçue en cadeau et qui lui appartenait. La jeune fille le regardait et elle ne voulait pas être obligée d'ordonner à son compagnon de remettre l'un de ses biens les plus précieux au commandant.

De façon tout aussi surprenante, Seyrawyn regarda le commandant dans les yeux et lui tendit son épée courte, le plat sur sa main gauche.

— Je vais faire ce que vous me demandez et je vais montrer ce savoir à votre mage. Cette épée est également un souvenir, elle va me manquer énormément.

Marack allait s'interposer dans cette discussion car il trouvait injuste qu'un guerrier perde son arme ainsi. Au moment où il allait prendre la défense de son compagnon, Hindwimrin s'adressa au dreki de nouveau.

— Cousin des dragons, je comprends le sacrifice que tu fais aujourd'hui. Alors, prenons une entente toi et moi, d'un elfe à un autre. Je te remets *mon* épée courte en échange de la tienne. Elle se nomme Émaravel, qui veut dire épée d'honneur. La prochaine fois que tu repasseras à la tour de Vanirias, nous nous remettrons nos épées respectives. Mais tu dois me donner ta parole et me promettre une chose : cette épée ne servira que pour la cause des druides de Lönnar. Est-ce que cela te convient ?

— J'accepte ton offre commandant de la tour de Vanirias et je te promets que celle-ci servira la cause que la druidesse Miriel endosse.

La cheffe avait bien compris la subtilité dans la formulation que Seyrawyn avait employée. Elle va devoir parler à son père rapidement et tirer au clair ce qui s'était réellement passé au pied de la montagne de Feygor pendant qu'elle était au sanctuaire des druides. Son ami avait encore un doute sur son intégration et il venait de le lui faire savoir. Évidemment, n'entre pas qui veut dans cette dynastie.

Chapitre 40
Feygor

Dès le lendemain, le groupe de Miriel entreprit un dernier voyage à bord du précieux navire. Le trajet entre Vanirias et Feygor fut de courte durée et se déroula sans incidents. Seyrawyn en profita, tel que demandé, pour partager auprès des mages ce précieux savoir concernant ce vaisseau et ses propriétés pour le moins exceptionnelles.

Le navire était un peu plus vivant, il y avait des elfes partout. Ceux-ci étaient de la race des elfes gris et non comme Miriel, Arafinway ou même Seyrawyn qui faisaient partie de celle des elfes des bois. Les elfes gris étant d'une caste plus distinguée, on les reconnaissait à leurs manières et à leurs vêtements plus raffinés. L'atmosphère était agréable, plus appréciée encore après une longue mission comme celle qui venait de se terminer, car ce contingent elfique offrait une sécurité bienvenue.

Une fois arrivé au lac situé à la base de la montagne de Feygor, le nouveau navigateur leva l'invisibilité qui les dissimulait. Les sentinelles qui gardaient les différents points d'entrée de la ville reconnurent immédiatement le pavillon aux couleurs de Vanirias qui flottait à la cime du mat.

Un argousin fut dépêché pour s'informer des occupants de ce curieux navire et de la raison de leur visite. Marack lui expliqua qu'ils étaient de retour de mission.

La sentinelle repartit promptement afin de se renseigner auprès de ses supérieurs et, une heure plus tard, un petit groupe de soldats du sanctuaire se présenta sur la berge.

— Bon retour, gardiens du territoire. Nous avons reçus des instructions bien précises vous concernant.

Miriel s'attendait à ce que Marack, Arafinway et elle-même soient convoqués devant le Grand Druide et les doyens. Cependant, les instructions la surprirent.

— Druidesse Miriel, tout votre groupe est convoqué devant le Conseil de l'Ordre de Lönnar.

— Très bien, nous serons trois dans ce cas à vous accompagner !

— Avez-vous perdu deux membres de votre groupe ?

— Non, répondit la druidesse, de nouveau surprise par la sous-question du soldat.

— C'est un groupe de cinq que je dois escorter immédiatement jusqu'au sanctuaire. Ces directives sont celles du Grand Druide et ne sont pas sujettes à discussion. Il y a également une consigne supplémentaire concernant Bertmund et Seyrawyn.

La druidesse le regarda longuement, intriguée.

— Comme ce ne sont pas des Gardiens du territoire, ceux-ci devront porter un bandeau ainsi qu'un casque à visière bloquée afin qu'ils ne puissent voir le trajet qui va être emprunté pour pénétrer dans la ville de Feygor. Rassurez-vous, cette marche à l'aveugle ne sera que temporaire. Passé le portail, nous les libérerons de cette procédure de sécurité.

Les cinq compagnons se regardèrent en cherchant l'unanimité.

Bertmund, qui avait vraiment hâte de visiter cette ville et de rencontrer les doyens, d'autres érudits selon les dires de Miriel, accepta sans réticence la condition qui lui était imposée. Il voulait bien paraître et aussi espérer pouvoir être au service de l'ordre druidique. Il avait cependant adoré faire partie de l'équipe de gardiens de Miriel. Il leur était utile et c'est ce qui le maintenait confiant de pourvoir servir à nouveau.

— J'accepte vos conditions pour cette visite dans votre ville ! annonça le troubadour.

— Je vous demande quelques instants, lança subitement la cheffe en se tournant vers son compagnon.

Le soldat acquiesça sans hésiter à la requête spontanée de la druidesse de Lönnar.

— Seyrawyn, mon ami, je ne t'ordonnerai pas de nous accompagner jusque devant les druides qui sont mes supérieurs. Mais je dois t'avouer deux points importants. Le premier est que peu d'étranger sont invités à pénétrer dans le sanctuaire. Il s'agit d'un honneur, d'un privilège qui n'est pas accordé à n'importe qui. Tu es admis, ce qui me réjouit !

Le dreki l'écoutait attentivement.

— Le deuxième point est que, si tu désires continuer à t'aventurer avec mon groupe de gardiens, il te faut surmonter ta peur et venir te présenter devant eux. Ils ont sans doute plusieurs questions à ton sujet et tu es le mieux placé pour leur répondre. Malgré tout, la décision de faire le premier pas te revient.

Miriel n'allait pas forcer un ami, un compagnon, un gardien dans l'âme à les suivre. Elle connaissait la phobie de Seyrawyn au sujet des grandes villes et la seule personne qui pouvait décider de la suite était lui-même.

Le Falsadur-Dreki ferma les yeux, inspira, puis regarda la montagne quelques instants. Son regard revint à ses amis qui attendaient sa réponse avec une certaine anxiété. Allait-il refuser cette marque de gratitude ?

— Très bien, je vais me rendre dans cette montagne, où il y a supposément une ville, mais que l'on ne voit pas du tout d'ici...

Il essayait de se convaincre que ce qu'il ne voyait pas ne devait pas l'effrayer... Il serait plus facile d'y entrer sans nourrir cette phobie trop persistante. De toute évidence, une expérience positive se cachait peut-être derrière cet effort d'adaptation. Lorsque le soldat s'avança et se prépara à mettre un bandeau ainsi qu'un heaume[44] aux deux compagnons concernés, Seyrawyn recula d'un pas, puis se résigna.
Miriel servit de guide à Seyrawyn et Arafinway à Bertmund. Marack comme d'habitude ferma la marche derrière eux.

Les soldats les firent passer par une multitude de détours avant d'arriver dans une petite chambre à une vingtaine de foulées de la salle du Conseil. La druidesse fut convoquée en premier et Marack tenta sa chance à nouveau en l'accompagnant jusque dans cet espace très sélectif.

Il fut arrêté par Arminas et prié d'attendre dans la pièce voisine où ses compagnons étaient déjà installés.

---

[44] Heaume : casque de métal circulaire utilisé pour les joutes.

Miriel était anxieuse et anticipait des reproches. Elle adopta une attitude encore plus respectueuse que celle employée lors de sa dernière rencontre. Elle informa les druides de son échec au sujet de Salxornot et remit le livre de bord du capitaine, les notes de Bertmund ainsi que les différentes missives également retrouvées dans le grand coffre.

Une fois son rapport terminé, la mine basse, elle répondit aux questions qui lui furent adressées. Elle garda son calme tout le long de la procédure et, par la suite, attendit les directives en silence.

— C'est tout pour le moment, dit Ferajar à Miriel, tu peux aller attendre avec tes compagnons dans l'autre pièce.

Elle se doutait bien de ce dont ils allaient discuter entre eux, à savoir de cette mission ratée alors qu'elle avait une telle importance pour l'Ordre de Lönnar. Elle redoutait les répercussions engendrées par son échec, n'ayant pas ramené ni Salxornot ni aucun autre informateur. Son cerveau imaginait les pires scénarios.

— Que s'est-il passé ? demanda Marack à sa cheffe en lui trouvant un air déconfit.

— J'ai fait mon rapport, j'ai répondu aux nombreuses questions et maintenant je dois attendre, comme vous tous, le verdict du Conseil !

Seyrawyn était à l'une des fenêtres et observait la montagne aux reflets d'améthyste. Cette position lui permettait de ressentir l'air frais au lieu de celui de la pièce où tout le monde était confiné.

Une heure plus tard, tout le groupe de Miriel fut convoqué. Lorsque Seyrawyn pénétra dans la salle d'audience, il sentit sa colère jaillir. L'un des druides présent était une personne qu'il reconnaissait et Bertmund fit aussi le même constat.

— C'est vous, *le vieux bouc de Drenadith* ! réagit-il à voix haute, sans aucune diplomatie. Je vous reconnais et même si vos habits sont quelque peu différents, je me souviens très bien de vous et de ce que vous avez insinué lors de notre rencontre au campement sur la route !

Les gardes, alertés par cette explosion d'accusations à l'égard de leur chef spirituel, se précipitèrent pour s'interposer entre Arminas et l'intrus qui continuait de le pointer du doigt en

gesticulant nerveusement. C'était à peine s'il n'avait pas dégainé son épée.

Miriel avait complètement oublié cet incident pour lequel elle voulait s'enquérir auprès de son père, mais en privé, avant que ce genre de confrontation ne se produise. Elle était tellement préoccupée par l'échec de sa mission qu'elle avait complètement fait abstraction de toute cette histoire.

Tout le monde regardait Seyrawyn qui avait créé tout une commotion dans la salle d'audience. Marack essayait de tempérer les gardes qui pointaient leurs armes pour maintenir à distance cet elfe des bois. Le Grand Druide ordonna le silence dans sa propre salle d'audience.

— Gardes, vous pouvez sortir, la situation est sous contrôle, nous sommes tous entre amis, ici en ces lieux, n'est-ce pas Seyrawyn ? Oui, c'est bien moi, cet espèce de vieux bouc.

— Je crois que tu nous dois, à Bertmund et à moi, une bonne explication concernant une pierre précieuse ainsi qu'une bourse d'une trentaine d'écus d'or ! s'objecta le jeune elfe qui cachait mal sa colère.

Personne ne comprenait ce qui venait de se passer à l'exception de Miriel qui n'était pas d'accord mais qui avait deviné le contexte.

Le Grand Druide prit quelques instants pour expliquer le subterfuge qu'il avait employé pour tester la loyauté des nouveaux compagnons de la gardienne Miriel. Il plaça la pierre précieuse ainsi qu'un sac de pièces d'or sur la table.

Il leur mentionna également que leurs paroles ainsi que leurs directives avaient été suivies à la lettre par le soldat à qui les biens avaient été remis. La preuve était qu'ils étaient devant eux et ceux-ci étaient toujours leur propriété.

— Vous devez me pardonnez, je devais véritablement m'assurer que les nouveaux compagnons qui allaient accompagner ma fille étaient dignes de confiance.

— Pardonnez-moi Monsieur, s'enquit Bertmund. Vous dites bien votre fille, Miriel, celle qui est ici présente dans cette pièce ?

— Ah ! Je vois que je ne suis pas le seul à avoir omis quelques petits détails au sujet de notre Ordre. Oui, ma fille Miriel,

celle qui osa défier son père, ses supérieurs ainsi que son Ordre, en vous soutenant et en se portant garante de vos actions au sein de son groupe de gardiens.

Le troubadour regardait la jeune demoiselle avec une touche de respect et d'admiration. Miriel avait fait exactement ce qu'elle avait promis de faire.

Elle avait poussé sa candidature auprès de l'Ordre de Lönnar et elle avait même été jusqu'à défier cet Ordre et ses pairs pour les garder avec elle pour la mission qu'ils venaient d'accomplir.

— Madame, je suis et serai toujours à votre service et redevable de reconnaissance ! dit Bertmund en faisant un salut de soldat pour signifier qu'il était fier de saluer son officier supérieur.

Seyrawyn n'aimait pas les mensonges. Planté au centre de la salle avec ses amis, il regardait, encore fâché et les yeux plissés, le commandant de cette place. Il continuait de se méfier d'Arminas. Par-dessus tout, il était déçu que la druidesse ne lui ait pas avoué que le chef de l'Ordre de Lönnar était son père.

À vrai dire, le sujet n'avait jamais été abordé. Il ne pouvait rester en rogne contre son amie, car lui aussi avait gardé quelques secrets et Miriel ne l'avait jusqu'à présent jamais questionné. Elle méritait son pardon et aussi certaines explications de sa part.

— Vous devez comprendre que nous ne pouvions vous laissez entrer dans notre sanctuaire sans prendre de précaution, reprit le Grand Druide. Nous venions d'apprendre par la traduction de ton ami Bertmund, que des espions à la solde de nos ennemis étaient sur le territoire de l'Ouest pour récolter de l'information stratégique à notre sujet et aussi qu'ils avaient pénétrés notre sanctuaire.

— Les avez-vous trouvés ? demanda Marack qui s'inquiétait de la sécurité des lieux.

— Non, malheureusement. Nous avons contrôlé tous les effectifs du sanctuaire et nous n'avons rien trouvé. Ces espions avaient déjà sans doute quitté les lieux avant le début de notre enquête.

L'atmosphère était maintenant un peu moins lourde et les explications du Grand Druide étaient satisfaisantes pour Bertmund. Il n'était pas obligé d'expliquer ses raisons, mais pour

faire preuve de bonne volonté, il jugeait qu'il s'agissait de la meilleure façon de procéder.

Seyrawyn restait en retrait à l'arrière du groupe. Miriel trouvait que son ami avait fait le bon choix en acceptant de venir dans la forteresse des druides. Il a effectué un premier pas concernant sa phobie des grandes villes et, même étonnée par son adaptation, elle était surtout fière de lui.

Elle remarqua également que son attitude ressemblait étrangement à celle qu'il avait démontrée lorsqu'ils avaient effectué la traversée de la montagne avec les membres de la caravane qu'ils avaient secourus.

Il était peut-être temps de le ramener à l'air libre, si elle voulait qu'il puisse faire un second pas dans le futur.

— Grand Druide, avec votre permission, puis-je ramener Seyrawyn à l'extérieur de Feygor ?

Arminas ne comprenait pas exactement pourquoi sa fille faisait une telle requête mais il se douta qu'il y avait sans doute une bonne raison qu'elle ne pouvait dire ouvertement.

— Ce n'est pas nécessaire, je peux retrouver mon chemin par moi-même, s'interposa le principal intéressé. Je vais simplement retracer mes pas jusqu'à l'entrée qui donne sur la baie où est amarré mon navire… heu… le bateau.

Le doyen Thorennor se questionna sur ce dernier commentaire et décida de satisfaire sa curiosité.

— Pardonne-moi, Seyrawyn, mais qu'est-ce qui te laisse croire que tu vas retracer tes pas, par un chemin que tu n'as même pas pu voir. Aurais-tu désobéi et regardé le trajet pour te rendre jusqu'ici ?

— J'ai donné ma parole à mes compagnons, s'insurgea-t-il de nouveau, que je suivrais les consignes pour venir jusque dans la ville dans les montagnes, je n'ai pas regardé ! J'ai seulement retenu dans ma tête la route que nous avons empruntée.

Ferajar, le second conseiller, ne croyait tout simplement pas les paroles du dreki.

— Très bien mon jeune ami, dis-moi comment on sort d'ici alors !

— À droite en sortant de la salle, 53 pas, descente d'un escalier 37 marches. Tournez à gauche, 113 pas, tournez à droite 326 pas, descente d'un escalier pendant 235 marches. Continuez tout droit pendant 201 pas, tournez à gauche une fois et immédiatement à gauche, encore un escalier avec une descente de 56 marches. Deux gardes, un qui respire lourdement, il ne fait pas assez d'exercices, et l'autre qui est un peu nerveux qui tape de façon régulière sur le manche de son arme avec son gant de fer. Continuez tout droit pendant 341 pas, dépassez une petite chute d'eau dans un bassin, contournez le bassin, il y a une porte en pierre qui s'ouvre avec un mécanisme secret, sans doute dans le bas de la porte car le soldat qui l'a ouverte a déposé un genou par terre en effectuant un soupir, avant de l'activer. Après 179 pas sur la pierre, on arrive sur un sol de terre légèrement mouillée car nos bottes s'enfonçaient un peu, juste assez pour laisser facilement des empreintes. Par la suite, direction plein Sud, vers le lac… Maintenant que je vous ai dit le trajet pour sortir, est-ce que je peux y aller … s'il vous plaît ?

Tout le monde resta bouche bée devant le détail et l'assurance avec lesquels Seyrawyn expliqua le trajet qu'il allait refaire. Ferajar n'en revenait tout simplement pas, il venait de réciter avec précision toutes les étapes pour sortir du sanctuaire par le passage secret qu'il avait emprunté pour venir jusqu'à la salle du Conseil.

Soudainement, Thorennor brisa le silence devenu lourd… en l'applaudissant.

L'autre doyen essayait encore de visualiser le trajet que le Falsadur-Dreki venait de décrire. Il tentait de faire le chemin dans son esprit, puis abandonna l'idée voyant que c'était presque impossible pour lui de garder en mémoire toutes ces données, refaire à contresens en plus ! Il connaissait le chemin pour l'avoir employé à maintes reprises depuis plusieurs années, mais que ce pseudo-dragon puisse retenir toute la piste en une seule fois, c'était simplement renversant.

— J'aimerais que tu restes encore un peu parmi nous, lui dit doucement Arminas. Cela ne durera pas très longtemps et je te promets que tu pourras sortir à l'extérieur avec tous tes compagnons si tu le désires.

Le Grand Druide avait encore quelques points à discuter avant de remercier le groupe de Miriel et tenait à ce que tous les membres soient présents pour la suite.

— Maintenant, discutons un peu de cette mission. Vous deviez intercepter et, si possible, ramener le capitaine Salxornot jusqu'à Vanirias. Cette partie de la mission a été un échec, je suis plutôt déçu de votre performance, Gardiens du territoire.

— Il s'agit de mon entière responsabilité, Grand Druide. J'accepte le blâme pour cette mission non accomplie. Mes compagnons ne faisaient que suivre mes directives. Si nous avions attendu un peu plus longtemps, le capitaine serait sans doute dans nos cachots aujourd'hui.

— Ou vous seriez tous morts, ma chère enfant.

Thorennor avait écouté le rapport de Miriel avec attention et demanda au Conseil de prendre la parole. Il se leva avec son air sévère et réprobateur. La druidesse blêmit car ce doyen ne la ménageait jamais.

— Gardienne Miriel, dit-il d'une voix forte, en effet, vous n'avez pas accompli la mission que vous avez demandée, que dis-je, implorée et qui vous a été accordée, malgré les avis contraires des doyens. Vous aviez fait valoir que vous étiez prête et à la hauteur de cette importante tâche, ce qui n'était visiblement pas le cas. Vous vous êtes surestimée et avez sous-estimé les risques que vous avez fait prendre à vos compagnons. Oui, ce fiasco est regrettable.

Elle sentit les larmes monter et elle se mordit la lèvre inférieure pour les retenir. Elle ne voulait surtout pas donner à ce doyen la satisfaction de la voir anéantie par la critique. Arminas remarqua son trouble mais ne broncha pas.

Par contre, ses compagnons très mal à l'aise, étaient atterrés d'entendre pareilles remontrances devant toute l'assemblée. Marack voulut intervenir mais Bertmund lui envoya un regard insistant : il ne fallait empirer la situation par de la mutinerie.

Après une légère pause, le doyen Thorennor continua sur le même ton rude.

— Cependant, au péril de vos vies et avec beaucoup d'astuces, vous avez pénétré dans une forteresse ennemie, bien gardée, et récupéré certaines informations sur la cité de Vraxan. Vous avez été capable de mettre la main sur d'importantes notes

d'un espion. Vous avez ensuite pris possession de l'un des plus grands avantages stratégiques de nos adversaires, un merveilleux et magnifique navire magique...

Il fit une seconde pause et Miriel releva la tête. Il continua son oraison, presque avec un sourire.

— Et tout cela a été accompli sans la moindre perte de l'un de vos compagnons. De plus, comme vous aviez fait valoir que vos compagnons étaient raisonnablement bien entraînés, qu'ils démontraient un courage suffisant et qu'ils méritaient la confiance que vous leur accordiez, en cela, je dois admettre que vous aviez raison.

Les compagnons se regardèrent, soulagés, et écoutèrent la suite.

— Ainsi, pour ma part, je serais enclin de dire que vous avez fait du bon travail et je vous félicite tous d'avoir accompli cette dangereuse aventure.

— Mon conseiller a raison, dit Arminas sur un ton sérieux et en se levant à son tour, suivi de Ferajar. Je vous félicite aussi. Cependant, nous nous réjouirons plus tard car l'heure est trop grave.

Miriel avait rarement vu son père parler de façon aussi inquiétante. Les nouvelles qu'il avait à transmettre devaient être critiques.

— Nous perdons de plus en plus de gardiens, et ces derniers temps la situation s'aggrave, poursuivit-il. Les attaques de nos ennemis sont plus vicieuses en tactique, en nombre ainsi qu'au niveau de leur fréquence. Si la balance du pouvoir ne s'incline pas en notre faveur dans la prochaine année, toute notre communauté risque d'être envahie et anéantie. D'ailleurs, nous connaissons tous la vilenie et la détermination de notre vieil ennemi, le Grand Druide Dihur de l'Ordre des Quatre Éléments.

Ferajar ne comprenait pas pourquoi Arminas venait de dévoiler ouvertement, à cette bande de recrues, une discussion que les trois druides analysaient de façon presque quotidienne.

— Grand Druide, souligna-t-il, je comprends qu'il s'agisse de votre fille, mais ne croyez- vous pas que le contenu de ce sujet délicat s'adresse seulement aux Gardiens du Secret et aux autres druides de plus haut rang ?

Arminas demeurait maintenant silencieux et observait chacune des personnes qui le fixait respectueusement, mais qui n'osait prendre la parole devant la révélation qui venait d'être faite par la plus haute instance au sein de l'Ordre de Lönnar.

— Je crois bien que je vais devoir m'entretenir un peu plus en privé avec mes conseillers. Mais, avant que vous ne quittiez cette salle, je tiens à vous dire que moi aussi je crois que vous avez vraiment fait du bon travail. Vous avez fait preuve de courage et d'ingéniosité avec une bonne dose de témérité. Mais cela est sans doute attribué à la jeunesse, sans vous offenser, Maître Bertmund.

— Je ne le suis point, Grand Druide.

Arminas contourna la table pour se retrouver devant le troubadour. Ainsi, il voulait s'acquitter de son dernier point à l'ordre du jour.

— Bertmund LeGrand, milicien de La Temporaire, érudit, troubadour et sans doute bien d'autres choses, pouvez-vous me pardonner pour mes actions quelques peu détournées envers vous lors de notre première rencontre ? En toute sincérité, je ne voulais qu'assurer la sécurité de Feygor ainsi que celle de ma fille.

— Grand Druide Arminas, j'accepte vos excuses et comprends les raisons ainsi que la nécessité du geste.

— Et toi Seyrawyn, peux-tu me pardonner également mon petit subterfuge ?

— Si mon ami Bertmund peut te pardonner et que maintenant j'ai votre permission pour accompagner Miriel et ses gardiens qui sont aussi mes amis, alors la réponse est oui, Monsieur LeBouc, j'accepte vos excuses.

Arminas ne savait pas si Seyrawyn le taquinait ou s'il croyait véritablement que son nom de famille était LeBouc.

— Merveilleux ! Je suis content que nous puissions continuer, sans refouler de frustration. Une dernière petite chose, Seyrawyn, si tu es volontaire pour accompagner la gardienne Miriel et ses compagnons, il serait préférable et surtout plus protocolaire que tu emploies la dénomination Grand Druide Arminas plutôt que *Monsieur LeBouc*.

Seyrawyn sourit en enregistrant la nouvelle consigne.

— Maintenant, chers gardiens, pourriez-vous escorter nos amis jusqu'au sanctuaire intérieur de Lönnar. Je crois que votre ami Seyrawyn va apprécier cette forêt parmi les montagnes.

— Une forêt intérieure, dans la montagne !

— La mine de Seyrawyn reprit du mieux à la mention du mot *forêt*. Bertmund accrocha plutôt son attention sur le mot *intérieure* du commentaire émis, et se promit de le noter dans son cahier.

— Seyrawyn, j'aimerais m'entretenir avec toi un peu plus tard dans la journée.

— Bien, Grand Druide Arminas, nous parlerons donc ensemble si vous le désirez.

Miriel était soulagée que ses pairs ne lui fassent pas de reproches supplémentaires pour la mission qu'elle avait si cavalièrement demandée. Elle était surtout soulagée de voir que son père croyait encore en elle et aussi dans le choix qu'elle avait fait au niveau de ses compagnons.

Le Grand Druide désirait maintenant passer un peu de temps pour réfléchir calmement. Il remercia ses conseillers et les avisa que, demain dès l'aube, il aurait une discussion avec ceux-ci qui était de la plus haute importance pour la survie de l'Ordre.

Ferajar et Thorennor se demandaient bien ce que leur supérieur allait leur dire de plus mais se retirèrent de la salle du Conseil sans poser plus de questions.

Dans le silence retombé sur les livres qui ornaient les murs de la salle, Arminas méditait pour apaiser ses angoisses et pour faire taire les pensées qui l'oppressaient. La nouvelle qu'il désirait leur apprendre allait sans doute créer une vague d'objections des plus mémorables mais cela lui semblait plus que jamais nécessaire.

« Recréer l'ordre avec un peu de désordre. » La phrase le fit sourire mais il était persuadé que ses conseillers ne seraient pas du même avis.

Il prit un bout de parchemin, y inscrit seulement quelques mots, le roula puis l'inséra dans un petit tube de cuir, muni d'un lacet. Il se dirigea par la suite à son balcon et regarda au loin les nombreuses cimes de montagnes partiellement enneigées.

Il aurait aimé apprendre à peindre et ainsi reproduire la beauté des terres qui l'entouraient. L'avenir de son Ordre était incertain, la guerre se rapprochait de plus en plus sur le territoire qu'il avait juré de protéger.

Les montagnes de Feygor étaient le point central des terres de l'Ouest et c'est pour cette raison que *La Source* y avait été créée. Des changements devaient se produire, ne serait-ce que de faire un peu de désordre en espérant y ramener l'ordre.

Le Grand Druide se concentra et laissa son esprit se promener dans les montagnes. Il cherchait un messager bien spécifique, un allié qui s'y était établi depuis quelques années.

Une buse à queue rousse répondit à son appel de son cri strident. Elle effectua plusieurs cercles au-dessus de la forteresse avant de venir se poser sur le rebord du balcon de pierres.

— Je te remercie, amie buse, d'avoir accepté à nouveau mon appel. Pourrais-tu porter ce message à la personne que je vais te montrer dans ton esprit ?

Il se concentra pour implanter l'endroit ainsi que l'image de la personne que la buse devait retrouver. Puis, en prenant bien soin de ne pas blesser l'animal, il fixa le petit tube de cuir à sa patte, juste au-dessus de son ergot.

Le message était adressé à l'un de ses fidèles amis localisé à Alvikingar. L'oiseau avait déjà fait le trajet plus d'une fois ces dernière années et cela lui prendrait tout au plus une journée par la voie des airs.

Arminas observa son ami ailé prendre de l'altitude avant de se diriger vers la capitale. Après quelques moments à contempler la nature qui l'entourait et à se ressourcer de sa plénitude, il sortit de sa rêvasserie pour endosser à nouveau le lourd rôle qu'il s'était imposé.

Son attention était requise pour répondre à une multitude de questions, de problématiques et aussi pour prendre les décisions appropriées. Être Grand Druide n'était pas vraiment de tout repos. Heureusement, sa fille lui était revenue.

Chapitre 91
La course d'Ajawak

Il n'y avait pas grand-chose qui pouvait faire peur à un demi-géant avec du sang de Troll coulant dans ses veines. Même si un grand nombre de créatures venait à prendre la décision de l'attaquer, en terminer avec lui ne serait pas une chose facile.

Tout demi-troll que soit le prince Ajawak, ses pouvoirs de régénération étant limités, il ne fallait tout de même pas les sous-estimer. Le feu n'avait aucune emprise sur ce commandant, un autre héritage inestimable provenant de son père.

L'héritier du trône appréciait le fait de pouvoir se déplacer librement, sans devoir subir la lenteur de ses troupes. Il était parfaitement conscient que le temps lui était compté. Trouver les composantes rapidement était devenue une obsession quasi permanente.

Le rituel devait avoir lieu le jour même du Solstice du Renouveau. Selon Dihur, pour donner un rendement quelconque, cette date spécifique était l'unique circonstance favorable possible. Manquer cette opportunité signifierait attendre un cycle lunaire complet et cela était hors de question.

Le prince se remémorait les enseignements de son tuteur à Pyrfaras, Maître Zetal, au sujet des différentes villes du royaume.

> « Bishnak est un point stratégique car il exerce un certain contrôle sur l'entrée des aventuriers en provenance du sud de l'île qui désirent se faufiler pour explorer les terres du nord. Cette ville est trop importante pour la laisser sous le contrôle d'un Yob ou d'un Sotteck et encore moins d'un Mourskha. »

Lorsqu'Arakher a assiégé la ville de Drikdarok, Siegferbret, chef de l'un des Clans les plus prospères des Géants des montagnes, a préféré offrir son allégeance au Roi plutôt que de subir inutilement de lourdes pertes au sein de son peuple.

Arakher accepta l'offre de ce clan de Géants mais appliqua sa condition usuelle à laquelle toutes les villes de son empire sont soumises. Ainsi, les cités doivent maintenir en position de gouvernance, une délégation royale composée de demi-géants, spécialement choisis.

Bishnak était cependant la seule ville ayant comme gouverneur un Géant des montagnes, Baras Karbar.

Ne voulant pas perdre de temps inutilement, le voyageur ne vit aucun intérêt à s'arrêter à la ville d'Udrag. Il se rendit directement à Bishnak pour discuter avec Baras. Après tout, en tant que prince, il était au-dessus de la Loi, ce qui lui conférait une multitude de privilèges.

Une fois à l'intérieur des murs de la ville, Ajawak se dirigea directement à la résidence du gouverneur. Il connaissait bien les lieux et s'y sentait chez lui presque autant que dans sa propre cité.

— Gouverneur Baras ! Levez-vous sur le champ, j'ai à vous parler tout de suite ! héla-t-il brusquement sous sa fenêtre.

Le ton employé était rustre. Ajawak n'était pas réputé pour sa civilité, mais plutôt pour son âpreté. Il connaissait pourtant les bonnes manières et pouvait suivre le protocole établi. Cependant, il s'était forgé une réputation de barbare et se devait de l'entretenir.

— Qui donc a l'audace de me requérir à cette heure indue ? gronda le maître des lieux.

Ajawak était pressé et impatient de nature. Le soleil se lèverait dans quelques heures à l'horizon et la ville s'animerait tranquillement. Pour le prince, cela n'avait aucune importance, seule sa requête comptait car il devait repartir rapidement.

Les gardes, ayant reconnu l'auteur du vacarme, préférèrent maintenir leurs distances. Ils voulaient éviter d'être réquisitionnés pour accompagner ce jeune gâté téméraire qui se lançait

sur ses ennemis sans aucune considération pour les hommes qui le servaient, mesurant mal la dangerosité de ses ordres.

Lorsque le Géant des montagnes descendit dans la rue avec son épée pour inculquer quelques manières à celui qui l'avait importuné, il changea son attitude et empoigna son ami chaleureusement pour lui faire l'accolade. Puis il se recula rapidement, réalisant que son visiteur avait, comme à l'habitude, généré un attroupement de curieux.

— Ahhh ! Cher prince, pardonnez-moi cet emportement. Veuillez donc pénétrer dans mon humble demeure.

Le demi-troll entra et referma la porte derrière lui. Maintenant qu'ils étaient seuls, Baras laissa tomber le voile de la fausse politesse.

— Est-ce que tu es obligé d'ameuter tout le quartier à chaque fois que tu dois venir me voir ? Un de ces jours, je vais vraiment me fâcher et je vais projeter un de ces boulets de mon balcon sans regarder de qui il s'agit avant de m'en débarrasser.

— Tu le sais bien, je dois continuer à entretenir ma réputation… de commandant rustre et casse-cou !

— Je suis quand même ravi de te revoir à Bishnak. Le Roi t'a-t-il pardonné, peux-tu reprendre tes patrouilles ?

— Pas exactement, avoua Ajawak.

— Ah ! Je vois, je préfère ne pas en savoir plus, que désires-tu ? Car si tu es ici ce matin, de si bonne heure me semble-t-il, c'est que tu désires quelque chose. Alors parle, je t'écoute, lança le gouverneur en lui offrant un immense siège de bois recouvert d'une fourrure de tigron des montagnes.

Il tira ensuite un gros barillet et servit deux immenses chopes d'un vin goûteux.

— Est-ce que tu as fait des prisonniers dernièrement ? demanda le prince en appréciant le confort de son hôte. Je recherche surtout des démons ou l'un de leurs chiens.

— Oui, je crois que nous en avons quelques-uns. Et cela grâce à Esubal, tu sais le druide de l'Ordre des Quatre Éléments posté ici par le Premier Vizir. La chance a été avec lui ces dernières semaines car il a réussi à faire trois prisonniers. Il a choisi personnellement des vétérans bien armés et surtout

expérimentés pour composer une patrouille spéciale. Je ne sais pas comment il a fait, mais plusieurs ennemis sont tombés dans son piège et certains ont été faits prisonniers.

— Merveilleux ! Je les réquisitionne, ils sont maintenant à moi.

— Tu es certain que tu désires te mettre à dos ce druide ainsi que son Ordre ? Il s'agit de ses prisonniers après tout !

— Tu pourras lui dire qu'ils sont destinés spécifiquement pour son Grand Druide. Ce qui est d'ailleurs, la pure vérité. J'aimerais que tu organises une escorte de Yobs pour les transférer immédiatement à Pyrfaras. Seulement des Yobs et, sous mes ordres, il ne doit rien arriver aux prisonniers, je les veux vivants à Pyrfaras. La vitesse est très importante alors ils peuvent les transporter sur leur dos, ou n'importe comment durant tout le trajet, pourvu qu'ils respirent encore à leur arrivée.

— Très bien, je vais leur assigner quelques gardes personnels, pour m'assurer que tes directives soient bien comprises et surtout appliquées.

— Je dois partir tout de suite pour continuer ma quête, déclara Ajawak en se levant. Merci pour le bon vin.

Baras le regarda, soudainement vraiment intéressé, à la mention d'une quête.

— Comme je te l'ai dit, je ne veux pas savoir dans quoi tu t'es embarqué mon garçon. De plus, si cela implique une quête et que c'est en relation avec Dihur, c'est déjà trop d'informations. Allez, part l'esprit tranquille, je m'occupe de tes prisonniers.

— Je te revaudrai ce service, cher gouverneur.

— Oui, oui, c'est toujours la même chose… Rends-moi ce petit service et attends encore et encore le retour. Eh bien ! la prochaine fois, au lieu de gueuler comme une mégère, cogne à la porte, entre en silence et installe-toi sur ce siège, je vais descendre.

— Je ne peux rien te promettre, gouverneur ! lança Ajawak en passant le seuil de la porte.

Le prince se réjouissait. « Voilà, une composante de moins. »

Il pouvait s'attaquer à la seconde, soit celle de l'eau d'une source pure, pour l'élémental de l'eau. Il n'était qu'à deux journées de marche de l'endroit indiqué par Dihur. Grâce au petit coffret hermétique remis par le Premier Vizir, cette tâche sera une bagatelle.

Il aurait pu prendre charge des prisonniers personnellement, mais il s'agissait d'une tâche qui n'était pas de son rang. De toute façon, ces prisonniers, avec leurs faibles petites pattes, n'auraient fait que le ralentir dans sa course.

Il récupéra l'eau facilement et rapidement. De plus, il ne rencontra rien de bien dangereux pour l'intercepter. Sur la route de son retour vers Pyrfaras, il réussit même à rattraper le contingent en provenance de Bishnak qui escortait ses prisonniers.

Il décida de passer la nuit avec les soldats du gouverneur et partagea le repas du soir avec eux. Le lendemain matin, il repartit au pas de course pour atteindre la capitale le plus rapidement possible. Son lourd poids faisait vibrer le sol et tressaillir les feuilles dans les arbres.

Il ne restait que les ingrédients à récupérer dans le nord-est de l'île.

> « Il faudra tout de même que je passe surveiller la progression de mon collier confectionné par les gnomes. Bonne précaution… je le ferai brièvement à Pyrfaras. En espérant que mon père ne me rendra pas la vie trop difficile, une fois de plus. »

Aussitôt arrivé à la capitale, il s'afféra aux diverses tâches dont il s'était donné le mandat. Il remit le coffret magique contenant l'eau pure à Dihur, puis continua son chemin jusqu'à la demeure d'Oqualla.

Svelfri le gnome n'avait pas menti. Ce maître joaillier travaillait bien et le collier serait complété dans les temps demandés. Maintenant, il devait voir à certains préparatifs avant l'arrivée du contingent qui escortait ses prisonniers.

Il fit un bref arrêt au cul de basse-fosse[45] pour avertir les geôliers.

— Vous m'avez bien compris ? Je vous avertis que trois prisonniers d'importance, les miens, vont arriver sous peu à la capitale. Ils doivent être entretenus et surtout il ne faut pas les abîmer. Si l'un d'entre eux devait mourir pendant qu'ils sont sous votre responsabilité, le responsable sera utilisé en remplacement pour le rituel du Premier Vizir.

— Oui votre Altesse, bien compris, répondit le bourreau sottèque responsable des cachots en faisant une relative révérence.

— Juste pour vous donner une petite idée, le sort qui leur est réservé est la décapitation. À vous d'y voir. Je les veux en vie pour le Solstice de Lumière.

Les légendes hautement documentées sur l'humeur de Dihur rivalisaient avec celles du prince. L'histoire du pauvre serviteur qui fut projeté sur le mur du grand hall d'un claquement de doigt et ce, devant la Cour du Roi, circulait encore parmi les citoyens.

Les matons semblaient avoir bien compris les directives ainsi que les conséquences qui pouvaient s'appliquer. Ils préparèrent en vitesse un cachot spécialement réservé pour les futurs arrivants.

Une escorte de vingt soldats attendait le prince devant ses appartements. Le Roi avait eu vent que son fils allait repartir seul, dès le lendemain, en direction des terres situées au nord-est de la Capitale. Ajawak se demandait bien comment celui-ci avait pu découvrir ses intentions.

Néanmoins, son escorte était là. Une dizaine de Mourskhas, cinq Sottecks, quatre Yobs et un Géant de pierre nouvellement arrivé à la Cour du Roi. Tyroc obéissait une seconde fois aux ordres du Roi qui lui avait demandé, à titre de faveur personnelle, d'accompagner son fils dans cette nouvelle excursion sur un territoire qui n'est toujours pas sous sa juridiction.

---

[45] Cul de basse-fosse : cachot souterrain.

— Il est hors de question que cette horde se joigne à moi, je pars seul !

Il ordonna à tous les soldats, sans exception, de retourner à leurs baraquements.

— Malheureusement, cet ordre ne s'applique pas à moi, cher prince et les Yobs ici présents ne peuvent rester derrière non plus, ils sont royalement mandatés tout comme moi.

— Très bien, je n'ai pas le temps de m'occuper de cette situation autrement. Vous cinq, vous pouvez venir. Pour les autres, c'est non, vous n'allez que me ralentir. Pas de quartier ne vous sera donné non plus, si vous ne pouvez me suivre, je vous laisse derrière sans aucun remord.

Ajawak ne pouvait refuser la présence du Géant, surtout s'il avait été mandaté par son père. Les quatre Yobs pouvaient faire partie de l'escorte, car au moins leur présence ne ralentirait pas sa mission.

Dihur, de la plus haute tour du palais, observa au loin la petite compagnie de six créatures qui empruntait d'un pas accéléré les sentiers des montagnes derrière Pyrfaras pour aller récupérer les deux dernières composantes. Sur son dur visage aux marques tribales se dessinait un rictus méchant. Il aura bientôt tout ce qu'il lui faut entre les mains pour exécuter la suite de ses plans.

— Tu peux me laisser dans cette forêt, druidesse, je m'y sens déjà beaucoup mieux.

Miriel était soulagée de voir que son ami reprenait de sa vivacité dans la plantation intérieure du sanctuaire. Elle jeta un dernier coup d'œil en direction de Seyrawyn qui avait déjà commencé à escalader l'un des érables argentés.

Le reste de son groupe s'était donné rendez-vous dans la vaste salle à manger qui servait à la fois de réfectoire pour les disciples druidiques, enfants et adultes, et de salle de banquet pour les grandes occasions.

La druidesse les rejoignit de ce pas. Elle arriva au point de rencontre au moment où Marack revenait des cuisines avec le menu et une petite grappe de raisins subtilisée qu'il déposa sur la table en attendant la suite. Ses amis étaient déjà assis sur les longs bancs et avaient choisi un emplacement près des fenêtres en forme d'ogives.

— Mes amis, voici ce qu'il y a encore de disponible : des fruits, du potage avec une miche complète de pain, probablement pas trop fraîche, un ragoût qui mijote encore sur le feu et quelques pointes de la tatin[46] de la pâtissière. J'aurais aimé un plus copieux repas, mais je vais me résigner à avaler tout de ce qui reste en ce moment précis.

— Eh bien moi, déclara Arafinway, j'apprécie de ne pas avoir à camoufler mon feu de camp et de ne pas avoir à me cacher pour cuisiner.

— Ne t'en fais pas mon ami, je suis très content aussi… que ce ne soit pas toi qui cuisine notre collation ! le taquina Marack dans le même élan.

---

[46] Tatin : tarte renversée aux pommes.

En guise de réponse, l'elfe lui expédia rapidement un raisin que l'ours avala dans un souffle.

En cet après-midi, Bertmund voyant que Miriel était encore sous le choc de tout ce qui s'était passé, décida de rehausser quelque peu le menu à sa manière.

— Madame, venez vous asseoir, lui dit-il en tirant sa chaise, et laissez-moi transformer le tout en une expérience toute spéciale pour vos oreilles et vos papilles.

La druidesse ne saisissait pas exactement ce qu'il voulait faire, mais elle avait confiance et, d'un signe de la main, lui fit signe de procéder avec ce qu'il avait en tête.

Le troubadour retourna prestement aux cuisines puis revint avec une mise en scène à son image : une nappe attachée autour de la taille et un bout de tissu blanc autour du bras.

— Laissez-moi vous présenter un menu digne d'une princesse, que dis-je d'une reine ! Tout d'abord, commençons par un plat de fruits frais spécialement préparé avec soin par votre serviteur dévoué. Il ne s'agit que d'une entrée et elle a pour but d'exciter votre estomac, le taquiner pour ce qui suivra.

Bertmund s'était organisé avec les personnes qui avaient préparé la nourriture pour s'amuser un peu. Il faut dire que les quelques pièces d'or, nouvellement récupérées, avaient aidé à les convaincre.

Cela lui permettait de donner à nouveau un spectacle, le but étant de détendre l'atmosphère et de faire baisser le taux d'adrénaline. Sa récompense serait les rires francs de ses compagnons ainsi que la chance de pratiquer son art théâtral.

— Nous poursuivons avec un brouet à la viande de sanglier et aux légumes oubliés, accompagné d'une bonne miche de pain chaude tartinée à votre convenance avec du… beurre au miel, oui Madame !

Le troubadour reprenait chacun des plats et les transformait en quelque chose de grandiose, ce qui tenait en haleine ses compagnons. Miriel souriait, elle avait oublié à quel point bien manger à une belle table était agréable. Il faut dire qu'ils s'étaient tous habitués aux maigres repas d'aventuriers qu'ils prenaient depuis plusieurs mois déjà.

La druidesse se laissa charmer par cet instant unique et se remémora ces lieux en d'autres circonstances. Lorsqu'elle était plus jeune, outre l'atmosphère joyeuse du réfectoire, les druides organisaient parfois des repas où les Jarls étaient invités avec leur famille. Elle y participait en s'asseyant à une table montée spécialement pour les jeunes. Elle revit dans un éclair les longues nappes ambre finement décorées de broderies celtiques, les couverts en étain brillant et les bouquets de roses qui en garnissaient les centres.

Ses compagnons et elle tentaient de suivre les différentes conversations des adultes de la table d'à côté. Parfois même, elle se glissait sur le banc auprès de son père pour y prendre le dessert et les aînés la regardaient avec gentillesse.

Et lorsque la musique devenait plus entraînante, parée de ses plus beaux atours, elle allait chercher Arafinway pour l'amener danser. Même s'il était timide, le pauvre gamin n'avait jamais refusé de la faire tournoyer en riant... Puis, la guerre s'installa de façon plus implacable et ces temps de réjouissances furent relégués aux oubliettes.

> « Je ne me souviens même plus de la dernière fois où j'ai vu rire et danser mon père... », songea-t-elle tristement.

Le troubadour, la revoyant redevenir chagrine, la tira prestement de sa rêverie. Il s'approcha d'elle, mit un genou par terre et lui fit un baisemain. Elle leva les yeux, un peu mal à l'aise mais sourit de nouveau.

— Madame, spécialement pour une reine, voici le plat principal qui vient tout juste de finir de mijoter : une marmite contenant un ragoût de volaille et d'agneau dans son jus au romarin.

Attendant à chaque fois le signal, un marmiton apportait et déposait sur la table les plats annoncés par Bertmund, au grand plaisir de Marack, bien attablé, qui attendait impatiemment d'avaler tout ce qui lui passait sous le nez.

— Respirez ce doux fumet, qui se faufile jusqu'à vos narines et qui vous invite à venir le manger immédiatement, sans attendre. Il faut cependant résister à cette tentation, il n'en sera que meilleur lorsque son tour arrivera.

Marack avait faim et Arafinway n'attendait qu'un signe de la part de Miriel avant de bondir sur le plateau de fruits. Le guerrier se

demandait bien où son ami avait trouvé tous ces plats, le cuisinier ne lui avait certainement pas tout dit. Du moins, pas avec cette éloquence.

— Un plat de fromage à pâte ferme et d'andouillettes au lait cru, d'ailleurs vos préférées Madame, seraient peut-être une bonne alternative, avant ou après le plat principal. Il ne s'agit là que d'un détail et la décision est entièrement la vôtre, mes chers amis.

Miriel appréciait son ami le troubadour et regretta que Seyrawyn ne puisse partager ces instants de plaisir.

— Pour couronner la tablée, voici une sublime tentation, un moelleux tatin aux pommes, le dessert le plus dégusté par le roi et malheureusement seulement admiré par la reine parce qu'elle désire conserver sa ligne pour entrer dans ses corsets trop étroits.

Les compagnons rirent de bon cœur en taquinant la seule jeune fille de la place.

— Enfin, vous me permettrez de faire couler sur le dessert le délicieux, que dis-je, le merveilleux nectar de Lönnar, ce doux sirop ambré qui a été spécialement confectionné à partir de la sève sucrée des érables de Feygor.

Les histoires de Bertmund avaient ce don de faire apparaître le rêve et chacun l'appréciait.

— Maintenant compagnons, je vous en prie, servez-vous donc de notre bière au malt d'orge et, surtout, non houblonnée montée directement de nos caves. Mangez et régalez-vous, car les bons repas en bonne compagnie se doivent d'être une expérience heureuse qui génèrera un souvenir mémorable pour les temps de vaches maigres. Bonnes ripailles !

Les aventuriers applaudirent chaleureusement leur ami qui n'en finissait plus de faire des courbettes en guise de remerciement. Chacun se servit et apprécia la compagnie ainsi que la nourriture qui avait, décidément, un très bon goût. Sans doute que la présentation y était pour quelque chose !

Si la gente masculine mangea jusqu'à en être complètement repue, Miriel avait dégusté lentement chaque bouchée, comme un cadeau précieux reçu dans une ambiance féerique.

Elle aurait aimé que Seyrawyn soit présent et elle décida d'aller porter une copieuse assiette de fruits et de fromages à son ami. Ses compagnons trinquèrent à l'initiative de leur cheffe tout en reprenant une portion généreuse de ce merveilleux dessert.

Après avoir refait le plein à la cuisine, elle se dirigea vers la forêt pour retrouver son compagnon. Il avait fait le premier pas en venant dans la forteresse de Feygor, c'était déjà un exploit.

Seyrawyn semblait apprécier énormément le sanctuaire, la forêt intérieure cultivée dans l'enceinte même de l'une des plus grandes cavernes retrouvées dans la montagne. Il s'agissait du second joyau de l'Ordre. Tous les druides effectuaient leur initiation à cet endroit lorsqu'ils étaient acceptés au sein de la grande famille de Lönnar.

Miriel avait convenu d'un endroit précis pour le retrouver dans ce vaste domaine et elle se félicita de cette bonne habitude. Près de l'endroit convenu, elle fut agréablement surprise de voir son père en compagnie de son ami, tous les deux assis à la base d'un grand arbre.

— Est-ce que je vous dérange ? demanda Miriel qui s'était arrêtée et attendait une réponse de leur part.

— Non Miriel, je désirais simplement m'entretenir avec Seyrawyn. J'étais curieux et j'avais plusieurs petites questions. Ce n'est pas tous les jours que notre sanctuaire accueille un dragon dans ses murs.

— Je t'ai apporté de quoi te sustenter Seyrawyn, tu dois avoir faim.

— Et rien pour ton père ! Je suis déçu. Je me rappelle encore les petites assiettes de victuailles que tu venais me porter, il y a de cela quelques années maintenant !

Miriel afficha un petit sourire à la mention de ces bons souvenirs de cette époque où elle était vraiment jeune et demeurait dans le sanctuaire.

— Il y en a pour une armée, vous pouvez en prendre, si vous le désirez Grand Druide Arminas, lui offrit le dreki.

— Je te remercie Seyrawyn, mais je dois me préparer pour une rencontre avec mes deux conseillers demain matin. J'attends également des invités de marque d'ici quelques jours. Je ne manquerai pas de venir vous les présenter, surtout à toi

Seyrawyn, car Miriel les connaît bien. Maintenant et jusqu'à nouvel ordre, vous avez la directive de vous reposer, vous l'avez bien mérité. D'ici peu, vous repartirez en mission, tous les cinq, alors soyez frais et dispos.

— Nous repartons déjà ? fit-elle surprise.

Arminas ne répondit pas, embrassa sa fille sur le front, lui sourit et leur souhaita une bonne soirée.

Miriel remit le plateau de fruits à son ami et attendit un peu avant de lui poser elle aussi quelques questions.

— Tu sais Seyrawyn, je n'ai jamais demandé qui était ton mentor, est-ce que tu aimerais m'en parler ?

Le dreki la regarda, soudainement attristé.

— Son nom était Wilfong et il est mort maintenant. Mais je préfère ne pas parler de lui, je crois que je ne suis pas encore prêt. Je te promets que je vais le faire un jour. Sois patiente, tu as mérité de savoir qui il est et, au moment venu, je te raconterai son histoire et la mienne par la même occasion.

Miriel acquiesça d'un léger signe de tête car la réponse était honnête. Elle s'allongea sur l'herbe pour profiter du moment présent, *Carpe diem*, comme dirait oncle Beren. L'elfe engloutit prestement son repas et décida de faire comme elle en s'étendant sur le dos.

— Je peux te poser une question, Miriel ?

— Oui, que désires-tu savoir ?

— Puisque que tu les connais bien, peux-tu me parler des personnes qui s'appellent *De Marque*, que ton père désire me présenter ?

Miriel s'esclaffa de rire devant la simplicité du commentaire de son ami.

— Décidément, nous allons devoir travailler ce point en particulier. Toi et les noms de famille, ce n'est pas un concept que tu maîtrises bien. Je vais t'expliquer, tu vas voir, c'est assez facile.

La druidesse débuta ses enseignements et le dreki l'écouta attentivement, les yeux fixés sur les hautes branches au-dessus d'eux.

Le lendemain dès l'aube, le Grand Druide pensait devoir attendre ses conseillers dans la salle du Conseil. Un peu surpris, il les découvrit tous les deux assis et curieux d'apprendre ce que leur coryphée[47] avait à leur annoncer.

— Chers amis, je vois que vous êtes à l'heure et, à en juger par vos tronches, j'en déduis que vous vous êtes tous les deux mis d'accord pour me faire front commun. Écoutez-moi bien car je n'ai pas l'intention de me répéter. Ma décision a été mûrement réfléchie et même prédite par les dieux. Ce que je fais, je le fais pour le bien de l'Ordre car j'en espère rien d'autre que sa survie.

Les deux conseillers écoutaient avec attention. Arminas avait toujours pris les décisions qui s'imposaient pour le bien de la communauté et de l'Ordre. Ainsi, ce devait être dramatiquement important pour que leur ami fasse autant de détours.

— J'ai décidé de faire graduer Miriel de Gardien du territoire à Gardien du Secret. Cette décision est valable pour ses compagnons également.

— Vous voulez dire tous les trois seront promus à ce rang ? s'inquiéta Ferajar.

— Non pas tous les trois, mais bien tous les cinq !

Le doyen marmonnait déjà sa désapprobation à l'annonce qui venait d'être faite. Thorennor tenta de questionner un peu son chef pour en apprendre davantage sur ce qui l'avait motivé à agir ainsi.

— Vous n'y pensez pas, de si jeunes gardiens et deux compagnons dont un Falsadur-Dreki, cela n'a pas de sens ! Pourquoi une telle action, si je peux me permettre de vous poser cette question ?

— Il s'agit d'une étape dans la progression de l'Ordre. Seules deux personnes sont au courant de cette avenue, Saint-Beren et moi.

— Est-ce que ce serait vraiment là une décision des dieux ? s'enquit Ferajar.

[47] Coryphée : chef de chœur dans la tragédie grecque.

— Vous questionnez ma foi ainsi que les avenues qui m'ont été communiquées par celui qui nous accordent nos pouvoirs, cher doyen ? Depuis quand est-ce que je dois me justifier pour accomplir ce qui m'est demandé par plus haut que moi ?

Il regardait très sérieusement les deux doyens qui cessèrent immédiatement d'argumenter ou même de regarder l'élu de Lönnar.

— Si tel est la volonté de Lönnar, nous allons accepter cette décision, fit enfin Ferajar.

— Non seulement celle de Lönnar mais également celle de Tyr. Nous sommes étroitement liés dans cette guerre. Il se trouve que le père approuve les actions du fils et l'appuie inconditionnellement dans ses démarches. N'ayez pas l'air si surpris, s'il y a une église et des templiers de Tyr sur Arisan, c'est précisément pour appuyer les disciples de Lönnar.

Arminas était un peu fâché de l'attitude de ses conseillers mais il s'y attendait. Il souhaitait secrètement qu'ils aient déjà vu les mêmes opportunités que lui.

— Laissez-moi vous rappeler nos enseignements au sujet de notre communauté. Beren et moi avons personnellement été contactés par le Grand Gardien de *La Source* pour une ultime raison. Seule une poignée de personnes est au courant de ce qui s'est réellement passé dans cette caverne.

Le Grand Druide les regardait fixement et changea soudainement le ton de sa voix.

— Mes conseillers, mes amis, je vous demande, même si vous ne connaissez pas tous les détails, de me faire confiance et de ne jamais douter de la volonté des dieux. Beren et moi sommes aussi les seuls à avoir reçu la prophétie et nous sommes, à ma connaissance, les seuls à en porter le fardeau.

Il parlait avec passion et les deux doyens pouvaient apercevoir, pour la première fois, le véritable poids que cette responsabilité pouvait avoir sur leur chef spirituel. Ferajar fut le premier à parler suite à l'aveu rempli d'émotions que leur ami venait de partager avec eux.

— Nous ne comprenons pas tout ce qui a transpiré dans cette grotte. Cependant, nous reconnaissons l'implication que vous avez et notre rôle est de vous supporter dans ces décisions.

Pardonnez-nous si nous avons mal réagi à votre décision. Nous sommes vos conseillers et il est de notre responsabilité de nous assurer que vous avez considéré toutes les alternatives possibles avant d'en arriver à une conclusion. Étant donné qu'il s'agit de la volonté de Lönnar et que vous êtes l'élu, nous allons vous aider au meilleur de notre savoir et de notre capacité dans l'accomplissement de votre tâche.

Arminas savait que tous deux avaient également raison. Leurs responsabilités étaient de s'assurer que le Grand Druide de Lönnar prenne en considération toutes les options possibles.

Malgré tout, de façon incontournable, les dieux s'étaient concertés et ils avaient informés leurs élus de ce qui devait être accompli. Rien n'était précis, ni certain d'ailleurs, sauf la nécessaire décision de faire le premier pas. Ainsi, la venue d'un dragon à Feygor, dans le sanctuaire de Lönnar, avait-elle été prédite il y avait longtemps et elle venait de se réaliser.

Le moment arrivait pour Arminas et Beren de mettre en place les premières volontés de leurs dieux. Miriel et ses compagnons avaient une destinée à accomplir et il se devaient lui, le décideur attitré, d'en paver la route.

— Merci de m'appuyer dans ces démarches que je vais entreprendre. Je vais me retirer dans mes appartements, jusqu'à l'arrivée de mes invités. Entretemps, je vous demanderais de bien vouloir prendre les décisions qui s'imposent concernant les affaires courantes de l'Ordre, selon votre bon jugement. Je dois me préparer pour l'importante cérémonie à venir.

Arminas se retira de la pièce laissant ses deux conseillers songeurs et inquiets au sujet de leur chef.

Peu après, Saint-Beren eut la charmante surprise de recevoir la visite d'une buse à queue rousse. Ce n'était pas la première fois que cet oiseau se rendait jusqu'à ses appartements pour livrer un message de la part de son ami.

Malheureusement pour lui, l'elfe magicien n'avait pas la même affinité avec les oiseaux que son ami Arminas. Il donna au messager ailé un morceau de viande crue et profita de cette distraction pour retirer le petit tube de cuir attaché à sa patte.

Sur le bout de parchemin qui y avait été déposé, on pouvait y lire une simple invitation : *Le temps est venu à nouveau, je vous attends tous les trois.*

Beren fit venir l'un de ses gardes et lui demanda d'aller porter une missive au Jarl de la ville. Il apposa son sceau sur le bout de parchemin reçu et le remit au garde.

— Vous direz au Jarl que je vais être prêt dans une heure tout au plus, juste le temps de ramasser quelques petits objets magiques qui pourraient peut-être servir.

Le garde le salua et alla livrer le message directement à Grim, le Jarl d'Alvikingar.

Ainsi, trois jours après la discussion d'Arminas avec le dreki, Saint-Beren et Grim accompagné de son épouse Marie-Calina, firent leur entrée au sein de la forteresse de Feygor. Miriel fut invitée à se présenter avec tous ses compagnons au pied de l'arbre où Seyrawyn passait la majorité de son temps.

— Tu sais de qui il s'agit toi, Miriel ? interrogea Arafinway qui se demandait bien qui ils allaient rencontrer.

— Non je n'en ai aucune idée, mais mon père m'a dit que je les connaissais et que cela allait être très cérémonieux, alors c'est la raison pour laquelle nous avons revêtu nos plus beaux atours.

Miriel attendait patiemment avec ses compagnons l'arrivée des personnes *de marque* que son père avait annoncées. Bertmund avait même poli ses bottes et restauré la somptueuse plume sur son chapeau pour cette occasion, ne voulant pas faire honte à ses amis.

Marack avait endossé son armure et portait les armes, comme toujours. Il avait dûment accompli son devoir depuis son arrivée à Feygor et avait surveillé Miriel du mieux qu'il le pouvait jusqu'au moment où la cheffe lui ordonna d'aller se reposer et de profiter de la tranquillité du sanctuaire.

Arafinway avait opté pour la simplicité de l'accoutrement. Il avait revêtu une tunique, toute propre, que sa mère lui avait remise la veille, et passé à sa ceinture son escarcelle. Il ne voyait

pas la nécessité de porter son arc ni son armure au complet comme son compagnon, surtout ici, à l'intérieur des murs de la forteresse.

Juste avant de pénétrer dans la forêt intérieure, Saint-Beren regarda son ami et le questionna en employant le langage elfique.

— Tu es certain que c'est le bon moment, n'est-ce pas ?

— Je te dis que oui, Seyrawyn est ici même dans le sanctuaire. Il est temps de faire ce qui nous a été révélé, il y a plusieurs années maintenant.

Grim et Marie-Calina écoutaient la conversation des deux prêtres et n'étaient pas certains de bien saisir ce dont ils parlaient.

— Messieurs, nous parlons tous ce langage alors, je vous le demande, sommes-nous ici pour accueillir de nouveaux Gardiens du Secret ?

— Pardonne-moi mon ami, c'est un vieux réflexe entre Beren et moi. Oui, c'est bien ce que nous allons faire, mais je dois te prévenir que l'un d'entre eux est un Falsadur-Dreki.

— Celui dont tu viens de parler avec Beren est un dragon !

— En effet, et il y a aussi un soldat de la milice qui est arrivé dans ta ville il y a quelques mois, la Temporaire, qui escortait la caravane marchande. Pour ce qui est des trois autres, tu les connais bien, Miriel, Marack et Arafinway !

— Tu vas introniser toutes ces personnes ? Il se passe vraiment quelque chose de particulier. Mais rassure-toi, nous sommes tous avec toi, de *l'Auberge du Cochon Grillé* jusqu'à *La Source*, déclara Grim en faisant un clin d'œil à ses deux amis, ce qui leur ramena un sourire instantanément. Alors présente-nous à tes futurs Gardiens du Secret, nous sommes prêts !

Arminas ouvrit la marche jusqu'à l'arbre où tout le groupe était présent et attendait avec impatience et nervosité les invités.

— Miriel Calari, Arafinway Merfeuille et Marack, fils de Marack, vous connaissez tous les personnes qui m'accompagnent. Bertmund LeGrand et Seyrawyn, j'aimerais vous présenter de bons amis à moi et aussi vos témoins pour votre intronisation en tant que futurs Gardiens du Secret.

La jeune fille avait peine à croire ce qu'elle venait d'entendre. Elle considérait toujours sa première mission comme un échec,

même si le constat par ses supérieurs était différent. On lui offrait maintenant un rang encore plus haut dans la hiérarchie druidique. De plus, tous ses compagnons héritaient également de cet honneur.

— Miriel, chuchota Marack dans le creux de son oreille, tu peux fermer ta bouche maintenant, le temps de la rêverie est terminé.

La druidesse sortit de sa réflexion juste à temps pour saluer convenablement les invités qui allaient lui servir de témoins pour ce grand moment.

— Maintenant, je vais tous vous demander de me suivre et de porter attention au chemin que nous allons emprunter. L'endroit où nous devons nous rendre est un chemin parsemé de trappes mécaniques et magiques. Ce lieu est sacré pour nous et je vous demande de ne jamais révéler ce chemin à qui que ce soit.

« En fin de compte, il semble que les trappes mécaniques auront toujours leur place avec la magie... », analysa la druidesse.

— Est-ce que nous devons porter un bandeau et un casque de nouveau ? demanda Seyrawyn avec une touche d'appréhension de devoir retraverser le complexe. La réponse négative le soulagea grandement.

Après un dédale de plusieurs corridors, portes, escaliers et même quelques ponts de pierres pour traverser les entrailles de la montagne, tous les neuf se retrouvèrent devant une immense porte sur laquelle se retrouvait une abondance de runes druidiques.

Postés de chaque côté des colonnes, Miriel identifia les gardes comme étant deux druides Gardiens du Secret grâce aux symboles retrouvés sur leurs ceinturons ainsi que sur leur Salkoïnas.

La druidesse tourna son attention sur les runes druidiques inscrites sur la porte.

— Je t'en prie ma fille, lit à voix haute, pour le bénéfice de tes compagnons ce que tu as déjà commencé à décrypter sur les portes.

— Il est écrit : *La Source* est un endroit de renouveau détenant une très grande énergie. Celui ou celle qui pénètrera dans cet antre se verra confier une mission personnelle. Il ne peut s'en désister ou la transmettre à un autre, il a le devoir de l'accomplir et surtout de garder le secret qui se trouve derrière ces portes.

Dès qu'elle eut terminé, les deux gardiens invoquèrent leurs pouvoirs et créèrent une porte dans le mur opposé à celle que tous regardaient. Cette arche était juste assez grande pour laisser passer une personne de taille normale.

— Venez avec moi maintenant, ordonna le Grand Druide d'un ton sérieux.

Tout le monde passa sous l'arche ou plutôt au centre du trou magiquement créé dans la pierre. Brusquement, Seyrawyn s'arrêta net, ressentant une forte impulsion de doute. Il n'était plus tout à fait convaincu qu'il lui faille pénétrer dans cet antre.

Ses sens aiguisés lui donnaient une multitude d'informations très troublantes et il ne savait quoi en penser. Les gardiens qui venaient d'ouvrir le passage commencèrent à regarder Seyrawyn différemment, soupçonneux à leur tour.

Dans leurs esprits, un elfe qui semblait refuser l'immense honneur que le Grand Druide lui accordait était une attitude vraiment louche. Ils avancèrent vers lui, prêts à attaquer et Seyrawyn se mit en position défensive.

Brisant le lourd silence, la petite voix flûtée de Miriel se fit entendre dans le sombre corridor.

— Seyrawyn, où es-tu ? Sais-tu que tout le monde t'attend ?

Sa voix vibrait anormalement et le dreki, malgré son instinct et ce que son acuité sensitive tentait de lui dire, emprunta promptement le couloir, sous le regard scrutateur des deux gardiens. Lorsqu'il émergea de l'autre côté, il comprit enfin pourquoi ses sens lui envoyaient autant de signaux confus.

Dans l'immense caverne qui s'ouvrait devant lui, des centaines et des centaines, voire des milliers d'œufs de Dragon pouvaient être aperçus. Dans une atmosphère feutrée, des torchères éclairaient magiquement l'endroit, modulant l'éclairage et la température selon les besoins.

Il regarda plus loin et vit plusieurs petites grottes se joignant à la chambre principale. Ces cavernes secondaires étaient également remplies de ses petits frères et sœurs, cousins, cousines. Il y en avait tout simplement partout, à perte de vue !

Il remarqua immédiatement que, contrairement à ce qu'on aurait pu s'attendre d'une telle place fermée, il flottait dans l'air une fraîche odeur de jasmin. Le dreki se tenait debout, n'osant bouger. Absolument ému, il percevait une grande énergie bienfaitrice qui l'emplissait et l'envahissait de plus en plus. Il se tourna finalement vers le Grand Druide, incrédule.

Arminas souriant, les bras grands ouverts pour démontrer l'ampleur de ce que cette caverne pouvait renfermer, leur adressa la parole d'une voix assurée et solennelle :

— Mes enfants, bienvenue. Voici le secret, voici *La Source !*

Les compagnons étaient absolument captivés par le spectacle et percevaient à leur tour une étrange vibration positive. Le Grand Druide les invita à se promener et surtout à faire attention où ils mettaient les pieds.

— En tant que Gardiens du Secret, vous êtes autorisés à choisir l'un de ces êtres vivants. Voyez-vous, un de ces œufs de Dragon est appelé à devenir votre ami et votre futur allié. Prenez quelques instants pour vous recueillir et soyez à l'écoute de votre intuition. Ensuite, prenez soin de bien examiner les œufs et de les toucher, si vous en avez envie. S'il y a un œuf qui semble vous attirer plus qu'un autre, pour quelque raison que ce soit, ne réprimez pas cette envie car ils ont leur volonté propre. Prenez-le entre vos mains et conservez-le.

Chacun emprunta une direction différente, guidé par leur instinct, leur sentiment intuitif ou leur petite voix intérieure.

— Nous vous attendons, ici. Je vous laisse prendre le temps de choisir avec votre cœur… à moins que ce ne soit l'œuf qui vous choisisse avec le sien !

Quelques-uns échangèrent un regard d'incertitude à l'endroit du Grand Druide au sujet de son dernier commentaire. Mais la vue absolument ahurissante de tous ces œufs de Dragon réunis en un même endroit était tout simplement spectaculaire.

Arafinway fut le premier à choisir son œuf et il en prit même deux, le premier fut un œuf de Dragon vert et le second, un tout rose. Les avait-il appelés ou était-ce son imagination trop fertile ?

Seyrawyn se rendit dans une petite caverne sur la droite où il y avait plusieurs œufs dorés. N'écoutant que son intuition, comme le lui avait dit le Grand Druide, un seul l'intéressait vraiment et il délaissa tous les autres. Quelle étrange expérience !

Bertmund trouva lui aussi deux œufs, un bleu et un blanc. Parmi toute la multitude d'œufs bleus ou blancs, il choisit ces deux-là spécifiquement sans savoir pourquoi. Cependant, il remarqua avec surprise que les couleurs choisies étaient en harmonie avec celles de son uniforme. Y avait-il un lien quelconque ? Caressant les œufs lisses sous ses doigts, il pouvait les sentir pulser, l'appeler et il ne pouvait se résoudre à n'en choisir qu'un seul. Il se décida enfin à ramasser les deux, car c'était, selon son instinct, vraiment la seule chose à faire.

Marack regardait partout, sans vraiment savoir ce qu'il cherchait. De plus, il gardait toujours un œil sur Miriel et cela rendait sa recherche difficile et futile. Dans un moment d'inattention, il la perdit de vue. Soudainement, lorsqu'il voulut faire demi-tour pour la retrouver, il mit le pied sur des œufs et le guerrier s'étendit de tout son long sur le sol de la caverne.

Malgré son armure, il pouvait distinctivement ressentir la présence de petites bosses bien distinctes dans son dos. Il se releva prudemment, ayant peur de les avoir écrasés par son poids, pour découvrir un œuf noir et un second de couleur bronze absolument intacts. Il les prit dans ses mains et retourna vers le Grand Druide. Dorénavant, il prêterait attention à deux choses, la première étant Miriel et la seconde… là où il mettrait les pieds.

Miriel, de son côté, n'arrivait pas à choisir son œuf même si ses compagnons avaient déjà tous adopté leur allié depuis un bon moment déjà.

Peu importe, elle prenait son temps et manipula délicatement une très grande quantité d'œufs afin de faire le meilleur choix. Chaque petit être vibrait d'une énergie différente et, grâce à sa grande sensibilité, elle ressentait quelque chose pour chacun d'eux.

« Comment se fait-il que j'ai toujours cette sensation de familiarité ? Probablement parce que mon Ordre a juré de protéger cet endroit… et que nos accomplissements tendent vers cet unique objectif. »

Aujourd'hui, elle pouvait comprendre l'importance de tout ce qui avait été mis de l'avant pour protéger cette puissante source de magie mais une terrible source de pouvoir aussi. Des milliers d'œufs de Dragon, dans les mains de personnes malveillantes, pourraient devenir des armes de destruction, des milliers de Dragons au service du mal.

Elle visualisait les possibilités de ces scénarios néfastes et remerciait silencieusement Lönnar d'avoir guidé son père jusqu'ici. Miriel réalisait l'ampleur de la découverte qu'elle venait de vivre au sein de cette caverne.

Soudainement, elle réalisa qu'il y avait entre ses mains un œuf de couleur argent depuis un bon moment maintenant. Chaudement installé sur sa peau, elle ne se rappelait pas d'avoir choisi celui-ci.

« Ce pourrait-il que mon père ait encore raison ? Parfois, c'est l'œuf qui vous choisit…»

Marack en avait deux, Bertmund et Arafinway également.

— Vous savez Grand Druide, l'œuf rose n'est pas pour moi, c'est mon œuf vert qui m'a demandé de le prendre car il est destiné à une autre personne.

Arminas regarda Arafinway quelques instants et fit signe de la tête qu'il comprenait. Chacun avait en sa possession ce qu'il était venu chercher au sein de cette caverne.

— Maintenant que vous avez vos œufs, prenez une petite boursette de cuir. Ces petits sacs ont été confectionnés par Grim, le Jarl d'Alvikingar, et enchantés par Saint-Beren, le prêtre de Tyr. Ils ont été envoûtés divinement pour protéger votre œuf, chers Dragonniers, Gardiens du Secret.

Il y avait autant de couleur pour les boursettes de cuir que de couleur pour les œufs de Dragon. Or, argent, bronze, noire, rouge, blanche, bleue, verte, mauve et même du rose.

Sur chacune de ces boursettes, une petite pièce de métal à l'effigie d'un dragon y avait été rivetée avec délicatesse.

Marie-Calina consignait par écrit dans un grand grimoire de cuir avec des pentures de métal et aux pages de papier parchemin, tous les noms des gardiens ainsi que les œufs qu'ils avaient choisis. L'épouse du Jarl, Gardienne du Secret également et une artiste d'une grande ouverture d'esprit, avait été mandatée pour tenir ce précieux registre.

Cet ouvrage ne quittait jamais la caverne de *La Source* et on pouvait y retrouver tous les Gardiens du Secret, dragonniers et leurs dragons, qui avaient maintenant la responsabilité de prendre soin et de protéger respectivement leur nouvel allié.

Une fois cette tâche terminée, le grand Druide conduisit l'équipe de Miriel devant l'arche par laquelle ils étaient entrés. Au-dessus de celle-ci, d'autres runes étaient maintenant visibles et formulaient un message destiné à tous les nouveaux Gardiens du Secret.

— Cher nouveaux Gardiens, commença Saint-Beren, maintenant que vous avez en votre possession une partie de *La Source*, votre silence sur ce qu'elle représente est *sine qua non.* De plus, afin de franchir à nouveau la porte magique par laquelle vous êtes arrivés et de pouvoir quitter cet endroit, un dernier rituel est requis : il vous faut prêter votre serment envers *La Source* et son secret.

Les compagnons écoutaient attentivement en serrant instinctivement sur eux leur boursette de cuir contenant leur œuf de Dragon.

— Mes enfants, reprit Arminas, ressentez au plus profond de vous-mêmes les paroles que vous allez prononcer car elles ont un sens et vous confèrent une grande responsabilité. En échange de votre parole, vos œufs de Dragon s'engagent à se révéler à vous et à devenir votre précieux allié dans la sphère où il est le meilleur.

À voix haute et devant témoins, Miriel, la main droite sur son cœur et tenant sa boursette près d'elle, fut la première à prononcer solennellement son serment. Ensuite, chaque nouveau Gardien jusqu'à Seyrawyn le dernier, lut avec émotion les runes écrites sur la paroi rocheuse de la caverne.

En tant que futur Dragonnier
et Gardien du Secret
J'accepte les responsabilités suivantes
envers mon œuf de Dragon
Par conséquent, je jure :
De lui donner un nom digne de sa race,
D'en prendre soin,
De le protéger,
De lui enseigner mon savoir,
D'apprendre ce qu'il a à m'enseigner,
De lui parler à tous les jours,
De le manipuler avec délicatesse et respect,
De le cajoler, De le garder propre,
De lui faire profiter du soleil
et de le réchauffer,

Lors de mes déplacements,
de le placer dans sa petite boursette de cuir,

Et surtout, de ne pas le mettre
dans un coffret et de l'oublier.

Sur mon honneur,
j'accomplirai le tout sans faillir.
Je le jure !

Avant de franchir le portail, le Grand Druide et Saint-Beren les bénirent et leur accordèrent les grâces de la protection de leurs dieux. Ensuite, accompagnés des témoins, ils félicitèrent avec chaleur et amour ces nouveaux et fiers Gardiens du Secret, dragonniers de surcroît ! Le rituel spectaculaire se grava dans leur mémoire et, plus jamais, ils ne devaient oublier ce moment privilégié, le plus magique de toute leur vie.

Journal d'Ogaho,
Vizir du tout-puissant Arakher, Roi des Géants de pierre
Mission royale : infiltration en terres ennemies

Sujet vingt-deuxième : Itinéraire

Les patrouilles de gardiens sont plus nombreuses dans les alentours de la ville, surtout suite à l'altercation que j'ai eue à l'intérieur même de ces murs fortifiés. Le coup de ce fameux marteau à tête de bélier porté par le garde viking m'a esquinté plus sévèrement que je ne le croyais. La potion de guérison a été bénéfique, du moins en partie, mais j'ai dû me reposer quelques jours supplémentaires afin de récupérer pleinement mes forces. Pour camoufler ma maisonnette magique, il m'a fallu créer des enchantements indétectables. Sans sa réelle protection bienfaitrice, je n'aurais jamais pu survivre en terrain hostile ces derniers mois.

Je comprends aujourd'hui que Dihur s'attendait certainement à ma perte ou à mon déshonneur en me manipulant à endosser cette mission royale. Cependant, je savourerai avec délectation sa déception lorsque je ferai mon apparition dans le hall de mon souverain. Une récompense que j'aurai amplement méritée.

Afin d'éviter les patrouilles, j'ai décidé de reprendre le même chemin qui m'a amené jusqu'à Yngvar. Il s'agit pour moi d'un terrain connu et après avoir franchi le passage de la baie du Scorpion, je couperai par-delà les Rocheuses d'Ortan pour faire une escale à Vraxan.

Je veux prendre le temps de me renseigner sur les dernières nouvelles concernant la guerre ainsi que les mouvements de toutes les troupes concernées. Même si je ne suis pas un stratège militaire, je juge que ce sera une sage précaution avant de retourner à Pyrfaras.

Sujet vingt-troisième : Prise de conscience

26 jours depuis mon départ de la forteresse d'Yngvar,
j'estime mon périple à sa moitié.

Le trajet est ardu, mais Visca me tient compagnie et continue à me protéger des ombres qui tentent de pénétrer les défenses spirituelles que j'ai mises en place. Je ne compte plus le nombre de fois, pendant le trajet du retour, où j'ai voulu tenter à nouveau de déchiffrer le contenu de la babiole que mon ami Morje m'a remise.

Ce parchemin magique est beaucoup plus puissant que je ne le croyais. J'aurais dû m'en méfier et attendre au lieu de tenter de satisfaire ma curiosité.

Je dois reconnaître en toute humilité que ma suffisance m'a amené à être bafoué dans mes ambitions à deux reprises. Admettre mes erreurs n'est pas une marque de faiblesse mais plutôt un pont vers l'amélioration de ma personnalité.

Ainsi, je me croyais tout-puissant, moi jadis le Premier Vizir et le Premier Conseiller de la Cour d'Arakher. Mon premier face-à-face avec la réalité s'est fait grâce à Dihur. Jusqu'à son débarquement au palais, je pensais que j'étais le plus grand, le plus fort et, surtout, le plus puissant magiquement parlant sur toutes les terres du Roi. Je dois admettre la supériorité de mon rival qui contrôle mieux que moi les rituels druidiques, certains aspects de la magie et surtout l'élément de feu.

Ma seconde prise de conscience concerne ce parchemin que je croyais pouvoir déchiffrer facilement. Aujourd'hui, je me retrouve sous l'emprise d'une malédiction qui me livre un combat journalier.

J'espère bien surmonter les deux leçons d'humilité qui m'affligent et surtout apprendre à ne pas croiser leur chemin à nouveau.

Sujet vingt-quatrième : Trop facile ?

49 jours depuis mon départ d'Yngvar

J'ai passé la zone de l'Île du Scorpion Blanc le plus rapidement possible afin d'éviter les créatures qui y résident. La chance a été avec moi car maintenant il ne me reste plus qu'à traverser les montagnes et emprunter la barge traversière pour atteindre Vraxan la journée suivante.

Patience Visca, patience… ton travail de protecteur arrive à sa fin, je t'en demande beaucoup, je le sais. Dès mon arrivée à Pyrfaras, je vais m'efforcer de retirer cette imprécation magique et ainsi t'alléger la tâche. La vie orchestre drôlement les événements, pour la malédiction qui m'assaille, j'ai reçu la bénédiction de te trouver !

Ogaho arriva enfin à Vraxan après 54 jours de marche rapide et nocturne pour éviter les prédateurs de tout genre. Lorsque le mage de pierre se présenta aux sentinelles, ceux-ci le laissèrent passer sans rien dire. Il s'agissait quand même d'un Géant de pierre, la race suprême, et formuler tout doute aurait tout simplement coûté la vie à ce téméraire.

Ogaho prit le chemin de l'*Auberge du Troll qui Louche*, en réalité le seul établissement assez grand pour accommoder une personne de sa stature. Il y avait toujours des chambres libres, celles-ci étant dispendieuses, et surtout il n'y avait pas de Sottecks ou de Mourskhas pour lui empoisonner le repos.

Un coursier fut mandaté pour aviser immédiatement le shaman Ombarkul du personnage d'importance qui venait de franchir les portes de sa ville. Ainsi, dans l'heure suivant son installation, une petite délégation se rendit jusqu'à l'auberge pour visiter le Géant.

Ogaho était assis à une table proportionnelle à sa taille et il prenait son temps pour savourer son repas. L'enchantement invoqué de façon quotidienne pour sa maisonnée comprenait suffisamment de nourriture pour sustenter l'équivalent de huit géants. Mais il n'y avait aucune variété. De plus, les denrées

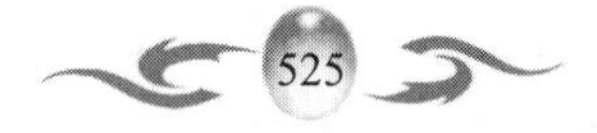

nécessaires pour épicer son menu avaient été épuisées il y a fort longtemps. Le mage appréciait donc cette goûteuse pitance.

— Vizir Ogaho, au nom de Zaoma et en mon nom personnel, la ville de Vraxan vous salue ! fit le shaman en entrant dans la pièce.

Ogaho regarda le petit homme et continua de déguster son mets.

— Je ne vous attendais pas, reprit-il en faisant un semblant de révérence, aucune missive royale n'a été envoyée. Excusez-moi, car j'aurais fait préparer une chambre digne de votre rang, si j'avais eu vent de votre venue…

— Ce n'est pas nécessaire de continuer vos courbettes verbales, je ne suis que de passage à Vraxan. Je n'ai pas l'intention de m'éterniser bien longtemps. Je quitte à l'aube pour la Capitale. Mais…

Le Vizir le regarda dans les yeux, l'air inquisiteur.

— Étant donné que vous vous êtes donné la peine de venir à ma rencontre, parlez-moi de ce qui s'est passé ces derniers mois. Une dernière chose, si un disciple vénérant les Quatre Éléments se présente à la porte de cet établissement, faites-moi le plaisir de lui en refuser l'accès. Je ne désire point m'entretenir avec l'un des sectateurs[48] du Premier Vizir. Je ne réponds qu'au Roi et surtout pas à un simple laquais druidique.

Le shaman ne s'attendait pas à décliner tout ce qu'il savait si ouvertement dans un lieu public. Il ordonna à son escorte de sécuriser l'auberge et, surtout, de s'assurer que la consigne du mage de pierre soit respectée.

Une fois satisfait de l'obéissance de ses troupes, il se tira un banc et commença son rapport. Le mage Ogaho avait toujours été un homme de confiance de son roi et son aversion pour l'Ordre des Quatre Éléments avait attiré son attention.

Ainsi, il énuméra les divers faits qui lui étaient connus. Il parla de la guerre contre les démons et de leurs esclaves et qu'ils avaient réussi à en terrasser plusieurs.

Il fit mention de la consigne royale en vigueur au sujet des oiseaux qui devaient être abattus, mais ses sbires n'ont jamais eu la chance de capturer un druide ainsi.

---

[48] Sectateur : personne membre d'une secte, synonyme d'un adepte

Il raconta ce qu'il savait des derniers ragots circulant à la Cour du Roi Arakher. De la malchance du prince Ajawak concernant le vol de sa hache si précieuse et de ses attaques autant massives que vaines contre ses ennemis dans l'espoir de retrouver le coupable du vol.

Le shaman, sachant pertinemment que tout se sait tout le temps, ne prit pas la chance d'omettre la tragédie qui s'était produite ici même dans sa ville.

— Il y a moins de deux mois maintenant, des ennemis se sont fait passer pour les espions du Roi et se sont installés dans une auberge de la ville.

Toutefois, Ombarkul cacha volontairement le fait que lui-même les avait rencontrés et qu'il n'avait pas su les démasquer avant leur méfait.

— Une nuit, ils ont dérobé le navire du célèbre et très respectable Capitaine Salxornot ! C'est un vol odieux qui déshonora le capitaine et affecta grandement le moral de nos troupes, s'insurgea-t-il avec colère.

Ce dernier point piqua la curiosité du mage

— Cher ami, racontez-moi un peu plus en détails ce qui s'était passé.

— Ahhhh ! Suite à cela, Salxornot a attendu l'arrivée des vrais espions du Roi, un certain LeRoux et sa bande, et il a ensuite accomplit sa mission comme il le pouvait. Le malheureux capitaine et le reste de son équipage les ont escortés… à pieds, figurez-vous, quelle honte ! Ils sont partis pour Pyrfaras depuis un mois maintenant.

Ogaho remercia Ombarkul du compterendu et s'assura de maintenir les gardes devant l'auberge jusqu'à son départ, pour éloigner tant les curieux que les indésirables. Le shaman obéit à l'ordre du Géant et le laissa terminer son repas.

« Comme ça, les espions sont arrivés jusqu'au Roi. Je me demande bien de quels secrets Dihur a réussi à s'emparer cette fois. »

Chapitre 99 — Augheronth

Quelques heures après avoir prononcé leur serment, tous les compagnons s'étaient réunis dans la forêt intérieure. Encore sous le choc de cette étonnante graduation, ils échangeaient leurs impressions.

— Je n'en reviens toujours pas, Gardien du Secret ! déclara Arafinway rêveur. Ah ! voilà le Grand Druide et Saint-Beren qui viennent par ici.

— Mes enfants, mes nouveaux dragonniers, j'ai encore quelques petites choses à vous dire. Dès demain matin, vous partirez pour une quête particulière car votre destinée réside au sud de Arisan par delà les montagnes. Mais au cours de votre périple, et cela est capital pour la survie de notre Ordre, chacun de vous devrez retracer un dragon de la même race et ayant la même couleur que votre œuf.

— Certains Gardiens du Secret de notre Ordre ont eu la chance de pouvoir réaliser cette quête ultime, continua Saint-Beren, et pour d'autres, ce moment n'est pas encore venu. Pour vous, les dieux en ont décidé autrement. Vous devrez parcourir l'île pour retrouver le plus rapidement possible le dragon qui répondra à l'œuf que vous avez en votre possession.

— Grand Druide, comment allons-nous savoir que c'est le bon moment pour retracer le dragon de la bonne couleur ? demanda Arafinway.

— Lorsque le moment sera venu, vous aurez un signe qui vous permettra de conclure, hors de tout doute, que votre quête a commencé.

— Rien n'arrive par hasard, rien n'arrive pour rien ! affirma Marack avec un large sourire et une bonne tape amicale dans le dos du troubadour. Nous avons notre guide pour la partie

sud de l’île, Bertmund LeGrand, ici présent, le guide troubadour, érudit et j’en passe !

— Ce sera mon honneur de vous servir de guide pour les régions que je connais, mais pour le reste de l’île, il s’agit d’une belle et grande aventure que je vais adorer découvrir en si bonne compagnie !

— Profitez de la présence de nos invités, suggéra Arminas aux nouveaux Gardiens du Secret, ils doivent repartir dès demain.

Arminas serra sa fille dans ses bras, félicita de nouveau les compagnons et se dirigea en compagnie de Beren vers la salle du Conseil où les autres les attendaient. Ils auraient fort à faire pour planifier et préparer leurs défenses suite aux nouvelles ainsi qu’aux évènements survenus récemment.

— Miriel, demanda Seyrawyn un peu inquiet, qu’est-ce que ça impliquait exactement lorsque ton père nous a annoncé que notre destinée résidait au sud de Arisan, par delà les montagnes ?

— J’imagine que nous allons devoir voyager bien plus loin que notre première zone de patrouille, répondit-elle en souriant et en se dépêchant pour rattraper son père.

Elle ne voulait rien manquer de la suite des préparatifs militaires. Maintenant qu’elle était dans le secret, elle jugeait important de se tenir mieux informée.

Chacun voulut ensuite profiter du reste de la journée avant de partir pour leur nouvelle quête prévue pour le lendemain matin.

C’est un guerrier songeur qui emprunta les sentiers du bois intérieur de Feygor. Miriel était en compagnie de son père et des invités de marque. Le fardeau sur ses épaules venait une fois de plus de s’alourdir.

« Gardien du Secret avec deux œufs de Dragon maintenant sous ma responsabilité. Décidément, combien d’autres charges Tyr avait-il décidé de lui imposer dans cette vie ? »

Un peu plus tard en après-midi, au retour de sa randonnée pédestre, Marack fut captivé en regardant Arafinway se parler à lui-même à voix basse. Sa curiosité le poussa à faire la lumière sur cette nouvelle attitude de la part de son éclaireur.

— Mais, qu’est-ce que tu fais ?

— J'écoute ce qu'Ardynyth me raconte et il a beaucoup de chose à me dire. Je dois lui enseigner d'attendre le bon moment, car depuis que nous sommes ensemble, il n'a pas arrêté de caqueter ! répondit l'elfe tout naturellement.

— Tu lui as déjà donné un nom et il te parle depuis que tu l'as choisi ?

— Bien sûr, mais seulement pour le vert, le rose n'est pas pour moi. C'est son dragonnier qui va devoir lui en trouver un. Elle n'est pas très bavarde d'ailleurs et préfère discuter avec Ardynyth. Il me raconte ce qu'elle a dit par la suite, si elle le veut, bien sûr.

Marack regarda son ami un peu sceptique, le sourcil relevé comme à son habitude quand il doutait fortement. Il avait deux œufs et aucun ne lui avait adressé la parole jusqu'à présent.

— Tu as sans doute demandé toi aussi au Jarl de te dire si c'était un esprit mâle ou femelle pour tes œufs ? Et s'il y avait un signe distinctif pour t'aider à trouver son nom ?

— Quoi, il fallait faire ça auprès de Grim ?

— Bien sûr, comment peux-tu lui donner un nom digne de sa race si tu ne sais même pas si c'est un garçon ou une fille. Le Grand Druide m'a dit que Grim avait mérité le titre de Maître Dragonnier. Ils sont un très petit nombre parmi les Gardiens du Secret à pouvoir le faire et il fut le premier à découvrir qu'il avait ce don. Du premier groupe de compagnons qui a découvert *La Source*, les Premiers Gardiens du Secret, il est le seul.

Arafinway regarda son guerrier un peu déçu qu'il n'ait pas écouté toutes les consignes.

— Il peut également te dire son âge et aussi te faire remarquer des signes distinctifs sur celui-ci. Il est vraiment passé Maître dans l'art, selon Saint-Beren. Tu devrais aller le voir avant notre départ pour notre quête. Nous l'avons déjà tous rencontré, je croyais que tu l'avais déjà fait toi aussi.

Marack regardait ses compagnons un peu plus loin et chacun leur fit un petit sourire en coin signifiant qu'ils avaient déjà fait l'exercice avec Grim.

— Pour ma part, le nom qui m'est venu à l'esprit pour mon œuf d'argent est Ferather, lança Miriel qui était revenue près d'eux.

— En ce qui me concerne, j'ai un couple, le bleu se nomme Tylaf et le blanc Aeltia.

Il ne restait que Seyrawyn qui n'avait pas encore mentionné le nom de son protégé. Marack le regardait et attendait que celui-ci le présente.

— Je n'ai pas encore décidé de son nom, j'hésite. Je vais prendre mon temps, je ne suis pas pressé et il est en accord avec moi. Il ne m'a pas parlé avec des sons comme Arafinway. Mais je ressens dans mon esprit qu'il apprécie l'attente afin que je puisse lui trouver un nom digne de sa race. C'est très important pour un Dragon et, moi, je suis bien placé pour le savoir !

Marack se leva en silence en marmonnant quelques mots incompréhensibles, puis se dirigea vers les appartements des visiteurs où il trouverait sûrement le Jarl.

Il y entra sous l'accueil bienveillant de Marie-Calina, souriante.

— Bonjour Marack, fils de Marack. Je crois que tu aimerais t'entretenir avec Grim, n'est-ce pas ? Viens, il est dans la pièce d'à côté et il t'attendait.

Le guerrier se disait que peut-être que c'était la raison pour laquelle ses œufs ne lui avaient pas encore parlé, comme ceux des autres. Grim était assis dans un fauteuil et il lisait un vieux tome dont les feuilles devaient être manipulées avec soins.

— Bonjour Jarl McGray, je suis ici pour vous demander de me faire une lecture de mes œufs.

— Entre Marack fils de Marack et viens t'asseoir, nous allons regarder ce que tes œufs de Dragon ont à me raconter.

Grim prit entre ses mains le premier œuf qui lui fut offert par le guerrier. Il s'agissait de l'œuf du dragon de bronze. Le maître dragonnier le prit délicatement et le réchauffa dans sa paume. Même si ces œufs avaient une carapace de marbre, de granite ou de toutes autres substances très solides et résistantes, il savait que ce n'était qu'un camouflage magique pour protéger un petit être vivant et sensible.

Le contact de la main avec les œufs était toujours perçu par le Dragon qui y réside. Il le prit entre le pouce et l'index et l'observa sous tous ses angles avant de se prononcer.

— C’est une fille et elle t’est destiné comme alliée, cher ami. Ses capacités jumelées aux tiennes vont vous rendre meilleurs tous les deux. Dans quelle sphère ? Ce sera à vous deux de le découvrir.

Le jeune viking regardait son œuf avec un tout autre regard maintenant.

— Ainsi, cet œuf a au moins 65 années, ce qui est très jeune pour un œuf de dragonne. Le plus vieil œuf que j’ai eu la chance d’observer jusqu’à présent en avait presque 260. Je peux voir sur celui-ci plusieurs petits signes qui ne sont pas très précis, mais je crois qu’ils vont se définir avec un peu de temps. Hum… par contre, il y en a un ici bien détaillé… regarde, il s’agit d’un marteau de combat.

Grim aidait Marack à retracer les images qu’il y avait sur l’œuf et lut précisément l’arme dont il venait de faire mention. Il ne s’agissait pas entièrement du marteau de Lönnar, mais il y avait des ressemblances. Le Jarl lui remit l’œuf de dragon de bronze et prit l’œuf de dragon noir pour répéter la procédure et en fit la lecture à voix haute.

— Celui-ci t’est également destiné et il s’agit d’un mâle. Il est âgé d’environ 45 années. Tu peux voir ici une ligne de bronze continue et non-brisée qui le parcourt. Il s’agit d’une couronne, cet œuf de dragon noir appartient à une lignée de dragons au sang noble. Celui-ci avait certainement un chevalier dans ses ancêtres.

— Il y a des seigneurs parmi les dragons ?

— Oui, certains sont en ligne directe avec les Grands Dragons Légendaires qui se sont démarqués par le passé. Il est dit que certains seraient toujours en vie et actifs dans notre monde. Il arrive même parfois qu’ils rencontrent leur progéniture. Un dragon peut vivre plusieurs milliers d’années, surtout s’il utilise la magie pour accroître sa longévité. D’ailleurs, je suspecte Beren d’être un dragon… car il a sans doute plus de deux milles ans maintenant.

Marack était complètement renversé par le commentaire du Jarl au sujet du prêtre de Tyr. Grim attendit quelques moments avant de laisser s’échapper un petit rire confirmant que la blague avait assez duré.

— Ton père a fait le même visage lorsque je lui ai annoncé la nouvelle au sujet de Saint-Beren alors que j'effectuais la lecture de son œuf de dragon noir.

— Mon père a également un œuf de dragon noir ! Mais je ne le savais pas et, surtout, je ne l'ai jamais vu !

— À l'époque où ton père et les autres compagnons ont reçu leurs œufs de Dragon, nous devions garder le secret. C'est d'ailleurs pour cette raison qu'Arminas a introduit le rang de Gardien du Secret au sein de son Ordre. J'entrevois des jours nouveaux au sein de l'Ordre et le rôle des Gardiens va être amené à changer. C'est toi et tes amis qui allez effectuer ce changement. Je ne sais pas comment, mais Arminas ainsi que Beren en ont la ferme conviction. Si eux le croient, alors c'est suffisant pour moi et pour chacun des Gardiens qui supportent cette cause.

Marack remercia le Jarl du temps qu'il lui avait accordé pour la lecture des œufs. Il était maintenant un peu plus éclairé sur les noms qu'il pouvait donner à ses dragons.

La bibliothèque de la forteresse serait sans doute un bon endroit pour y faire quelques recherches. Il était un Gardien du Secret maintenant et cela lui conférait un peu plus de privilège, comme d'avoir accès à certains livres qui ne sont pas à la portée de tous les autres Gardiens du territoire.

Il passa le reste de la journée et de la soirée à feuilleter des tomes et des manuscrits qui avaient plus de dix à quinze fois son âge. Son père les avait sans doute déjà tous consultés avant lui, lors de ses visites à Feygor et il sentait que c'était maintenant son tour de les parcourir.

Afin de sauver quelques jours de marche au début de ce voyage, le nouveau navigateur elfique embarqua sur son bateau le nouveau groupe de Gardiens du Secret et les laissa sur la rive, à mi-chemin entre Feygor et Vanirias.

Miriel aurait bien profité de la voie maritime pour se rendre le plus loin possible au sud, afin d'emprunter le trajet qui longe les chutes de Cristal, celui-là même que Bertmund avait marché avec la caravane. Il leur faudrait plusieurs semaines à travers la Forêt des Bois Noirs pour y arriver.

Un beau matin frisquet, Ardynyth chamboula tout l'horaire prévu par Miriel. L'œuf d'Arafinway se mit à tourner sur lui-même. Comme une boussole affolée, pour finalement s'arrêter et pointer dans la direction Ouest.

— Je te dis Miriel, il nous faut absolument passer par Hinrik pour prendre des provisions avant de repartir pour le Sud, argumenta l'éclaireur.

— Comment peux-tu en être aussi sûr ? Il est illogique de se rallonger par ce grand détour !

— C'est Ardynyth qui me le crie depuis plusieurs heures et je le crois sur parole. Ne fais-tu pas confiance à ton œuf de Dragon, toi ?

Miriel se résigna et le groupe de Gardiens s'enfonça vers l'Ouest. Il ne leur resterait plus qu'une dizaine de jours à marcher dans la Forêt des Ancêtres avant de rejoindre Hinrik.

Le territoire entre Feygor et Hinrik était largement patrouillé maintenant. Depuis la découverte de l'escadron ennemi à quelques jours de la ville fortifiée, il était primordial de sécuriser les terres de l'ouest.

Le trajet jusqu'à Hinrik se déroula sans anicroches et le nouveau guide Ardynyth se fit un peu moins démonstratif pour le groupe, tout en étant aussi bavard pour son dragonnier.

Marack, de son côté, n'avait toujours pas choisi de noms pour ses œufs et ceux-ci ne lui avaient toujours pas adressé la parole. Il se retenait de discuter avec les autres compagnons de leurs expériences et surtout de la façon dont ils communiquaient avec leurs protégés. Il n'y avait qu'Arafinway qui parlait ouvertement avec son œuf vert.

Le guerrier n'avait pas pris de chance non plus concernant les provisions. Il avait fait le plein de viande à Feygor, se doutant bien qu'il n'y aurait pas de possibilités pour la chasse encore une fois. Décidément, à force de se retenir et si tous les druides appliquaient la technique de Miriel, ces bois allaient regorger de gibier sous peu.

En vue du millésime châtaignier d'Oc'h, Seyrawyn avisa Miriel qu'il s'approcherait un peu plus de la ville mais qu'il n'y mettrait pas les pieds. Ce furent donc quatre gardiens qui se dirigèrent avec détermination vers les grandes murailles d'Hinrik.

Dès leur arrivée, ils remarquèrent que les portails étaient fermés et que la sécurité s'était accrue, au grand plaisir de Marack. Tous ceux qui désiraient y pénétrer devaient s'identifier et même, dans certains cas, donner un mot de passe lorsqu'il s'agissait des patrouilles de futurs gardiens qui revenaient de leur entraînement.

Miriel se présenta aux sentinelles et leur fit voir son Salkoïnas maintenant décoré par quelques runes supplémentaires, l'identifiant comme une Gardienne du Secret. Arafinway ainsi que Marack présentèrent leur marteau de Lönnar. Bertmund par contre n'avait aucun papier, marteau ou autre preuve qu'il était maintenant un Gardien du Secret. Il ne pouvait tout de même pas présenter son œuf de Dragon pour s'identifier !

Il réalisa subitement qu'il voyageait en compagnie de personnes très influentes. Il était connu du Jarl, devenu un frère d'armes de son fils et un garde du corps de la fille du Grand Druide. Sa vie avait complètement basculé depuis qu'il avait été délivré par ses nouveaux amis. D'ailleurs, lorsque le garde fit mine de le reconnaître et lui conféra un laissez-passer, il souhaita que ce fut surtout à cause de sa présence dans un honorable groupe plutôt que du vague souvenir de son dernier spectacle en ces lieux.

— Dis-moi argoustin, as-tu vu mon père le Jarl dans les environs ?

— Oui, Gardien, il est à son auberge préférée à cette heure-ci de la journée.

Marack fils le remercia, content d'apprendre qu'il y avait des choses qui ne changeraient sans doute jamais. D'un pas confiant, il se dirigea vers le *Troubadour Volant*. Bertmund avait encore un petit haut le cœur en pénétrant dans cet établissement et il espérait que son dernier passage n'avait pas trop marqué les usagers de la place.

Lorsque le groupe fit son entrée dans l'auberge, ils furent accueillis par une cacophonie de bruits, tous aussi grossiers les uns que les autres.

— Mais qu'est-ce qui se passe ici ? demanda Miriel stupéfaite.

Marack père, en compagnie de Maître Lassik, étaient attablés au fond et dégustaient une nouvelle acquisition. Une bière naine qui se nommait l'*Arrache-Gueule* spécialement brassée par Dorgen GrosSoufflet.

— Ahhh ! Chers gardiens, venez prendre place à nos côtés, lança Marack père en se levant pour faire des accolades.

L'aubergiste fit la place nécessaire pour accueillir ces nouveaux arrivants de marque dans son établissement.

Rire, rots, contorsions et bruits des plus infects se chevauchaient dans l'enceinte de cette auberge qui avait la réputation d'être respectable, jusqu'à tout récemment.

— Personne n'en est jamais mort jusqu'à présent, mais ça viendra peut-être un jour ! Voici comment le créateur présente son produit pour vendre son fût, expliqua Lassik de fort bonne humeur.

— Mes clients ont récemment adopté cette nouveauté pour son arrière-goût qui vous décroche la mâchoire, confia l'aubergiste, resté auprès de ses illustres clients.

Les Gardiens regardèrent autour d'eux avec un mélange de surprise et, pour certains, de dégoût.

— Ils en ont même fait un jeu qui gagne en popularité aussi. Laissez-moi vous expliquer, continua-t-il, après avoir pris quelques gorgées de ce nectar particulier. Les participants se regardent et, surtout, se retiennent le plus longtemps possible pour ne pas éructer les gaz que cette boisson génère dans l'estomac. Celui qui ne peut se retenir pousse un rot suite à l'accumulation forcée. Cela signifie son abandon. Le dernier autour de la table qui réussit à s'accrocher est le gagnant de la partie.

Miriel regardait autour d'elle les clients qui s'adonnaient à ce jeu. Elle remarqua que les larmoiements étaient une réaction incontournable lorsque le participant tentait de contenir la force qui s'accumulait dans son estomac et qui voulait sortir par tous les moyens.

Mais ce n'était rien en comparaison avec les contorsions ainsi que les faciès qui étaient observés. Maintenant qu'elle en comprenait les règles, le spectacle devenait hilarant.

Les hommes du Nord s'adonnaient à ce jeu comme s'il s'agissait d'une épreuve de volonté. Mais certains elfes des bois qui se sont risqués à jouer ont surpris plus d'un viking qui ne croyaient pas qu'une créature aussi frêle puisse soutenir une telle pression aussi longtemps.

— Quels jeux enfantins… ils sont redevenus des gamins, sans aucunes manières !

La druidesse se retourna et resta bouche bée. Devant elle, à sa table, le carnaval ne faisait que commencer.

— *Burrrrrrrrp !* Oups, Madame, je suis désolé, il fallait que j'essaie cette nouvelle bière pour en décrire les effets dans l'un de mes grimoires. Je dois avouer qu'ils surprennent à plusieurs égards !

Tous éclatèrent d'un rire contagieux devant l'expérimentation entreprise par Bertmund.

— C'est notre cher Maître Lassik qui a convenu d'une entente avec Dorgen, expliqua le Jarl entre deux rots. Maintenant, la renommée de cette bière commence à faire son petit bout de chemin vers les autres villes. Le secret résiderait dans l'ajout d'un certain minerai sous forme de poudre. Il générerait ce prodigieux effet secondaire qui lui vaut son nom : *l'arrache-gueule.*

— Chuuut, Marack fais un peu attention, il ne faut pas en parler, c'est l'ingrédient secret qui fait toute la différence, lui chuchota Lassik en lui balançant une tape dans le dos.

Le colosse tenait à conserver secret les ingrédients qui composaient son nouvel investissement.

Après avoir pris un bon repas et s'être risqué à goûter à cette concoction naine, tous les quatre, accompagnés de Marack père et de Lassik, s'installèrent dans la pièce annexée à la grande salle qui offrait plus de discrétion et surtout un peu plus de silence.

Ils étaient tous des Gardiens du Secret et pouvaient maintenant ouvertement discuter entre eux. Le Jarl fut ravi de constater que son fils avait également choisi un œuf de dragon noir, tout comme lui. Le père présenta son œuf à son fils.

— Voici, il se nomme Storka et son nom doit être pris dans le sens de défi. Et toi fils, quels sont les noms de tes dragons ?

— Je n'ai pas encore trouvé de nom pour l'œuf de bronze, mais le noir après avoir fait mes recherches à Feygor dans la bibliothèque, je crois que je vais opter pour Calfera. Son nom a un rapport avec le mot *destinée*, c'est la raison pour laquelle je me suis arrêté sur celui-ci.

— Eh bien ! moi, je vous présente mon oeuf de Dragon mauve Ygal, qui veut dire dans un vieux dialecte de géant : *prise de conscience* et il porte bien son nom, soyez-en assuré, déclara fièrement Lassik.

Chacun échangeait et partageait ses expériences en rapport avec les œufs de Dragon, lorsqu'Arafinway sentit son œuf dans sa boursette recommencer à tourner dans tous les sens puis s'arrêter.

Lassik observait l'éclaireur qui s'était mis en retrait et, surtout, qui discutait avec son œuf comme s'il s'agissait d'une personne vivante présente à ses côtés. Il était curieux et alla rejoindre l'éclaireur pour en apprendre un peu plus sur cette merveilleuse relation.

— Il te parle vraiment ?

— Oui, constamment, et quelquefois un peu trop, mais je ne le gronde pas. Il pose beaucoup de questions et c'est normal, c'est encore un enfant.

— Tu as une relation très particulière avec ton œuf, sois-en fier. Moi, je lui parle souvent et j'obtiens une impression télépathique à certaines occasions, mais jamais une conversation comme tu sembles avoir. Que te disait-il ?

— Il a encore bougé. Il n'a pas arrêté de faire ça depuis que nous avons mis pied à terre. Il tourne puis pointe une direction, avant c'était le sud-ouest, puis l'ouest et maintenant, c'est le nord. Oui, je t'entends Ardynyth, mais présentement, je ne peux pas partir comme ça et me rendre là où tu me le demandes.

Lassik savait ce que l'œuf essayait de dire à son dragonnier.

— Je vais t'aider Arafinway mais tu ne pourras rien dévoiler à qui que ce soit de ce que je vais te faire découvrir.

L'elfe regarda Lassik et acquiesça à la volonté du Gardien, ambassadeur des Géants des montagnes. Tous deux retournèrent à la table où la discussion s'était orientée sur les moyens d'atteindre les terres du Sud.

— Chers amis, je vais avoir besoin de votre aide avant que vous ne partiez pour votre quête, déclara Lassik en s'asseyant. Pour vous dédommager, je vais vous fournir quelques potions qui pourraient vous être fort utiles pendant votre excursion. Cepedant, j'ai besoin de certaines composantes importantes pour mes créations magiques. Ces ingrédients se retrouvent

un peu partout autour de la ville d'Hinrik à plus ou moins trois ou quatre jours de marche mais, comme je ne pourrai pas faire ça tout seul dans le délai prévu avant votre départ, je propose de nous séparer en équipes de deux et ainsi sauver un peu de temps. Qu'en dites-vous ?

Miriel prit un instant pour regarder chacun des membres de son groupe et ne perçut aucune objection. Lassik avait déjà décidé pour eux.

— C'est parfait, cela ne devrait pas prendre plus de deux ou trois semaines, le temps de récupérer ce qu'il me faut et aussi de préparer ces potions. Je prends Arafinway avec moi et nous partons demain matin.

Miriel venait de se faire imposer une mission de dernière minute et elle acquiesça. Cependant, il semblait qu'elle n'aurait pas un mot à dire sur le choix des équipes car Marack fils de Marack lui fit un grand sourire pour lui signifier qu'ils allaient être coéquipiers. Bertmund regarda le Jarl et se mit à rire.

— Je crois qu'en tant que Jarl, vous avez mieux à faire que de ramasser diverses composantes. Je vais donc récupérer Seyrawyn et nous allons faire équipe pour cette petite excursion.

Lassik donna rendez-vous à tout le monde le lendemain matin devant les portes de la ville. Il devait maintenant aller préparer la liste des ingrédients ainsi qu'une carte pour chacun des petits groupes.

« Lorsque je me suis inscrit dans La Temporaire, pensa Bertmund, ils m'ont dit que je voyagerais beaucoup... Il n'avait sans doute jamais entendu parler de l'Ordre de Lönnar qui les bat haut la main ! »

Dès l'aurore, après avoir acheté les provisions nécessaires pour cette nouvelle mission et, surtout, après avoir reçu les instructions du géant, chacun prit la direction que la carte leur décrivait.

Bertmund devait passer prendre Seyrawyn non loin de la ville puis se diriger vers le sud, près de la Jokulsa, une rivière glaciale qui longe les montagnes. Miriel et Marack devaient se rendre à l'est non loin d'une clairière bien connue par les deux gardiens. Lassik et Arafinway prirent la direction du nord.

Après deux jours de marche, Lassik commença à raconter une vieille histoire de chasse qu'il avait l'habitude de décrire pour divertir les recrues. Arafinway ayant fait plusieurs nuits de garde en sa compagnie, connaissait tout son répertoire et se rappelait bien de celle-ci.

— Dites-moi, Maître Lassik, pourquoi cette histoire est-elle différente aujourd'hui de celle que j'ai entendue il y a quelques années ?

— Parce que nous allons dans le fameux vallon où cette histoire s'est déroulée.

— Les ingrédients dont tu as besoin se trouvent dans cette vallée? Que doit-on trouver là-bas exactement ?

— Moi rien… et toi, tout !

Arafinway trouvait Lassik très énigmatique avec ses récits. Subitement, en plein milieu de la journée, le Géant s'arrêta pour établir le campement et lui offrit un gigantesque bol de bois.

— Je ne comprends pas, Maître Lassik, pourquoi me donnez-vous ce bol ?

— J'aimerais que tu le remplisses de tous les petits fruits que tu pourras trouver. Tu peux y ajouter quelques noix, mais pas trop.

— Dans cet énorme bol ? Mais cela va me prendre des heures !

— Alors je te suggère de commencer tout de suite, Gardien Arafinway Merfeuille.

L'éclaireur déposa son arc et son carquois près du feu et ramassa le titanesque bol en soupirant, découragé. Il partit ensuite à la recherche de toutes les baies comestibles qu'il pouvait trouver.

Il fut surpris de constater le nombre de plants de fraises, cassis, myrtilles, framboises, bleuets et mûres s'épanouissaient tous en même temps dans la région. C'était plutôt particulier et, par chance, la cueillette ne s'avéra pas aussi ardue qu'elle ne le paraissait au départ. Après seulement une heure, il réussit à accomplir sa besogne et revint au campement où son ami l'attendait.

— Voilà, c'est fait, que faisons-nous maintenant ?

— Dépose ce bol sur le gros rocher, juste là et viens patienter à mes côtés, lui dit-il en pointant une large roche plate et moussue.

Le Géant s'étendit de tout son long dans l'herbe haute et Arafinway décida de ne plus se poser de questions. Si Lassik disait qu'il fallait maintenant attendre, alors il attendrait tout simplement et voir ce qui allait se passer.

L'exercice perdura au moins trois bonnes heures avant que le colosse ne se lève et, d'une voix plutôt agacée, il s'adressa à la forêt.

— As-tu fini de nous observer, espèce de vieille branche toute déracinée ? Cela fait des heures que nous t'attendons ! Tu nous as probablement suivis pendant presque une demi-journée et tu nous fais encore languir.

Lassik se promenait autour du campement en gesticulant et en lançant à voix haute des insultes aux arbres du boisé qui les entouraient. Son jeune apprenti le regardait faire, de plus en plus perplexe.

« Maître Lassik aurait-il trop abusé de la nouvelle bière de Dorgen, au point où sa lucidité serait défaillante ? Ou serait-ce les effets de l'une de ses potions… »

Soudainement, les feuillages frémirent bruyamment et changèrent de forme. Le jeune elfe, stupéfait et assis par terre, recula de plusieurs foulées. Rapidement, sa surprise se changea en émerveillement devant le surprenant spectacle. Sous ses yeux, il vit apparaître, sortant des taillis, une créature gigantesque, presque aussi longue qu'un drakkar d'au moins 25 foulées de long. Elle était tout ce temps sous ses yeux et l'observait sans se faire remarquer !

« Pourtant, je regardais précisément cette partie de la forêt lorsque la créature s'est dévoilée et je ne l'a jamais vue avant… Hum, je vais devoir retravailler mon sens de l'observation », songea-t-il un peu gêné de faire ainsi honte à sa caste d'éclaireurs.

Un beau dragon vert de taille adulte s'approcha calmement de Lassik et baissa légèrement le cou pour s'aligner avec les yeux de Lassik.

— C'est exactement comme tu dis, je t'ai senti arriver depuis au moins une demi-journée, espèce de vieille merdaille puante de menuaille[49] !

[49] Merdaille puante de menuaille : merde nauséabonde de paysan.

L'elfe vraiment surpris de comprendre ces grossièretés et, de surcroît, dans un langage de dragon prit instinctivement et de façon discrète quelques inspirations pour renifler son ami. Il ne perçut rien de particulier à l'odeur de celui-ci.

— Arafinway, je te présente Augheronth, le maître de ce territoire.

Le dragon jeta un bref coup d'œil à l'elfe qui venait de se lever très doucement et porta de nouveau son attention vers Lassik.

— Ce jeune brave est un éclaireur au sein de l'Ordre de Lönnar.

— Quoi ! Tu me présentes un couard de traqueur sur mon territoire ? Tu me prives ainsi du bonheur de m'amuser un peu avec lui ! Tu le sais pourtant, espèce de coquebert[50] des monticules de cailloux, que j'aurais aimé tester ses habiletés avant de le rencontrer.

Arafinway, impressionné par cette bête mythologique, ne faisait que la contempler sans rien dire.

— En effet, je te le présente, c'est peut-être un pisteur imparfait mais il est surtout un nouveau Gardien du Secret.

La figure du dragon changea, subitement intrigué, et le mastodonte se baissa encore pour dévisager cette frêle créature qui n'avait pas encore émis un son depuis sa révélation. Il rapprocha encore plus près son museau et le renifla quelques coups pour s'assurer de la véracité des dires de son ami montagnard.

— Tudieu ! Oui, je peux sentir sur lui la présence de l'un des miens, mais également celle d'un cousin, ou plutôt d'une cousine éloignée.

Arafinway, reprenant quelque peu ses esprits, retira délicatement l'œuf vert de sa petite boursette et le lui présenta, blotti au creux de sa main. Augheronth sourit, laissant apparaître une très grande rangée de dents larges, devant la présence de l'un de ses petits frères.

— Maintenant que les présentations sont faites, il est temps pour moi de retourner à Hinrik. Je te le laisse, espèce de houlier[51] des bois moussu plein d'écailles. Ne le croque pas, je crois plutôt qu'il aurait dangereusement besoin de tes conseils.

---

[50] Coquebert : nigaud.
[51] Houlier : débauché.

Arafinway réalisa soudainement qu'il ne retournerait pas en ville mais qu'il restait en compagnie de ce dragon.

— Ah oui ! J'oubliais, il t'a ramassé des petits fruits, comme tu les aimes. Arafinway, tu reviendras par toi-même à la forteresse lorsqu'il te dira que tu peux partir. Surtout, n'oublie pas le plus important : tu dois me rapporter mon grand bol car j'en ai encore besoin.

— C'est ça, tu leur diras qu'il est en très très bonnes mains avec un Maître de la forêt, un extraordinaire Maître éclaireur, un traqueur qui n'a aucun égal. Tu leur diras bien que je suis une force de la nature, un fantastique défenseur des animaux, un justicier vert qui…

— Bla, bla… C'est toujours la même chose avec toi, pas moyen de faire ça simplement. Il faut toujours que tu t'égosilles devant un nouveau venu !

L'elfe s'approcha de Lassik et lui parla à voix basse pour éviter que le dragon vert ne l'entende.

— Je croyais que tu avais un œuf de dragon mauve… En as-tu aussi un vert qui t'a déjà conduit jusqu'à Augheronth ?

— Pouah ! Moi ? Entretenir un œuf qui pourrait se transformer un jour comme ça ! s'exclama-t-il fortement en pointant du doigt le dragon sans vraiment le regarder, avec un léger sourire en coin.

Il eut juste le temps de rétracter sa main avant que le dragon ne lui morde le doigt. Lassik sentit le vent des mâchoires se refermant à quelques souffles de ses extrémités. Il se retourna promptement d'un air faussement offusqué.

— Un de ses jours, cher *Fol dingo* des buissons, tu vas tellement flatter ton égo que toutes les fleurs ainsi que les pots vont t'assom-mer en même temps !

Il se tourna vers Arafinway qui n'osait plus bouger.

— C'est un œuf mauve dont j'ai la garde, un dragon-fée Wiccan. Rien à voir avec le gros bison vert qui est derrière moi.

Augheronth s'était maintenant intéressé au colossal bol de petits fruits qui l'interpellait.

— Bah ! Je préfère dire ces éloges à haute voix devant toi, car cela te donne de belles couleurs lorsque tu les entends. De plus, si les pots que j'ai à recevoir sont comme celui que tu

m'as apporté avec les petits fruits à l'intérieur, alors il est certain que je vais récidiver et le faire à chaque fois que je vais te voir dans mon coin de forêt.

— C'est un bol, pas un pot, Ahhhh ! Tu es impossible ! Bon, je vous laisse, adieu.

Lassik prit Arafinway par l'épaule et l'entraîna un peu plus loin pendant que le dragon se régalait avec ses friandises.

— Arafinway, ne te laisse pas marcher sur les pieds par ce sac en cuir vert. Écoute les conseils car il va t'enseigner beaucoup de choses qui pourront te servir ainsi qu'à tes compagnons. C'est la raison pour laquelle un œuf de dragon vert t'a choisi.

L'elfe posa sa main sur la pochette d'Ardynyth qui vibra de joie.

— Ton dragon a perçu que tu avais besoin d'un peu plus de formation et d'expérience pour devenir un excellent éclaireur, peut-être même, peux-tu espérer devenir un forestier. Sois attentif, mets en pratique ses leçons. Crois-moi, il est un excellent professeur pour ce genre de chose.

— Je t'ai entenduuuuu ! lança le dragon en levant la tête du bol, la bouche pleine. Je savais que tu m'aimais bien dans le fond, espèce de grande fougère sentimentale. Ah, viens par ici, petit bleuet…

Le dragon s'adressait à Lassik pendant qu'il essayait d'atteindre avec sa griffe le minuscule fruit qui se faufilait et tentait de s'esquiver entre les amandes et les framboises dans le bol.

— Tu es impossible, vraiment impossible !

Il salua une dernière fois son ami et repartit en direction d'Hinrik. Définitivement sidéré, Arafinway regarda son nouveau mentor. Celui-ci avait décidé de prendre le bol avec ses pattes de devant, à la manière d'un grizzly, et de le lécher avec sa grande langue pour tenter de récupérer toutes les parcelles de ce merveilleux repas qui lui avait été offert.

Lorsqu'il eut fini, il fixa longuement le petit elfe tremblotant qui n'osait toujours pas bouger et qui attendait des instructions. Par quoi commencer ?

Lassik n'avait pas immédiatement ni absolument besoin de ces composantes pour fabriquer ses potions. Il trouvait cependant important de faciliter la quête d'un Gardien du Secret et ce n'était pas une expérience inconnue pour lui.

De plus, l'œuf vert d'Arafinway n'avait pas pointé au nord de la ville d'Hinrik, il n'aurait jamais pris l'initiative de mener l'elfe des bois à Augheronth.

Il avait accompli une bonne action envers un jeune ayant besoin d'une aide particulière. Marack père et lui avaient supervisé les prouesses plus ou moins élogieuses de ce Merfeuille lors de ses entraînements à Hinrik. Il avait l'âme à la bonne place, mais avant de pouvoir lui accorder le statut de Gardien du territoire, ses habiletés auraient dû compter encore une ou deux années supplémentaires de perfectionnement.

Certes, il avait acquis un peu plus d'expérience depuis la dernière fois qu'il l'avait croisé. Ainsi, sa rencontre avec un Maître forestier était sans doute la meilleure chose qui pouvait lui arriver.

— En relisant cette liste, déclara Miriel, je remarque que tout ce que nous devons ramener se trouve à environ quatre journées de marche vers l'est. Je me souviens très bien d'avoir vu un peu de chacun de ces ingrédients lorsque nous avons traversé l'une des clairières avec les rescapés de la caravane. Deux, trois jours tout au plus, et nous devrions ramasser les quantités nécessaires pour ces quelques potions.

— Oui, oui Miriel, tu as sans doute raison… répliqua son guerrier perdu dans ses propres réflexions.

La druidesse remarqua l'état songeur de son ami et continua la conversation.

— Pour sauver un peu de temps, je suggère de nous séparer. Tu pourrais te rendre jusqu'aux montagnes là-bas et discuter avec les Tigrons pendant que je chasse les groupes de Mourskhas qui patrouillent notre territoire à l'ouest des Monts Krönen…

— Oui, oui, si tu crois que c'est mieux ainsi !

Marack arrêta subitement de marcher et observa son amie. Les paroles qu'il venait de prononcer ne concordaient pas avec les propos douteux de sa cheffe.

— Non, affirma Marack d'un air intransigeant, il n'est pas question de se séparer et encore moins de te laisser partir seule à la chasse aux Mourskhas !

— Tu en as mis du temps pour te réveiller ! Je savais que tu avais suivi un entraînement particulier, mais dormir tout en marchant, j'avoue que cela me dépasse !

— Arrête de me taquiner, j'étais songeur, voilà tout ! Tu ne trouves pas cela un peu bizarre que Lassik nous envoie chercher des composantes qu'il doit déjà posséder en grande quantité dans son laboratoire ?

— Il ne désire peut-être pas épuiser ses réserves tout simplement. J'admets que j'aurais préféré demeurer groupé, plutôt que de nous séparer ainsi. Mais les potions que nous allons recevoir en échange vont nous donner une meilleure chance de survie lors de notre mission.

— Bien d'accord Miriel car je suis l'un des premiers qui se sentait impuissant devant les blessures que tu avais reçues de la part de ton homologue des Quatre Éléments. Quelques potions de guérison, plus quelques flacons d'invisibilité ou des potions de force comme celle du lieutenant Courtemèche vont certainement faire toute une différence.

— Arrête de rêver ! Des potions de force… voyons ! Ne te sous-estime pas, tu es déjà un redoutable adversaire au combat et d'une puissance plus que suffisante.

— Des compliments ! Qui es-tu druidesse et qu'as-tu fait de la vraie Miriel ? lança-t-il d'un air inquisiteur avec une touche d'espièglerie.

— Ha ! Ha ! Très drôle, monsieur le guerrier viking. Ces éloges, tu les mérites et j'en suis parfaitement consciente. L'entraînement que ton père t'a donné est une excellente chose et je ne suis pas aveugle. Ton adresse au combat est ce qui nous a

sauvés la vie lors des escarmouches. J'ai également réalisé que d'être seulement trois dans notre groupe était une erreur de ma part. C'est la raison pour laquelle je suis contente que Bertmund et Seyrawyn se joignent à nous de façon permanente.

— Je te comprends, moi aussi j'aime bien ces deux personnages, tout aussi colorés que différents.

— Maintenant, comme notre cher Maître Lassik désire nous aider en nous offrant quelques-unes de ses concoctions magiques, je crois que ramasser plantes et minéraux pour les obtenir représente un maigre prix à payer.

— Oui, sans doute ! Je vais apprécier les flacons de force qu'il va me remettre, ajouta Marack à voix basse.

Neuf jours furent finalement nécessaires pour amasser tout ce qu'il y avait sur la liste. Toutes les plantes aux propriétés curatives ne poussaient pas au même endroit. Lassik avait donné une idée approximative de l'endroit où se trouvaient les ingrédients mais la recherche étaient un incontournable jeu de cache-cache pour récupérer la grande quantité demandée.

Marack s'était une fois de plus bien préparé; il avait fait le plein de viandes séchées juste avant son départ pour cette mission. Il commençait à être habitué de voyager avec un druide trop ami avec le succulent gibier.

Après avoir récupéré Seyrawyn, Bertmund lui résuma la mission qu'il devait accomplir ensemble.

— As-tu déjà fait ça toi Bertmund, ramasser des pierres pour faire des potions ?

— Non, mon cher ami, je dois avouer que ce type de collection est une première pour moi aussi. À moins que le fait de récolter des pépites d'argent au fond d'une mine ne soit dans la même catégorie… Est-ce que je t'ai déjà raconté l'un de mes premiers emplois à titre de galibot[52] ? Nous étions cinq, non sept et nous avions tous répondu à l'offre qui avait été faite par le grand chef Porion des Mines d'Argent. Nous aurions pu travailler comme raucheur[53], mais galibot payait mieux.

---

[52] Galibot : jeune manœuvre travaillant aux voies dans les mines.
[53] Raucheur : jeune mineur attitré au boisage et à l'entretien des galeries.

Seyrawyn écouta les récits de son ami pendant toute la durée de la randonnée jusqu'à la rivière Jokulsa près des montagnes d'Orgelmir, complètement au sud d'Hinrik.

— Savais-tu mon jeune ami que Jokulsa veut dire *rivière glaciale*? Elle fut nommée ainsi par le Jarl d'Hinrik en souvenir de l'ancien continent et surtout parce que le nom que lui donnaient les Géants des montagnes était absolument imprononçable.

Arrivés sur une falaise au bout de la piste, les deux aventuriers apprécièrent le paysage. Au pied des montagnes et face à eux s'étendait un plateau rocheux et presque plat traversé par une grande faille profonde où coulait la très large rivière. De leur point de vue, ils distinguaient les rapides dangereux ainsi qu'une petite baie rocailleuse avec, ça et là, des amas de glace fondante.

— J'imagine que je ne pourrai pas m'y baigner en cette période de l'année… Ni même en aucune autre d'ailleurs !

— Ce ne serait pas un problème pour moi sous ma forme de dragon, mais j'aime bien mieux me faire dorer au soleil.

L'érudit sortit un de ses petits livres de cuir.

— Tu vois Seyrawyn, il nous faut rapporter du sable blanc et aussi quelques pierres, dont du souffre, qu'on retrouverait un peu plus au sud-est de notre position. J'ai pris la peine d'écrire dans ce grimoire les propriétés qu'ils confèrent aux potions du Maître.

— Dis-moi ce que nous devons ramasser et c'est ce que je vais faire, je ne connais pas ce qu'est du souffre.

— Eh bien, laisse-moi t'instruire un peu car il y a deux vocations pour le souffre. Apprêté d'une certaine façon, il permet de purifier le sang ainsi que les intestins. Il favorise également la guérison et l'expulsion des poisons. La seconde vocation est de nature plus volatile. Une fois mélangé à d'autres ingrédients, celui-ci révèle sa nature hautement explosive.

— Il veut nous faire éclater comme un volcan ? lança-t-il en mimant l'explosion.

— Rassure-toi, je crois plutôt qu'il a l'intention de nous permettre de faire sauter quelque chose de menaçant si cela était nécessaire. Pour le sable blanc, il s'agit d'un médium qui est souvent utilisé pour les enchantements qui permettent de se rendre invisible. Ces deux potions magiques vont

certainement nous être d'une grande utilité. Tâchons de ramasser ce qui nous est demandé.

Bertmund enseigna à son ami à reconnaître certaines pierres, dont le souffre qui se trouvait en petite quantité tout le long du cours d'eau.

Les deux compagnons mirent environ une quinzaine de jours avant de pouvoir ramener la quantité suffisante au Maître alchimiste.

Lorsque Miriel et Marack revinrent à Hinrik, ils apprirent par Lassik qu'Arafinway était tout seul dans la forêt au nord de la ville.

— Tu sais bien Miriel qu'il est en mesure de se débrouiller, laisse-le un peu… C'est un éclaireur et un nouveau Gardien du Secret, fit remarquer Lassik à la jeune cheffe. Je crois qu'il est capable de retrouver son chemin jusqu'ici une fois qu'il aura terminé ce qui est attendu de lui.

— On ne sait pas ce qui peut arriver en forêt, nous devions seulement prendre des provisions à Hinrik et, par la suite, partir en quête, déclara la druidesse avec humeur. Je n'aime vraiment pas le fait que mon groupe de gardiens soit tout éparpillé à l'extérieur de la ville fortifiée. De plus, je ne suis plus sûre que c'était une bonne idée, cette quête de dernière minute… Le temps nous est compté et…

Brusquement, le Géant la coupa d'une voix imposante :

— Miriel Calari, est-ce que tu questionnes mes actions, jeune fille ?

Cela faisait longtemps qu'il ne l'avait pas appelée par son nom complet. Elle n'avait jamais douté ni même remis en question les actions des aînés qui l'avaient aidée à grandir d'autant plus qu'ils étaient tous des Maîtres et des Gardiens du Secret.

— Non, ce n'est pas cela, répondit-elle rapidement d'une voix plus posée. Je suis seulement inquiète. Quand crois-tu que mes amis vont revenir en ville ?

— Ton ami le troubadour et le dreki devraient revenir sous peu. J'imagine qu'ils ont été dans l'obligation de se rendre un peu plus au sud pour trouver les composantes. Concernant Arafinway, il se peut que sa mission perdure un peu plus longtemps. Je te demande d'être patiente, je te jure qu'il est en sécurité et que je sais exactement où il se trouve.

Miriel ne pouvait rien faire d'autre que d'attendre. Toutefois, elle ne pouvait s'empêcher de se sentir responsable pour tous les membres de son groupe. Son guerrier changea l'atmosphère en lui proposant de se détendre.

— Allez, viens à l'auberge, on ne peut rien faire d'autre pour l'instant. Je te mets au défi de te mesurer à moi dans un tournoi d'arrache-gueule.

— Il n'en n'est pas question ! s'offusqua Miriel Trouve-toi un autre concurrent. J'ai cru comprendre que Dorgen détenait l'un des records à ce petit jeu. Tu pourrais essayer de le détrôner à moins que tu ne sois trop fragile pour entrer en compétition avec un nain, surtout un GrosSoufflet !

— Ah oui ? Eh bien ! c'est ce que l'on va voir !

Miriel suivit son ami, jusqu'au *Troubadour Volant*. Elle tenait absolument à voir Marack se faire ridiculiser, encore une fois !

Bertmund et Seyrawyn réussirent à retracer tous les ingrédients selon la description donnée par Lassik. Les quelques échantillons qui leur avaient été fournis furent d'une grande utilité. Ils étaient tous les deux à environ une heure de marche de la ville lorsque Seyrawyn s'arrêta.

— Pourquoi t'arrêtes-tu ? Nous sommes presque arrivés; c'est moi qui devrais se reposer, tu as encore la jeunesse de ton côté et moi… on va dire que j'ai l'expérience.

— Tu dois commencer à me connaître un peu et je n'ai pas changé, je n'aime toujours pas les villes.

— Oui je sais, mais pourtant tu es bel et bien entré dans celle de Feygor. Dans le sanctuaire avec sa forêt intérieure, tu semblais relativement bien, même si celle-ci était sous la montagne.

— En effet, je m'y suis senti chez moi dès l'instant où j'ai mis les pieds dans cette forêt. Mais pour le reste du complexe, je dois t'avouer que je n'étais pas à mon aise.

— Est-ce la ville ou les gens que tu redoutes de rencontrer ?

Seyrawyn avait vaguement cerné la question. Sa crainte des villes était-elle générée par les structures ou bien par les gens que l'ont y retrouvaient ?

— Je ne sais pas, Wilfong me disait toujours qu'il ne pouvait plus retourner en ville. Il m'a peut-être communiqué sa peur sans le vouloir.

— Ce n'est pas la première fois que je t'entends parler de cette personne. Elle était importante pour toi, n'est-ce pas ?

Seyrawyn avait encore mentionné le nom de son mentor involontairement. Il était normal que ses amis le questionnent sur celui-ci, il décida d'en parler un peu plus ouvertement.

— Oui, en effet c'est lui qui m'a appris tout ce que je sais. Je crois qu'il avait une très grande peur des cités. Pourtant, tout ce qu'il m'a enseigné sont des choses qui auraient une plus grande utilité dans une forteresse plutôt que dans la nature.

— Ce sont ses objets personnels que tu portes, n'est-ce pas ?

— Oui, il me les a donnés, il ne pouvait plus les utiliser.

— Alors prends-en soin mon ami, s'il t'a offert toutes ses affaires, c'est qu'il t'estimait beaucoup. J'ai remarqué que plusieurs d'entre eux sont magiques et ont une très grande valeur.

— Ah oui ! Tu crois ?

— Non, je le sais ! Maintenant je vais respecter ton choix, cher ami, et je vais te laisser au désormais célèbre Châtaignier d'Oc'h et en aviser Miriel. Je vais rapporter les composantes que nous avons trouvées et si tu décides de venir nous rejoindre dans l'enceinte des murs d'Hinrik, tu n'auras qu'à trouver l'*Auberge du Troubadour Volant.*

Le dreki remercia son ami de respecter sa décision et le vieux soldat reprit derechef la route vers un brouet chaud, de la vinasse et de la bonne compagnie. Cela faisait plus de dix jours qu'ils étaient partis pour cette cueillette, les autres compagnons devaient déjà les attendre.

La druidesse était ravie de voir arriver Bertmund et elle se doutait bien que Seyrawyn avait trouvé refuge dans son arbre à attendre patiemment qu'ils reviennent.

Lassik, voyant qu'Arafinway n'était toujours pas revenu, décida d'impliquer les jeunes dans la préparation des potions.

— Miriel, Bertmund, je juge que ce serait une expérience profitable pour vous. Venez avec moi dans mon laboratoire.

Il jugea aussi que cela donnerait également une petite chance supplémentaire pour l'éclaireur et son apprentissage auprès du dragon vert.

Marack n'ayant pas la même curiosité concernant cet art préféra apprendre comment était créé le tord-boyaux qu'il concoctait. Lassik accepta de lui en enseigner les rudiments en lui faisant promettre de ne pas dire au Jarl ce qu'il allait lui révéler. Marack fils jura au Maître brasseur qu'il ne dirait rien.

Le temps passa et les trois compagnons prirent le temps d'aller visiter leur ami à l'extérieur de la ville à tous les deux ou trois jours. Ils auraient bien aimé qu'il les accompagne dans la ville d'Hinrik, mais le dreki n'était pas encore rendu au point de faire ce second pas.

Malgré tout, après chaque visite de ses compagnons, il marchait une dizaine de minutes avec eux sur le chemin du retour, toujours un peu plus loin. Lors de leur dernière rencontre, il lui était possible de voir les murailles de la forteresse.

— Vingt minutes de plus Seyrawyn, et nous montons le campement au pied de la palissade de bois en compagnie des sentinelles. Qu'en dis-tu ?

— D'accord, mais à la condition de ne pas camper *avec* les sentinelles mais dans le boisé un peu plus loin.

Miriel acquiesça en souriant.

Le lendemain, Lassik sortit rejoindre les aventuriers et prit le temps de leur expliquer les précautions à prendre avec certaines concoctions.

— Chacun d'entre vous va recevoir quatre potions. La première est une potion de guérison, la seconde un puissant contre-poison, la troisième est une potion d'invisibilité et la dernière…

— Une potion de force ! s'écria Marack tout joyeux sous le regard réprobateur de Miriel.

— Non, mais c'est cependant la plus dangereuse, fit-il sérieusement en les regardant tous dans les yeux. Voici une potion qui peut provoquer une explosion lorsque la fiole est fracassée sur sa cible.

Les Gardiens le regardèrent avec une touche d'admiration. Pulvériser un ennemi, était-ce réellement possible ?

Lorsque le repas du dragon vert fut terminé, le titanesque maître déposa le bol et regarda attentivement cette immobile statue d'éclaireur.

— N'as-tu jamais vu de dragon avant aujourd'hui ?

— Non, oui… balbutia le pauvre Arafinway.

— Oui ou non ? Tu es un bien étrange Gardien du Secret !

— Oui en fait… J'ai rencontré un Falsadur-Dreki et il est devenu mon ami.

— En effet, il fait partie des cousins très très très éloignés dans notre noble lignée de dragon. Mais un dreki, ça ne compte pas !

Augheronth se promenait autour de son nouvel élève pendant qu'il lui parlait. Parfois, il disparaissait dans le feuillage devant Arafinway qui suivait son mouvement en faisant de petits tours sur lui-même. Puis, en une fraction de seconde, il réapparaissait à un autre endroit pour le surprendre et observer sa réaction.

L'éclaireur était vraiment impressionné de constater qu'une créature aussi titanesque soit en même temps capable de souplesse et d'agilité, pouvant se mouvoir sans se faire entendre ni repérer.

— Je te parle d'un VRAI dragon ?

— Non… répondit-il d'une petite voix.

— C'est normal, nous ne voulons pas nous montrer à tous les passants qui s'aventurent sur notre territoire. La seule raison pour laquelle je me suis présenté à toi, c'est parce que Lassik t'a mené jusqu'à moi. Si je suis resté par la suite, c'est que tu as en ta possession l'un de ma race.

Arafinway se demandait bien ce qui allait lui arriver, il avait l'impression de revivre à nouveau son terrible entraînement à

Hinrik avec son maître d'armes qui lui posait toujours plusieurs questions en même temps sur un ton des plus intimidants.

— Tu n'as pas volé cet œuf, j'espère ! Dis-moi la vérité jeune elfe, lui demanda le dragon en approchant sa tête à un souffle de son visage et attendant la réponse à sa question.

— Non, je ne l'ai certainement pas volé, se défendit Arafinway. Nous nous sommes mutuellement choisis, Ardynyth et moi.

— Très bien, pour l'instant je te crois, tu me sembles sincère et surtout l'un de ma race a décidé de s'unir à ta destinée. Nous commencerons demain ton entraînement. Pour le reste de l'après-midi, je te conseille de te familiariser avec les alentours. Tu vas en avoir grand besoin…

Le pire des cauchemars du jeune se réalisait en plein jour : il allait avoir à subir un autre entraînement. Il avait trouvé celui à Hinrik passablement difficile et, maintenant, il serait le seul élève de la classe ayant toute l'attention du maître sur lui. Quelle misère ! Si devenir Gardien du Secret impliquait de faire à nouveau un apprentissage de ce genre, Arafinway se questionnait à savoir si ce titre était ce qu'il voulait vraiment obtenir.

Ardynyth, confortablement installé dans sa boursette, sentit que son ami avait besoin de réconfort et il l'encouragea télépathiquement à suivre les conseils du dragon vert et de s'appliquer.

« Ne t'inquiète pas, je serai à ses côtés tout au long de cette épreuve, mon ami l'elfe. »

L'éclaireur respirait un peu mieux, la crise d'angoisse qui avait pris naissance quelques moments plus tôt s'estompa grâce à l'aide son nouvel allié.

Le dragon vert disparut dans le feuillage et Arafinway en profita pour s'asseoir sur l'escarpement de roche où le bol avait été déposé. La voix d'Augheronth se fit entendre une dernière fois et à nouveau, surprit celui à qui elle s'adressait.

— Ah oui ! j'oubliais… Il y a une raison pour laquelle Lassik a laissé son grand bol de bois. Tu devras le remplir de petits fruits à chaque matin. J'aime bien commencer la journée avec un bon repas. De plus, il est interdit de chasser à partir de maintenant et ce, jusqu'à ce que je te dise que tu puisses le faire. Tu devras donc survivre avec les rations que tu as sur toi ou que tu trouveras dans la forêt. Ne prends pas de chance, ramasse plus de baies le matin, cela pourrait te servir.

Sous les recommandations de son nouveau maître et les encouragements de son œuf, l'éclaireur profita des quelques heures de soleil pour se familiariser avec le terrain sur lequel il allait passer un temps incertain. Combien de jours ? Il avait complètement oublié de s'en informer. Des mois ? Quelle horreur…

Cependant, il se ravisa.

> « Si mon maître sent que je désire écourter cet entraînement, peut-être le percevra-t-il comme un manque d'intérêt de ma part pour apprendre… Et, au fond de moi, je suis sincère et je veux parfaire mon éducation. Je suis mieux de laisser la vie suivre son cours et de m'appliquer sur les leçons.... »

Dans sa boursette, son allié lui signifia qu'il était d'accord.

Cette partie du territoire n'était pas vraiment différente du reste de la forêt qu'il avait l'habitude de parcourir lorsqu'il était à Hinrik, il y avait de ça seulement quelques mois.

Il réalisa qu'en l'espace de moins d'une année, il venait d'atteindre l'un des rangs de gardiens les plus prestigieux au sein de l'Ordre de Lönnar. Il se devait de faire honneur à la confiance que le Grand Druide avait eu en lui.

Il observa les pistes laissées par les animaux pour déterminer ce qui vivait dans la région immédiate. Il prit note également des différents plants de petits fruits qu'il allait devoir dévaliser à chaque matin.

Après avoir fait un cercle complet d'environ quatre heures, il s'installa à côté du fameux rocher plat servant de table au bol de bois vide.

Il alluma un feu qui s'étouffa immédiatement. Il essaya de nouveau de l'attiser et, dès l'instant où celui-ci semblait vouloir prendre un peu d'ampleur, il s'éteignit complètement en l'espace d'une seconde, par une sorte de souffle invisible. Une voix nocturne s'éleva d'un taillis.

— Pas de flamme ! Un feu se mérite et tu n'es pas encore rendu là ! Demain, une heure après l'aube nous commençons. N'oublie pas mon repas, elfe des bois !

Arafinway comprit pourquoi il n'arrivait pas à démarrer un simple feu de camp. Les interventions magiques d'Augheronth lui rendraient la vie difficile. Il avait fait un pacte avec son œuf et

il allait l'honorer, peu importe les tours ou les obstacles qui serait placés sur son chemin.

Le lendemain matin dès l'aube, l'éclaireur prit le bol en bois et débuta sa cueillette. Il y avait suffisamment de petits fruits dans les alentours immédiats qu'après avoir récolté un peu plus de la moitié des plants, le bol était déjà plein.

Il réalisa soudainement que la quantité nécessaire pour nourrir un dragon était largement plus grande que ce qu'il pouvait recenser autour de lui. Il devra prêter attention à d'autres sources de petits fruits, s'il voulait être en mesure de recueillir la quantité quotidienne requise.

Par chance, le rocher n'était pas très loin, car un bol vide n'avait pas le même poids une fois rempli.

Augheronth attendait au rocher plat afin de se faire servir. Arafinway y déposa le bol et le dragon le remercia poliment d'avoir bien voulu lui cueillir des fruits. Son vocabulaire avait changé et ses manières devinrent drôlement plus raffinées.

Voyant cela, le gardien comprit que les mots grossiers n'étaient qu'un jeu entre Lassik et lui. Légèrement rassuré, il en profita pour rationner le peu de nourriture qu'il avait apporté avec lui car il n'en avait que pour sept journées avant d'épuiser sa réserve, peut-être dix, s'il gérait mieux ses portions.

Le dragon dégusta avec passion le mets qui lui avait été servi. Une fois terminé, il débuta l'entraînement de son nouveau protégé.

— Viens, marche avec moi. J'aimerais que tu identifies l'animal dont nous croiserons les pistes.

Toute la journée, le dragon le questionna sur les animaux qui résidaient dans cette partie de la forêt. Il y en avait des plus courants comme des rongeurs, des cerfs, des ours, des sangliers, des serpents, des araignées mais aussi une multitude d'autres créatures.

— Je n'aurais jamais soupçonné l'existence d'armadillos bleus ou de cet autre genre en ces lieux ! s'exclamait-il souvent.

Le maître voulait évaluer les connaissances de son apprenti et, du même coup, entraîner son œil à percevoir plus que ce dont il était habitué de retrouver ou de s'attendre à rencontrer.

— Dans l'ensemble, je suis satisfait de tes connaissances jusqu'à présent. Il y a beaucoup de place à l'amélioration mais, au moins, tu as eu une bonne base. Tes premiers maîtres t'ont bien enseigné, reconnut-il.

Les temps d'arrêt n'étaient pas fréquents pour se reposer et l'elfe voulait démontrer qu'il pouvait supporter le rythme. Le soir venu, il mangea un petit morceau de viande fumée et il s'endormit aussitôt.

C'est Ardynyth qui réveilla son ami, dès que les doux rayons du soleil firent leur apparition. Il prit une bouchée rapidement puis ramassa le bol pour débuter sa cueillette.

Pour remplir le bol, il dût ratisser un peu plus large cette fois. Arafinway trouva que le rocher était éloigné ce matin, le poids du bol n'aidant point sa cause. Il mit la table et le dragon apparut, le remercia et prit son repas.

L'enseignement de la journée compléta celui de la journée précédente. Pour chacune des pistes trouvées, l'éclaireur devait identifier l'animal ou la créature, en déterminer le nombre ainsi que le moment où l'empreinte avait été imprégnée dans le sol.

Il essaya du mieux qu'il put mais aux premières mauvaises réponses, il baissa la tête s'attendant à des réprimandes sévères mais elles ne vinrent pas. Augheronth se contenta de lui expliquer ce qui lui avait échappé.

Aux secondes mauvaises réponses, le gardien réprima sa peur des remontrances et attendit, ses indications laissées en suspens… Le dragon n'en fit pas de cas et recommença ses explications en ajoutant des astuces et des détails afin qu'il puisse s'en souvenir.

Toute la matinée, Arafinway fit des erreurs et les reproches ne vinrent toujours pas. Tranquillement, sa peur de manquer son coup et, surtout, de se faire vertement réprimander s'estompa.

Son maître, d'une infinie patience, lui offrit toute l'attention d'un maître qui voulait s'investir dans son disciple et veilla à reformuler les instructions lorsque cela était nécessaire. À la fin du jour, le gardien avait pris de l'assurance et ses réponses étaient de plus en plus justes.

Le lendemain, le jeune elfe et son précieux allié apprirent et surtout retinrent les enseignements que le dragon vert leur

prodigua. Il enseigna l'art du camouflage en expliquant comment ne pas se faire repérer par la proie traquée.

Le dragon montra astucieusement comment brouiller les pistes de façon efficiente en utilisant des tactiques que l'elfe n'aurait jamais pensé employer. Chaque jour, une nouvelle leçon et chaque jour Arafinway devait se rendre de plus en plus loin pour récupérer les petits fruits que son mentor adorait savourer.

Afin d'arriver à temps pour servir le dragon, il devait maintenant se lever un peu avant l'aube pour parcourir une plus grande distance. Le poids du bol, un fois rempli, devenait au retour très difficile à transporter. L'éclaireur avait cependant promis de faire de son mieux et d'accomplir tout ce qui allait lui être demandé.

Il avait parcouru avec Augheronth une bonne partie du territoire délimité comme étant sa résidence. Ils partaient tous le deux le matin et revenaient à la noirceur. Les nuits de sommeil s'écourtaient. Ses journées débutaient le matin avant l'aube pour la cueillette et le soir, l'entraînement continuait quelques heures après le coucher du soleil.

Arafinway essayait de se souvenir des différents endroits où il y avait de nouveaux plants de petits fruits, car il avait épuisé depuis fort longtemps tout ce qu'il y avait dans un rayon de deux heures tout autour du rocher.

À quelques reprises, il dût se cacher des futurs gardiens qui étaient en patrouille. Il se devait d'appliquer adéquatement les techniques de camouflage du dragon et surtout ne pas se faire repérer par ces jeunes novices.

> « Me faire voir par ces initiés aurait été une insulte aux enseignements donnés par un aussi illustre mentor. », songea-t-il satisfait de sa dissimulation.

Parfois, son enseignant le poussait à se déplacer tout près du maître d'armes qui accompagnait les recrues, juste pour voir si son protégé avait retenu les leçons de guet-apens.

Augheronth intervint à l'occasion pour éloigner ces intrus de son domaine, son élève ayant échoué sa leçon pratique. Toutefois, jamais le grand dragon vert ne révéla à son disciple ces petits coups de pouce. Le mentor était convaincu que son but serait atteint s'il l'aidait à rebâtir sa confiance en lui-même et de corriger les différentes lacunes qu'il avait décelées.

La partie qui occasionna le plus de difficultés fut, bien évidemment, l'imitation des bruits d'animaux. La tâche était de taille et le dragon se contorsionnait lorsqu'il entendait les différents signaux qu'Arafinway tentait de reproduire.

— *Thi chu chu chu, wi wi wi, chu chu chu, wiiiiii !*

Pour toute autre créature qu'un dragon, le tout aurait été attribué à un animal malade ou extrêmement blessé. Mais pour ce Maître forestier, il s'agissait d'un supplice épouvantable.

Au bout de quelques jours, il arriva tout de même à soutirer de son apprenti certains sons qui ne le faisaient pas grincer des dents. Mais il y avait encore place à l'amélioration, le dragon vert étant aussi patient qu'exigeant avec son protégé.

Au bout du dix-neuvième jour, Arafinway n'arriva plus à soutenir la cadence. En manque cruel de sommeil, deux ou trois heures en ces dernières nuits, il peinait à récolter les petits fruits tant attendus par son maître.

Il considéra que la distance qu'il devait parcourir pour cueillir et, surtout, pour ramener le bol n'était plus raisonnable. Ardynyth l'avait encouragé et surtout aidé tout le long de cet entraînement, mais aujourd'hui il voyait ce dragonnier, son nouvel ami, tenter d'accomplir quelque chose qui était simplement impossible.

Arafinway dût se rendre à l'évidence.

— Je n'en peux plus Ardynyth ! Je ne pourrai jamais le rapporter ni maintenant ni même à l'heure convenue, déclara-t-il exténué en s'écrasant dans l'herbe à côté du bol. Tu vois, l'aube s'est levée depuis maintenant une heure et j'ai encore au moins trois heures de marche avant de pouvoir atteindre le rocher. Je suis fatigué et j'ai faim. Bien que j'aie énormément appris, cet entraînement est le plus épouvantable de toute ma vie !

Il avait épuisé ses réserves de nourriture depuis longtemps. La combinaison de tous ces facteurs l'avait poussé aux limites de ses capacités. Il entendit la voix du dragon, mais cette fois il n'était pas surpris. Il savait que son mentor était toujours caché et il avait appris à ne pas se laisser surprendre par cette voix qui lui adressait la parole depuis sa cachette dans le feuillage.

— Tu n'es pas au rendez-vous comme convenu. Est-ce qu'il y a un problème, petit elfe des bois ?

Même harassé, Arafinway était reconnaissant de tout ce qu'Augheronth lui avait enseigné. Prenant son temps, il regarda tout autour de lui et découvrit la cachette du dragon sans que celui-ci ne se dévoile. Il poussa gentiment le bol jusqu'à son mentor.

— Oui, je crois que je suis épuisé. Voici votre repas, j'espère qu'il sera délicieux car je crois que ce sera le dernier que je vais vous servir. Il m'est impossible de cueillir ces fruits qui sont si loin du rocher et de vous les rapporter à l'heure convenue, tel que vous l'exigez. C'est *elfiquement* infaisable.

Le dragon sortit la tête du taillis et engloutit le tout rapidement.

— Mes amis ont besoin de moi, reprit l'elfe sur un ton calme et réfléchi. Je ne peux rester plus longtemps pour recevoir vos enseignements. Je suis désolé de vous avoir déçu.

Augheronth passa sa langue sur ces babines pour savourer les derniers vestiges de son ultime repas, puis s'adressa à son élève.

— Je te remercie pour ce déjeuner. Maintenant, je ne te demande qu'une dernière journée avant que tu ne rejoignes tes amis. Repose-toi et reprends des forces, cette fois, c'est moi qui vais te préparer un bon goûter afin de t'aider à récupérer.

Le dragon disparut aussitôt. Arafinway, n'ayant même pas eu le temps d'accepter la demande de son mentor, s'enroula dans sa cape et s'endormit aussitôt.

Quelques heures plus tard, son œuf lui demanda de se réveiller car il avait de la visite. Ardynyth ne voyait pas ce qui se passait mais il ressentait la présence de l'un des siens.

Arafinway ouvrit un œil et aperçut un petit feu de camp. Grâce à l'arôme délicieux qui l'encerclait, il reconnut des brochettes de viande et de poissons. Il se souleva difficilement, tous ses muscles endoloris ne voulant plus le suivre. Doucement, il s'éveilla complètement et dévora le repas qui lui avait été servi.

Le dragon vert était étendu devant lui, bien visible et il l'observait avec un grand sourire. Lorsque l'elfe eût terminé de manger, Augheronth s'adressa à lui d'une voix curieuse.

— Pourquoi as-tu attendu aussi longtemps avant d'arrêter de me servir ce bol de fruits ?

— Je voulais vous prouver que j'étais un bon élève et que j'étais prêt à faire tout ce que vous m'auriez demandé.

L'éclaireur n'avait pas le courage de regarder Augheronth dans les yeux. Il avait honte de ne pas avoir réussi à accomplir impeccablement son défi. Il sortit son œuf de sa boursette et le tint dans le creux de sa main pour se réconforter.

— Regarde-moi Arafinway, dragonnier d'Ardynyth et Gardien du Secret. Il s'agissait d'un test et tu l'as réussi haut la main. Rares sont ceux qui ont poussé leurs limites aussi loin. Tu avais fait une promesse et tu l'as tenue avec honneur, je te félicite.

Arafinway leva les yeux et son œuf de dragon devint tout chaud, visiblement content.

— Cependant, la prochaine fois, promets-moi de ne pas attendre aussi longtemps avant de t'affirmer et de refuser une action qui te semble impossible ou illogique, voire contraire à tes valeurs. Tu n'as pas à endurer ces situations, c'est une simple marque de respect envers toi-même.

Affichant un large sourire, comme celui qu'il pouvait voir sur le visage du dragon vert, l'elfe observa son mentor avec un élan de gratitude.

— Si tu te sens d'attaque, il te reste encore une épreuve à accomplir.

— Oui, je suis prêt ! déclara-t-il en sautant sur ses pieds. Ce repas et ces quelques heures de sommeil m'ont vraiment fait du bien.

— Quelques heures ? Tu as dormi pendant presque vingt-deux heures ! Je t'ai laissé dormir car je désire que tu sois en forme pour entamer cet ultime défi. Je me suis tenu à distance mais toujours prêt à intervenir dans le cas ou quelque chose ou quelqu'un se serait approché de toi. Je ne voulais pas que tu sois dérangé dans ton sommeil.

L'elfe était reposé et donc déterminé à réussir.

— Je vous remercie de cette attention, Maître Dragon. Ce fut bénéfique. Je vous écoute, que dois-je faire ?

— Nous allons jouer un petit jeu qui se nomme *Attrape le dragon*. Je te propose d'utiliser tout ce que tu as appris et de tenter de me retrouver. Tu as jusqu'à la tombée de la nuit pour réussir ce que je te demande. C'est aussi simple que cela! Ne m'accorde même pas une avance pour partir à ma recherche. Ferme simplement les yeux, expliqua-t-il en disparaissant dans le feuillage.

L'épreuve semblait assez simple s'il avait été question d'une autre personne ou d'un animal quelconque, mais retracer un dragon vert dans son propre territoire, le degré de difficulté était beaucoup plus élevé.

— Je n'ai pas le choix, j'imagine…

— Eh non, à tout à l'heure !

Le dragon se tut. Arafinway ouvrit les yeux et constata avec étonnement que le paysage avait soudainement changé.

Les arbres, les arbustes et autres points de repères n'étaient plus là où ils devaient être. Son mentor avait réussi à transformer le terrain avec lequel il s'était familiarisé. Il entama tout de même la chasse au dragon d'un air résolu.

— Viens Ardynyth, j'ai la ferme intention d'appliquer tout ce que je sais et tout ce que j'ai acquis pendant mon séjour ici.

Après des heures de pistage d'empreintes de dragon volontairement laissées pour brouiller les pistes et l'expédier dans une autre direction, le soleil se coucha. Arafinway n'avait pas trouvé le Maître forestier et constata qu'il avait encore beaucoup à apprendre.

Le seul point qui n'avait pas bougé était le rocher plat sur lequel reposait l'immense bol en bois. Le formidable traqueur l'avait ramené là sans même qu'il ne s'en rende compte et l'attendait bien installé à côté.

— Tu n'as pas réussi à me trouver, j'ai donc gagné !

— Vous avez gagné, cette fois-ci, mais j'ai bien l'intention de réessayer de nouveau un autre jour.

— Très bien, c'est ce que je voulais entendre. Tu dois mettre en pratique tes nouvelles connaissances. Il n'y a pas d'autres moyens, seulement la pratique et le désir de s'appliquer à la tâche. C'est de cette façon que tes habiletés de traqueur et d'éclaireur vont s'améliorer. De plus, je t'aime bien et tu as un cœur sincère. Tu pourras revenir aussi souvent que tu le désires pour tester tes compétences en jouant une nouvelle partie d'*Attrape le dragon*. Tu es le bienvenu sur mon territoire, Arafinway Merfeuille, amis des dragons verts.

— Je vous remercie Maître Dragon ainsi que le Maître forestier, le grand spécialisliste de la traque et l'expert du camouflage. Je compte bien revenir vous saluer de temps en temps.

— Toutefois, tu dois me promettre de ne jamais divulguer ce que j'ai fait pour toi, de ne pas mentionner mon existence ni le territoire sur lequel je réside. Jure-le sur ton œuf vert du nom d'Ardynyth.

Arafinway promis de garder le silence sur ce qui s'était passé pendant ces vingt derniers jours.

— Maintenant, je te laisse allumer ton propre feu de camp, il y a de la nourriture pour toi dans le bol de bois. Repose-toi sans crainte, je vais veiller sur vous deux.

— Merci Augheronth, merci pour tout.

— N'oublie pas de ramener le bol à cette espèce de girafe sur deux pattes. Je n'entendrai jamais la fin de ses reproches si tu ne le lui rapportes pas !

Le dragon vert retourna dans les feuillages et Arafinway était heureux des enseignements ainsi que de la leçon de vie qu'il venait de recevoir. Dégustant son repas, il réfléchit à sa prochaine mission. Aura-t-il vraiment la chance de revenir ici de nouveau ?

Les six voyageurs s'avançaient maintenant en territoire dangereux, par les montagnes appelées Mâchoires de Titan où plusieurs factions de géants et d'autre créatures n'avaient pas prêtés allégeance au roi Arakher.

« Un détail auquel je jure de remédier lorsque je succéderai à mon père. », songea le prince Ajawak en maintenant la cadence.

Pour l'instant, il n'avait qu'une seule préoccupation : il lui fallait se rendre jusqu'à la base du grand volcan, récupérer la composante dans le coffret approprié et revenir à temps pour la Cérémonie promise par Dihur. Le tout en moins de cinquante jours.

Voyageant à la course et malgré le fait que quelques Yobs traînaient de la patte, ceux-ci finissaient toujours par se rendre au campement à la fin de la journée. Pas de feu, rien pour attirer l'attention. Le prince n'avait pas peur d'affronter un adversaire, mais il préférait une approche plus discrète sur ce territoire.

— Écoutez-moi bien, mon père vous a imposé cette mission, moi, je l'ai choisie alors je n'ai pas l'intention de ralentir ma cadence ou de faire des pauses inutiles pour vous accommoder, tonitrua-t-il.

Le quatre Yobs n'avaient aucunement l'intention de retourner devant leur Roi, prétextant qu'ils n'étaient pas en mesure de suivre le prince. C'était la mort assurée ! Le choix n'était pas très difficile à faire : suivre leur commandant semblait être le scénario qui offrait la meilleure chance de survie.

En ce qui concerne Tyroc, plus vite ils accompliraient cette mission, plus vite il serait de retour à Pyrfaras. Le fils n'était pas

de sang pur et cette révélation avait alimenté beaucoup de critiques de la part des sujets du Roi à la Capitale.

Son allégeance allait au Roi Arakher et non à son héritier, issu d'un pacte entre une race inférieure et la noble lignée des Géants de pierre. Cependant, il ferait tout ce qui est en son pouvoir pour protéger le prince et s'assurer qu'il revienne en ville sain et sauf.

> « La récupération de la composante de l'élément du vent est presque déjà accomplie, se réjouit Ajawak. D'ici quelques jours, nous atteindrons l'un des plus hauts sommets de la montagne sur laquelle nous nous trouvons, le Pic de Mahu Ranir. »

Tyroc gardait toujours un œil vers l'horizon. S'il pouvait repérer et éviter une faction de créatures, il le faisait. Il n'avait pas survécu toutes ces années en se fiant sur les autres. Il était un Géant de la caste des guerriers de pierre et un artilleur d'élite, rien de moins, et son expérience était mise au service du Roi.

Comme prévu, récupérer le vent fut un jeu d'enfant. Ajawak n'eut qu'à s'installer en équilibre sur la cime et, puisque les bourrasques étaient inévitables, tendre le coffret ouvert au bout de son bras et le refermer pour capturer la bise passante.

En descendant les pentes abruptes, toujours au pas de course, il exultait à l'avance d'avoir à affronter un plus grand et ultime défi : récupérer les fameuses cendres.

— Vous voyez ce titanesque volcan à l'est ? Il s'agit de notre nouvelle destination par le désert jusqu'à la bouche de feu.

— Votre Altesse, lui dit un Yob plié en deux devant son intransigeant chef, vous savez que ces terres sont occupées par les Géants des sables…

Le prince se retourna pour observer le minus qui avait osé lui adresser la parole.

— Et ? …

— Excusez-moi mon maître, mais on dit que les intrus ne sont pas les bienvenus sur leur territoire. Peu en sont revenus vivants…

— Je suis de bonne humeur aujourd'hui et il y a le fait que tu n'es pas un insupportable Sotteck ni un minable Mourskha. Alors je vais te laisser vivre, mais si tu t'avises de m'adresser la parole une seconde fois, je peux te jurer que tu n'auras plus besoin de courir pour le reste de cette mission. Me suis-je bien fait comprendre, soldat ?

Le Yob qui n'osait pas répondre verbalement ne fit qu'acquiescer silencieusement en s'inclinant encore plus bas. Les autres Yobs avaient également retenu l'avertissement. Le prince reprit sa course et tous adoptèrent la cadence effrénée de leur commandant.

Une fois la cavalcade de la journée terminée, Tyroc s'approcha du prince et prit quelques moments pour discuter avec lui un peu en retrait.

— Prince Ajawak, je ne suis pas un simple soldat, alors permettez-moi de vous faire part de mon opinion.

Ajawak le toisa en silence.

— Les commentaires du soldat un peu plus tôt dans la journée sont des faits bien connus de tous. Les Géants des sables n'ont pas la réputation d'être très hospitaliers. J'aimerais bien m'assurer que je n'accompagne pas le commandant téméraire décrit dans les rapports de mission, mais bien un chef qui a une tête de pierre sur de solides épaules. Mes instructions proviennent du Roi lui-même et je suis votre garde du corps. Ainsi, si je juge que vous n'agissez pas de façon saine, j'ai ordre de vous ramener comme un vulgaire sac de topinambours[54], sur mon dos.

Ajawak prit quelques instants avant de s'adresser au Géant de pierre qui l'accompagnait. Il ne s'agissait pas d'un soldat ou d'un homme sous ses ordres. Il méritait le respect qui lui était dû.

— Cher soldat de mon père, tu n'as pas de craintes à avoir. Je sais exactement ce que j'ai à faire et j'ai souvent voyagé dans ce désert. Je connais d'ailleurs quelques coutumes de ses peuples. Oui, il se peut que nous ayons à combattre ou à nous sauver. En solitaire, j'aurais eu de meilleure chance de passer inaperçu, mais mon père en a jugé autrement.

---

[54] Topinambours : légumes aussi appelé, truffe du Canada, poire de terre ou soleil vivace, il s'agit d'une plante à tubercules comestibles.

— Je vais vous faire confiance, Altesse, ne me décevez surtout pas. Pour moi, la seule chose d'intérêt qui se trouve en ces lieux, c'est vous, que vous soyez éveillé ou non. Maintenant est-ce qu'à mon tour je me suis bien fait comprendre, cher prince ?

Ajawak lui offrit un large sourire.

— Je t'aime bien Tyroc. Tu n'as pas peur de moi et je respecte ce trait de caractère. Mais ne pousse pas trop ta chance non plus. Tu peux faire confiance à ton prince !

Tyroc le salua avec courtoisie avant de prendre place sur un monticule de sable à une vingtaine de foulées plus loin. Ici, durant le jour, cet espace sec et sablonneux devenait une vraie fournaise et, le soir, un léger frimas recouvrait le campement. De toute façon, les seuls à s'en plaindre étaient les Yobs, car pour lui, la différence de température importait peu.

Il scrutait attentivement chaque colline mouvante selon le vent et essayait de percer les nuages de poussière au loin. Sous la lune aux deux croissants inversés, il devinait les contours des pics rocheux et les cachettes possibles pour d'éventuels attaquants.

Il savait que la majorité des Clans du désert avaient la fâcheuse habitude de terrasser les intrus en premier et de poser des questions plus tard, s'il restait des survivants. Il y avait même un vieux dicton qui disait *si l'ennemi méritait de survivre, alors il trouverait une façon de garder sa vie. Par la suite, il pourra nous dire ce qu'il faisait sur nos terres.*

En cette deuxième nuit dans le désert, la première escarmouche d'envergure les surprit par sa silencieuse rapidité d'exécution. Le Yob qui faisait le guet fut instantanément déchiqueté par de longs couteaux maniés avec l'adresse légendaire des Géants des sables. Voici un ennemi de moins qui ne pourrait répondre à leurs questions.

Le groupe d'attaquants était composé de huit Géants qui encerclèrent le campement. Au moment où ils allaient s'attaquer à leur seconde victime, l'un d'entre eux reçut un boulet de pierre précisément sur le côté de sa tête. Il s'écroula sur le sable jaune safran sans faire de bruit ni même avertir ses autres frères de clans.

Le prince faisant semblant de dormir, avait remarqué la première attaque de son garde du corps. Il préféra rester silencieux, pour ne pas faire perdre l'effet de surprise que l'artilleur employait à bon escient.

Tyroc s'élança de nouveau mais, cette fois-ci, visa le genou de son adversaire. La force de l'impact fracassa les os qui supportaient le poids du colosse qui s'écrasa sur le sol en hurlant de douleur. L'alerte était donnée.

Il ne restait plus que six Géants pouvant se déplacer et un septième qui supportait mal ce revirement de situation. Maintenant que tout le campement était réveillé, les assaillants se regroupèrent en position défensive autour de leur chef qui était justement le blessé incapable de se soutenir.

Les trois Yobs prirent à leur tour position devant Ajawak et attendirent les ordres.

— Je suis le prince Ajawak, fit-il de sa voix puissante, du Clan des Géants de pierre, identifiez-vous à moins que vous ne préfèreriez que j'applique votre propre dicton et que je repose ma question à celui que je choisirai comme survivant.

— Mon nom est Shaboka et je suis celui qui mène ce groupe de Géant des sables. Que faites-vous sur nos terres, prince de pierre ?

Tyroc avait bien choisi, il s'agissait bien de leur commandant.

— Alors, permets-moi de te saluer selon tes coutumes *Assalamu 'alaykum !*

— N'essaie pas d'employer cette phrase contre moi en me souhaitant que *la paix soit avec moi*, prince. J'ai déjà perdu un frère d'armes, alors n'espère pas que je réponde à cela pour que la paix règne entre nous deux.

Ajawak avait espéré que son interlocuteur réponde la suite à cette formule de salutation, soit *Wa 'alaykum as-salam*. Cette simple réponse de Shaboka aurait simplifié toute cette discussion. Il devait maintenant user d'une autre approche.

— Je dois me rendre jusqu'à la base du Grand Volcan pour lui rendre mes respects. Par la suite, je retourne sur mes terres.

— Le prince respecte le Grand Volcan, c'est un bon signe mais cela ne lui permet pas de se promener sur la terre de mon

peuple. De plus, il y a un dicton qui dit que *celui qui mentionne qu'il est de plus haut rang ou plus riche doit redonner au plus pauvre*. Étant donné que tu es prince et moi non, tu dois me payer un tribut et, surtout, me donner un dédommagement pour mon frère perdu.

— Je suis également familier avec tes coutumes et je crois savoir que chez ton peuple, *celui qui prend la vie de mon frère doit payer avec la vie de l'un des siens*. Je crois que nous sommes quitte sur ce point, indiqua-t-il en pointant le corps du Yob à quelques foulées derrière lui.

Le Géant des sables se mit à rire bruyamment.

— Je vois que le prince n'en est pas à sa première visite sur notre territoire !

— Laisse-moi venir à toi et je vais t'offrir quelque chose qui devrait te compenser largement.

Tyroc regarda le prince d'un air interrogateur et celui-ci lui fit signe que tout allait bien se passer. Il avait déjà à maintes reprises fait du troc avec ces géants.

— Tu peux avancer, prince de pierre, mais soit avisé qu'il y a d'autres soldats de mon clan cachés dans les dunes et qui n'attendent que mon signal.

Ajawak s'approcha seul et lentement du groupe et parlementa avec leur chef à voix basse.

— Si je te donne quelque chose pour mon passage, quelle est la garantie que tu ne nous attaqueras pas un peu plus loin ou sur notre chemin du retour ?

— Si le prince de pierre me donne un tribut qui me satisfait, tu pourras passer et revenir sur tes pas par la suite. Je donnerai des instructions à mes hommes de ne pas t'attaquer pour respecter notre entente. Mais celle-ci n'est valide que pour ce passage seulement. Si tu reviens, alors attends-toi à payer à nouveau.

Ajawak regarda ses hommes, puis fit une offre à Shaboka.

— Très bien, je t'offre mes trois esclaves derrière moi, en guise de paiement pour mon passage, tu pourras en faire ce que tu veux. Pour te prouver ma bonne foi, voici de plus un gousset rempli d'écus que tu pourras remettre à la famille du défunt. Est-ce que nous sommes arrivés à une entente ?

Le prince aurait pu facilement terrasser tout le groupe de Géant des sables, mais si celui-ci disait vrai et qu'il avait des renforts non loin, les altercations n'en finiraient plus. Il ne voulait pas non plus subir de nombreuses attaques qui le ralentiraient tout le long du trajet. Le volcan n'était d'ailleurs qu'à six ou sept jours de leur position actuelle.

— Nous avons une entente, j'accepte ta maigre contribution et aussi tes esclaves.

— Merveilleux, alors laisse-moi t'offrir du pain et du sel pour célébrer notre entente.

— Tu connais aussi la signification de ce rituel ? remarqua Shaboka, étonné.

— Comme tu l'as dit si bien, je ne suis pas à ma première visite sur le territoire de ton peuple.

— Tu me surprends, prince de pierre, et je vais partager le pain et le sel que tu m'offres. De cette façon, tu auras mon assurance que notre pacte de paix temporaire ne sera pas entaché pour la durée de ton voyage sur mes terres.

— Paix et protection te sont assurées aussi, chef Shaboka. Tu peux partir sans crainte ce soir et tu pourras récupérer tes esclaves à l'aube. Cela te convient-il ?

— Oui, cela me convient, prince de pierre.

Ajawak revint vers ses hommes et leur ordonna de retourner se coucher, l'attaque était terminée. Les Yobs restèrent surpris des talents de négociateur démontrés par leur prince. Lorsqu'il arriva auprès de Tyroc, le guerrier s'adressa à son chef discrètement.

— Vous les avez donnés comme esclaves, n'est-ce pas ?

— Oui, c'est exactement ce que j'ai fait. Mon père aura eu raison, ces Yobs vont m'avoir véritablement servi à quelque chose.

— Je vais donc faire le nécessaire pour qu'ils soient inconscients à l'aube pour éviter une scène inutile.

— Très bien, cela m'évitera de le faire.

Le prince retourna récupérer sa cape et s'enroula dans celle-ci afin de profiter des dernières heures de sommeil qu'il restait à la nuit.

Dès l'aube, Ajawak en compagnie de Tyroc entamèrent les quelques jours de marche vers le volcan afin que le prince puisse récupérer sa précieuse composante. Le guerrier de pierre pouvait voir au loin les Géants des sables emporter les corps toujours inconscients des Yobs qu'il avait assommés un peu avant le lever du jour.

Pourtant encore loin du volcan, plus de 400 lieues, l'immense lac de lave qui l'entourait faisait rougeoyer l'épais nuage pyroclastique qui le survolait en permanence. De temps en temps, un grondement sourd faisait trembler le sol sous les pieds des voyageurs. De plus, ils pouvaient entrevoir, de jour comme de nuit, les puissants jets de feu éclaboussant des dizaines de lieues à la ronde.

Au dernier jour avant d'entrer dans la zone chaotique et infernale, les deux compères, scrutant de nouveau le ciel, aperçurent brièvement un immense oiseau rouge sortant des nuages noirs et se maintenant au-dessus du cratère du volcan.

— Votre Altesse, avez-vous vu ce piqué dans la bouche enflammée de la montagne ? Je n'ai jamais vu de telle créature auparavant, fit le guerrier impressionné.

— Moi non plus, mais je me doute bien de quoi il s'agit. Conserve précieusement cela dans ta mémoire Tyroc, car ce n'est pas à tous les cycles que l'on peut voir un dragon rouge faire des acrobaties dans le ciel avant de plonger dans son domaine.

Sur leurs gardes, ils réussirent finalement à atteindre les abords du volcan. Ajawak trouva une cheminée secondaire qui crachait une pluie noire de cendres à intervalles irréguliers, comme s'il respirait. Le prince étendit une large peau de cuir tannée pour récupérer les précieuses particules qui se déposaient sur le sol.

Lorsque la quantité de cendre fut suffisante, il transvida dans le quatrième petit coffret enchanté.

Il avait enfin réussi l'impossible quête et ...ntenant, il devait se rendre à Pyrfaras avant que les lune... soient complètement alignées pour souligner le Solstice d... ...uveau.

Ajawak sourit. Il pouvait presqu... la douceur de l'emprise de sa main sur le manche de ...ne. Toute sa réhabilitation face à son père passait par ce...

Chapitre 48
Le rapport d'Ogaho

Journal d'Ogaho,
Vizir du tout-puissant Arakher, Roi des Géants de pierre
Mission royale : infiltration en terres ennemies

Sujet vingt-cinquème : de Vraxan à Pyrfaras

Sous la protection de la dernière lune mauve et de ses deux croissants inversés, j'ai accompli la dernière étape de mon odyssée en une dizaine de jours. Comme je ne voulais pas traverser les montagnes, le chemin le plus court pour atteindre Pyrfaras à partir de Vraxan fut de remonter un peu vers le nord, passer par la vallée des Trolls pour ensuite redescendre par la Gorge de Vangorod.

Voyager de nuit est presque devenu pour moi une seconde nature. Même le pont de pierre des Trolls, qui avait été une probl[illegible]matique lors de mon premier passage, n'offrit aucune résistan[illegible] lorsque je me suis présenté de nouveau devant le groupe de [illegible]éant des montagnes.

Curieusem[illegible], ils ont même poliment refusé mon péage, prétextant m[illegible]noblesse pour m'accorder le droit de retour sans frais. Je crois [illegible]utôt que le vivace souvenir du bain forcé qu'ils avaient reçu lo[illegible] de ma première visite fut suffisant pour les convaincre de ne [illegible] jamais me demander quoi que ce soit.

Enfin, je suis heure[illegible] [illegible]e remettre les pieds sur la pierre de la cité de Pyrfaras, mon [illegible] et mon chez-moi. Note : ce sera ma dernière entrée dans [illegible]rnal de bord jusqu'à une éventuelle mission royale.

Ogaho referma son livre et déposa sa plume. Il se sentait bien, il était de retour dans son confortable appartement. Malgré tout, la journée avait été longue et éprouvante.

Dès son arrivée sur la place centrale, ses disciples et de nombreux amis sont accourus pour lui souhaiter la bienvenue. Il n'avait qu'à demander et ses ordres étaient exécutés promptement.

— Mon Vizir, vous êtes parti depuis huit mois et demi... presque une année !

« C'est vrai, songea-t-il. Une année compte neuf mois et le jour du Renouveau tant attendu sera fêté dans deux semaines. La notion du temps m'a échappé. Je ne me souvenais pas d'être parti depuis si longtemps... »

Tout en marchant vers le palais, ses disciples se plaignirent que leur ambiance de travail ait drastiquement changé.

— Les adeptes de Dihur Grand Druide de l'Ordre des Quatre Éléments s'affichent en plus grand nombre depuis votre départ, cher Vizir, déclara l'un de ses meilleurs demi-géants. Ils s'installent partout, nous épient et, parfois même, nous empêchent de recevoir des informations. Cela nous inquiète grandement !

— Nous espérons qu'avec votre retour, Maître, les choses vont maintenant s'améliorer, ajouta un second.

Le mage opta pour une rencontre immédiate pour ne pas faire attendre son Roi. La bonne nouvelle avait vite fait son chemin jusqu'aux oreilles d'Arakher. Il n'en attendait pas moins de son fidèle serviteur.

En entrant dans la gigantesque salle du trône du palais royal, Ogaho revit avec joie les œuvres d'art et les hautes colonnes de marbre orangé, couleur des montagnes. Il remarqua les nombreux nouveaux visages de la Cour, dont Salxornot figurant parmi les invités du Roi, qui siégeait tout en avant. Il écouterait visiblement avec une oreille attentive les informations qui seraient remises au souverain.

Il avança d'un pas sûr jusqu'à Arakher qui, bien assis sur son trône serti de joyaux, juché sur son piédestal, l'accueillit chaleureusement.

— Mon cher Ogaho, mon fidèle Vizir, qu'as-tu apporté pour moi?

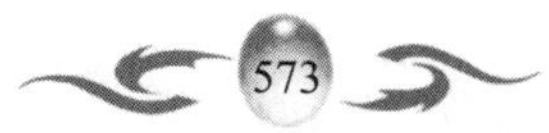

Le mage, qui avait pris le temps de réviser ses notes dans son journal personnel, avait les détails de chacun des points d'intérêt fraîchement en tête. Il avait un certain talent pour l'art oratoire et il comptait bien en faire bon usage.

Il savait d'autant plus que, voilà quelques heures maintenant, le premier Vizir Dihur avait été sommé par le Roi de se présenter à la Cour, mais il semblerait que le message ne se soit pas rendu jusqu'à lui.

« Le page à la solde du Grand Druide a sans nul doute eu un fâcheux accident… », songea-t-il en souriant intérieurement aux ordres qu'il avait lui-même transmis en secret à l'un de ses meilleurs disciples.

— Votre Altesse, mon Roi, laissez-moi vous narrer les nouvelles, commença le mage.

Il aurait voulu faire scintiller les pierres précieuses de la mappemonde sur le mur du fond comme le faisait si bien son rival, mais Ogaho se contenta de sa notoriété de Géant de pierre pour faire sa présentation.

— Gousgar fut le premier point visité. Voici ses défenses naturelles ainsi que les effectifs qui s'y trouvent. Le commandant ou capitaine de la garnison est un homme du Nord nommé Njal.

Le mage décrivit l'intérieur de la tour avec une précision déroutante. Il parla des sorciers qui y résidaient et aussi de la fréquence à laquelle la garde était relevée. Il présenta également la carte marine que les Morjes avaient tracée et décrivant les différents récifs à contourner pour accéder au fjord.

En se gardant bien de mentionner l'apport intelligent des Morjes, il honora sa parole envers le chef du village de Pesek. Il enchaîna par la suite avec la description détaillée de la ville fortifiée de Yngvar, qui était gouvernée par un Jarl nommé Lars. Il énuméra les défenses, les points faibles, les engins de guerres et leurs portées, tout ce qu'il avait pu remarquer et concilier dans son journal.

— Ô mon bon Roi, pour terminer, je vous remets ici avec plaisir mes nombreuses cartes annotées et corrigées avec soin et, surtout, les plus à jour sur ce trajet, parchemins que vous m'avez prêtés pour mener à bien ma mission royale.

Sous le tonnerre des applaudissements de la Cour, le Roi était enchanté de la réussite de son second Vizir, son ami, qui avait

confirmé et, surtout, bonifié les informations qui avaient été rapportées et décrites par ses espions et le capitaine Salxornot.

— Cher Vizir et mage des Géants de pierre, commença le Roi en se levant, je vous acclame et vous louange ici devant tous pour votre extraordinaire travail, votre indéniable loyauté et votre insurpassable bravoure. Maintenant, je vous ordonne d'aller vous reposer de cette fructueuse expédition. Longue vie aux Géants de pierre !

— Longue vie au Roi ! Longue vie au Roi !

Alors que les acclamations fusaient, Dihur s'engouffra dans l'allée centrale d'un pas vif et décidé. Il arrivait à la fin des éloges prononcés à l'égard du mage. Il s'approcha en toute hâte, déçu d'avoir manqué le rapport de mission de son rival.

— Premier Conseiller Dihur, vous en avez mis du temps ! le réprimanda le Roi, heureusement trop de bonne humeur pour intimider qui que ce soit.

Le Grand Druide s'était accroché un faux-sourire et salua avec un semblant d'enthousiasme son prédécesseur.

— Mage Ogaho, quel plaisir de vous revoir en vie. J'ai manqué les détails de votre voyage, peut-être pourrez-vous me les raconter en privé plus tard ?

N'étant vraiment pas ravi de revoir cet espèce de magicien de menuaille, le Premier Conseiller aurait espéré qu'un groupe de Trolls ou mieux, une bande de créatures quelconque, fassent de ce Vizir son trophée, mais il semblerait que les Géants de pierre soient plus coriaces.

— *Que nenni* mon cher Vizir, je vais manquer de temps. Peut-être qu'un jour, pourrez-vous relire les notes du scribe royal, lui répondit le mage avec un merveilleux sourire, pleinement satisfait de la mine de déterré du demi-géant à ses côtés.

« Mes beaux jours sont maintenant terminés, ronchonna Dihur. J'ai manqué le compterendu de ce mage… Si je veux pouvoir discuter avec le Roi des tactiques contre mes ennemis, je devrai tenter de trouver parmi les membres de la Cour une âme charitable, voire même achetable, qui pourrait me raconter en détails ce qui a été dit. »

Le druide chercha discrètement dans l'auditoire le prince Ajawak, mais en vain.

Chapitre 49 — Wilfong

En fin de journée, Arafinway apparut en haut de la piste menant à la forteresse de Hinrik. Il avait l'air fatigué mais semblait serein.

— Voilà notre ami ! s'écria Seyrawyn qui l'aperçut le premier, grâce à sa vue perçante.

— Mais quel est donc cet immense bol dans ses bras ? s'interrogea Miriel.

— Arafinway, mon éclaireur préféré, quelle joie de te retrouver en un seul morceau, lui dit Marack en le serrant fortement dans ses bras. Tu nous as manqué, tu sais !

— Merci mes compagnons mais je n'étais pas si loin ni parti depuis tellement de temps ! Miriel, je t'en prie, peux-tu me faire l'un de tes petits enchantements miraculeux pour enlever les crampes que j'ai dans tous les muscles ?

Tous se mirent à rire et l'invitèrent joyeusement à les rejoindre autour du feu.

La druidesse remarqua immédiatement un changement chez son éclaireur. Était-ce sa démarche ou sa façon de parler, elle ne pouvait mettre des mots sur cette impression étrange. Deux semaines pouvaient-elles avoir suffi à accroître la maturité chez cet ami d'enfance ?

Dans les dernières heures, Marack avait soigneusement veillé aux provisions. Chacun était prêt à partir pour la quête qu'il devait accomplir en tant que Gardien du Secret. Arafinway avait déjà trouvé le Dragon vert Maître forestier mais ne pouvait en parler ouvertement. Cependant, sa seconde quête avait aussi débuté : il lui fallait maintenant trouver un dragonnier pour l'œuf de Dragon rose.

Étant donné qu'il s'agissait d'un groupe de Gardiens unis, Seyrawyn était heureux de pouvoir de nouveau partager de bonnes soirées, tout ensemble. Il s'agissait de sa nouvelle famille, tous des frères et sœur d'armes.

Parce que Maître Lassik voulait passer un plus de temps avec les jeunes, il s'approcha du campement et demanda à Miriel si un ami, une vieille âme pouvait se joindre à eux pour la nuit. Il offrit aussi de préparer le repas du soir et apportait un plat de petits bolets croustillants, en guise de surprise, pour les elfes.

Pour se faire pardonner tout ce temps consacré à faire des potions, le Géant leur proposa une route alternative peu connue par les habitants de la région.

— Bertmund, mon brave, puis-je voir vos talentueux dessins de cartographie si bien dissimulés dans l'un de vos grimoires de voyageur ?

L'érudit s'exécuta, surpris que son petit secret se soit aussi facilement répandu aux alentours.

— Tu as des cartes ! s'exclama Arafinway.

— Quelques-unes…

— Bon, fit le Maître en pointant des endroits bien précis, regardez tous ici, voici un chemin qui traverse les montagnes d'Orgelmir.

Tous s'approchèrent pour mieux voir les tracés si finement dessinés sur de minuscules bouts de parchemin, pas plus grands qu'une main.

— Tu arrives à y discerner quelque chose toi ? interrogea la viking en plissant les yeux.

Bertmund sortit délicatement de l'une de ses nombreuses poches intérieures un petit objet avec des verres, retenus par une légère armature de fer. Il se mit ce double vitrage sur le bout du nez et commença à décrire les lignes de la carte. Le curieux spectacle les fit sourire.

— C'est comme les loupes de ma lorgnette, expliqua-t-il à ses amis amusés, et cela me permet de voir les très petits caractères. Cette lunette est une aide précieuse.

— Voyez ici, sur cette pointe, reprit le Géant, juste avant d'atteindre ce col près des Chutes de Cristal protégé par les

Sottecks. Voici l'endroit où toutes les caravanes doivent passer pour atteindre le plateau où nous sommes.

— Je connais ce passage pour l'avoir déjà suivi, confirma le troubadour, mais il n'est certes pas de tout repos.

— Eh bien, sur cette pointe, il y a un sentier qui n'est pas emprunté car il est très escarpé mais encore praticable selon moi. Il vous permettrait d'éviter nos ennemis en provenance de Bishnak. Mais je dois vous aviser que cette piste renferme d'autres créatures tout aussi féroces.

Miriel eut immédiatement en tête le face-à-face avec les spectres dans la caverne qui avait tourné au cauchemar. Que pourraient-ils rencontrer de pire ?

— À vous de faire le choix, mais je crois sincèrement que le passage que je viens d'indiquer vous permettrait d'atteindre les terres du sud un peu plus rapidement, sans vous exposer à toutes les patrouilles qui fourmillent dans cette région. Je ne dis pas que ma piste est plus sécuritaire et vous connaissez par cœur tous mes avertissements au sujet d'emprunter les raccourcis via les montagnes…

Ils se regardèrent tous en se souvenant de leur dernier voyage au-travers des montagnes, des tigrons aux méduses de rocailles... Arafinway fit la grimace.

Lassik sortit de son sac de voyage une grosse amulette avec la tête d'un loup sculptée sur le dessus.

— Il s'agit d'un symbole de Clan et celui-ci est le mien. Dans l'éventualité où vous rencontreriez certains de mes cousins Géants des montagnes. Si ceux-ci font partie d'une faction qui est en bon terme avec ma famille, cette breloque pourrait vous éviter quelques problèmes. Miriel, tu pourrais négocier un droit de passage avec eux.

Elle lui fit un signe de tête d'approbation.

— Dans le cas contraire, s'ils sont nos ennemis, eh bien ! courez et faites attention aux pierres qu'ils peuvent vous lancer. Comme celles-ci ont une longue portée, je vous conseille d'éviter de courir en ligne droite !

La druidesse le regarda les yeux froncés. Il avait lancé cette phrase sur le même ton, comme s'il était tout à fait naturel qu'ils reçoivent des cailloux gros comme un melon lancés contre leur tête.

Néanmoins, comme personne ne s'attardait à ce détail et qu'ils festoyaient de nouveau gaiement, elle le remercia de l'alternative offerte pour sauver du temps et aussi pour le médaillon qui pourrait s'avérer finalement fort utile.

Lassik leur remit aussi chacun une bouteille de son tord-boyau en leur spécifiant, devançant leurs critiques, que c'était la cuvée de leurs guerriers, dans le cas où le goût serait différent ou tout simplement imbuvable !

Décidément, ce grand Géant avait vraiment un cœur en or et Marack apprécia le dernier cadeau plus que tous les autres.

Le lendemain à l'aube, le groupe de Miriel entreprit la partie du trajet la mieux connue. Direction Est pendant huit jours, vers la passe la plus étroite des Monts Krönen. Par la suite, un autre six jours pour franchir, escalader, contourner les escarpements de roches. Cela ne diminuait en rien l'aspect dangereux de la traversée de ces montagnes, mais au moins le groupe avait une bonne idée des dangers qui les attendaient.

Plusieurs patrouilles de Gardiens avaient été rencontrées pendant la première semaine. Le Jarl d'Hinrik préférait maintenir plusieurs compagnies pour surveiller le flanc ouest des Monts et Marack en semblait content, il aurait prit la même décision à la place de son père.

En vue des hautes montagnes et juste un peu avant de quitter la forêt, le groupe fit une halte. Miriel en profita pour confier une mission à son éclaireur.

— Tu m'as bien compris Ara ?

— Oui cheffe, parfait cheffe ! Laisse-moi quelques heures et je devrais être en mesure d'accomplir ce que tu me demandes avant midi, cheffe.

Arafinway partit seul dans la forêt sous les regards curieux des autres membres de son groupe. Après une heure de marche vers le nord, il trouva enfin ce que Miriel lui avait demandé.

— Oui Ardynyth, je sais que celui-là pourrait faire l'affaire. Les deux autres, que nous avons croisés un peu plus tôt, étaient p jeunes. Mais celui-ci, pelage brun rougeâtre, queue brune ır le dessus une avec large frange et le dessous du ventre blanc, c'est un *Odocoileus*.

L'éclaireur observait un chevreuil mâle âgé d'environ cinq ou six ans. Miriel lui avait bien spécifié qu'il ne devait pas prendre une chevrette ou un chevrillard, seulement un mâle adulte.

— Je sais, je sais, je suis à contrevent, il ne pourra pas me sentir, mais si tu continues de me parler, il va certainement m'entendre. Sois patient, laisse-moi accomplir cette tâche et, par la suite, je pourrai discuter avec toi sur le chemin du retour.

Arafinway observait le chevreuil et lorsqu'il fut satisfait de ses observations, il encocha et banda son arc en direction de sa proie. Juste avant de laisser partir sa flèche, il murmura une dernière parole.

— Je prends cette vie pour en nourrir plusieurs autres, je te remercie petit chevreuil de te sacrifier pour notre cause. Maintenant ne bouge plus.

L'animal reçut le projectile en plein cœur et s'affaissa aussitôt. Le chasseur ne voulait pas le faire souffrir inutilement.

— Tu as raison Ardynyth, la partie facile est terminée. Maintenant commence la partie ardue de cette tâche, trouver une bonne idée pour rapporter cette lourde bête de six foulées de long.

Ce n'est que trois heures plus tard qu'Arafinway fit son apparition au campement. Rouge et trempé de sueur, il portait sa charge bien étendue sur un brancard de fortune. Toutefois, il sentait que bientôt ses jambes n'obéiraient plus du tout.

— Mais qu'est-ce que tu nous rapportes ! s'écria Marack d'un air enthousiaste. Arafinway, tu n'aurais pas dû, de la viande, je crois que je vais pleurer de joie !

— Arrête de saliver, le viking, cette prise n'est pas pour toi. Mais tu peux la transporter étant donné que tu as eu un bon entraînement avec le coffre de Fortran.

— Ce n'est pas pour nous, mais pour qui alors ?

— Pour le groupe des tigrons de Maleor mon cher, intervint Miriel, à titre d'offrande pour pouvoir passer de nouveau sur leur territoire.

Marack se rappelait l'aide précieuse que ce groupe de félins leur avait apportée. Sans dire un mot, il chargea la carcasse du cerf sur ses épaules et attendit les ordres de la gardienne.

La cheffe fit un large sourire à son ami et le groupe de compagnons reprit sur son signal le sentier en direction du flanc rocheux.

Ils n'étaient qu'à quelques heures de l'endroit où ils avaient laissé les tigrons se battre contre leurs ennemis qui les avait pourchassés la dernière fois.

L'attente ne fut pas très longue, Seyrawyn pouvait apercevoir quelques membres de ce clan caché derrière de gros rochers. Les tigrons n'avaient pas peur de s'afficher sur leur territoire, l'un deux s'était positionné sur le dessus d'un escarpement de pierre et attendait patiemment l'arrivée du petit groupe.

Miriel invoqua Lönnar afin de pouvoir discuter avec le félin.

— Je te salue maître chasseur, je suis Miriel et j'aimerais rendre hommage à Maleor, ton chef de clan.

Le tigron se leva, puis se dégourdit les jambes en s'étirant dans un va-et-vient lent en avant et en arrière. Bertmund avait vraiment l'impression de voir le rituel de réveil d'un gros chat de chaumière.

— Je te reconnais, petite deux pattes aux oreilles pointues. Comme tu le dis si bien dans ma propre langue, je suis un maître chasseur et non un messager. Mais je vais tout de même annoncer ta venue à mes frères, continue dans cette direction et tu devrais rencontrer celui que tu cherches.

Le tigron effectua une série de rugissement puis se réinstalla au soleil sur le dessus de son poste d'observation. Tous pouvaient entendre une seconde, puis une troisième série de rugissements, qui se propageaient comme un écho au loin. Le message avait été transmis.

Le groupe continua sa marche pendant une bonne heure et demie avant de finalement rencontrer le chef tigron. Miriel reprit promptement sa prière à Lönnar afin de pouvoir parler de nouveau la langue de ces puissants matous à dents de sabre.

— Tu es de retour sur notre territoire *M-i-r-i-e-l*, mais je constate que vous êtes beaucoup moins nombreux cette fois-ci.

Le chef de clan avait honoré la druidesse en prononçant dans sa propre langue le prénom de celle-ci.

— Bonjour à toi Maleor; oui nous sommes de retour et nous espérons pouvoir traverser de nouveau pour continuer notre quête de l'autre côté de vos montagnes. Je t'ai apporté un présent, en guise d'offrande.

Miriel fit signe à Marack de déposer le cerf à une dizaine de foulées devant elle. Ce qu'il fit immédiatement avec un grand soulagement. Le chevreuil était moins encombrant que le coffre mais son poids commençait à lui rappeler de douloureux souvenirs.

Maleor se rapprocha de l'offrande et la renifla à quelques reprises.

— Cette proie est récente, quatre ou cinq heures à peine. Je te remercie de m'offrir une prise encore chaude, elle sera appréciée à sa juste valeur. Tu peux passer ton chemin sans crainte de notre part. Si tu vois l'ombre de l'un des nôtres sur ta route, ce n'est que pour nous assurer de notre pacte envers toi.

— Je te remercie Maleor !

— Une dernière chose *M-i-r-i-e-l*, ce que je fais, je ne le ferai pas pour d'autres de ton espèce. Vous êtes maintenant deux à pouvoir traverser les terres de mon clan. Je ne mentionnerai pas son nom, mais celui-ci est connu de tous les clans de ma race qui vit dans ces montagnes. Est-ce que tu comprends bien ce que je viens de te dire ?

— Oui Maleor, je comprends et te remercie de l'honneur que tu me fais.

Miriel s'inclina devant le chef de clan en signe de respect et fit signe à ses compagnons de la suivre.

La druidesse se demandait bien qui était cette autre personne qui avait le respect de toute une race de tigrons.

> « Un autre point à ajouter aux investigations que je me promets de faire un jour. Et puis, cette liste commence à être bien longue… », songea-t-elle.

Seyrawyn avait meilleure mine cette fois-ci et le terrain ne semblait pas avoir la même emprise sur son attitude. La tristesse d'avoir quitté son territoire s'estompait un peu plus à chaque jour. Il avait beaucoup voyagé ces derniers mois, lui qui était resté terré toute sa vie sur une parcelle de la Forêt des Bois Noirs.

Arafinway surprit agréablement tous ses amis lorsqu'il se mit à pister, traquer et aussi débusquer certains prédateurs qui surveillaient le groupe. Même ses signaux s'étaient améliorés, la bécasse à cou long et la fauvette à capeline se rapprochaient assez fidèlement de la réalité.

Il faut dire que l'escorte discrète des tigrons et sans doute leurs interventions inaperçues avaient permis aux gardiens de parcourir plus de la moitié de cette route assez facilement.

Dorgen avait raison sur un point : lorsque l'on connait les différentes créatures qui vivent dans les territoires, il est plus facile d'y être attentif et de les esquiver. Après tout, la montagne c'est comme partout ailleurs, il faut juste faire attention. Cependant, Miriel n'en revenait pas des progrès de son éclaireur. Qui l'avait transformé autant en si peu de temps ?

— Ara, nous caches-tu encore quelque chose ?

Miriel regardait son ami qui lui offrit un large sourire.

— Juste un moment Miriel, Ardynyth me placote. Sa jactance[55] n'en finit plus ! Il a tellement de choses à me dire. Ardynyth, il faut que tu arrêtes, Miriel essaie de me parler mais tu ne fais que lui couper la parole. Il te fait dire qu'il s'excuse et il va essayer de faire un peu plus attention.

Bertmund s'approcha et félicita son ami pour la remarquable amélioration de son attitude, ce qui fut unanimement approuvé. L'éclaireur était content que ses amis apprécient les changements opérés dans sa façon d'accomplir les choses.

Cependant, Miriel continuait de s'interroger sur cette transformation. Il y avait eu un déclic qui s'était opéré chez son ami et elle se proposa de lui en glisser un mot au moment opportun.

« Est-ce son œuf de dragon qui lui fait cet effet ? Si oui, j'ai bien hâte de vraiment communiquer avec le mien. »

---

[55] Jactance : débit incessant de paroles.

Ils descendirent enfin les derniers escarpements rocheux de la montagne et arrivèrent sur la première zone de territoire dont ils avaient la charge. La forêt particulière de cette région, avec une majorité d'arbres à l'écorce très noire, rendit Miriel un peu nostalgique.

Elle aussi avait fait beaucoup de chemin en compagnie de ses amis, ces dernier mois, presqu'une année bientôt.

> « Promue au rang de Gardienne du Secret, à la tête d'un groupe d'aventuriers bien balancés, oui, Lönnar a vraiment des plans pour moi. »

Ils marchaient au cœur de la forêt depuis maintenant quelques jours lorsqu'Arafinway fut surpris sans avertissement. L'éclaireur n'avait pas perçu de présence et même les fameux sens aiguisés de Seyrawyn ne l'avaient pas averti qu'ils étaient surveillés.

En sortant des taillis, ils débouchèrent sur une large et déserte clairière. Cet endroit dégarni rappelait un lieu déjà-vu. Soudainement, tous purent voir apparaître Simfirkir au beau milieu de la place avec son chaudron bouillonnant sur son grand feu.

L'éclaireur s'en voulut de ne pas avoir réussi à décoder tous les petits signes qui avaient jonché leur route, de petites pierres bizarrement empilées, des osselets dans les fleurs carnivores ou les cinq minuscules crânes placés en étoile au pied de l'arbre un peu plus loin.

— Bonjour Miriel Calari, je suis contente de te revoir dans cette partie de la forêt.

— Simfirkir ! s'écria Miriel aussi surprise que prudente en s'avançant vers la sorcière.

Marack resta sur place. Il avait de vifs souvenirs de sa dernière rencontre avec cette sorcière et il ne voulait pas s'éterniser ici inutilement.

Arafinway, qui lui devait la vie, s'avança pour la saluer poliment.

— Qui est-ce ? chuchota Bertmund à Marack.

— Une Skass et elle se nomme Simfirkir, c'est une connaissance, rien de plus.

Peu familier avec cette appellation, Bertmund décida de consulter l'un de ses carnets pour chercher une référence quelconque à ce sujet.

Seyrawyn ne connaissait rien non plus aux sorcières mais Miriel ne semblait pas être alarmée d'être en sa présence et cela le rassura un peu. Il n'y avait que Marack qui entretenait une vague de méfiance très évidente. Mais cette façon d'agir était naturellement présente chez ce guerrier viking.

Le troubadour perçut immédiatement la magie du chaudron. Il constata également l'aura de magie différente qui émanait des symboles thebans le décorant.

— Marack, tu peux rester là où tu es, je ne suis pas en danger. Cet entretien ne sera pas très long.

Le guerrier n'aimait pas se tenir en retrait, mais jusqu'à présent, cette sorcière avait toujours respecté Miriel et elle avait sauvé son ami l'éclaireur.

La druidesse connaissait l'appréhension de son guerrier concernant cette femme et il était préférable de le tenir éloigné. D'ailleurs, jamais elle ne s'était sentie menacée par elle dans cet endroit mystique.

Bertmund et Seyrawyn décidèrent qu'il y avait suffisamment d'éléments intéressants pour justifier une petite investigation. Arafinway était déjà rendu près de cette femme aux longs cheveux rouges et il n'y avait qu'une vingtaine de pas à parcourir pour satisfaire leur curiosité.

— Madame, laissez-moi me présenter. Je suis Bertmund LeGrand, pour vous servir, fit-il en enlevant son chapeau à plume et en faisant une large révérence.

— Moi, je suis Seyrawyn et je ne tiens pas à vous servir, mais je vous dis tout de même bonjour.

Miriel souriait à la particulière tournure de phrase de son ami dreki.

— Je vous souhaite la bienvenue dans ma clairière, amis Gardiens de Lönnar et vous souhaite à tous une quête des plus favorables pour le bien de votre divinité.

La druidesse se demandait comment elle pouvait bien savoir qu'ils étaient tous sur une quête. Décidément, cette femme avait des pouvoirs de divinations qui la surprenaient.

Bertmund était intrigué par les écritures sur la marmite. Il tenta de déchiffrer le tout lorsque la sorcière le mit en garde.

— Fais bien attention Bertmund LeGrand, ces thebans sont des symboles de pouvoir, il n'est pas donné à tout le monde de pouvoir lire, comprendre et de surtout maîtriser ce qui est écrit.

— Pardonnez-moi cher dame si je vous ai offensée, cela n'était pas mon but, il s'agissait d'une simple curiosité d'érudit.

— Je comprends, alors je vais satisfaire en partie cette curiosité. Ces mots sont pour mes deux autres sœurs, dont je vais faire la connaissance dans la prochaine année. Je suis celle qui détient le chaudron alors, je suis celle qui doit les attendre. Elles vont venir à moi en cet endroit bien précis.

— Merci de l'explication, j'apprécie le fait que vous daignez la partager avec moi.

Bertmund la salua puis rejoignit Marack tout en colligeant dans son petit grimoire ce qu'il venait d'apprendre. Seyrawyn avait tout entendu également mais n'avait aucun intérêt pour cette singulière magie de chaudron ni pour les sœurs d'ailleurs.

À force de l'observer à travers les flammes, le dreki commença à percevoir une étrange aura violette et lumineuse. Il avait déjà vu cela quelque part, mais il n'arrivait pas à identifier ni le lieu ni le moment. De plus, il lui sembla que la flammerole lui annonçait de curieux présages. Mal à l'aise, il détourna son regard promptement, salua la femme aux cheveux de feu et alla rejoindre ses amis à l'orée du bois.

— Je suis d'accord avec toi Bertmund, Arafinway a vraiment beaucoup changé ! déclara le guerrier les bras croisés et le sourcil relevé.

Tous les deux observaient l'éclaireur qui semblait faire une accolade à un noisetier. La scène semblait vraiment bizarre pour tous ceux qui ne connaissaient pas le lien l'unissant à cet arbre. Pour sa part, Arafinway lui était redevable d'une vie et l'étreignit encore une fois.

Il ne restait que Miriel devant Simfirkir, tous les autres gardiens semblaient être intéressés par d'autres choses, dont Marack la surveillant à distance.

— C'est votre magie qui éloigne présentement mes amis, n'est-ce pas ?

— Oui en effet, il n'y a que Marack et toi qui n'êtes pas affectés.

— Que voulez-vous me dire de si important ? Je vous écoute, l'enjoignit la jeune fille curieuse.

— Je te connais plus que toi-même, Miriel Calari, et je sais qui tu es vraiment ! Tu as une grande quête à accomplir et je suis ici pour attendre ton retour. Les dieux ont misé gros sur toi, est-ce que tu le savais ?

Les étranges affirmations glissaient sur l'esprit de Miriel. Celle-ci trouvait les mots aussi énigmatiques que celle qui venait de les prononcer.

— Mon père, le Grand Druide, m'a déjà parlé de ma destinée et de l'espoir des dieux… c'est la révélation que j'en ai.

— Justement tu ne sais rien ! lui lança la Skass en la dévisageant, puis son visage se radoucit. Et tu as tout à découvrir. Je vais t'attendre en ces lieux le temps qu'il faudra, va et découvre les terres du Sud, elles t'apporteront des réponses.

Miriel décida qu'elle en avait assez de tout ce charabia. Elle salua Simfirkir courtoisement et ordonna à tous ses gardiens de reprendre la route car il y avait encore beaucoup de lieues à faire.

Au moment où elle se retourna pour saluer une dernière fois la Skass, il n'y avait plus rien au milieu de la clairière.

Deux jours plus tard, le soir venu, Seyrawyn demanda à Miriel une faveur.

— Druidesse, j'aimerais m'occuper d'une dernière chose avant de partir avec vous pour cette longue quête.

— Oui, que désire-tu faire ?

— Je dois retourner chez moi et récupérer certains effets. Je voudrais aussi dire un dernier adieu à un ami. Un trajet de trois à quatre jours, tout au plus avant de vous rejoindre.

— Nous pourrions t'attendre ici si tu le désires ?

— Non, le temps nous est compté et, de toute façon, je voyage assez rapidement sous ma forme naturelle de dragon. Je devrais être en mesure de vous retrouver, surtout que je connais votre destination vers le passage dans les montagnes d'Orgelmir.

Miriel se risqua et lui posa la question qu'elle voulait lui poser depuis quelques temps.

— Est-ce qu'il s'agit de Wilfong ? C'est à lui que tu désires faire tes adieux ?

— Oui, c'est un peu ça.

— Il est ton mentor et je t'admire. Je suis convaincue que c'est important de le respecter comme tu le fais, fit-elle avec sincérité.

— Je crois qu'il est temps pour moi de vous partager mon histoire, dit-il finalement.

Il voulait que ses amis comprennent pourquoi il devait se rendre jusqu'à lui une dernière fois.

Tous assis autour d'un feu de camp, dont les flammes étaient camouflées pour ne pas attirer l'attention des ennemis, le dreki débuta sur un ton de mystère son récit personnel.

— Tu permets que je prenne des notes ? s'enquit le troubadour. Rien de ce que tu dis ne sera dévoilé si tu ne le veux pas, s'empressa-t-il d'ajouter.

Seyrawyn le regarda en hésitant puis acquiesça. *S'il faut que ce soit, ce sera !* Comme le disait son défunt mentor et ami.

— Mon antre est une caverne souterraine naturelle. Elle peut abriter entre quatre et six hommes facilement. Elle fut le refuge d'une seule personne pendant plusieurs années, un maître spécialiste des mécanismes compliqués, du nom de Wilfong. Je vous raconterai donc l'histoire de mon mentor.

Le dreki jeta un coup d'œil à Miriel qui lui retourna un sourire pour l'encourager. Reprenant son courage, il continua. C'était la première fois qu'il racontait sa vie à d'autres, ce qui prouvait bien la confiance qu'il partageait maintenant avec ses amis.

— Wilfong se présentait souvent comme un justicier incompris. Un jour, il pénétra clandestinement dans le domaine d'un seigneur qui n'avait pas très bonne réputation. Les faits étant que ce noble maltraitait ses employés et n'avait aucune considération pour les membres de sa communauté, Wilfong avait décidé d'alléger ses coffres pour en remettre le contenu aux gens qu'il avait malmenés.

— Un justicier ? questionna Bertmund en levant sa plume.

— Oui. Jusque-là tout se passait très bien. Il avait déjà fait une première sélection qu'il avait entreposée sans tarder dans son petit gousset de cuir magique et sans fond. Malheureusement, lorsqu'il accrocha une petite statuette qui ne l'intéressait même pas, une alarme spéciale fut déclenchée. Malgré le fait que celle-ci était silencieuse, les gardes qui se dirigeaient vers lui, eux ne l'étaient point. Leur vacarme avertit Wilfong qu'il était en bien mauvaise posture.

— Enfin de l'action ! lança Marack en voulant connaître la suite.

— Il devait se préparer à combattre pour pouvoir sortir de cet endroit. Il prit rapidement et, au hasard, un des heaumes de métal qui se trouvait au sol parmi les trésors et l'enfila sur sa tête pour se cacher le visage. Il se dit que le fait d'être un peu plus cuirassé ne serait pas une mauvaise chose, face au combat qui s'annonçait.

Le raconteur fit une pause pour maîtriser les battements de son cœur qui s'accéléraient.

— Ce qu'il ne savait pas alors, c'est que le casque avait des propriétés magiques, dont celle de transporter son porteur à l'endroit où il désirait se retrouver. Voyant que les soldats allaient pénétrer dans la pièce dans quelques instants, le justicier formula instinctivement le vœu d'être le plus loin possible de cette ville. En même temps, il visualisa une petite cachette confortable qu'il connaissait bien dans une forêt.

— Chanceux ! J'aimerais bien avoir un casque comme le sien. Cela m'éviterait d'avoir à traverser à pieds les montagnes, émit Arafinway, tout ouïe.

— Instantanément, le casque transporta magiquement Wilfong jusque dans la forêt à l'abri de toutes poursuites ou représailles. Il faisait nuit et, pour l'instant, il jugea qu'il était plus sage de ne plus bouger et de prendre la route seulement

le lendemain. Au matin, il eut la surprise de constater que le heaume l'avait bel et bien transporté dans une forêt, mais pas dans celle qu'il connaissait ! Il se retrouva ici, sur Arisan.

— Arisan a encore une fois détourné un voyageur de sa destination ! s'exclama Miriel. C'est exactement ainsi que le groupe des Premiers Gardiens est arrivé sur l'île !

Seyrawyn la regarda avec étonnement, il commençait à peine à assembler tous les morceaux du casse-tête de son existence.

— Wilfong se retrouva dans une forêt inconnue entouré de créatures qu'il n'avait jamais vues. Il ne semblait pas y avoir aucune civilisation à proximité. De plus, le casque qui l'avait transporté ne semblait plus contenir aucune autre magie. Repartir de la façon dont il était arrivé n'était plus une option. Il découvrit la petite caverne et s'y installa. Heureusement, sa pochette magique sans fond était remplie de toutes sortes de choses qui lui furent très utiles.

— C'est étrange comme les destins se ressemblent, murmura l'érudit.

— Un jour, une très petite créature se faufila dans sa demeure et décida d'y établir elle aussi sa résidence. Le dragon était très jeune à l'époque, pas plus gros qu'un écureuil roux, et il était aussi très intrigué par la créature à deux pattes qui vivait sous terre. La curiosité était un point que les deux colocataires avaient en commun.

— C'était toi ? demanda Arafinway.

— Oui…

— Trop mignon… gémit Miriel en pensant à Seyrawyn en bébé dragon pas plus gros que cela.

Le dreki lui lança un regard interrogateur, ne comprenant pas ce qu'il pouvait bien y avoir de mignon dans un dragon comme lui. Ses compagnons lui sourirent pour l'encourager à continuer.

— Wilfong trouvait particulier d'avoir un jeune dragon comme animal de compagnie mais cela lui faisait un ami qui chassait pour sa propre nourriture et qui lui en rapportait également. Le dragon ne grandit pas beaucoup avec les années mais il pouvait parler ainsi que manipuler avec aisance de petits objets. Mon maître décida qu'il lui fallait un apprenti et il m'enseigna tout ce qu'il connaissait.

« Ah, je comprends, les outils… », murmura Bertmund.

— Quelques années plus tard, j'ai vraiment fait peur à mon mentor en me transformant en elfe, ricana le conteur. Wilfong n'était pas un elfe, mais il avait la même corpulence et il me prêta l'une de ses nombreuses tuniques afin que je ne sois pas… euhh… au naturel sous cette forme.

Les compagnons rirent avec lui de bon cœur.

— C'est lui qui m'a enseigné le langage des elfes qu'il connaissait bien. Le combat à deux épées courtes aussi, le désamorçage de trappe, la complexité des mécanismes de serrures, tout ce que mon mentor connaissait, il me l'a montré avec beaucoup de patience car je n'étais pas toujours à l'écoute. Souvent, j'avais tellement besoin de bouger que je me sauvais pour grimper aux arbres et je revenais après plusieurs heures...

— Tiens, voilà un comportement que l'on reconnaît chez les enfants qu'on instruit aussi ! précisa Miriel en dévisageant Marack qui lui envoya un franc sourire en raison de la justesse de cette observation.

— Wilfong avait également un grimoire de magie ainsi que quelques parchemins sur lesquels se retrouvaient des formules magiques. Il ne pouvait rien faire avec le livre, mais il était en mesure d'utiliser les parchemins. Il m'enseigna la façon de déchiffrer cette magie et, cette fois, je me montrai un meilleur élève. Un jour, il réalisa que je pouvais employer les formules qui se trouvaient à l'intérieur du grimoire.

— Alors, tu connais beaucoup de magies aussi, s'exclama la druidesse. Il faudra qu'on discute de la façon dont nous allons joindre toutes nos habiletés.

— Depuis quand Wilfong est-il disparu ? questionna le troubadour en le regardant amicalement.

Seyrawyn se concentra et retint sa respiration. Son maître lui manquait et en parler lui coûtait de nombreux efforts.

— Un jour que j'étais sorti chasser, Wilfong s'aventura un peu plus loin hors de la caverne. Il fut attaqué et blessé grièvement par un groupe de Sottecks qui patrouillaient la région. Toutefois, il gagna son combat et l'escadron entier fut décimé. Mon mentor réussit à se rendre jusqu'à notre refuge avant de trépasser.

— Quelle tristesse ! s'exclama Arafinway. Alors, tu t'es retrouvé tout seul ?

— Pas exactement. J'avais beaucoup de peine et je croyais avoir perdu mon ami. Quelques minutes après que Wilfong ait rendu son dernier souffle, j'ai été surpris de voir son fantôme à mes côtés. Il m'a dit qu'il était resté pour terminer l'entraînement de son apprenti.

Le feu crépitait doucement et les compagnons gardaient un silence respectueux devant leur ami qui avait vécu une bien étrange expérience.

— Il m'a dit que je devais trouver d'autres personnes, d'autres elfes et que cela faisait partie de mon entraînement. Ainsi, tout ce que j'ai sur moi vient de lui. Il est celui qui m'a enseigné tout ce que je sais. Voilà, vous connaissez mon histoire. Je dois maintenant retourner à mon antre pour lui raconter ce que j'ai accompli et aussi permettre à son âme de pouvoir se reposer en toute tranquillité. J'ai trouvé une nouvelle famille qui s'occupe de moi et je m'occupe de celle-ci tout autant. Il était mon dragonnier, en quelque sorte et, maintenant, c'est moi le dragonnier qui doit s'occuper d'un œuf de Dragon.

Il sortit de sa boursette son œuf de Dragon d'or et le présenta à ses compagnons.

— Je vous présente Wilfong Kahar, nommé à la mémoire et en l'honneur de mon mentor.

Seyrawyn se leva, quitta le campement et prit la direction pour se rendre jusqu'à son ancien chez-lui. Un grand respect marqua son départ. Rendre hommage à un mentor signifiait vraiment que le temps de la reconnaissance pour l'héritage reçu était venu.

Chapitre 50
Les composantes maléfiques

Le retour d'Ajawak et de Tyroc vers Pyrfaras prit environ une vingtaine de jours, soit deux semaines, et se passa sans imprévus regrettables. Le chef des Géants des sables avait tenu sa promesse et aucun autre colosse de son clan n'était intervenu.

De plus, les quelques malheureuses créatures rencontrées dans les montagnes qui pensaient pouvoir festoyer sur les deux aventuriers se sont vite retrouvées en brochette au-dessus d'un feu.

Il ne restait que quelques jours avant le nouveau Solstice et le prince était ravi d'être revenu à la Capitale avec toutes les composantes. Il se rendit aux appartements du Premier Vizir, arborant l'air confiant de celui qui a réussi. Il y entra en trombe et sans frapper, comme à son habitude.

— Premier Vizir, je suis de retour et surtout dans les temps !

— Prince Ajawak, bienvenue dans mes appartements. J'en déduis que vous avez réussi à recueillir tous les ingrédients pour votre rituel ?

L'héritier déposa sur la table les trois derniers coffrets magiques à côté de celui contenant l'eau pure de la montagne qui se déverse dans le Grand Lac. Il y avait mainteant le vent ramassé sur la cime d'une très haute montagne et les cendres volcaniques récupérées à la base du Grand Volcan. Le dernier coffret contenait les petites figurines composées de différents métaux précieux pour l'élément de la terre. D'une pochette de velours, il retira le collier d'argent serti de rubis qu'il avait récupéré chez le gnome juste avant de rencontrer Dihur.

— J'ai aussi trois, juste au cas où, têtes d'ennemis toujours attachées à leur corps et ils sont tous les trois vivants, dans un

cachot ici même dans la Capitale. Tu as maintenant tout ce que tu m'as demandé.

Ajawak avait rempli sa part de contrat et attendait impatiemment la suite des événements.

— C'est très bien, mon prince, vous semblez avoir récupéré tous les ingrédients, à l'exception d'un seul. Il ne vous manque que la main d'un voleur toujours attaché à son bras. Celui-ci doit également être en vie au moment du rituel. Il est sans doute dans le cachot avec les têtes. C'est bien ce que vous avez voulu dire lorsque vous avez mentionné les trois prisonniers dans le cachot ? Je tiens à vous préciser que la main d'un ennemi qui n'est pas un voleur ne pourra pas servir dans ce rituel.

Le prince avait oublié le voleur et sa main ! Il ne lui restait que deux jours pour trouver cette fameuse et dernière composante.

— Tu vas avoir cette main ! tonitrua-t-il en tournant les talons. Tu peux commencer à te préparer pour ce rituel, je te jure que je vais t'en trouver une.

Le prince quitta les appartements de Dihur et retourna à la trésorerie royale. Un plan prenait naissance dans sa tête et il avait besoin de récupérer quelques appâts. Il se servit, encore une fois, à même les coffres du Roi. Il saisit une poignée de onze pièces d'or et aussi deux petits saphirs bleus qu'il déposa dans une simple aumônière de cuir.

Il devait maintenant trouver un essaim de voleurs. Les baraquements des Mourskhas à l'extérieur du palais étaient l'endroit par excellence pour y tendre son piège. Le prince plaça bien en évidence sur le chemin la bourse de cuir. Il alla se positionner à un endroit dans l'ombre, d'où il pourrait observer sans se faire voir celui ou celle qui ramasserait ce butin.

Deux Mourskhas empruntèrent le sentier où l'appât avait été laissé. L'un des deux vit sans doute l'aumônière car il créa une diversion pour lui permettre de dissimuler sa trouvaille.

L'astuce ayant fonctionné, celui qui se croyait le plus intelligent des deux avait maintenant une bourse de cuir remplie d'or qu'il n'aurait pas à partager. Le prince prit soin de bien identifier le soldat qui détenait maintenant son aumônière.

Une fois au palais, Ajawak fit mettre en rang au moins cinq lignes de gardes avant de retrouver le petit futé.

— Soldats, j'ai perdu mon aumônière en marchant jusqu'à vos baraquements. Est-ce que l'un d'entre vous aurait aperçu où trouvé mon bien précieux ?

Aucun des Mourskhas n'allait répondre à cette question. Une bourse pleine d'écus, sans marque distinctive, pouvait appartenir à n'importe quel quidam. Qui pourrait prouver le contraire ?

Le prince s'avança et dévisagea un premier soldat, puis un second et fixa longuement le troisième, car il s'agissait du possesseur de sa bourse.

— Sur mon ordre, fouillez-moi ce soldat, je peux lire le mensonge dans ses yeux.

Suivant la directive princière, les sbires se précipitèrent sur la pauvre victime qui niait avoir quoi que ce soit. Pendant ce temps, le prince décrivait avec exactitude le format de la bourse, la couleur du cuir, le nombre de pièces d'or ainsi que les deux petits saphirs qui se trouvaient à l'intérieur.

La bourse fut trouvée sur le soldat et son contenu correspondait exactement à la description que le prince en avait donnée.

— Ce n'est pas moi, je ne savais pas que j'avais cette bourse sur moi !

— Voleur et menteur, tu vas faire amplement l'affaire! Attachez-lui les mains et bâillonnez-le, je ne veux plus l'entendre.

— Oui commandant !

— Conduisez-le dans un cachot, je veux qu'il soit seul dans sa cellule. Dites au geôlier qu'il ne doit rien lui arriver et qu'il s'agit de l'ordre de son prince. J'ai des plans pour ce Mourskha.

« Et je ne veux pas de mauvaises surprises, si près de mon but. Voilà Dihur, je viens de récupérer la dernière composante pour mon rituel. », marmonna-t-il en bombant le torse.

Seyrawyn arriva bientôt dans la partie de la Forêt des Bois Noirs qu'il connaissait si bien. Un étrange sentiment de sécurité l'envahit, mêlé à une autre sensation, nouvelle pour lui. Il n'arriva pas à la décrire et pénétra dans sa caverne.

Rien n'avait changé depuis son départ. Le corps de son mentor était enterré dans l'une des alcôves naturelles de la petite grotte. L'élève se remémorait les péripéties qu'il avait passés dans cet endroit. La forme fantomatique de son mentor était assise à la table et elle le regardait avec des yeux remplis de sensibilité et de fierté, comme un père regarde tendrement son fils.

— Que fais-tu Seyrawyn ?

— Je suis venu prendre le reste de mes affaires et aussi m'assurer que tu puisses reposer en paix, mon cher Maître Wilfong.

— As-tu accompli ce que je t'ai demandé ?

— Oui, je suis sorti et j'ai rencontré un groupe de Gardiens qui vénèrent un dieu dévoué à la protection de la nature. Il y a deux elfes, un viking et un soldat/troubadour/érudit, à en juger par tous les livres qu'il détient et consulte.

— Je suis content pour toi, cela me rassure de savoir que tu as maintenant des amis.

Le dreki ramassa les quelques objets qui avaient une valeur sentimentale à ses yeux et les déposa dans le gousset de cuir magique qui n'avait pas de fond. Il recueillit également le petit trésor qu'il avait amassé depuis ces dernières années.

— Maître, je suis entre bonnes mains, tu peux partir maintenant. Je vais m'assurer que personne ne vienne perturber ton endroit de repos. Cette potion que j'ai entre les mains devrait être suffisamment puissante pour faire s'écrouler l'entrée de la caverne.

— Alors, c'est le temps des adieux, dans ce cas. En effet, l'heure pour moi de lâcher prise sur les choses qui me retiennent en ce monde est arrivée. Crois-moi mon Seyrawyn, partir n'est pas oublier, je veillerai toujours sur toi. Souviens-toi de tout ce que je t'ai enseigné, cela va te servir un jour ou l'autre. Mais surtout, n'oublie pas de garder un esprit ouvert à tout ce qui va se présenter à toi. Tu as tellement de choses à découvrir ! Alors ose un peu plus, tire le meilleur de tout ce que tu peux et apprécie à sa véritable valeur ce qu'est la connaissance.

L'élève avait peine à croire qu'il n'allait plus revenir dans cet endroit qui avait été sa maison durant tant d'années. Un sentiment de tristesse le gagnait peu à peu.

— Je vous remercie Maître pour tout, maintenant je dois y aller. Ma nouvelle famille a besoin de moi autant que j'ai besoin d'elle !

Seyrawyn posa la main sur son torse, fit un geste d'adieu puis sortit, le cœur rempli de reconnaissance, de l'antre où ils avaient partagé tant de bons moments. Il employa la potion explosive selon les recommandations de son créateur Lassik. Comme il lui avait bien mentionné de se tenir à distance, il s'éloigna, se mit à l'abri derrière un rocher et lança la fiole de toutes ses forces dans l'ouverture de la caverne.

La puissante déflagration souleva une partie du plafond de pierre et il s'effondra, ensevelissant la caverne en entier.

— Repose en paix Maître Wilfong, ton tombeau est maintenant scellé.

Il resta momentanément posté devant les décombres, songeur, et comprit tranquillement l'essence de sa première impression lorsqu'il était arrivé plus tôt. Les choses étaient belles et bien terminées ici pour lui et ce sentiment était apaisant. Dorénavant, plus rien ne le retenait et son départ fut tout à coup bien léger.

Il reprit la route sous sa forme de Falsadur-Dreki. Il lui fallait rapidement rejoindre ses amis qui avaient quelques journées d'avance. Seyrawyn se dépêcha, bien déterminé à retrouver sa nouvelle famille, son unique attachement maintenant. La présence de son mentor demeurerait en lui, dans la continuité de ses missions.

Plusieurs escadrons ennemis sillonnaient la forêt des Bois Noirs. Beaucoup plus que lors de leur dernière affectation en tant que Gardien du territoire. Juste avant leur départ, le père de Marack avait fait part au groupe des nouvelles consignes qui avaient été mises en place depuis ces derniers mois pour contrer ce phénomène.

Chaque patrouille de Gardiens devait maintenant être escortée par une compagnie de guerriers de la milice d'Hinrik. Normalement, ces miliciens, ayant reçu une formation différente, demeuraient dans les alentours de la ville. Miriel remarqua que certains groupes avaient été affectés à des zones beaucoup plus éloignées.

Jusqu'à présent, même s'ils longeaient les montagnes d'Orgelmir, la cheffe put compter trois groupes de Gardiens du territoire qui croisèrent leur chemin ainsi que le double de détachements ennemis. Cela l'inquiéta au plus haut point. Combien de fois allaient-ils être attaqués et ainsi mettre leur vie en péril avant d'atteindre le passage ?

Le dreki réussit à rejoindre ses compagnons sans trop d'efforts. Après avoir contourné un bon nombre d'éclaireurs ennemis, il fut ravi de découvrir Arafinway bien camouflé observant un campement de Yobs. Tous deux rejoignirent le reste du groupe dissimulé à plus d'un quart de lieue un peu plus à l'Ouest.

— Seyrawyn, tu es enfin de retour ! s'écria Miriel en le serrant dans ses bras.

— Tu avais des doutes sur ma parole de revenir avec le groupe, druidesse ?

— Certainement pas, tu es trop important maintenant ! lui dit-elle dans un sourire. As-tu fait ton adieu à ton mentor Wilfong ?

— Non, je ne l'ai pas envoyé à dieu car il n'y croyait pas. Mais nous nous sommes tout dit et j'ai scellé son tombeau. Nous pouvons maintenant tous deux continuer nos chemins respectifs.

— Je suis content de te retrouver moi aussi ! s'empressa Marack en l'enfermant dans une prise de l'ours qui le souleva de terre, pour lui témoigner sa joie.

Il était ravi de retrouver son compagnon pour qui il avait développé un bon lien de camaraderie.

— Nous avons tous remarqué le vide que ton absence a créé, Seyrawyn. Je suis également très content de te retrouver parmi nous, lui dit Bertmund en lui donnant une chaleureuse accolade aussi.

Le dreki souriait, il avait une place bien à lui parmi eux.

— Viens manger, nous nous apprêtions à déguster quelques légumes racines et des baies que j'ai magiquement protéinées. Nous repartons tout de suite après.

Une heure plus tard, Arafinway fit stopper la colonne. À voix basse, il signala à sa cheffe qu'il y avait un large groupe d'ennemis qui étaient passés sur cette piste récemment. Un genou par terre, il pointa les traces dans la boue.

— Peux-tu peux nous dire combien et depuis quand exactement? demanda Marack en s'approchant même s'il ne s'attendait pas à recevoir une réponse très précise.

— Je peux affirmer qu'il y a environ moins de quarante-cinq minutes, trois éclaireurs, fort probablement des Sottecks, sont passés par ici accompagnés un peu en retrait par quatre Yobs et une demie douzaine de Mourskhas. Il y a un Yob qui en transporte un autre, ses traces sont plus enfoncées. Il y a aussi un Sotteck qui se tient un peu à l'écart, il ne porte pas d'armure, car ses empreintes sont légères et ne comportent pas de pièces de métal sur les côtés. Je dirais également un shaman, un sorcier ou peut-être un druide des Quatre Éléments.

La description que son ami avait donnée était digne d'un Maître éclaireur.

— Tu as vu tout cela dans les traces par terre ? Tu te moques de nous Arafinway.

— Je te le jure Marack, c'est ce que je peux en déduire en observant les traces de leur passage. Mais… il y a peut-être une partie qui n'est pas exacte.

— Je le savais, les minutes ! Le sorcier ? Le nombre d'ennemis?

— Non, non, je ne suis pas certain sur celui qui transporte un autre Yob, c'est peut-être un très gros Yob qui compte pour deux ou il transporte un gros coffre sur le dos, ce qui le rend plus lourd !

Miriel et Bertmund se mirent à rire tous les deux. La description de l'éclaireur était suffisante pour leur donner une bonne raison d'être plus attentif.

— Seyrawyn, devant cette possible menace, pourrais-tu aller aider Arafinway en tant que second éclaireur en avant avec lui ? demanda Miriel.

— Non druidesse, je n'irai pas. Il s'agit de son rôle au sein du groupe et il le fait très bien. Je vais plutôt demeurer ici sur la dernière ligne. Comme Bertmund et Marack sont à tes côtés et t'offrent une bonne protection dans le cas où tu devrais invoquer ta magie, ma place sera de couvrir nos traces et de m'assurer que nous ne serons pas surpris à revers.

La cheffe le regarda puis acquiesça à l'affectation que Seyrawyn venait d'assumer. Un plus grand nombre de gardiens, cela signifiait une nouvelle configuration lors des déplacements. Son ami avait raison sur tous les points, surtout sur le fait qu'Ara n'avait plus besoin d'être chaperonné.

Deux heures plus tard, le groupe s'arrêta brusquement au signal de leur éclaireur.

— *Uu ouiouioui shushushu, uu ouiouioui shushushu !*

Arafinway avait fait d'énormes progrès et deux de ses signaux commençaient tellement à ressembler aux originaux qu'il imitait que Marack se méprenait parfois avec le chant d'un vrai oiseau et s'arrêtait entre deux pas. Cela le rendait bougonneux.

Cette fois, un groupe de trois Sottecks éclaireurs passait leur chemin devant eux à environ une trentaine de foulées.

Un autre oiseau se fit entendre mais ce n'était pas la prestation de leur éclaireur car il haussa les épaules en regardant ses compagnons. Il y avait un autre groupe de Gardiens du territoire qui s'apprêtait à attaquer leurs ennemis. Arafinway pouvait voir les Yobs qui se tenaient en retrait. Il s'agissait d'une trappe et l'autre groupe de Gardiens finiraient sans doute massacrés.

— Oui, oui je sais Ardynyth, on ne peut laisser nos amis gardiens se faire avoir ainsi, c'est un piège.

Arafinway cherchait ce qu'il pouvait bien faire pour aviser l'autre groupe de ce guet-apens. Il prit son arc et visa le feuillage au-dessus des têtes des Yobs qu'il pouvait à peine voir dans les taillis. Il n'eut pas le temps de décocher pour surprendre les traîtres que l'attaque débuta.

Quatre Gardiens du territoire prirent d'assaut les éclaireurs en pensant qu'il ne s'agissait que d'un petit groupe sans renfort.

Miriel qui avait entendu les cris de combats, au loin, s'approcha discrètement de la position de son éclaireur qui lui faisait signe.

— Qu'est-ce qui se passe Ara ?

— Tu sais le groupe que j'ai décrit un peu plus tôt, eh bien, il vienne de se faire attaquer par quatre Gardiens. Malheureusement, les nôtres n'ont vu que les éclaireurs et pas les autres membres du contingent qui se terrent derrière. Ils sont quatre contre quatorze, on doit les aider !

— Tu as raison, allons leur prêter mains fortes, déclara-t-elle rapidement. Essayons de diviser leurs rangs. Tu crois que tu peux en attirer quelques-uns dans notre direction ?

— Regarde-moi faire !

Miriel revint prendre position derrière les feuillages en compagnie de Marack et de Bertmund.

— C'est quoi le problème ? demanda Marack inquiet en entendant au loin les bruits de combat.

— Il y a des Gardiens qui ont pris d'assaut trois Sottecks en pensant qu'ils étaient seuls. C'est le groupe qu'Ara a décrit. Ils sont revenus sur leurs pas et, maintenant, ils vont sans doute terrasser des amis, les nôtres.

— On ne peut laisser faire ça, on doit les aider ! s'exclama-t-il, content de se délier les muscles et de faire un peu d'entraînement.

— Je suis d'accord, soyez prêts. Ara va en ramener un groupe par ici.

Seyrawyn, qui observait ce qui se passait au loin, comprit tout de suite que la druidesse ne laisserait pas les membres de sa communauté seuls contre ce groupe d'ennemis qui les encerclaient maintenant.

Il se rappelait qu'il y avait également un shaman ou un sorcier qui se tenait à l'écart. Cette fois-ci, il ne s'échapperait pas, il s'agirait de sa priorité, s'il le pouvait. Il avait prit l'habitude de sécréter son poison à chaque matin et d'accumuler quelques doses en réserve pour son épée.

Il commença à badigeonner uniquement l'une de ses armes, ne voulant pas enduire Émaravel, l'épée d'honneur qui lui avait été prêtée par le seigneur elfique.

Arafinway sélectionna une cible puis tira une première flèche, une seconde et une troisième. Il prenait bien soin de se cacher après chaque tir. Il avait réussi à faire tomber deux Mourskhas.

Il répéta la séquence et cette fois, il attira l'attention de deux Yobs et de deux autres Mourskhas. Marack observait son ami et attendait d'intervenir au moment le plus efficient. L'éclaireur avait déjà bougé et s'était repositionné dans un autre angle sans se faire voir de l'ennemi.

Un Yob et deux Sottecks avaient entendu l'appel de l'autre druide de Lönnar et celui-ci les maintenait en place, prisonniers des branches, des racines et des longues herbes.

Soudainement et de façon tout à fait imprévisible, les compagnons de Miriel furent les témoins impuissants d'une tempête de grêle qui s'abattit sur les autres Gardiens, les martelant sans relâche. Cela donna un avantage certain à leurs assaillants.

Marack sortit de sa cachette et invita les deux premiers Yobs à venir le rejoindre, une hache dans une main et le marteau dans l'autre.

Miriel, un peu en retrait, lança sa première attaque. Elle se concentra et appela la nature à son aide. Presque instantanément, un hurlement effroyable et prolongé répondit en écho à son appel. Une meute de quatre gigantesques loups gris, plus gros qu'un Mourska, accoururent et s'élancèrent sur les ennemis que la druidesse avait imagés en esprit, secourant ainsi une partie de l'autre groupe de Gardiens.

Au loin dans la mêlée, elle vit un elfe gisant sur le sol suite à la tempête magique qu'ils venaient d'essuyer.

Arafinway essaya de s'occuper des deux Sottecks qui étaient toujours maintenus par les hautes herbes. Il laissa filer ses flèches et elles atteignirent presque toutes leurs cibles partiellement immobiles. Il voulait surtout frapper les parties non cuirassées avec force et précision.

Marack engagea les deux Yobs et ceux-ci s'attendaient à une victoire facile sur cet esclave de démons. Ils changèrent rapidement d'avis lorsque le guerrier bloqua l'attaque du premier Yob avec son marteau et descendit sa hache rapidement sur ses jambes, les coupant net.

Le second Yob, dans un cri de rage, éleva sa longue épée de métal à deux mains et s'élança pour frapper ce chien. L'arme battit vainement l'air et le colosse réalisa subitement qu'il n'y avait plus rien devant lui. Marack s'était déplacé pendant son attaque parant ainsi un éventuel coup porté et le surprit à revers. Mais le Yob se retourna aussitôt et lui fit face, plus méchant que jamais, la bave lui coulant sur le menton.

Bertmund, demeurant près de Miriel, se concentra sur les deux Mourskhas qui se dirigeaient rapidement vers eux en hurlant et bondissant au-dessus des branchages. Il choisit sa position, prit un prisme de verre translucide et y fit passer les quelques rares rayons du soleil. Ils ralentirent leurs pas puis s'arrêtèrent à quelques foulées du troubadour, transis. Miriel regarda son ami en approuvant d'un signe le choix de l'enchantement qu'il venait d'utiliser contre eux.

Seyrawyn se déplaçait lentement, utilisant tous les endroits où il pouvait se faufiler. Sous les ombres et confondu dans la flore, il cherchait sa proie, celle qui venait d'invoquer le sortilège de glace sur les autres Gardiens.

Finalement, il distingua l'ennemi près d'un tronc et des fougères, positionné entre les deux groupes de Gardiens. Il pouvait de cette façon suivre la progression de ses effectifs et invoquer les enchantements appropriés.

Miriel l'aperçut au même moment que son ami. Elle invoqua la magie de son Salkoïnas et une boule d'énergie se forma autour de la tête de son bâton d'office. Elle libéra prestement le bélier de force en direction du druide maléfique qui invoquait lui aussi la magie.

La frappe de la druidesse se heurta à une barrière invisible et se dissipa sans avoir touché sa cible. Une mince aura magique protégeait le sorcier et il afficha un large sourire narquois devant l'attaque qui ne donna aucun résultat.

À l'opposé de la zone, l'autre groupe de Gardiens avait presque réussi à se défaire des belliqueux et les flèches d'Arafinway avaient fait leur juste part. La meute de loups s'esquiva aussitôt que les proies qui leur avaient été désignées furent terrassées. Leur tâche était accomplie.

Bertmund maintenait le petit prisme en position et se demandait bien ce qu'il allait faire ensuite. Il pouvait maintenir longtemps

en transe ses deux ennemis mais il ne pouvait rien faire d'autre. Définitivement, ce n'était peut-être pas une si bonne idée après tout.

Marack avait réussi à éliminer un des Yobs, il ne lui en restait qu'un seul à mater et cela ne prendrait pas très longtemps.

Le sorcier, soucieux en voyant les troupes subir un tel assaut, leva les bras et une colonne de feu apparut tout autour de Bertmund, Miriel ainsi que des deux Mourskhas. La druidesse eut juste le temps de placer sa main sur son ami et invoqua Lönnar en employant son bâton d'office pour se protéger de cette attaque.

Un souffle de vent chaud les recouvrit et déplaça légèrement les flammes autour d'eux, calcinant tout sur son passage. Malgré tout, les brûlures, bien que moins féroces que ce qu'avait prévu l'attaquant, provoquèrent de graves lésions. L'action de Miriel leur avait probablement sauvé la vie, car les deux silhouettes carbonisées qui gisaient devant eux indiquaient que ces derniers n'avaient pas eu la même chance.

— Le bon côté de l'affaire, fit Bertmund à sa druidesse, c'est que je ne suis plus obligé de maintenir ma concentration avec mon prisme, quelque peu noirci d'ailleurs !

Marack était content de voir que Miriel et le troubadour étaient sains et saufs. Il en termina avec son adversaire avec un puissant coup de marteau sur la partie non protégée de sa cage thoracique. Le cœur du Yob s'arrêta de battre; la victime ne put rester debout plus longtemps. Elle se retrouva étendue sur le sol.

Le guerrier grimpa sur le corps inerte de son adversaire et lança son prodigieux marteau de Lönnar en direction du sorcier qui évita l'attaque simplement en effectuant quelques pas de côté. Arafinway l'avait également pris comme cible mais sa flèche fut déviée par le même bouclier de protection qui avait repoussé l'attaque de Miriel.

Au moment où le sorcier leva les bras pour invoquer une autre attaque magique, son regard changea subitement. La douleur tordit son visage et des larmes de sang coulèrent de ses yeux. Derrière lui se tenait un elfe des bois en armure d'écailles qui avait employé toute la force de ses deux mains pour lui enfoncer son épée courte dans le dos.

L'aura de protection ne semblait pas avoir eu l'effet escompté contre l'attaque silencieuse de Seyrawyn. Le sorcier tomba inconscient aux pieds du dreki. Marack arriva à la course et félicita son ami du bon travail qu'il avait fait.

— Marack, ce sorcier n'est pas mort, il est blessé grièvement mais s'il est sous l'effet de l'un de mes poisons, il dort profondément.

Le guerrier ramassa son marteau puis sortit un long coutelas dissimulé dans sa botte et s'agenouilla près du sorcier.

— Je vais m'occuper de celui-ci, va voir les autres Gardiens. Ils ont fort probablement besoin d'aide, ordonna Marack à son ami.

Seyrawyn savait très bien ce qu'il allait faire et se dirigea prestement vers les échos de ce combat rude qui faisait toujours rage de l'autre côté des buissons.

« Sorcier, tu n'auras plus jamais l'occasion de t'en prendre à ma famille. »

Marack mit une main sur le front du sorcier et lui trancha rapidement la jugulaire. Le Sotteck ouvra les yeux au contact de la lame sur sa gorge puis les referma lentement. L'exécution avait été accomplie de façon précise et rapide.

— Que la justice de Tyr soit accomplie ! murmura-t-il, puis il se lança aussitôt dans la mêlée.

La bataille des créatures, sans l'aide de leur sorcier, tourna rapidement au carnage. Marack et les deux autres guerriers vikings, hache, marteaux et épées en mains firent front commun face aux derniers assaillants, balançant allègrement leurs puissants coups.

Un Mourskha craignant pour sa misérable vie tenta de s'esquiver en douce dans le taillis mais fut vite rattrapé par Seyrawyn qui le terrassa à son tour.

Tous les ennemis étaient en voie d'être éliminés et Miriel se dirigea vers l'autre groupe de Gardiens pour prêter assistance à l'elfe tombé. Le druide qui les accompagnait était déjà penché sur le blessé et s'occupait de son ami. En la sentant s'approcher, il leva la tête.

— Druide Firis ! s'écria-t-elle en reconnaissant un ancien camarade de Feygor. Comme je suis soulagée de constater qu'il n'y a aucune perte de votre côté !

— Bonjour druidesse Miriel, ou plutôt Gardienne du Secret, lui dit-il à son tour, un peu étonné, en identifiant les runes sur son Salkoïnas. Je vous remercie de votre aide précieuse, voici mes compagnons.

Le combat avait pris fin depuis quelques minutes. Tous les Gardiens entouraient les alliés et chacun se présenta. Firis fut surpris de voir autant de Gardiens du Secret réunis dans un seul groupe. Mais Lönnar avait ses raisons et ce n'était pas la place d'un Gardien du territoire de questionner la volonté de son dieu ou des supérieurs.

Les compagnons fouillèrent ensuite les corps pour récupérer les armes, les quelques objets de valeur et ceux offrant une certaine utilité. Les druides s'assurèrent que les leurs avaient reçu tous les soins nécessaires et, en duo pour aller plus vite, ils invoquèrent Lönnar pour prononcer les incantations de mise à la terre.

— *Remitto ad Terram*, firent-ils à chacune des créatures que les herbes emportèrent dans le sol, selon leur façon d'ensevelir les combattants qui perdaient la vie.

Les seules traces de la bataille étaient les hautes herbes piétinées et quelques taches de sang ici et là qui furent effacées rapidement.

Miriel souhaita une bonne route aux Gardiens du territoire et les mit en garde contre les nouvelles tactiques employées par l'ennemi ainsi que des dangers des Monts Krönen.

« Plus ils en sauront, plus en sécurité ils seront », se dit-elle.

— Que la dévotion de Lönnar et le courage de Tyr vous accompagnent ! leur souhaita Firis à son tour.

Ils reprirent la route en direction du passage secret des montagnes d'Orgelmir et Miriel était satisfaite de l'aide qu'ils avaient apportée aux membres de sa congrégation.

— As-tu trouvé quelque chose d'intéressant sur le sorcier, Seyrawyn ? demanda Bertmund pendant la marche.

— Oui, une petite broche en métal, peut-être magique, mais je me fiais un peu sur toi pour me dire ce que cela pouvait bien être, répondit-il en lui montrant le bijou.

— Je m'y connais un peu mais celui-là me laisse perplexe. Cependant, là où nous devons nous rendre, j'ai une vieille connaissance qui pourrait peut-être nous renseigner. Nous lui ferons une petite visite ensemble, qu'en penses-tu ?

— Si tu crois qu'il pourra nous aider, je veux bien.

— Je suis certain que oui, en attendant conserve-la sur toi, elle sera en sûreté.

Le Ddeki la redéposa délicatement dans son gousset de cuir sans fond et reprit sa position à l'arrière du groupe.

Connaissant maintenant son histoire, Bertmund comprenait aussi les us et coutumes de la caste du mentor de Seyrawyn.

« D'ailleurs, s'il a inculqué durant toutes ces années tout ce qu'il savait au jeune apprenti, il était logique que la façon de faire de mon ami le dreki reflète son entraînement. Je constate, par contre, que son maître s'est bien gardé de lui parler de la réputation particulière de ceux de sa caste au sein d'une ville. »

Ce qui explique en partie sa peur des villes, surtout celles où il était recherché... Bertmund, homme d'honneur, décida qu'il devait maintenant lui enseigner quelques variantes de cette caste afin qu'il ne soit pas trop intimidé à sa prochaine visite dans une cité. S'il décidait d'y entrer !

Quatre jours plus tard, ils atteignirent le passage indiqué par Lassik. Les montagnes d'Orgelmir étaient un obstacle de taille à franchir. Ils étaient arrivés au pied d'une haute falaise.

— Même si cette partie est la plus étroite de la montagne, ce trajet à travers les rocheuses pourrait bien nous prendre une bonne douzaine de jours, estima Bertmund en regardant les énormes pics recouverts de neige.

— Qui se propose pour escalader ce mur en premier pour sécuriser l'ascension des autres compagnons en relais ? demanda Miriel.

— Moi ! répondit fermement Seyrawyn sous sa forme de dragon en attrapant la corde offerte par Marack.

Lestement, il sauta sur la paroi, analysa les différents points d'appuis possibles puis débuta son escalade. De petites saillies en longues portées, le petit groupe monta péniblement en prenant garde aux éventuels locataires des rochers.

En un peu moins d'une journée, ils passèrent avec succès la première barrière naturelle de leur trajet. La prudence et le déplacement furtif avaient été adoptés par l'ensemble du groupe, les Monts Krönen n'étant qu'un bref aperçu des risques rencontrés dans de pareilles régions. Ils devaient être à l'affût de tout ce qui pourrait représenter un danger.

Sur le premier plateau, bien cachés sur un ressaut pour reprendre leur souffle, ils esquivèrent de justesse une patrouille de Géants montagnards.

— Lassik avait raison, remarqua le troubadour, une caravane ne pourrait jamais emprunter cette piste à travers ces montagnes sans se faire intercepter par ses habitants.

— Mais nous sommes un petit groupe, particulièrement discret. Inutile d'attirer l'attention, répliqua la druidesse. Nous avons de bonnes chances de traverser ces montagnes sans pertes.

Lorsqu'Arafinway employa pour la première fois ses signaux, il créa bien malgré lui une problématique de taille. Une bande de six snöris[56] blancs qui chassaient, ont vite fait de trouver le curieux oiseau fleurant si bon qui les invitait par son chant non familier sur leur territoire.

Soudainement, l'un des carnassiers affamés surgit sur un rocher un peu plus loin devant l'éclaireur. Terrifié, il se mit à courir à toute vitesse, les ramenant ainsi jusqu'à son groupe de Gardiens, dans l'espoir que Miriel puisse calmer leurs charmantes ardeurs.

— Miriel, tu vois bien ce que je vois ? interrogea Marack en pointant du doigt le mauvais présage qui se rapprochait d'eux.

— Si tu veux dire un elfe des bois qui court comme une gazelle avec une bande de bêtes féroces à ses trousses, alors oui, je vois la même chose que toi !

Tous se mirent en position de défense autour de la druidesse. Miriel invoqua immédiatement la prière qui lui permettrait de pourparler avec ces créatures. Arafinway passa rapidement les

[56] Snöri : créature fantastique ressemblant à une hyène bridée avec un dinosaure carnassier.

lignes amies et se réfugia à l'arrière du groupe, en sueur et tremblant. Marack, hache et marteau en mains, s'interposa en menaçant le premier animal. Celui-ci freina sous la menace de cette bizarre créature aux longs bras métalliques devant lui et les cinq autres encerclèrent les Gardiens.

— Calmez-vous, nous ne vous voulons aucun mal, nous désirons seulement passer notre chemin, lui dit la druidesse d'une voix douce en s'avançant d'un pas.

— Tu parles notre langue, tant mieux ! Alors pousse-toi et laisse-nous attraper l'oiseau appétissant qui court et qui se cache derrière le plus grand d'entre vous, fit la bête en salivant, le poil et ses épines bien hérissés sur son dos.

Bertmund analysa rapidement la provocante créature dressée devant eux. Il n'avait jamais vu, en réalité, un tel carnassier avant cet instant. Massif comme un jeune taureau monté sur de larges pattes de loup, le snöri avait le corps poilu, hérissé de quelques longues épines et l'attitude traitresse d'une hyène. Sa tête étrangement dinosaurienne laissait entrevoir une puissante mâchoire aux longs crocs acérés.

Arafinway tentait de reprendre son souffle mais encocha tout de même son arc, aux aguets.

— Il ne s'agit pas d'un oiseau mais de l'un de ma meute, dit-elle en tentant de faire diminuer le degré d'agressivité très présent chez son interlocuteur.

— Tu ne me prendras pas notre déjeuner ! grogna-t-il en s'avançant vers elle. Si tu ne nous donnes pas cet oiseau, nous allons te manger à sa place.

La druidesse n'avait jamais rencontré un groupe d'animaux aussi agressif. Pourtant sur les Terres d'Aezur, elle arrivait toujours à faire basculer cette pugnacité vers un état plus neutre, voire même empathique, pour les deux parties.

— Miriel, je vois encore ses crocs… Il ne semble pas vouloir démordre de sa position, si tu comprends ce que je veux dire. Est-ce que je leur enseigne les bonnes manières ou tu t'en occupes, dis-moi ?

Marack attendait les ordres de sa cheffe et il ne quittait pas des yeux les deux bêtes qui s'étaient positionnées devant lui. Voyant

que l'atmosphère s'alourdissait, chacun des compagnons appliqua sa stratégie de défense personnelle.

— Je te l'ai dit, maître chasseur. Je ne peux pas te donner cet oiseau, mais peut-être puis-je t'offrir autre chose pour compenser et ainsi échanger un droit de passage sur ton territoire de chasse ?

— Non, je ne veux rien d'autre ! rugit le snöri en perdant patience et en s'élançant sur Marack pour atteindre sa proie.

Le viking, anticipant l'assaut, se servit de son marteau pour propulser le chef de la meute par-dessus le groupe de Gardiens. N'étant pas un félin, l'animal fit un très mauvais atterrissage en déboulant une petite pente. Le second qui avait décidé d'attaquer par le bas mordit férocement la jambière de cuir du guerrier. Son attaque lui mérita un coup de marteau sur sa hanche arrière. Sous le fulgurant impact, la bête lâcha prise et gît, un peu plus loin sur le sol, la hanche fracturée.

Bertmund fit appel à une petite invocation de feu qui n'était pas dangereuse bien que celle-ci avait suffisamment d'étincelles et de fumée pour faire reculer temporairement deux autres prédateurs.

Seyrawyn, connaissant bien les loups et leurs tactiques d'attaque, supposa que cette bête n'était pas très différente de ses cousins. Instinctivement, il attendait le bon moment, prêt à parer à toute feinte.

Brusquement, une bête enragée se décida à sauter sur lui. Le dreki se projeta alors sur le dos et, avec ces deux épées courtes, empala la créature au beau milieu de son saut. Dans un long hurlement, ils roulèrent dans la neige pour finalement s'assommer sur la paroi rocheuse.

Arafinway décocha sa flèche en direction de son assaillant. Malheureusement, elle ne fit qu'effleurer la peau de sa cible, mais l'estafilade fut suffisante pour faire dévier la créature de sa trajectoire. Revenant à la charge rapidement, elle lui fit face de nouveau.

Miriel, qui ne comprenait pas pourquoi son empathie ne fonctionnait pas avec ces prédateurs des montagnes, choisit rapidement une autre stratégie. Elle invoqua son dieu et fit appel à un sortilège de paralysie utilisé sur les animaux connus.

Les deux bêtes que combattait Bertmund ainsi que celle d'Arafinway figèrent, se mouvant dans des gestes excessivement ralentis.

« Normalement, cette magie aurait dû les arrêter complètement sans les blesser, remarqua nerveusement la druidesse. Ils ne réagissent pas du tout comme je m'y attendais. Est-ce le fait que nous soyons plus au sud, dépassé les frontières d'Aezur ? »

Il ne restait plus que le chef et son acolyte blessé à la hanche. Sur un ton plus autoritaire, la druidesse s'adressa à eux une dernière fois.

— Cesse ton attaque, sinon j'ordonne à ma meute d'en finir avec ta horde !

Miriel ne voulait pas en venir à un carnage, mais sa survie ainsi que celle de ses compagnons était en jeu.

— Tu es une shaman, je ne le savais pas. Tu nous as tendu un piège, traîtresse ! Laisse-nous la vie sauve et nous ne te poursuivrons pas.

Elle décida d'entretenir la peur plutôt que de tenter de raisonner ce snöri complètement aveuglé par sa hargne. Elle reprit sa voix la plus dure pour bien faire passer son message.

— Si toi ou les tiens décidez de nous attaquer à nouveau, je n'hésiterai pas à revenir te chercher personnellement. Maintenant, nous allons partir et lorsque je jugerai que nous sommes assez loin, je libérerai tes jeunots. Tu as compris, chef de meute ?

— Oui, j'ai compris, shaman !

— Nous devons partir tout de suite. Marack, Seyrawyn, êtes-vous blessés ?

— Non, ça va, à peine une égratignure, répondit le guerrier.

— Ça ira aussi, lança le dreki soutenu par ses amis.

Profitant de cette fragile trêve, les Gardiens accélérèrent le pas du mieux q'il purent dans la neige épaisse et contre le vent glacial. Voulant mettre le plus de distance possible entre eux et cette bande de carnassiers, ils virent cependant longtemps les silhouettes hérissées sur les escarpements qui les observaient.

Un peu plus loin, Arafinway osa poser la question qui brûlait toutes les lèvres.

— Cheffe, qu'est-ce qui s'est passé avec ces créatures ? C'est la première fois que je vois des bêtes si agressives à notre égard. Normalement celles-ci se sont toujours tenues à distance de notre groupe, mais aujourd'hui c'était tout le contraire.

— Je ne sais pas Ara, confia Miriel un peu perplexe à propos de la scène qui venait de se dérouler.

— Il s'agit peut-être de la faim, Madame, analysa judicieusement Bertmund. La nourriture semble plus rare en montagnes. Ces carnassiers ne désiraient probablement pas céder leur proie.

— Peut-être… répondit vaguement Miriel, qui n'était d'accord qu'en partie avec cet avis.

« Il me semble que ce ne soit que la partie naturellement animale qui ait répondu à ma magie, l'autre moitié, probablement la plus violente, a ardemment combattu le sortilège. Encore un point à discuter avec mes supérieurs… », réfléchit-elle.

Le reste de la journée se passa dans un silence lourd et les Gardiens avancèrent de plus en plus tendus. Le blizzard giflait leur visage et plus ils s'enfonçaient dans la montagne, plus la neige était abondante.

Malgré un petit enchantement druidique de chaleur, Lassik leur avait fait préparer des habits plus chauds expressément pour ce genre de température et ils apprécièrent ses bons conseils. Tout en luttant contre les éléments hivernaux, Miriel se souvint de l'une de leur conversation.

— Je connais bien cette région. Méfiez-vous surtout du froid car c'est un véritable prédateur, lui avait dit le Géant des montagnes.

— Je ferai ma magie de feu, le rassura la jeune fille.

— Ce ne sera pas suffisant petite druidesse, prenez de meilleures précautions.

— Pourquoi ne venez-vous pas avec nous ? Il me semble que ce serait bien plus simple.

Le Maître alchimiste l'avait regardée longuement, avait soupiré mais ne lui avait pas répondu, préférant changer de sujet. Quel était donc son si pénible secret ?

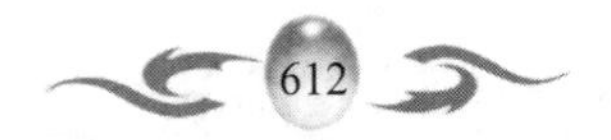

Son fameux médaillon était aussi une option de dernier recours et il n'y avait aucune garantie que les Géants rencontrés fassent partie d'un clan allié. D'un commun accord, ils se dirent qu'il était préférable de passer incognito sur ces terres.

> « Une attaque par un groupe de Géants n'est pas un scénario que je désire envisager, s'avoua Miriel. Tellement de facteurs peuvent influencer ce type de combats ! Même avec Marack, je n'arriverai jamais à planifier une stratégie gagnante, alors aussi bien ne pas prendre de risques inutiles. »

Le soir venu, ils eurent la bonne fortune de dénicher une large fissure formant une petite cachette intéressante. Le groupe se méfiait fortement de toutes les grottes montagnardes et aucun d'entre eux n'aurait voulu y dormir, puisse-t-elle être chaude et confortable. Miriel guérit les quelques engelures aux mains et aux pieds de ses amis et ils s'endormirent recroquevillés les uns contre les autres, sous la sécurisante garde de l'un de leur amis.

Les jours qui suivirent furent un amalgame de jeu de cache-cache avec quelques groupes de Géants des montagnes, d'autres créatures et des grands oiseaux de proie qui auraient bien voulu se servir d'eux comme goûter.

Les compagnons durent aussi à apprendre à enjamber les crevasses vivantes qui cherchaient à avaler certains compagnons. Les failles s'ouvraient inopinément sous leurs bottes et ne se refermaient que longtemps après leur passage. Il semblait même qu'elles avaient des préférences culinaires ! Ainsi, Marack se retrouva souvent se dandinant au bout d'un câble, retenu par le reste du groupe pour se laisser hisser hors de danger. Les compagnons le remontaient patiemment et pouvaient ensuite reprendre leur périlleuse équipée.

Malgré la température et les nombreux dangers, les Gardiens parvinrent finalement à atteindre le flanc sud des montagnes d'Orgelmir.

— Enfin ! Nous allons pouvoir retirer nos fourrures. La température se réchauffe et nous fait découvrir de nouveaux horizons, déclara Marack, ravi de pouvoir se départir de sa pelisse qui le faisait se gratter sans arrêt depuis maintenant plus d'une semaine.

Les compagnons avaient atteint un petit plateau à flanc de falaise et regardaient les vastes étendues vertes se déployant à perte de vue. Encore quelques efforts de descente et ils pénétreraient dans la dense forêt en bas.

— Mon cher Bertmund, dans deux journées, tout au plus, nous allons mettre les pieds sur ton territoire. Tu deviens maintenant notre cicérone[57], lui signifia Miriel souriante.

— Par où allons-nous, guide ? demanda Arafinway en attendant la confirmation d'une direction à emprunter.

— Nous allons avoir besoin de provisions et la ville fortifiée la plus proche d'ici devrait être, selon mes écrits, un avant-poste du nom de Dagfinn, un peu plus au sud-ouest de notre position.

Bertmund montra d'un geste large l'extrémité de la chaîne de montagne où il devait se rendre.

Ils avaient vu ce qu'Ardynyth pouvait faire comme mouvement lorsqu'il avait un message à faire circuler. Pour l'instant, aucun des œufs n'avaient pointé dans une direction en particulier. Ainsi, l'éclaireur prit la tête du groupe et se dirigea vers l'endroit indiqué par le guide de la région.

Les autres compagnons prirent leur ordre de marche respectif et le groupe laissa, visiblement sans regrets, une mince trace de leur passage en ce lieu hostile. Les glaces et la neige effacèrent rapidement leur sillage et la zone retrouva comme seul bruit le hurlement du vent glacial.

> « Les lunes sont presque toutes alignées pour le début d'une nouvelle année, songea la cheffe en scrutant la végétation en rien différente des Terres d'Aezur. Encore une journée et nous pourrons célébrer le Solstice du Renouveau… »

Miriel ressentit un peu de nostalgie en songeant qu'elle raterait la grande fête du *Althing* à Alvikingar. Cependant, elle se consolait car elle était en bonne compagnie et cela compensait amplement.

Elle releva la tête, bien décidée à accomplir sa destinée : leurs quêtes sur les terres du sud pouvaient maintenant commencer.

[57] Cicérone : guide appointé qui explique aux touristes les curiosités d'une ville.

Chapitre 52
Le rituel des esprits

Lorsque les trois lunes furent parfaitement superposées, ne formant qu'une pleine lune extrêmement lumineuse, et que quatre nuits se transformèrent en jours, Dihur s'installa dans son sanctuaire enraciné au cœur du jardin royal. Il positionna des gardes de confiance aux différents points d'accès car il ne voulait pas être dérangé par des curieux ou des espions à la solde de son prédécesseur.

Il entama ensuite le rituel avec les quatre autres druides de son Ordre. Il avait choisi chaque disciple en fonction de ses habiletés envers les éléments représentés sur le pentacle qui avait été tracé sur le sol avec du gros sel.

Chaque fois qu'une composante était requise, l'un des disciples devait la récupérer auprès d'Ajawak et la déposer à l'intérieur de l'une des pointes du pentacle.

Une bougie noire était par la suite allumée pour chacun des objets qui devaient être sacrifiés. Sur la pointe de l'étoile à l'intérieur du cercle de protection, les bougies vacillaient au gré des vents.

Une dernière bougie, complètement rouge, fut placée sur la dernière pointe, devant le grand druide qui exécutait les étapes en restant toujours à l'extérieur du cercle.

À tour de rôle, Dihur demanda qu'on lui apporte chacun des éléments. Au Nord celui de la terre, les métaux précieux. À l'Est celui de l'air, le coffret fermé contenant l'air de la cime d'une montagne. Au Sud, l'élément de feu, les cendres d'un volcan actif et à l'Ouest, l'élément de l'eau, un liquide limpide et pur de la montagne de Cristal, contenu dans à l'intérieur de son coffret étanche.

— J'ai besoin de la tête, maintenant Ajawak ! ordonna le druide.

Le prince empoigna un premier prisonnier et le frappa sur le crâne, juste assez fort pour le rendre inconscient, mais toujours vivant pour la cérémonie. Il déposa sans ménagement la tête de son ennemi sur une grosse bûche de bois et s'élança. D'un simple coup d'une épée gigantesque prise à deux mains, il décapita le disciple de Lönnar.

Il ramassa la tête dégoulinante et la remit à Dihur qui la déposa sur un autel de pierre, à l'intérieur de la cinquième et dernière pointe du pentacle devant lequel il se trouvait.

— Positionnée ainsi devant moi, tu serviras de médium pour communiquer avec les esprits qui seront invoqués. Toutes les questions te seront directement posées et tu y répondras par ta bouche, déclara-t-il d'une voix forte et impressionnante.

En réalité, Dihur ne pouvait poser que cinq questions. Si les éléments invoqués étaient satisfaits des offrandes données en sacrifice, il obtiendrait des réponses. Mais il se garda bien de préciser ce détail.

Le prince croyait toujours que ce rituel était entièrement pour son bénéfice et le druide s'arrangea pour qu'il demeure sur cette impression. De toute façon, il n'y avait que deux réponses qui intéressaient l'héritier : qui avait volé son arme et où se trouvait-elle ? Dihur, de son côté, avait plusieurs interrogations mais il obtiendrait satisfaction seulement pour les trois restantes.

Ce rituel maléfique était très exigeant sur le plan physique et les gouttelettes de sueur perlaient sur son front. Spirituellement exigeant aussi, car il lui fallait maintenir un contrôle sur les esprits qui allaient se manifester. Ce sera un réel combat, un défi que le prince n'aurait pu relever.

Le Premier Vizir avait cependant dit la vérité au prince quant à la fréquence d'utilisation de cette puissante évocation. Elle ne pouvait être employée qu'une seule fois par année, car les dieux des éléments n'appréciaient guère ouvrir un portail vers le monde des esprits.

Ainsi, les sacrifices ont pour but de les encourager et de les contraindre à utiliser une magie qui ne leur est pas familière, inopportune ou trop loin de leur culture.

Après un peu plus de trente minutes, le cercle du pentagramme s'enflamma d'une lumière violacée tandis que les lignes

s'illuminèrent d'un rouge ardent. Les symboles de pouvoir qui avaient été tracés sur le sol semblaient animés d'un cœur qui battait, comme s'ils étaient imbus d'une présence ou d'une force provenant des ténèbres.

Soudainement, chacune des composantes positionnées tout autour du cercle disparurent. Ceci constituait un signe favorable car les offrandes venaient d'être acceptées par les dieux.

Lorsque Dihur ressentit qu'il avait établi un contact avec les esprits via la tête de l'ennemi, il posa la première question, articulée très lentement et de sa voix la plus rauque.

— Esprit de mon ennemi, réponds à ma question : qui détient la hache du commandant Ajawak, prince de Pyrfaras ? Si tu n'as pas la réponse, demande aux âmes de tes frères d'armes qui sont tombées au combat, à leurs amis, aux amis de leurs amis et même à ceux que tu ne connais pas. L'un d'entre eux doit le savoir. Trouve la réponse, tu n'as pas le choix, si tu veux que je libère ton âme. Dans le cas contraire, celle-ci sera tourmentée et tu ne connaîtras jamais le repos.

La bouche de la tête était ouverte mais les lèvres ne bougeaient pas. Soudainement, une voix caverneuse venue d'outre-tombe se fit entendre.

— C'est un guerrier du Nord, un viking, qui détient cette hache, son nom est Marack fils de Marack. Il est le nouveau possesseur de l'arme, il est le nouveau possesseur de Farur, la faucheuse de Géants, reconnue pour terrasser toutes les races de géants.

Ajawak écoutait avec attention et réalisa que son arme était bien plus spéciale qu'il ne l'avait imaginé. C'était une hache magique et elle avait de grands pouvoirs, il se devait de la récupérer.

— Esprit de mon ennemi, réponds à ma deuxième question : où est présentement ce Marack fils de Marack ?

— Il a quitté les Terres d'Aezur et se dirige vers le sud, sud-ouest de l'autre côté des montagnes d'Orgelmir.

Le prince, planté debout légèrement à l'écart du pentagramme, était visiblement satisfait. Lorsque Dihur continua son interrogatoire, il crut que cela était la procédure normale des choses. Ainsi, maintenant que le druide avait posé les deux questions pour lesquelles le prince désirait obtenir une réponse, il questionna pour son compte personnel.

— Esprit de mon ennemi, réponds à ma troisième question : quand vais-je enfin pouvoir m'approprier *La Source* ?

— Pas avant que les trois lunes ne se superposent encore deux fois. À ce moment précis, le nouveau Grand Druide pourra prendra sa place comme Gardien de *La Source*.

— Quoi encore deux années ?

— Oui, deux années.

Dihur venait de s'emporter et avait gaspillé la quatrième question, qui n'en était pas une. Il avait fait l'erreur de la formuler tout haut et l'esprit avait répondu à tout ce qui est demandé. Bouillant de colère contenue, il ne lui restait qu'une seule question et il avait besoin d'en savoir un peu plus sur la pierre rouge.

— Esprit de mon ennemi, réponds à ma cinquième question : dis-moi ce qu'est la pierre rouge qui est maintenant en ma possession ?

— C'est une pierre qui implique un dragon rouge et son nom est Haron.

Le Vizir voulut en savoir encore plus et prit le risque de poser une sixième question. Il espérait secrètement que ses offrandes fussent suffisamment appréciées pour que les éléments lui accordent cette dernière faveur.

— Esprit de mon ennemi, réponds à ma dernière question : comment puis-je contrôler ce dragon rouge afin qu'il me serve ?

L'esprit resta muet. Puis, devant les disciples ébahis, une forme translucide ayant la forme d'un homme se détacha de la tête et s'éleva au-dessus du cercle de protection. Dihur le reconnut aussitôt, il s'agissait d'Eoril, le druide-faucon de Lönnar.

Avec effroi, il put lire dans le faciès diaphane de sa victime, les traits d'un esprit vengeur qui fonça tout droit sur son bourreau. De façon inattendue, le spectre outrepassa les protections qui avaient été mises en place et frappa avec force le visage du demi-géant. La gifle du revers de la main retentit en faisant un écho percutant, puis le halo se dissipa aussitôt.

Sous l'impact de l'attaque, Dihur fut projeté à une douzaine de foulées de distance, bien au-delà du cercle de sel. Toutes les lumières s'éteignirent en même temps, y comprit les chandelles.

Cette cérémonie était définitivement terminée.

Les quatre disciples se ruèrent vers leur Grand Druide pour tenter d'évaluer les blessures. Une fois à ses côtés, ils se rendirent vite compte que celui-ci avait dramatiquement changé.

— Maître, maître, que s'est-il passé, qu'est-ce qu'il vous a fait ?

Ajawak, les bras croisés, regardait le Premier Vizir allongé sur le dos, entouré de ses proches, mais ne bougea pas.

> « J'ai rempli ma part du contrat et j'ai fait l'infâme coursier pour récupérer les fameuses composantes. De son côté, il devait combattre les esprits à ma place et voilà qui est fait. Il n'a que ce qu'il mérite. », songea-t-il en les toisant.

Dihur se releva avec beaucoup de difficultés, mais ce qui était différent, c'était sa personne. L'esprit du druide de Lönnar, dans son état fantomatique, lui avait infligé une blessure épouvantable : il l'avait vieilli prématurément !

Le Premier Vizir avait perdu une trentaine d'années de sa vie et ses nouveaux cheveux gris témoignaient du fait. Même si sa race pouvait survivre facilement 150 ans, il venait d'être privé de ces nombreux mois pour profiter de son futur règne absolu.

Ainsi, les années de vie volées au druide Éoril avaient été détruites également chez Dihur. Il s'agissait d'un châtiment presque balancé, étant donné les circonstances.

> « Je savais que je prenais un risque et la sixième question était de trop. Je n'aurais pas dû m'aventurer aussi loin dans le royaume des ombres. De plus, probablement que ces offrandes n'étaient pas de si bonne qualité, grogna-t-il en se retournant vers le prince, les yeux plein de rage, l'accusant intérieurement d'avoir fait échouer en partie le rituel. J'espère que ses autres prisonniers en vaudront la peine ! »

Ajawak, qui l'observait toujours sans broncher, avait aussi noté l'hématome verdâtre qui s'étendait sur la moitié du visage du Grand Druide. Mais cela ne changeait rien à l'entente qu'il avait avec celui-ci.

— Entame le second rituel, Premier Vizir. Ton combat n'est pas encore terminé avec le monde des esprits.

— Non, Maître, ne tentez pas à nouveau de pénétrer ce monde ! le supplia l'un des disciples. Il n'est pas naturel, je vous en prie, nous devons nous en tenir loin !

Ajawak n'était pas content. Il avait la main sur la poignée de son épée à deux mains et il s'apprêtait à faire comprendre aux quatre serviteurs qu'il était un prince et qu'il avait passé une entente avec le chef spirituel de leur ordre.

— Silence ! imposa Dihur, d'une voix puissante.

Les quatre disciples terrifiés n'osaient plus bouger d'un iota et fixaient leur grand druide.

— J'ai donné ma parole, alors préparez le second rituel.

Dihur alluma magiquement les torchères autour du sanctuaire. Voyant que ses disciples demeuraient de marbre, il leur donna un petit incitatif.

Il invoqua son incantation favorite et la lança sur l'un des disciples. Le serpent de feu entoura sa victime et la consuma en entier. Il ne resta qu'un monticule de cendres lorsque Dihur arrêta son enchantement.

> « Celui-là m'était dorénavant inutile, songea-t-il, et cela fait toujours de bons exemples. D'ailleurs, je n'ai besoin que de trois druides pour compléter le second rituel. »

L'incitatif fut suffisant pour faire bouger les effectifs restant. Dihur se pencha et ramassa une poignée de cendre à l'endroit où se tenait, il y a quelques instants, l'un de ses disciples.

— Fils d'Arakher, donne-moi la main du voleur afin que j'en termine avec ma promesse.

Le grand druide n'était pas d'humeur à prolonger inutilement ce rituel. Il avait beaucoup d'autres choses à considérer suite aux renseignements dévoilés par les esprits.

Ajawak s'en alla au fond du jardin où étaient alignés les trois derniers prisonniers et deux gardes sottecks. Il saisit le Mourskha par le bras et l'avança vers la lumière. Il retira sa dague de la longueur d'une épée courte et coupa sans façon la main du voleur. Malgré le bâillon, le pauvre bougre hurla vivement son infortune et se contorsionna de douleur sur le sol.

Le prince héla le garde.

— Retirez-le de ma présence et appliquez la sentence réservée aux voleurs !

— Oui, votre altesse, ce sera fait immédiatement selon vos ordres.

Puis le prince se ravisa.

— Non, pas tout de suite, seulement dans quelques heures, s'il est toujours en vie à ce moment. Je ne voudrais pas que le rituel soit un échec si vous écourtez sa vie immédiatement.

La main fut placée dans le milieu du pentacle ainsi que le collier confectionné par Svelfri et ses apprentis, les gnomes artisans.

Avec l'aide de ses trois disciples, très attentifs aux moindres directives de leur maître, Dihur conjura quatre autres éléments de plus faible statut. Le pentacle s'enflamma à nouveau, signifiant que la magie opérait et que le rituel venait de débuter.

Le Grand Druide savait qu'obtenir l'aide d'un seul esprit à la fois était un peu moins risqué et ne nécessitait pas autant de sacrifices que le précédent rituel.

— Bile, dieu celte des enfers, laisse-moi t'emprunter l'un de tes esprits et accepte celui que je te fais parvenir.

Il projeta la poignée de cendres qu'il détenait en direction du cercle de protection. Celles-ci prirent très brièvement la forme du défunt disciple qui semblait manifester sa terreur. Instantanément, une gigantesque main ténébreuse l'attrapa puis l'entraîna au milieu de la zone d'enchantement.

— Consommé par le feu, retournant en tourments dans les flammes de l'enfer !

Dihur se sentait poétique face à la scène qu'il venait de créer. Ajawak s'était rapproché pour mieux voir mais demeurait sur ses gardes, littéralement hypnotisé par les prouesses machiavéliques du Premier Conseiller du Roi.

— Valefor, duc des démons, patron des voleurs, laisse-moi choisir parmi tes fidèles un esprit qui saura me servir.

Lorsque Dihur fut satisfait de l'esprit qu'il avait pu retracer en échange de l'âme de son défunt disciple, il lui ordonna d'intégrer la main du voleur.

— Retiens bien ceci, âme emprisonnée, tu ne seras libérée que lorsque le porteur du collier sera en présence du nom qu'il te sera demandé de retracer.

L'esprit malveillant ainsi récupéré contre son gré tentait vainement de sortir du pentagramme, mais aucune faille n'était présente dans le cercle de protection. Il n'y avait malheureusement aucune autre issue. Il dût obéir et intégra la main du voleur.

— Guide le porteur, afin de retrouver Marack Fils de Marack, celui qui détient la hache nommée Farur.

Une fois que l'esprit eut terminé d'intégrer complètement la main, le cercle s'illumina d'une couleur ambre, puis s'éteignit très lentement. Le rituel était complété, la possession de la main avait été accomplie.

Il prit la main raidie par la mort et la fixa au collier, puis tendit celui-ci à Ajawak.

— Chaque jour lorsque le soleil se lèvera, prononce la phrase suivante : *voleur pointe-moi la direction de celui qui m'a détroussé !* À ce moment, la main t'indiquera la route que tu dois emprunter. Tu ne pourras demander cette question qu'une seule fois par jour, le matin au lever du soleil.

« Et maintenant, prince, tu m'es hautement redevable… se réjouit intérieurement le druide. »

Ajawak prit le collier et le mit immédiatement autour de son cou.

— De plus, ajouta Dihur, si tu veux te risquer à le faire plus d'une fois par jour, je te mets en garde contre les représailles du monde des ombres. Je n'ai pas tenu compte de ces consignes et regarde ce qui m'est arrivé.

Le Vizir sortit une petite dague à deux lames de sa ceinture et coupa une petite pointe de ses cheveux gris. Il l'éparpilla ensuite en poussière sur l'épaule du prince pour qu'il se souvienne.

Le prince n'était pas patient, mais cette mise en garde fut suffisante pour le convaincre de respecter les limites de l'enchantement.

Il regarda le Premier Conseiller du Roi et Grand Druide de l'Ordre des Quatre Éléments droit dans les yeux et déclara d'une voix lugubre et déterminée :

— Demain matin, la chasse au Marack fils de Marack est officiellement ouverte !

À suivre…

Et vous,

Quel oeuf de Dragon

choisirez-vous

comme allié ?

Retrouvez des informations
sur les personnages,
les créatures, les œufs de dragons
et les produits dérivés

www.Seyrawyn.com

Marquis imprimeur inc.

Québec, Canada
2012